ZWARTE WIND

Clive Cussler
en
Dirk Cussler

ZWARTE WIND

the house of books

Vijfde druk 2010

Oorspronkelijke titel
Black Wind
Uitgave
G.P. Putnam's Sons, New York

Vertaling
Pieter Verhulst
Omslagontwerp
Jan Weijman
Omslagillustratie
Craig White
Foto auteur
John DeBry
Opmaak binnenwerk
ZetSpiegel, Best

ISBN 978 90 443 2779 3
D/2006/8899/152
NUR 332

In herinnering aan mijn moeder, Barbara, wier liefde, meeleven,
vriendschap en aanmoedigingen heel erg gemist worden
door allen die haar gekend hebben.
D.E.C.

Dankbetuiging

Met veel waardering en dankbaarheid voor Scott Danneker, Mike Fitzpatrick, Mike Hance en George Spyrou van Airship Management Services, die ons lieten delen in de wonderlijke wereld van het vliegen met luchtschepen.

En dank aan Sheldon Harris, wiens boek *Factories of Death* hielp de deur te openen naar de verschrikkingen van de biologische en chemische oorlogvoering tijdens de Tweede Wereldoorlog en haar duizenden vergeten slachtoffers.

MAKAZE

Onderzeeboot *I-403* van de Keizerlijke Japanse Marine en drijvervliegtuig van het type Aichi Seiran

12 december 1944
Marinebasis Kure, Japan

Luitenant-ter-zee der eerste klasse Takeo Ogawa keek op zijn horloge en schudde geërgerd zijn hoofd.

'Al een halfuur na middernacht,' mompelde hij verstoord. 'Drie uur te laat, en we wachten nog steeds.'

Een jonge korporaal staarde met van slaapgebrek glazige ogen naar zijn superieur en knikte even, zonder iets te zeggen. De twee mannen stonden op de commandotoren van de onderzeeboot *I-403* van de Japanse Keizerlijke Marine en tuurden over de kade, speurend naar een teken dat er iets naderde. Voorbij de uitgestrekte marinehaven twinkelden de nachtelijke lichtjes in de verte, waar de schilderachtige Japanse stad Kure lag. Een lichte motregen daalde neer, wat het late uur een naargeestige stilte gaf, al werd die stilte verdreven door geluiden in de verte van klinkhamers, hijskranen en lasapparaten. De reparatie van door de vijand beschadigde schepen en de bouw van nieuwe oorlogsbodems gingen het hele etmaal door, in een gejaagde poging de verzwakkende oorlogsinspanningen te steunen.

Plotseling echode het ronken van een dieseltruck over het water en dat geluid werd luider toen het voertuig de onderzeeboot naderde. Even later kwam om de hoek van een bakstenen loods een leisteengrijze Isuzu-truck in zicht die schommelend verder reed over de kade. De chauffeur reed behoedzaam naar de plek waar de onderzeeboot afgemeerd lag. De man kon in het licht van de grotendeels afgeschermde koplampen amper de kaderand onderscheiden. De truck kwam met snerpend protesterende remmen tot stilstand bij de loopplank.

Even was het stil, maar toen sprongen zes zwaarbewapende soldaten uit het laadruim en gingen in een halve cirkel waakzaam om de truck staan. Terwijl Ogawa van de commandotoren naar de kade liep, merkte hij dat een van de soldaten een wapen op hem richtte. Dit waren geen gewone soldaten van het keizerlijke leger, besefte hij, maar elitetroepen van de gevreesde Kempei Tai, de militaire politie.

Twee mannen in uniform stapten uit de cabine en liepen naar Ogawa. Zodra Ogawa zag dat een hogergeplaatste tegenover hem stond, sprong hij in de houding en salueerde stram.

'Ik heb op u gewacht, kapitein,' zei Ogawa, met een ondertoon van irritatie.

Kapitein-ter-zee Miyoshi Horinouchi negeerde de brutaliteit. Als stafofficier van de Zesde Vloot had hij wel belangrijker zaken aan zijn hoofd. De Japanse onderzeebootvloot werd langzaam uitgedund in de Grote Oceaan, en de keizerlijke marine had geen antwoord op de methoden van onderzeebootbestrijding die de Amerikaanse marine gebruikte. Wanhopige zeegevechten van de Japanse onderzeeboten tegen een overweldigende overmacht eindigden telkens weer met het verlies van schepen en bemanning, en dat drukte zwaar op Horinouchi. Zijn kortgeknipte haar was vroegtijdig grijs geworden en zorgelijk diepe lijnen stonden als droge rivierbeddingen op zijn gezicht getekend.

'Commandant, dit is dr. Hisaichi Tanaka, van de militaire medische academie. Hij zal u vergezellen op uw missie.'

'Kapitein, het is niet gebruikelijk dat er passagiers meegaan tijdens een patrouille,' antwoordde Ogawa, de kleine bebrilde man naast Horinouchi negerend.

'Uw instructies om naar de Filippijnen te varen zijn ingetrokken,' antwoordde Horinouchi, en hij overhandigde Ogawa een bruine map. 'Dit zijn de nieuwe orders. U neemt dr. Tanaka en zijn materiaal aan boord en volgt de instructies om de vijand aan te vallen onmiddellijk op.'

Ogawa keek even naar een van de bewakers, die een Duits Bergmann MP34-machinepistool in zijn richting liet wijzen, en hij herhaalde: 'Dit is hoogst ongebruikelijk, kapitein.'

Horinouchi maakte een hoofdbeweging opzij en liep een paar passen naar rechts. Ogawa volgde hem, tot ze buiten het gehoor van Tanaka waren. Horinouchi sprak met zachte stem.

'Ogawa, onze oppervlaktevloot is vernietigd in de Golf van Leyte. We rekenden op een beslissende slag om de Amerikanen tegen te houden, maar in plaats daarvan werden onze eigen strijdkrachten verslagen. Het is alleen een kwestie van tijd voordat alle strijdkrachten die we nog hebben worden ingezet voor de verdediging van het vaderland.'

'Wij zullen de Amerikanen met veel bloed laten boeten,' zei Ogawa bits.

'Zeker, maar het is een feit dat ze de wil hebben te overwinnen, hoe groot de verliezen ook zijn. De slachting onder ons volk zal afschuwelijk zijn.' Horinouchi bedacht dat zijn eigen familie ook opgeofferd kon worden en hij zweeg even.

'Het leger heeft onze steun gevraagd voor een gewaagde operatie,' vervolgde hij. 'Dr. Tanaka werkt bij Eenheid 731. U moet hem en zijn materiaal naar de andere kant van de oceaan brengen en daar een aanval ondernemen op het Amerikaanse vasteland. U moet onopgemerkt blijven en tijdens de vaart uw boot tot elke prijs beschermen. Als die opdracht slaagt, Ogawa, dan zullen de Amerikanen moeten buigen en genoodzaakt zijn een wapenstilstand te sluiten. Dan blijft ons vaderland gespaard.'

Ogawa was verbluft door wat hij hoorde. Zijn collega's, de andere commandanten, probeerden vooral defensief te strijden om de restanten van de oppervlaktevloot te beschermen, en nu werd van hem gevraagd alleen naar de andere kant van de Grote Oceaan te varen en een aanval uit te voeren die een einde zou maken aan de oorlog. Het klonk belachelijk, maar hij kreeg de orders van een hoge vlootofficier, midden in de nacht.

'Ik ben zeer vereerd met uw vertrouwen, kapitein Horinouchi. En wees ervan overtuigd dat mijn officieren en bemanning de eer van de keizer hoog zullen houden. Maar mag ik vragen wat voor materiaal dr. Tanaka bij zich heeft?' Ogawa keek zijn superieur vragend aan.

Horinouchi staarde met een afwezige blik enkele seconden lang over het water van de baai.

'*Makaze*,' mompelde hij zacht. 'Een boosaardige wind.'

Onder het toeziend oog van dr. Tanaka werden een stuk of zes langwerpige houten kratten door de Kempei Tai-bewakers voorzichtig naar de voorste torpedokamer van de *I-403* gedragen en stevig vastgezet. Ogawa gaf opdracht de vier dieselmotoren van de onderzeeboot te starten en de meertouwen los te gooien. Om halftwee 's nachts zwenkte de stalen voorsteven van de boot langzaam naar de inktzwarte haven en gleed nagenoeg geluidloos langs enkele andere onderzeeboten die langs de kade afgemeerd lagen. Ogawa zag verbaasd dat Horinouchi zwijgend in de donkere vrachtauto op de kade zat, kennelijk wachtend tot de *I-403* helemaal uit het zicht verdwenen was.

Traag voer de onderzeeboot langs de loodsen en dokken van het grote haventerrein en naderde even later een massieve donkere schaduw, afstekend tegen de duisternis erachter. Afgemeerd in een reparatiedok torende het enorme slagschip *Yamato* als een dreigend monster boven de onderzeeboot uit. Met zijn zware 35cm-kanonnen en de dikke bepantsering was de *Yamato* de meest gevreesde oorlogsbodem. Ogawa keek met ontzag naar de lijnen en bewapening van het grootste slagschip ter wereld en voelde even iets van medelijden met het gevaarte. Hij vreesde dat de *Yamato*, evenals het zusterschip de *Musashi*, dat kortgeleden bij de Filippijnen tot zinken was gebracht, ook voor het einde van de oorlog op de zeebodem zou rusten.

Langzaam verdwenen de lichtjes van Kure, terwijl de onderzeeboot een bochtige route volgde langs enkele grotere eilanden, om dan verder te varen over de Seto Binnenzee. Ogawa gaf orders de snelheid te vergroten zodra de uitlopers van de bergachtige eilanden achter hem lagen. Het eerste fletsgrijze licht van de naderende dageraad kleurde de oostelijke hemel. Terwijl hij in de commandotoren de koers noteerde met de navigator van de *I-403*, kwam de dienstdoende officier naar boven.

'Hete thee, commandant,' zei luitenant Yoshi Motoshita en hij reikte een klein kopje aan. Motoshita was een magere, hartelijke man, en hij wist zelfs om vijf uur in de ochtend een grijns op zijn gezicht te brengen.

'Ja, dankjewel,' antwoordde Ogawa afgemeten, voordat hij een slok nam. De hete drank was een welkom middel tegen de kille decemberlucht en Ogawa dronk zijn thee snel op.

'De zee is ongewoon kalm,' merkte Motoshita op.

'Prima weer om te vissen,' antwoordde Ogawa peinzend. Als zoon van een visser was Ogawa opgegroeid in een klein dorpje op het zuidelijke eiland Kyushu. Gewend aan het harde bestaan op zee was Ogawa ondanks zijn bescheiden afkomst geslaagd voor de zware toelatingsexamens voor Etajima, de Japanse marineacademie. En na zijn opleiding voelde hij zich aangetrokken door de onderzeedienst, die voor de oorlog sterk werd uitgebreid. Voordat hij in het najaar van 1943 het commando kreeg over de *I-403* had hij al op twee andere boten gevaren. Onder zijn bevel had de *I-403* een stuk of zes koopvaardijschepen tot zinken gebracht, en bij de Filippijnen ook een Australische torpedobootjager. Ogawa werd gezien als een van de beste onderzeebootcommandanten van de snel slinkende onderwatervloot.

'Yoshi, zodra we bij de zeestraat komen varen we in een zigzagpatroon, en we duiken voordat we het vasteland achter ons laten. We kunnen geen risico nemen met vijandige onderzeeboten die voor onze kust patrouilleren.'

'Ik zal de bemanning waarschuwen, commandant.'

'En dr. Tanaka. Kijk even of bij hem alles naar wens is.'

'Ik heb hem mijn hut aangeboden,' zei Motoshita met een gekwelde blik. 'Te oordelen aan de stapels boeken die hij heeft meegenomen, denk ik dat hij ons niet in de weg zal lopen.'

'Heel goed,' antwoordde Ogawa, en hij vroeg zich zwijgend af wat deze ongewenste passagier voor man was.

Een paarse zon kroop boven de oostelijke horizon. De *I-403* koerste naar het zuiden weg van de Binnenzee en naar Straat Bungo, een zeestraat boven Kyushu, het zuidelijke Japanse eiland, die leidde naar de Grote Oceaan. Een gehavende grijze torpedobootjager kwam de onderzeeboot tegemoet, op weg naar de haven. Het schip helde zwaar en overal in de romp en de opbouw waren grote gaten te zien: het gevolg van een harde confrontatie met een paar Hellcats van de Amerikaanse marine. Op de onderzeeboot verdrongen enkele jonge officieren zich in de commandotoren om een laatste glimp op te vangen van hun groene vaderland, zoals elke zeeman die vertrekt voor de strijd, ongewis of ze ooit weer thuis zouden komen.

Toen de uitkijk de toegang tot de oceaan in zicht kreeg, gaf Ogawa opdracht te duiken. Een alarmbel rinkelde luid en de bemanning maakte haastig het dek in orde, waarna alle luiken werden gesloten.

'Duiken tot vijftien meter diepte,' beval Ogawa vanaf de brug.

Grote ballasttanks stroomden vol zeewater en de trimvlakken kantelden naar voren. Met een schuimende golf over de boeg dook de neus van de *I-403* naar beneden. De onderzeeboot was even later geheel onder het troebele groene zeewater verdwenen.

In het diepe water van de oceaan, dicht bij Straat Bungo, loerden agressieve Amerikaanse onderzeeboten op koopvaardijschepen en oorlogsbodems die op weg waren naar de marinebasis Kure. Het kwam voor dat onderzeeboten een tweegevecht begonnen, maar Ogawa wilde geen gemakkelijke prooi zijn. Hij verlegde de koers van de *I-403* snel naar het noordoosten, weg van het drukke scheepvaartverkeer dat vanwege de oorlog onderweg was naar de Filippijnen.

Zoals de meeste onderzeeboten in die tijd werd de *I-403* aangedreven door diesel- en elektromotoren. Overdag voer de *I-403* onder water, voortgestuwd door elektromotoren, met een trage vaart van zes zeemijl per uur. Maar onder de dekking van de duisternis kwam de *I-403* aan de oppervlakte, dan werden de dieselmotoren gestart en haalde de boot een snelheid van meer dan achttien knopen. Gelijktijdig werden dan de accu's opgeladen. Maar de *I-403* was geen gewone onderzeeboot. Met een lengte van ruim 130 meter behoorde de *I-403* tot een van de weinige onderzeeboten van de Sen toku-klasse, het grootste type dat er ooit gebouwd was. Het grote stalen vaartuig had een waterverplaatsing van meer dan 5200 ton en werd voortbewogen door vier dieselmotoren van 7700 pk. Maar het meest bijzondere was dat er vliegtuigen aan boord waren. De *I-403* kon drie Seiran-watervliegtuigen meevoeren. Deze kleine toestellen waren omgebouwde duikbommenwerpers en ze werden met een katapult vanaf het voordek gelanceerd. Tijdens de vaart op zee werden de vliegtuigen gedemonteerd en opgeslagen in een dertig meter lange waterdichte hangar die geïntegreerd was in de commandotoren en uitkwam op het dek. Door gebrek aan vliegtuigen had Ogawa een van zijn watervliegtuigen moeten afstaan voor de kustverdediging, en dus waren er nu slechts twee Seiran-toestellen aan boord.

Toen de *I-403* veilig onder het water van de oceaan voer, trok Ogawa zich terug in zijn hut. Hij herlas de korte instructies die Horinouchi hem voor deze missie meegegeven had. De orders waren dat hij een noordelijke route over de Grote Oceaan moest volgen, met een tussenstop om bij te tanken bij de Aleoeten. Daarna moest hij verder varen naar de noordwestkust van de Verenigde Staten, waar de twee watervliegtuigen aanvallen moesten uitvoeren op de steden Tacoma, Seattle, Victoria en Vancouver.

Dit leek een zinloze actie, dacht Ogawa. Japan had de onderzeeboten dringend nodig om de zee rond het eigen land te verdedigen, in plaats van kleine aanvallen te doen met twee watervliegtuigjes. Maar dan was er ook nog de rol van dr. Tanaka en zijn geheimzinnige bagage.

Ogawa ontbood Tanaka naar zijn hut, en de passagier maakte een elegante buiging voordat hij de kleine ruimte betrad en aan een houten tafeltje ging zitten. De tengere geleerde had een sluw gezicht dat hij volkomen in de plooi hield. Zijn holle zwarte ogen werden vergroot door dikke brillenglazen, wat zijn uiterlijk nog extra sinister maakte.

Zonder beleefdheden uit te wisselen, begon Ogawa meteen over de reden van Tanaka's aanwezigheid aan boord.

'Dr. Tanaka, ik heb schriftelijke instructies gekregen om naar de kust van Noord-Amerika te varen en daar een luchtaanval uit te voeren op vier steden. Er staat echter niets vermeld over uw taak en evenmin over de lading die u aan boord hebt gebracht. Daarom moet ik u vragen wat uw rol in deze missie is.'

'Commandant Ogawa, u kunt ervan uitgaan dat mijn taak hier is opgedragen door de hoogste autoriteiten,' antwoordde Tanaka met monotone stem. 'Ik zal technische assistentie verlenen bij de luchtaanvallen,' voegde hij eraan toe.

'Dit is een oorlogsbodem. Ik begrijp niet hoe een medisch officier kan meewerken aan een luchtaanval,' protesteerde Ogawa.

'Commandant, ik maak deel uit van de studiegroep Militaire Epidemische Preventie. Wij hebben materialen gekregen van een researchlaboratorium in China, en daarmee hebben we een effectief wapen ontwikkeld tegen de vijand. Uw onderzeeboot is uitgekozen als vaartuig om dat nieuwe wapen voor het eerst tegen de Amerikaanse troepen in te zetten. Ik ben verantwoordelijk voor de veiligheid en het gebruik van dat wapen tijdens deze missie.'

'En die "materialen", worden die met mijn vliegtuigen afgeworpen?'

'Ja. In speciale houders die door uw bommenwerpers vervoerd kunnen worden. Ik heb de nodige afspraken al gemaakt met uw vliegtuigbemanning.'

'En mijn mensen? Lopen die gevaar met dat materiaal hier aan boord?'

'Absoluut niet.' Het gezicht van Tanaka bleef ondoorgrondelijk bij deze leugen.

Ogawa geloofde het niet, maar hij vermoedde dat de onderzeebootbestrijdingsdienst van de Amerikaanse marine een groter gevaar vormde voor zijn schip dan welk materiaal ook dat aan boord was. Ogawa probeerde meer te weten te komen, maar de legerarts gaf nauwelijks nog details meer prijs. Waaruit het geheim van het wapen bestond hield hij voor zich. Er was iets onheilspellends aan deze man, vond Ogawa, en dat bezorgde hem een onrustig gevoel. Nadat ze snel een kop thee hadden gedronken, stuurde hij de griezelige geleerde weg. Alleen achtergebleven in zijn hut, vervloekte Ogawa in stilte de legerstaf, omdat juist zijn schip was uitgekozen voor deze taak. Dit was een missie die hij helemaal niet wilde uitvoeren.

Het schaarse scheepvaartverkeer van koopvaarders en vissersboten verdween al spoedig toen het Japanse eiland achter het kielzog van de onderzeeboot verdween en het vaartuig zich verder werkte naar noordelijke breedtegraden. De volgende twaalf dagen en nachten zou de bemanning het normale vaarschema volgen, door 's nachts aan de oppervlakte te varen met grotere snelheid, steeds met de boeg naar het noordoosten gericht. De kans opgemerkt te worden door een vliegtuig of een schip van de geallieerden was in de noordelijke oceaan kleiner, maar Ogawa nam geen enkel risico en voer tijdens daglicht onder water. Als het schip zich onder de golven voortbewoog, werd het binnen gloeiend heet voor de mannen. De temperatuur kon door de warmte van de machines oplopen tot 35 graden en de lucht werd steeds bedompter naarmate de uren verstreken. Iedereen keek uit naar de schemering, omdat de onderzeeboot dan eindelijk weer aan de oppervlakte kwam, de luiken werden geopend en het muffe ruim met verse, koele zeelucht werd geventileerd.

Aan boord van onderzeeboten heerste geen strikte militaire hiërarchie, zelfs niet bij de Japanse marine, en dus ook niet in de *I-403*. Officieren en dienstplichtige matrozen gingen ontspannen met elkaar om, ze deelden dezelfde maaltijden en leden dezelfde ontberingen in het benauwde interieur. De *I-403* had al drie keer aanvallen met dieptebommen doorstaan, en deze hachelijke ervaringen hadden een hechte band gesmeed tussen alle opvarenden. Ze waren overlevenden in een dodelijk kat-en-muisspel, en ze hadden allemaal het gevoel dat de *I-403* een geluksschip was dat de vijand kon weerstaan.

Tijdens de veertiende nacht kwam de *I-403* aan de oppervlakte bij het Aleoeten-eiland Amchitka, en al spoedig werd het bevoorradingsschip gezien. De *Morioka* lag voor anker in een kleine beschutte baai. Ogawa liet zijn boot behoedzaam langszij het grote vrachtschip manoeuvreren en er werden meertouwen overgegooid. Terwijl er dieselolie werd overgepompt in de brandstoftanks, maakten bemanningsleden aan dek van beide schepen grappen in de vrieskou.

'Zitten jullie niet een beetje krap in dat sardineblik?' vroeg een gespierde zeeman bij de reling.

'Nee hoor, we hebben ruimte zat voor ons ingeblikte fruit, kastanjes en sake!' riep een matroos terug, pochend over de betere kwaliteit proviand aan boord van onderzeeboten.

Het bijtanken was na drie uur klaar. Een bemanningslid van de onderzeeboot bleek acute blindedarmontsteking te hebben en werd voor medische behandeling naar het bevoorradingsschip overgebracht. Nadat de mannen van het grote schip als dank een doos versnaperingen hadden gekregen, werden de trossen losgegooid en voer de *I-403* verder in oostelijke richting naar Noord-Amerika. De hemel werd geleidelijk zwart en op het grijsgroene zeewater verschenen schuimkoppen toen de *I-403* overvallen werd door een winterse storm. De onderzeeboot werd drie nachten lang hevig heen en weer geslingerd, golven braken op het dek en sloegen tegen de commandotoren terwijl getracht werd de accu's bij te laden. Een matroos op de uitkijk spoelde bijna weg in het ijzige water en zelfs ervaren bemanningsleden kregen last van zeeziekte. Maar de harde westelijke wind was een steun in de rug en duwde de boot door de hoge deining, zodat de reis sneller verliep dan gepland.

Geleidelijk nam de storm in kracht af en de golven werden vlakker. Ogawa was tevreden dat zijn vaartuig de beukende kracht van moeder Natuur zonder schade had doorstaan. De beproefde bemanning hervond haar zeebenen en de stemming verbeterde toen de zee tot bedaren kwam en de onderzeeboot het vijandelijke land naderde.

'Commandant, ik heb de koers naar de kust uitgezet,' zei Seiji Kakishita terwijl hij voor Ogawa een kaart van de noordoostelijke Grote Oceaan uitrolde. De navigator van de *I-403* had zich, zoals veel bemanningsleden, niet meer geschoren sinds het vertrek uit de haven, zodat nu een sprietig sikje zijn kin sierde. Hij leek daardoor wel op een cartoonfiguur.

'Wat is onze positie nu?' vroeg Ogawa, terwijl hij de kaart bestudeerde.

'Hier,' wees Kakishita, wijzend met een passer naar een plek op de kaart. 'Ongeveer tweehonderd kilometer ten westen van Vancouver Island. Het is nog twee uur donker, dus we kunnen bij het aanbreken van de dag op honderdvijftig kilometer van het land zijn, als we deze koers aanhouden.'

Ogawa tuurde aandachtig naar de zeekaart en het duurde even voor hij weer sprak. 'We zijn te ver naar het noorden. Ik wil de aanval inzetten vanaf een punt dat centraal ligt ten opzichte van de vier doelen, zodat de vliegtuigen zo kort mogelijk in de lucht zijn. Zet een zuidelijke koers uit, dan moeten we de kustlijn híer naderen.' Hij wees naar de kaart. Onder zijn vingertop lag de noordwestelijke punt van de staat Washington, een hoekige landtong, als een hongerige hondenkop in de oceaan uitstekend. Even ten noorden van die plek bevond zich de Straat van Juan de Fuca, een natuurlijke grens met British Columbia. Die zeestraat was ook de belangrijkste route voor het scheepvaartverkeer van Vancouver en Seattle naar de Grote Oceaan.

Kakishita zette snel een nieuwe route uit op de kaart en berekende de afstanden opnieuw. 'Commandant, ik heb uitgerekend dat we over tweeëntwintig uur kunnen arriveren op een positie die vijftien kilometer uit de kust ligt, gemeten vanaf Cape Alava.'

'Uitstekend, Kakishita,' antwoordde Ogawa tevreden en hij keek snel naar de scheepsklok. 'Dan hebben we ruim de tijd om vóór de dageraad met de aanval te beginnen.' De timing was goed gekozen. Ogawa wilde zo min mogelijk tijd doorbrengen in drukbevaren wateren, waar ze het risico liepen opgemerkt te worden voordat ze de aanval waren begonnen. Alles leek op zijn plaats te vallen, dacht hij. Met een beetje geluk zouden ze over iets meer dan een etmaal na een geslaagde missie alweer op weg naar huis zijn.

Het gonsde van activiteit aan boord van de *I-403* toen de onderzeeboot die avond weer aan de oppervlakte kwam om alles gereed te maken voor de luchtaanval. Mecaniciens haalden de romp, vleugels en drijvers van de watervliegtuigen aan dek en zetten alle onderdelen in elkaar alsof het reusachtig speelgoed was. Matrozen maakten de katapult gereed, waarna het apparaat, nog voor de vliegtuigen gelanceerd zouden worden, werd getest. De piloten bestudeerden de topografische kaarten van het gebied aandachtig, ze zetten hun koers uit voor de bombardementsvlucht en hun terugkeer. En een stuk of wat monteurs pasten onder het toeziend oog van dr. Tanaka de bommenrekken van de vliegtuigen zodanig aan dat de twaalf zilverkleurige houders meegevoerd konden worden die nog steeds in de voorste torpedokamer opgeslagen lagen.

Tegen drie uur in de ochtend was de *I-403* onopgemerkt tot het punt voor de kust van Washington genaderd. Het motregende licht en de zes uitkijkposten die Ogawa aan dek had opgesteld tuurden door de heiige nachtlucht naar vijandelijke schepen. Ogawa zelf beende op de brug nerveus heen en weer, wachtend tot de vliegtuigen zouden vertrekken, zodat hij de onderzeeboot weer snel onder de beschermende golven kon laten duiken.

Een uur verstreek, toen kwam een gezette man in een met olievlekken besmeurde overall schuchter naar Ogawa.

'Commandant, het spijt me, maar we hebben problemen met de vliegtuigen.'

'Wat is er dan mis?' reageerde Ogawa geërgerd.

'Toestel 1 heeft een defecte magneetontsteker. Die moet vervangen worden, anders kan de motor niet starten. En toestel 2 heeft een beschadigd trimvlak, waarschijnlijk door schuiven tijdens de storm. Maar dat kunnen we ook repareren.'

'En hoelang gaat dat allemaal duren?'

De mecanicien keek even omhoog en dacht na voor hij antwoordde. 'De reparatie duurt ongeveer een uur, commandant. En nog twintig minuten voor het transport van de bommenlading uit het ruim.'

Ogawa knikte grimmig. 'Schiet op dan.'

Het uur verstreek, en na twee uur waren de vliegtuigen nog niet gereed. Ogawa werd steeds ongeduldiger toen hij de grijze strepen aan de horizon zag, een teken dat de dageraad aanbrak. De motregen was opgehouden en nu was het alleen mistig rond de onderzeeboot. Het zicht was minder dan zeshonderd meter. We zijn een makkelijke prooi, dacht Ogawa, maar gelukkig niet goed te zien.

De ochtendstilte werd ruw verbroken door een kreet van de sonarofficier benedendeks.

'Commandant! Ik heb een echo!'

'Deze keer heb ik je, Big Brother!' schreeuwde Steve Schauer in de radiozender. Hij grijnsde en duwde de twee gashendels helemaal naar voren. Naast hem, in de benauwde stuurhut van de vistrawler, keken twee jonge knapen, vermoeid en stinkend naar vis, elkaar met rollende ogen aan. Schauer negeerde hun blik en draaide aan het houten stuurwiel van de vissersboot, terwijl hij een oud drinklied begon te fluiten.

Ze waren jeugdige veertigers, Steve en Doug Schauer, en ze hadden hun hele leven al gevist in de wateren van Puget Sound. Met vakmanschap en hard werken hadden ze al hun spaargeld besteed aan steeds grotere vissersboten, tot ze die konden inruilen voor een paar gelijkwaardige zestien meter lange vistrawlers. Ze vormden een team en visten met succes voor de kust van Washington en Vancouver. Ze hadden een goede neus voor het opsporen van grote scholen heilbot. Na drie dagen varen, de ruimen vol vis en de koelkasten zonder bier, probeerden de twee broers als eersten weer terug te zijn in de haven, als kinderen die een rolschaatswedstrijd houden.

'Het is pas afgelopen als de verf langs de kade schraapt,' kraakte Dougs stem uit de boordradio. Na een buitengewoon goede vangst in het seizoen 1941 hadden de broers geld besteed aan twee marifoons. Al waren die toestellen bedoeld om elkaar te helpen bij het aan boord halen van de vangst, ze werden de meeste tijd gebruikt om elkaar te jennen.

Terwijl Schauers boot op een topsnelheid van twaalf knopen voer, werd de hemel langzaam lichter, en het zoeklicht dat vanaf de boeg naar voren scheen verbleekte steeds meer. Voor hem, in de nevel, zag Schauer het vage silhouet van een groot voorwerp, laag in het water. Een ogenblik later was er een oranje flits boven het midden van de donkere schim te zien.

'Is dat een walvis, daar over stuurboord?' Schauer had de woorden amper uitgesproken of een snerpend gefluit suisde langs de stuurhut, gevolgd door een explosie als een vulkaanuitbarsting die hoog uit het water aan bakboord oprees, zodat de vistrawler een stortbui van zeewater over zich heen kreeg.

Schauer stond even verbluft, niet in staat te begrijpen wat er voor zijn ogen en oren gebeurde. Zodra hij de tweede oranje flits zag, kwam hij meteen in actie.

'Ga liggen!' schreeuwde hij naar de twee anderen in de hut en hij draaide razendsnel het stuurwiel naar bakboord. De volgeladen trawler reageerde traag, maar snel genoeg om de tweede granaat die door het 12cm-boordgeschut op de *I-403* werd afgevuurd te ontwijken. Het projectiel belandde snerpend in het water naast de vissersboot. De kracht van deze explosie tilde de trawler boven het water uit, waarna het met een smak terugviel, waarbij het roer afbrak.

Schauer veegde het uit een diepe snijwond aan zijn slaap afkomstige bloed uit zijn ogen en graaide naar de microfoon van de marifoon.

'Doug, we hebben hier een Japanse onderzeeër. Ze proberen ons op te blazen. Dit is geen geintje. Vaar naar het noorden en vraag om hulp!'

Hij praatte nog toen een derde projectiel doel trof en het voorste ruim van de vissersboot doorboorde, om vervolgens uit elkaar te spatten. Een vurige explosie van houtsplinters, glasscherven en flarden heilbot joeg door de stuurhut, zodat de drie mannen tegen de achterwand werden gesmakt. Schauer probeerde overeind te krabbelen en staarde door een groot gat in de voorkant van de stuurhut. Hij zag het hele boeggedeelte van zijn boot voor zich in brokstukken onder water verdwijnen. Instinctief greep hij steun zoekend naar het stuurwiel, en zag verbijsterd dat de gehavende boot snel begon te zinken.

Turend door een verrekijker zag Ogawa met grimmige tevredenheid dat de vissersboot onder de golven verdween en dat er alleen wat wrakhout aan de oppervlakte bleef dobberen. Er kon geen sprake zijn van een poging de drenkelingen te redden, en hij verspilde geen tijd met zoeken naar lijken in het water.

'Motoshita, zijn er nog meer scheepsgeluiden opgevangen?' vroeg hij zijn ondergeschikte.

'Nee, niets, commandant. De sonaroperator heeft voordat we het vuur openden nog een mogelijk tweede doelwit gerapporteerd, maar de geluidsbron daarvan zwakte snel af. Het was achtergrondruis, of misschien een klein bootje.'

'Laat hem scherp peilen en luisteren. Met dit slechte zicht zullen we een schip eerder horen dan zien. En laat de chef-vliegtuigmaker zich bij me melden. We moeten die vliegtuigen in de lucht krijgen.'

Terwijl Motoshita haastig verdween, staarde Ogawa naar de onzichtbare kustlijn van Washington. Misschien hebben we geluk, peinsde hij. Die trawler was waarschijnlijk alleen aan het vissen, zonder marifoon aan boord. De granaatexplosies konden aan wal gehoord zijn, maar gezien de afstand zou het daar klinken als onbelangrijk gerommel. Op de kaarten was te zien dat dit gedeelte van de kust dunbevolkt was. Misschien, heel misschien, kon deze missie toch onopgemerkt uitgevoerd worden.

De nekharen van Gene Hampton, radiotelegrafist eerste klasse, stonden rechtop als een sparrenbos. De stem die hij in zijn koptelefoon hoorde klonk zo dringend en serieus dat hij de woorden wel moest geloven. Nadat hij het bericht twee keer gecontroleerd had, sprong Hampton snel overeind en beende naar het midden van de scheepsbrug.

'Commandant, ik pikte zojuist een noodoproep van een burgervaartuig op,' zei hij opgewonden. 'Een visserman meldt dat een Japanse onderzeeboot de schuit van zijn broer aan flarden schiet.'

‘Sprak die man een beetje normaal?’ vroeg de zwaargebouwde, bebaarde kapitein-luitenant-ter-zee sceptisch.

‘Jawel, commandant. Hij zei dat hij de onderzeeboot niet kon zien vanwege de mist, maar hij kreeg het bericht door van zijn broer op de andere vissersboot. Hij hoorde dat een paar zwaar-kaliberschoten werden gelost, en verloor daarna het contact met zijn broer. Ik heb nog een melding van een andere boot binnengekregen, die het geluid van kanonschoten bevestigde.’

‘En hebben ze de positie bepaald?’

‘Jawel. Negen mijl ten zuidwesten van Cape Flattery.’

‘Mooi zo. Neem contact op met de *Madison* en meld dat we op onderzoek gaan naar een vijandelijk contact en geef de positie door.’ De commandant wendde zich naar de lange luitenant die naast hem stond. ‘Baker, laat het alle hens aan dek maar klinken.’

Zodra een alarmbel rinkelde, haastte de bemanning van de USS *Theodore Knight* zich naar de gevechtsposten, helmen werden opgezet en zwemvesten aangetrokken. Het was niet de eerste keer dat deze torpedobootjager van de Farragut-klasse in actie kwam. Het vaartuig was gebouwd op de Bath Iron Works-scheepswerf in Maine en in 1931 te water gelaten, en de *Theodore Knight* had al aan het begin van de oorlog actief dienst gedaan bij het beschermen van konvooien op de Noord-Atlantische Oceaan. Na het succesvol ontwijken van U-bootaanvallen tijdens het escorteren van koopvaardijschepen was de 110 meter lange jager teruggestuurd voor het uitvoeren van patrouilles langs de westkust, en het schip bevoer daar de wateren van San Diego tot Alaska.

Drie zeemijl achter de torpedobootjager, in de Straat van Juan de Fuca, voer het Liberty-schip de *Madison*. De *Madison* was met een lading hout en ingeblikte zalm op weg naar San Francisco. De *Theodore Knight* liet het vrachtschip achter en zette koers naar open zee nadat de commandant van de jager, luitenant-ter-zee der eerste klasse Roy Baxter, opdracht had gegeven op topsnelheid te varen. De beide dieselturbines sleurden het slanke grijze schip door het water, als een hond die op een konijn jaagt. De bemanning, gewend aan rustige routinepatrouilles, raakte ongewoon alert bij het vooruitzicht met de vijand in contact te komen.

Zelfs Baxter voelde zijn hartslag versnellen. Hij was al twintig jaar in dienst bij de marine en hij had gevechtsacties meegemaakt op de Atlantische Oceaan, maar zijn huidige taak van patrouilleren langs de kust van het vaderland vond hij saai en vervelend. Hij genoot van de gedachte weer strijd te kunnen leveren, al bleef hij sceptisch over het ontvangen radiobericht. Het afgelopen jaar waren er geen Japanse onderzeeboten meer gesignaleerd bij deze kust en hij wist ook dat de keizerlijke marine nu duidelijk in de verdediging was gedrongen.

'Radar?' vroeg hij luid.

'Commandant, ik zie drie kleine vaartuigen het kanaal naderen, twee uit het noorden en een uit het westen,' antwoordde de radaroperator, zonder zijn blik van de monitor af te wenden. 'En ik zie een onduidelijk object dat kennelijk niet beweegt in het zuidwesten.'

'Dan varen we naar dat zuidelijke object,' beval Baxter. 'En laat de kanonniers van de voorste batterijen paraat staan.' De commandant moest een grimas van opwinding onderdrukken toen hij de bevelen gaf. Misschien dat we vandaag echt onze soldij kunnen verdienen, dacht hij, terwijl hij zijn helm vastgespte.

Anders dan de Amerikaanse onderzeeboten hadden de meeste Japanse duikboten tijdens de Tweede Wereldoorlog geen radar aan boord. Dit waarschuwingssysteem werd op de keizerlijke vloot pas halverwege 1944 toegepast, en alleen op speciaal daarvoor geselecteerde schepen. De meeste Japanse onderzeeboten vertrouwden op sonar om de vijand van grotere afstand te onderscheppen. Hoewel het bereik minder groot is dan radar, kan die sonar ook onder water worden gebruikt, en heel wat onderzeeboten hadden daardoor een fataal rendez-vous met een dieptebom kunnen vermijden.

En omdat er geen radar aan boord van de *I-403* was, merkte de sonaroperator als eerste de naderende torpedobootjager op.

'Een schip op ramkoers voor ons... Geluid heeft sterkte 1,' rapporteerde hij, zodra hij iets waarnam.

Aan dek stonden de twee watervliegtuigen die uit het ruim waren gehaald. De vleugels en de drijvers waren al gemonteerd, maar er werd nog gewerkt aan de reparaties. Deze situatie vreesde Ogawa altijd het meest. Als beide vliegtuigen aan dek stonden, maar nog niet gereed waren om te vliegen, dan zouden de toestellen opgeofferd moeten worden als de onderzeeboot noodgedwongen opeens moest duiken.

'Geschut aan dek paraat,' beval hij, hopend dat het naderende vaartuig een vissersboot was.

'Geluidssterkte 2, en aanzwellend,' meldde de sonaroperator kalm. 'Het is inderdaad een schip,' voegde hij er overbodig aan toe.

'Vliegtuigen vastmaken en het dek verlaten,' beval Ogawa aan een matroos, die wegrende naar het grote dek en het bevel schreeuwend herhaalde naar de mecaniciens en piloten. De bemanning zette de twee vliegtuigen vast en de mecaniciens verzamelden snel al het gereedschap voordat ze zich naar de hangar haastten. De waterdichte deuren van de hangar werden gesloten. Daarna kropen de mannen door een luik naar de veilige romp van de onderzeeboot.

'Geluidssterkte 3, schuin voor onze boeg. Mogelijk een torpedobootjager,' rapporteerde de sonaroperator. Hij had het geluid van de dubbele schroeven goed herkend.

En alsof het zo afgesproken was, doemde het grijze schip uit de nevel op, ongeveer een halve zeemijl ver weg, als een stalen wraakgod boven het moeras. Wit schuim werd door de voorsteven opzij geworpen en zwarte rookslierten stegen uit de schoorsteen op. Het slanke schip kwam recht op de onderzeeboot af, als een aanvallende ridder die niet van wijken weet.

Een ogenblik later dreunde het dekkanon van de *I-403* in een poging van de ervaren stuksbemanning het naderende gevaar af te stoppen. Maar het ranke profiel van voren vormde een lastig doelwit, en het afgevuurde projectiel scheerde langs de romp. Gehaast richtten de kanonniers opnieuw en vuurden weer.

Zodra Ogawa zag dat het vijandelijke schip een torpedobootjager was, besefte hij dat een tweegevecht aan de oppervlakte zinloos was en gaf hij orders zo snel mogelijk te duiken. Wilde hij zijn schip en bemanning redden, dan moest de missie worden opgegeven, áls het al niet te laat was.

Toen het duikalarm weerklonk, vuurden de kanonniers een laatste wanhopig schot af, om zich vervolgens snel benedendeks in veiligheid te brengen. De richter had nauwkeurig gericht, maar hij had de snelheid van de naderende torpedobootjager niet goed ingeschat, zodat het projectiel vijftien meter vóór de voorsteven van de Amerikaanse jager in het water belandde en wel een zuil water opwierp maar geen schade aanrichtte.

De kanonnen op het voordek van de *Theodore Knight* kwamen in actie en vuurden een salvo granaten op de Japanse onderzeeboot af. Maar de onervaren en door de strijd opgewonden bemanning vuurde te hoog, zodat de granaten achter de steeds sneller varende onderzeeboot in het water terechtkwamen.

Op de buitenbrug van de *I-403* aarzelde Ogawa even voordat hij door het dekluik verdween. Hij wierp een laatste blik op de naderende oorlogsbodem. Toen zag hij beweging op het voordek, waar een man naar een van de vliegtuigen liep. Het was een piloot, die het duikbevel genegeerd had en in zijn toestel klom. De piloot kon de gedachte dat zijn vliegtuig opgeofferd werd niet verdragen en wilde in de geest van kamikaze met zijn toestel sterven.

Ogawa vervloekte de zinloze dapperheid en dook snel weg naar binnen.

De kleppen van de ballasttanks werden geopend en het zeewater stroomde kolkend naar binnen, waardoor de onderzeeboot begon te zakken. De grote romp van de *I-403* was nu een nadeel, want het duurde lang voordat de boot geheel onder de golven verdween. Terwijl Ogawa wachtte, speelde hij nog een troefkaart uit.

'Maak de torpedo's gereed voor afvuren!' beval hij.

Het was een gok, maar wel beredeneerd. Als de torpedobootjager zich recht voor hem bevond, kon Ogawa torpedo's afvuren, en bestond er een kans dat de jager in een prooi zou veranderen.

'Buizen geladen,' rapporteerde de torpedo-officier.

'Torpedo's een en twee gereedhouden voor lancering,' commandeerde Ogawa.

De jager bevond zich amper tweehonderd meter voor hen, en voortdurend werden er salvo's afgevuurd. Merkwaardig genoeg misten de projectielen telkens weer doel. En dat doel werd langzaam kleiner, naarmate de voorsteven van de onderzeeboot verder onder water verdween en de golven al over het voordek spoelden.

'Torpedo één afvuren!' schreeuwde Ogawa. Hij telde in gedachten drie seconden af en beval toen: 'Twee afvuren!'

Voortgedreven door samengeperste lucht schoten de twee torpedo's uit de lanceerbuizen te voorschijn en joegen met dodelijke kracht in de richting van de naderende jager. Elke torpedo had een springlading van 400 kilo in de neus, en de zeven meter lange projectielen stoven met een snelheid van meer dan 45 knopen op de *Theodore Knight* af.

Een luitenant-ter-zee der derde klasse op de brugvleugel zag de witte bellenbanen vlak onder het wateroppervlak zijn kant uit komen.

'Torpedo's recht voor de boeg!' schreeuwde hij, al bleef hij als bevroren staan bij de aanblik van de aanstormende explosieven.

Een ogenblik later waren de torpedo's vlakbij. Maar door een misrekening, door goddelijke tussenkomst, of door stom geluk misten de twee dodelijke vissen hun doel. De roerloze luitenant keek verbaasd toe hoe de torpedo's rakelings langs de romp van het schip scheerden, op amper drie meter afstand, en bij het achterschip weer verdwenen.

'Die sub duikt weg, commandant,' zei de roerganger van de torpedobootjager toen hij de golven over het voordek zag breken.

'Richt de voorsteven op de commandotoren,' beval Baxter. 'We grijpen hem bij de keel!'

Het vuren vanaf het voorschip werd gestaakt omdat de lopen van de kanonnen niet zo ver naar beneden gericht konden worden. Het vuurgevecht veranderde in een wedstrijd toen de torpedobootjager probeerde de *I-403* te rammen. Maar de onderzeeboot dook steeds dieper en even leek het of de romp onder het andere schip door zou glijden. De *Theodore Knight* kruiste de boeglijn van de onderzeeboot en de kiel miste het bovendek op nauwelijks een meter. De jager stoomde door de golven in een poging de wegduikende tegenstander te vermorzelen.

De vliegtuigen op het voordek werden als eerste door de scherpe boeg van de jager geraakt. Nog maar gedeeltelijk onder water veranderden de beide toestellen in grote brokken verwrongen metaal, canvas en wrakstukken. De ongehoorzame piloot die in de cockpit was geklommen kreeg maar weinig tijd om na te denken over zijn wens met zijn toestel te sterven voordat de vernietigende dreun kwam.

De *I-403* was nu half onder water en had zelf bij de aanval nog nauwelijks schade opgelopen. Maar de commandotoren stak zo ver omhoog dat een aanvaring met de jager onvermijdelijk was. Met veel gekraak sneed de boeg van de jager als een hakmes door het metaal van de opbouw. Ogawa en zijn officieren werden op slag gedood toen het grote schip recht door de commandotoren kliefde. De hele opbouw werd losgerukt van de romp, terwijl de torpedobootjager onstuitbaar opstoomde en een vernietigende scheur veroorzaakte in de ruggengraat van de *I-403*. De ongelukkige bemanning hoorde het knarsende geluid van metaal op metaal, voordat een stortvloed aan zeewater naar binnen kolkte en de compartimenten overstroomde. De dood kwam snel maar pijnlijk voor de verdrinkende manschappen toen de onderzeeboot nog even opprees en vervolgens snel naar de zeebodem zonk. Aan de oppervlakte waren, als markering van het zeemansgraf, alleen ziedende luchtbellen en olie te zien. Daarna werd het stil.

Toen de matrozen en officieren aan boord van de *Theodore Knight* de onheilspellende zwarte olievlekken op de golven zagen, een duidelijk teken dat de onderzeeboot was gezonken, begonnen ze te juichen. Ze waren dolgelukkig dat ze een vijandelijk schip voor de kust van het vaderland hadden opgespoord en vernietigd, zonder dat er bij hen ook maar één slachtoffer was gevallen. De vijand had zich dapper geweerd, maar de overwinning was snel behaald. De bemanningsleden konden als helden terugkeren naar de thuishaven, met een stoer verhaal dat ze nog aan hun kleinkinderen konden vertellen. Maar geen van de manschappen aan boord van de torpedobootjager kon bedenken of zich voorstellen wat de vreselijke gevolgen voor hun landgenoten zouden zijn geweest als de *I-403* zijn missie wel had volbracht. En ze wisten evenmin dat die vernietigende dreiging er nog steeds was, diep en stil in het wrak op de zeebodem.

DEEL EEN

DODELIJKE LUCHT

Mysterieuze trawler en NUMA-helikopter

1

22 mei 2007
Aleoeten, Alaska

De wind wervelde licht rond de verbleekte gele aluminiumhut die op een klein klif stond, uitkijkend over zee. Enkele sneeuwvlokken dwarrelden langs de rand van het gebouw voordat ze op de bodem vielen, smeltend tussen gras en toendramos. Ondanks het brommen van de dieselgenerator dichtbij lag een wollige Siberische husky diep in slaap op een zonnige plek met losse kiezelstenen. Een witte stern dook naar beneden en landde even op het dak van het gebouwtje. Na een nieuwsgierige blik op de rommelige verzameling antennes, bakens en satellietschotels op het dak, werd de kleine vogel door een windvlaag gegrepen en vloog verder, op zoek naar iets wat wel eetbaar was.

Het weerstation van de kustwacht op Yunaska Island was even stil als afgelegen. Halverwege de keten eilanden die samen de Aleoeten vormen, was Yunaska een van de tientallen vulkanische eilandjes die zich als wijde, kromme tentakels uitstrekken vanaf het vasteland van Alaska. Het eiland was amper vijfendertig kilometer breed en het viel op door de twee slapende vulkanen aan de uiteinden, met daartussen groene glooiende heuvels. Op het eiland was geen boom te bekennen, en er stonden ook geen hoge struiken, zodat het groene eiland als een smaragd oprees uit het ijskoude oceaanwater in de late lente.

Omdat Yunaska centraal in de zeestromen van de noordelijke Grote Oceaan ligt, was het een ideale locatie voor onderzoek naar waterbeweging en de atmosferische condities die zich hier ontwikkelen tot weerfronten, in oostelijke richting op weg naar Noord-Amerika. En als aanvulling op het verzamelen van meteogegevens diende het kuststation ook als reddingspost voor vissers die in het omringende visrijke water in nood kwamen.

De plek was niet bepaald een paradijselijk oord voor de twee personen die het station bemanden. Het dichtstbijzijnde dorp was honderdzeventig kilometer ver over open zee, en de thuisbasis Anchorage lag meer dan achttienhonderd kilometer verder. De eenzame bewoners waren drie weken lang op elkaar aangewezen, tot een volgend paar vrijwilligers per vliegtuig arriveerde. Vijf maanden per jaar dwongen de barre winterse omstandigheden tot sluiting van het station, afgezien van minimale waarnemingen op afstand. Maar van mei tot november had de tweekoppige bezetting het hele etmaal dienst.

Ondanks de afzondering beschouwden meteoroloog Ed Stimson en technicus Mike Barnes dit werk als een geweldige taak. Stimson genoot van het praktisch toepassen van zijn vakkennis en Barnes verheugde zich altijd weer op de vrije dagen die hij had opgespaard na een periode werken in het weerstation.

'Geloof me, Ed, na onze volgende dienst moet je maar een nieuwe collega zoeken. Ik heb in de Chugach Mountains een spleet in het kwarts gevonden zoals je nog nooit hebt gezien. En ik weet wel zeker dat daaronder een dikke goudader ligt.'

'Ja, ja, net als toen je iets moois gevonden had bij de McKinley-rivier,' schamperde Stimson. Barnes was een naïeve optimist, wat de oudere meteoroloog telkens weer amusant vond.

'Wacht maar tot je mij in een nieuwe Hummer door Anchorage ziet karren, dan zul je me geloven,' antwoordde Barnes een beetje verontwaardigd.

'Afgesproken,' zei Stimson. 'Wil je nu eerst de vaan van de windmeter controleren? Ik krijg weer geen gegevens binnen.'

'Als je maar geen claim op mijn goudmijn legt terwijl ik op het dak zit,' grijnsde Barnes en hij trok een dikke jas aan.

'Doe ik heus niet, vriend. Maak je geen zorgen.'

Bijna vier kilometer naar het oosten vervloekte Sarah Matson het feit dat ze haar handschoenen in de tent had achtergelaten. Hoewel het bijna tien graden was, voelde het door de aflandige wind veel kouder aan. Haar handen waren nat van het klauteren over grote keien die door het zeewater overspoeld werden en haar vingertoppen raakten langzaam gevoelloos. Ze klom langs een watervoor en probeerde niet aan haar ijskoude handen te denken door zich te concentreren op haar doel. Ze stapte stilletjes over het met keien bezaaide pad, tot ze zich liet zakken achter een vooruitstekende richel op de rotsen.

Amper tien meter voor haar bevond zich een rumoerige kolonie Steller-zeeleeuwen, blaffend bij de waterkant. Een tiental zoogdieren met grote snorharen zat dicht bij elkaar, als toeristen op het strand bij Rio, en in de branding zwommen nog vier, vijf dieren. Twee jonge mannetjes blaften fel naar elkaar, vragend om aandacht van een vrouwtje in de buurt, maar ze toonde geen enkele belangstelling voor het tweetal. Enkele jongen sliepen naast de buik van hun moeder, zich niet bewust van de opwinding.

Sarah haalde een notitieblok uit haar jaszak en begon bijzonderheden van elk dier te noteren: ze schatte de leeftijd, geslacht en de conditie. Zo nauwkeurig mogelijk observeerde ze elke zeeleeuw, speurend naar spierkrampen, afscheiding uit de neus of de ogen, of overmatig niezen. Na bijna een uur lang observeren, stopte ze het notitieblok weer in haar zak, hopend dat ze de met ijskoude vingers gekrabbelde aantekeningen later nog kon ontcijferen.

Langzaam keerde ze langs dezelfde weg weer terug, weg van de kolonie zeeleeuwen. Ze volgde de drooggevallen geul en zag dat haar voetstappen op de heenweg afdrukken hadden achtergelaten in het korte gras. Het spoor leidde over de glooiende helling weg van de kust. De koele zeebries werkte verfrissend in haar longen en de wandeling over het kale eiland gaf haar een energiek gevoel, vol van leven. Anders dan haar slanke gestalte en delicate gelaatstrekken deden vermoeden, genoot deze vlasblonde dertiger van het werken in de buitenlucht. Sarah was opgegroeid in het landelijke Wyoming en ze had elke zomer doorgebracht met voettochten en paardrijden in de Teton Mountains, samen met een paar wildebrassen van broers. De liefde voor het buitenleven had haar doen kiezen voor de studie diergeneeskunde aan de universiteit in Colorado. Na enkele baantjes als onderzoeker was ze haar favoriete professor gevolgd naar het federale Center for Disease Control, CDC, met de toezegging dat ze niet veroordeeld was altijd in een laboratorium te moeten werken. Met haar baan als veldepidemioloog bij het CDC kon ze haar passie voor wilde dieren en het buitenleven combineren door onderzoek te doen naar de verspreiding van besmettelijke ziekten bij dieren die een gezondheidsrisico voor mensen konden zijn.

En dat ze nu op de Aleoeten werkte, was precies het avontuurlijke bestaan waar ze van gedroomd had, al was de reden voor haar verblijf een kwelling voor haar dierenliefde. Een mysterieus groot aantal dode zeeleeuwen was gerapporteerd langs de westkust van Alaska, zonder dat een milieuramp of menselijk ingrijpen daar de oorzaak van kon zijn. Sarah en twee collega's waren uit Seattle vertrokken om de sterfte en de verspreiding van de dode dieren te bepalen. Het team was begonnen op Attu, het meest westelijke eiland van de Aleoeten, om steeds in oostelijke richting van eiland naar eiland reizend te zoeken naar sporen van de epidemie in de richting van het vasteland van Alaska. Elke drie dagen kwam een klein watervliegtuig langs om het team op te halen en naar het volgende eiland te brengen, met een nieuwe voorraad proviand. De tweede dag op Yunaska had geen aanwijzingen voor ziektesymptomen bij de zeeleeuwen opgeleverd, en dat was toch wel een opluchting voor Sarah.

Met haar hoge jukbeenderen en lichtbruine ogen liep de knappe wetenschapster snel de vier kilometer terug naar het kamp. Ze kon de drie felrode tenten al van grote afstand zien. Een gedrongen, bebaarde man, gekleed in een flanel shirt en met een versleten Seattle Marinershonkbalpetje op zijn hoofd zocht iets in een grote koelbox toen Sarah weer bij het kamp arriveerde.

'Daar hebben we Sarah weer. Sandy en ik waren juist bezig met plannen voor de lunch,' zei Irv Fowler met een grijns. Hij was een goedmoedige kerel, de vijftig al gepasseerd, maar hij leek wel tien jaar jonger.

Een tengere roodharige vrouw kroop uit een van de tenten, met een pan en een soeplepel. 'Irv is altijd bezig met plannen voor de lunch,' zei Sandy Johnson, en ze rolde veelbetekenend met haar ogen.

'Hoe was het vanochtend?' vroeg Sarah, terwijl ze op een klapstoel ging zitten.

'Sandy heeft de feiten. We hebben een grote kolonie zeeleeuwen op het oostelijke strand geobserveerd, en die beesten leken allemaal dik en gezond. Ik heb een kadaver gevonden, maar dat dier is waarschijnlijk van ouderdom gestorven. Ik heb voor de zekerheid wel een monster genomen, om in het lab te analyseren.' Terwijl hij sprak, pompte Fowler de gasdruk op van de propaanbrander en hield een vlam bij het sissende gas onder de brander. Met een plof verscheen een blauwe gasvlam.

'Dat komt overeen met mijn waarneming. Kennelijk zijn de zeeleeuwen op het mooie Yunaska nog niet besmet.' Sarah liet haar blik over het groene landschap dwalen.

'We kunnen vanmiddag de kolonie op de westkust bekijken, want onze piloot komt pas morgen om ons op te halen.'

'Dat is nog een flinke wandeling. Maar we kunnen pauzeren bij het kustwachtstation voor een praatje. De piloot zei dat het in deze tijd van het jaar bemand is, herinner ik me.'

'Maar eerst de specialiteit van het huis,' kondigde Fowler aan, en hij zette een grote pan op het draagbare fornuis.

'Toch niet die tongverschroeiende...' begon Sandy, maar ze werd al onderbroken.

'Jawel. Cajun chili van de chef,' grijnsde Fowler, en hij schraapte de dikke bruine brij uit een blik in de hete pan.

'Zoals ze in New Orleans zeggen: *"Let the good times roll",'* voegde Sarah er lachend aan toe.

Ed Stimson tuurde ingespannen naar het scherm van de weerradar en zag een begin van witte elektronische wolken oplichten aan de bovenkant van het groene scherm. Dat was een middelmatig stormfront, ruim driehonderd kilometer naar het zuidwesten. Stimson kon nauwkeurig voorspellen dat het eiland enkele dagen regenachtig weer zou krijgen. Zijn concentratie werd verstoord door een roffelend geluid boven zijn hoofd. Barnes was nog op het dak bezig met de windmeter.

Opeens klonken stemmen, gestoord door statisch geruis, uit de radio die aan de muur was bevestigd. Kapiteins van vissersboten die klaagden over het weer vormden het meeste radioverkeer dat op het eiland opgevangen werd. Stimson probeerde altijd het zinloze gebabbel te negeren, en hoorde daardoor het eigenaardig gonzende geluid eerst niet. Het was een laag, resonerend zoemen, ergens buiten. Toen was het even stil op de radio, en nu hoorde hij opeens het geluid in de verte, een geluid dat deed denken aan een straalmotor. Seconden lang hield het geluid aan, om dan af te zwakken en na luid gekraak helemaal te verstommen.

Stimson meende eerst dat het onweer was, en hij veranderde het bereik van de weerradar naar twintig mijl. Op de monitor was alleen wat lichte bewolking te zien in de omgeving, en niets wat op donderwolken wees. Het zal de luchtmacht wel zijn, dacht hij, denkend aan het intensieve luchtverkeer boven Alaska tijdens de Koude Oorlog.

Zijn gedachten werden onderbroken door een klaaglijk gejank van Max, de husky.

'Wat is er, Max?' riep Stimson, en hij opende de deur van de hut.

De Siberische husky jankte weer ijzingwekkend en de hond kwam sidderend naar zijn baasje in de deuropening. Stimson zag geschrokken dat de hond hem glazig aanstaarde, terwijl dik wit schuim uit zijn mond lekte. De hond zwaaide even heen en weer, om dan met een plof op de grond te vallen.

'Jezus! Mike, kom vlug naar beneden! Snel!' schreeuwde Stimson naar zijn collega.

Barnes daalde de ladder al af, maar het kostte hem moeite met zijn voeten de sporten te vinden. Dicht bij de grond miste hij de laatste sport met zijn linkervoet en hij tuimelde naar beneden. Met een hand hield hij zich vast aan de stijl van de ladder, zodat hij toch half overeind bleef.

'Mike... De hond... Alles oké met je?' vroeg Stimson, beseffend dat er iets niet in orde was. Hij ging snel naast Barnes staan en zag meteen dat de man moeizaam ademde, en zijn ogen leken even glazig als die van de hond. Stimson sloeg de arm van de jongere man over zijn schouder, sleepte hem naar binnen en duwde hem in een stoel.

Barnes boog zich voorover en kokhalsde heftig. Toen ging hij rechtop zitten en klemde zich aan Stimsons arm vast om steun te vinden. Naar adem happend fluisterde hij schor: 'Er is iets in de lucht.'

Amper had hij de woorden uitgesproken of zijn ogen draaiden vreemd ver omhoog en hij viel opzij. Morsdood.

Stimson ging staan, helemaal in shock, maar de kamer tolde voor zijn ogen. Een felle pijn schoot naar zijn hoofd en het was alsof een stalen bankschroef de lucht uit zijn longen kneep. Hij wankelde naar de radiozender en probeerde om hulp te roepen, maar hij wist niet of zijn lippen wel bewogen, omdat zijn gezicht gevoelloos werd. Hij voelde een golf hitte door zijn lijf trekken, alsof een onzichtbaar vuur zijn organen verteerde. Happend naar adem werd alles donker en wankelend viel hij om, al dood voordat hij de vloer raakte.

Zeven kilometer oostelijk van het kustwachtstation waren de drie wetenschappers van het CDC juist klaar met de lunch toen de onzichtbare dodelijke golf toesloeg. Sarah was de eerste die merkte dat er iets mis was, toen een paar overvliegende vogels opeens loodrecht naar beneden vielen, alsof ze tegen een onzichtbare muur waren gebotst. De vogels bleven stuiptrekkend op de grond liggen. Sandy werd het eerste slachtoffer, ze greep naar haar maag en klapte dubbel in haar doodsstrijd.

‘Kom nou, zo smerig is mijn chili toch niet?’ grapte Fowler, net voordat ook hij duizelig en misselijk werd.

Sarah ging staan en liep een paar passen naar de koelbox om een fles mineraalwater te pakken, toen opeens de vurige gloed door haar benen trok en de spieren in haar dijen krampachtig samentrokken.

‘Wat gebeurt er?’ hijgde Fowler, en hij probeerde nog Sandy te steunen voordat hij wankelend op de grond viel.

Sarah kreeg het idee dat de tijd vertraagde naarmate haar zintuigen afstompten. Traag zakte ze op de grond, omdat haar spieren niet meer gehoorzaamden aan de commando’s van haar brein. Haar longen leken ineen te krimpen, zodat elke ademhaling veranderde in een pijnlijke steek. Ze hoorde een bonkend geluid in haar oren en viel ruggelings op de grond, starend naar de grauwe hemel. Ze voelde het gras bewegen en langs haar lichaam ritselen, maar ze was als bevroren en niet in staat zich te bewegen.

Geleidelijk werd haar geest bedwelmd door nevel en aan de randen van haar gezichtsveld werd alles zwart. In een zee van grijs doemde een verschijning op, een vreemde geest met een pluk zwart haar boven een gezicht als van rubber dat leek weg te smelten. Ze voelde dat dit buitenaardse wezen naar haar staarde, met reusachtige, kristallen ogen. Maar achter de kristallen lenzen leek nog een paar ogen te zitten, en die ogen keken haar aan met een intense warmte. Een paar diepe, opaalgroene ogen. Toen werd alles zwart.

2

Sarah opende haar ogen en zag een grijze hemel boven zich, maar die was vlak en wolkeloos. Ze schudde de wazigheid van zich af, haar ogen konden langzaam weer scherp zien en ze begreep dat het niet de hemel was, maar een plafond. Iets zachts onder haar deed haar beseffen dat ze in een bed lag, met een dik kussen onder haar hoofd. Een zuurstofmasker bedekte haar gezicht. Ze trok het weg, maar de infuusnaald in haar arm liet ze zitten. Behoedzaam nam ze de omgeving in zich op, en haar blik dwaalde door een kleine, eenvoudig ingerichte kamer. Er stond een schrijfbureau in een hoek, met daarboven een indrukwekkend schilderij van een oude oceaanstomer, en er was ook een zitbad in de kamer. Het bed waarin ze lag was vastgemaakt aan de wand, en in de deuropening naar de gang bevond zich een nogal hoge drempel. De hele kamer leek te bewegen, maar ze wist niet zeker of dat veroorzaakt werd door het zware bonkende gevoel bij haar slapen.

Haar aandacht werd getrokken door een beweging, en ze keek weer naar de deuropening. Daar stond een gedaante, die haar met een lichte grijns aankeek. Het was een lange man, breedgeschouderd maar verder tanig en gespierd. Hij was jong, waarschijnlijk achterin de twintig, maar hij bewoog zich met de zelfverzekerdheid van een ouder iemand. Zijn huid was gebruind, als van een man die veel tijd in de buitenlucht doorbrengt. Golvend zwart haar omlijstte zijn stoere gezicht, dat eerder interessant was dan gewoon knap. Maar het waren zijn ogen die deze jongeman bijzonder maakten. Hij had heldergroene, oplichtende ogen, waaruit zowel intelligentie en avontuur als integriteit straalden. Het waren de ogen van een man die te vertrouwen is. En het waren dezelfde groene ogen, herinnerde Sarah zich, die ze in het kamp had gezien voordat ze bewusteloos raakte.

'Zo, hallo, Schone Slaapster.' De woorden werden met een warme, zware stem uitgesproken.

'U... u was die man in het kamp,' stamelde Sarah.

'Jawel. Mijn excuses dat ik me daar niet netjes voorstelde, Sarah. Mijn naam is Dirk Pitt.' Hij voegde er niet 'junior' aan toe, al had hij dezelfde naam als zijn vader.

'Dus u weet wie ik ben?' vroeg ze niet-begrijpend.

'Nou, we zijn niet innig bevriend,' grinnikte Dirk ontwapenend. 'Maar een knappe geleerde met de naam Irv heeft me een en ander verteld over jou en je onderzoek op Yunaska. Irv vreesde dat hij iedereen vergiftigd had met zijn chili.'

'Is alles goed met Irv en Sandy?'

'Ja hoor. Ze hebben een dutje gedaan, net als jij. Maar nu zijn ze weer helemaal fit. Ze rusten nog wat in de hal,' zei Dirk, met zijn duim naar de gang wijzend. Hij zag de verbaasde blik in Sarahs ogen en kneep even geruststellend in haar schouder.

'Maak je geen zorgen, jullie zijn hier in goede handen. Jullie zijn aan boord van de *Deep Endeavor*, het expeditieschip van NUMA, de National Underwater and Marine Agency. Wij waren op de terugreis van een onderzees onderzoek in het Aleoeten Bassin, toen we een noodoproep kregen van het weerstation van de kustwacht op Yunaska. Ik ben met onze boordhelikopter daarheen gevlogen en op de terugweg zag ik jullie kampement. Jullie kregen een mooie gratis rondvlucht aangeboden over Yunaska, maar helaas bleven jullie snurken.' Dirk deed spottend of hij teleurgesteld was.

'Het spijt me,' mompelde Sarah, nogal in verlegenheid gebracht. 'Maar ik begrijp dat ik u heel dankbaar mag zijn, meneer Pitt.'

'Noem me alsjeblieft Dirk.'

'Oké, Dirk,' zei Sarah, nu met een glimlach, en ze voelde even een tinteling toen ze zijn naam uitsprak. 'En hoe is het met de bemanning van het kustwachtstation?'

Een sombere trek verscheen op Dirks gezicht. 'Ik vrees dat we te laat waren. We troffen twee mannen en een hond aan. Ze waren dood.'

Een huivering trok langs Sarahs ruggengraat. Twee doden, en bijna waren zij en haar collega's ook gestorven. Ze begreep het niet.

'Wat is er in hemelsnaam gebeurd?' vroeg Sarah geschokt.

'Dat weten we niet zeker. Onze scheepsarts doet enkele tests, maar je zult begrijpen dat zijn mogelijkheden beperkt zijn. Het schijnt een soort vergiftiging in de lucht te zijn. We weten alleen dat de mannen in het kustwachtstation vermoedden dat er iets in de lucht zat. Wij hebben gasmaskers opgezet en we bleven ongedeerd. We hebben ook een paar witte muizen uit het scheepslaboratorium meegenomen, en die bleven gewoon in leven, zonder vreemde symptomen. Wat het ook geweest is, dat gif moet weer verdwenen zijn tegen de tijd dat wij bij het kustwachtstation geland waren. En jij en je team waren kennelijk zo ver van de giftige lucht verwijderd dat jullie er minder door getroffen werden. Waarschijnlijk hebben jullie een lagere dosis ingeademd.'

Sarah sloeg haar ogen neer en bleef zwijgen. Wat er gebeurd was drong nu pas goed tot haar door, en ze voelde zich overmand door vermoeidheid. Ze wilde slapen, en dan maar hopen dat het alleen een akelige droom was.

'Sarah, ik zal vragen of de arts even bij je komt, en daarna laten we je weer slapen. Misschien kan ik je later een bord reuzenkrab brengen, als diner?' Dirk glimlachte toen hij het vroeg.

Sarah glimlachte zwakjes terug. 'Dat lijkt me heerlijk,' mompelde ze, en meteen viel ze weer in slaap.

Kermit Burch stond aan het roer en las net een faxbericht, toen Dirk door de deur aan stuurboord de brug binnenstapte. De ervaren kapitein van de *Deep Endeavor* schudde zijn hoofd terwijl hij het bericht las. Met een wat geërgerde blik wendde hij zich naar Dirk.

'We hebben de kustwacht en het ministerie van Binnenlandse Zaken gewaarschuwd, maar niemand schijnt iets te willen doen voordat de lokale autoriteiten een rapport hebben uitgebracht. De veiligheidsofficier van het dorp Atka is ook politiechef, maar hij kan pas morgen naar het eiland komen,' snoof Burch afkeurend. 'Twee mannen zijn raadselachtig omgekomen, maar ze doen alsof het gewoon een bedrijfsongeval is.'

'We hebben anders weinig houvast,' antwoordde Dirk. 'Ik heb Carl Nash gesproken, onze zoutwateranalist, en die weet veel van verontreinigende stoffen. Volgens Nash is er ook natuurlijke uitstoot van giftige stoffen, bijvoorbeeld zwavel uit vulkanen, en dat kan ook de doodsoorzaak van beide mannen zijn. Hoge concentraties verontreiniging door de industrie is ook een mogelijke oorzaak, maar volgens mij zijn er geen chemische fabrieken op de Aleoeten.'

'De veiligheidsambtenaar zei me dat het volgens hem een klassiek geval van koolmonoxidevergiftiging is, veroorzaakt door de generator van het station. Maar dat verklaart natuurlijk niet waarom de mensen van het CDC op zeven kilometer afstand ook door vergiftiging bewusteloos raakten.'

'En evenmin dat ik de hond buiten dood aantrof,' voegde Dirk eraan toe.

'Nou, misschien kunnen de mensen van het CDC meer duidelijk maken. Hoe gaat het trouwens met onze drie gasten?'

'Nog een beetje wazig. Ze herinneren zich weinig, alleen dat het allemaal erg snel ging.'

'Ik ben pas gerust als we hen afgeleverd hebben bij een goed ziekenhuis. Het dichtstbijzijnde vliegveld is Unalaska, en daar kunnen we binnen veertien uur zijn. Ik zal een radiobericht verzenden, zodat ze meteen met een ambulancevlucht naar Anchorage overgevlogen kunnen worden.'

'Kapitein, ik zou graag nog eens met de helikopter naar het eiland vliegen om een kijkje te nemen. We hadden weinig kans rond te kijken tijdens de laatste vlucht. En misschien heb ik iets niet opgemerkt. Bezwaar daartegen?'

'Nee... Als je die grapjas uit Texas maar meeneemt,' zei Burch met een grimas.

Terwijl Dirk de checklist voor vertrek doornam, zittend op de stoel van de piloot van de NUMA Sikorsky S-76C+ offshore-helikopter, naderde een man met zandkleurig haar en een borstelige snor over het platform. Met zijn versleten cowboylaarzen, gespierde armen en een scheve grijns, die een bijtend gevoel voor humor verborg, leek Jack Dahlgren op een rodeorijder die hier verdwaald was. En als onverbeterlijke grappenmaker had hij Burch te pakken genomen door tijdens de eerste nacht op zee de koffiekan aan boord op te peppen met een hoeveelheid goedkope rum. Dahlgren was opgegroeid in het westen van Texas en wist alles van paarden en vuurwapens, maar hij was ook heel handig met alle apparaten en de techniek die op zee en in de lucht gebruikt werden.

'Wordt dit de rondvlucht over een mooi eiland dat het reisbureau mij heeft aangeraden?' vroeg hij aan Dirk, terwijl hij zijn hoofd door het open schuifraam van de cockpit stak.

'Stap in, jongen, en je zult niet teleurgesteld worden. Meer water, rotsen en zeeleeuwen dan je ogen kunnen verwerken.'

‘Klinkt goed. Je krijgt een kwartje fooi als je ook een bar met een serveerster in minirok weet te vinden.’

‘Ik doe mijn best,’ grijnsde Dirk, en Dahlgren ging op de stoel van de copiloot zitten.

De twee mannen waren jaren geleden bevriend geraakt, toen ze diepzeetechniek studeerden aan de Atlantic University in Florida. Ze waren allebei fanatieke sportduikers en spijbelden regelmatig om te gaan speervissen bij de koraalriffen van Boca Raton. De verse vangst gebruikten ze om de meisjes daar te lokken met een barbecue op het strand. Na zijn afstuderen liep Jack stage bij de marine, terwijl Dirk zijn graad haalde bij het New York Maritime College en gelijktijdig als trainer bij een duikschool werkte. De twee mannen troffen elkaar weer toen Dirk bij zijn vader ging werken, als directeur speciale projecten van NUMA en zijn vriend kon overhalen daar ook in dienst te komen.

Nadat ze jaren samen gedoken hadden, was er een onzichtbare maar hechte band tussen hen ontstaan. Ze wisten dat ze altijd op elkaar konden rekenen, en ze waren op hun best als alles tegenzat. Dahlgren had de vastberaden blik in Dirks ogen al eerder gezien, en hij kende de vasthoudendheid als van een terriër die daarbij hoorde. De geheimzinnige gebeurtenissen op Yunaska baarden Dirk zorgen, zag Dahlgren, en dat raadsel moest opgelost worden.

Het geluid van snel ronddraaiende grote rotorbladen van de Sikorsky zwol steeds meer aan en Dirk liet de helikopter opstijgen van het kleine platform midscheeps aan dek van de *Deep Endeavor*. Het toestel klom naar dertig meter hoogte en Dirk liet de helikopter even stilhangen om het NUMA-schip in zijn geheel te bekijken. Het researchschip was turquoise geschilderd en leek wat plomp, ondanks de lengte van negentig meter, omdat het ook erg breed was. Maar dit gebrek aan stroomlijn werd gecompenseerd door een heel stabiele ligging in het water, wat ideaal was voor het manoeuvreren met de kranen en lieren, die strategisch op het achterdek waren geplaatst. Midden aan dek glansde op een houten onderstel een kleine, felgele onderzeeboot, als een juweel in de late middagzon. Enkele monteurs waren bezig met de besturing en de elektronica van het vaartuig. Een van de monteurs keek omhoog en zwaaide met zijn cap naar de stil in de lucht hangende helikopter. Dirk wuifde kort terug, liet het toestel hellen en vloog weg in noordoostelijke richting naar het eiland Yunaska, dat minder dan tien zeemijl verderop lag.

'Weer naar Yunaska?' vroeg Dahlgren.

'Naar het kustwachtstation, waar we vanochtend geweest zijn.'

'Mooi is dat,' bromde Dahlgren. 'Zijn wij vandaag de vliegende lijkkoets?'

'Nee, we gaan alleen kijken waardoor die mannen en de hond gestorven zijn.'

'En zoeken we dan naar een dierlijke, plantaardige of minerale oorzaak?' vroeg Dahlgren in zijn microfoon, terwijl hij een groot stuk kauwgum tussen zijn tanden stak.

'Alle drie,' antwoordde Dirk. 'Carl Nash zei dat een gifwolk door van alles veroorzaakt kan worden, van een vulkaanuitbarsting tot bloeiende algen, of door een fabriek die onkruidverdelger maakt.'

'Stop maar even bij de volgende walrus, dan vraag ik hem waar de dichtstbijzijnde pesticidenfabriek staat.'

'Ach, dat is waar ook: waar is Basil?' vroeg Dirk, en hij keek zoekend om zich heen in de cockpit.

'Hier, veilig en wel aan boord,' antwoordde Dahlgren, en hij pakte een kleine kooi van onder zijn stoel en hield hem voor zijn gezicht. Een witte muis keek naar Dahlgren, de snorharen nerveus bewegend.

'Diep ademhalen, vriend, en niet in slaap vallen,' zei Dahlgren tegen het kleine knaagdier. Hij hing het kooitje op aan een touwtje, als een kanarie in een kolenmijn, zodat ze gemakkelijk konden zien of de muis door giftige dampen in de lucht bezweek.

Het met gras bedekte eiland Yunaska rees uit het grauwgroene zeewater voor hen op. Bij de twee uitgedoofde vulkanen op het eiland waren wat cirruswolken zichtbaar. Dirk liet de helikopter geleidelijk hoger vliegen toen ze bij de onregelmatige rotskust kwamen, en hij maakte een bocht naar links om de kustlijn te volgen. Tegen de klok in vliegend duurde het maar enkele minuten voordat ze het gele gebouwtje van het kustwachtstation zagen. De helikopter bleef stil in de lucht hangen. Dirk en Dahlgren tuurden naar de omgeving van het station, speurend naar een teken dat er iets niet klopte. Dirk zag Max, de dode husky, voor het gebouw liggen en hij moest weer denken aan de gepijnigde trekken op de gezichten van de twee dode mannen, toen ze die eerder op de dag hadden gezien. Hij vermande zich en richtte zijn aandacht op het vinden van de bron van de dodelijke gifwolk.

Dirk maakte een hoofdbeweging naar rechts. 'De heersende windrichting is hier westelijk, dus moet de gifwolk van verder weg langs de kust hierheen gekomen zijn. Of mogelijk van zee.'

'Dat klinkt redelijk. Het CDC-team kampeerde meer naar het oosten, en ze kregen een minder zware dosis van het mysterieuze gas,' antwoordde Dahlgren, door zijn verrekijker naar de grond turend.

Dirk verschoof de gashendel een beetje en de helikopter verwijderde zich van het gele gebouwtje. Het volgende uur tuurden de twee mannen ingespannen naar het groene eiland, zoekend naar een aanwijzing over de herkomst van het natuurlijke of door mensen vervaardigde gif. Dirk vloog in wijde halve cirkels van noord naar zuid over het eiland, en uiteindelijk kwamen ze weer bij de westkust, in de omgeving van het kuststation.

'Alleen gras en rotsen,' verzuchtte Dalhgren. 'Mooi voor de zeehonden.'

'Ja, kijk daar eens,' zei Dirk, wijzend naar een grindstrandje voor hen.

Een stuk of zes bruine zeeleeuwen lagen languit op de grond, genietend van de late middagzon. Dahlgren keek beter en er verscheen een vragende frons op zijn voorhoofd.

'Jee, ze bewegen helemaal niet. Ze zijn ook morsdood.'

'Dan moet het gif van zee gekomen zijn, of van een volgend eiland.'

'Amukta is de volgende stapel rotsen in het westen,' antwoordde Dahlgren, en hij streek met zijn vinger over een kaart van het gebied.

Dirk zag het vuilgrijze silhouet van een eiland aan de horizon. 'Dat is denk ik zo'n twintig mijl vanhier.'

Na een blik op de brandstofmeter van de heli vervolgde hij: 'We kunnen daar nog wel even een kijkje nemen voor we door onze brandstof heen zijn. Je vindt het toch niet erg om je afspraak met de pedicure te verzetten?'

'Nee hoor. Die combineer ik wel met mijn bodywrap morgen,' antwoordde Dahlgren.

'Ik zal aan Burch melden waar we naartoe gaan,' zei Dirk, en tikte de radiofrequentie van het schip in de marifoon.

'Zeg hem dat hij wat te bikken voor ons moet bewaren in de kombuis,' voegde Dahlgren eraan toe, wrijvend over zijn maag. 'Ik krijg echt trek van dit mooie uitzicht.'

Terwijl Dirk radiocontact maakte met het schip, stuurde hij de Sikorsky naar het eiland Amukta, laag over het water vliegend. De zware helikopter, ontworpen voor de offshore-industrie, vloog in kaarsrechte lijn onder de vaste stuurhand van Dirk. Na tien minuten vliegen hief Dahlgren zwijgend zijn arm op en wees naar iets achter het cockpitraam aan de horizon. Het was een witte stip, die snel groter werd en even later uitdijde tot de vorm van een grote boot, met daarachter een wit kielzog. Dirk zei niets en drukte het linkerpedaal wat in, tot de heli recht naar de boot koerste. Ze kwamen snel dichterbij en zagen dat het een stalen vistrawler was, op volle kracht naar het zuiden stomend.

'Nou, die roestbak mag wel eens een verfje krijgen,' zei Pitt, en trok de gashendel terug tot de snelheid gelijk was aan die van de boot.

Hoewel de vissersboot niet echt oud was, had het intensieve gebruik wel sporen nagelaten. Overal waren krassen, deuken en vettige sporen op de romp en het dek. De oorspronkelijk witte verf was afgesleten op de plekken waar roest het nog niet had gewonnen. Het schip leek even vermoeid als de rafelige versleten autobanden die langs de zijkanten hingen, als donuts aan een touw geregen. Maar, zoals vaak bij werkschepen die er aftands uitzien, de twee dieselmotoren waren gereviseerd en duwden de trawler snel door de golven, met amper een zwarte rooksliert uit de schoorsteen.

Dirk bekeek de boot aandachtig; hij zag dat er geen vlaggen aan de mast wapperden waaruit de nationaliteit opgemaakt kon worden. En op de boeg en de achtersteven was ook geen naam of thuishaven geschilderd. Toen hij recht achter de vissersboot vloog, kwamen twee Aziaten in blauwe overalls in beeld, die boosaardig omhoog naar de helikopter keken.

'Die kijken niet bepaald vriendelijk,' merkte Dahlgren op voordat hij grijnzend naar de boot wuifde. De mannen in overall keken met een vuile blik terug.

'Jij zou ook niet blij zijn als je op die vieze schuit moest werken,' vond Dirk, en hij liet de helikopter recht achter de boot zweven. 'Zie jij ook iets opmerkelijks aan die trawler?' vroeg hij, turend naar het achterdek.

'Je bedoelt dat er nergens visgerei te zien is?'

'Precies,' beaamde Dirk en vloog nog wat dichter naar de boot. Hij zag een merkwaardig onderstel in het midden van het dek, een soort bok van ongeveer vijf meter hoog. Op het metalen frame was geen roest te zien, een teken dat het gevaarte pas kort geleden gemonteerd was. In een stervormig patroon waren onder het metalen frame grijze poedersporen te zien, kennelijk vastgeschroeid op het dek.

Terwijl de helikopter steeds dichterbij kroop, begonnen de mannen aan dek heftig met elkaar te praten, en opeens doken ze weg door een trapgat. Naast de deuropening van het trapgat lagen vijf karkassen van zeeleeuwen, dicht naast elkaar, als sardines in blik. Links van de dode dieren was een kooi, en daarin zaten drie levende zeeleeuwen.

'Sinds wanneer is er meer vraag naar zeeleeuwspek dan naar krabbenpootjes?' vroeg Dahlgren zich hardop af.

'Ik weet het niet, maar Nanook van het Noorden is hier vast niet blij mee, dat zijn avondeten wordt gestolen.'

Opeens was er een vurige flits. Dirk zag het vanuit zijn ooghoeken en trapte instinctief het linkerpedaal diep in, zodat de Sikorsky een tollende beweging maakte. Die snelle reactie redde hun leven. Hoewel de helikopter wegzwenkte, trof een kogelregen het toestel. Maar niet de hele voorkant van de cockpit kreeg de volle laag, al boorden zich kogels in het toestel die ook het instrumentenpaneel vernielden. De radio, de hendels en de console werden vernield, maar de twee inzittenden raakten niet gewond en de belangrijkste onderdelen van de besturing bleven heel.

'Ze konden die opmerking over Nanook zeker niet waarderen,' zei Dahlgren droog, toen hij de twee mannen in overall weer zag opduiken en met machinegeweren op de helikopter vuren.

Dirk reageerde niet. Hij gaf vol gas en probeerde met de Sikorsky weg te vliegen uit het schootsveld. Op het dek van de trawler bleven de twee mannen naar de heli vuren met hun AK-74's van Russische makelij. Zonder nadenken mikten ze op de cockpit, en niet op de kwetsbare rotorbladen. In de helikopter ging het ratelen van de machinegeweren verloren in het gierende geraas van de motor en de rotorbladen. Dirk en Dahlgren hoorden alleen venijnig tikkende geluiden op de romp.

Dirk stuurde het toestel in een wijde boog naar de stuurboordzijde van de trawler, zodat de brug van het schip tussen hem en de schutters was en ze enige beschutting hadden tegen het spervuur. Beschermd tegen een nieuwe aanval trok hij de helikopter recht en koerste naar het eiland Amukta, dat in de verte oprees.

Maar de schade was al aangericht. De cockpit vulde zich met rook, terwijl Dirk moest vechten met de heftig bokkende stuurknuppel. De regen van lood was in de elektronica geslagen, hydraulische leidingen waren beschadigd en maakten de hendels onbetrouwbaar. Dahlgren voelde iets warms op zijn enkel druppelen en zag dat hij een schotwond in zijn scheenbeen had. Enkele kogels hadden zich ook in de turbine geboord, maar de rotorbladen draaiden nog, al klonk het hortend en stotend.

‘Ik probeer het eiland te halen, maar bereid je voor op een nat pak,’ riep Dirk boven het geraas van de motor uit. Smerige blauwe rook drong de cockpit binnen, samen met de scherpe geur van smeulende elektrische bekabeling. Door de rook kon Dirk het eiland voor hem nog maar nauwelijks zien, waarbij hij iets ontwaarde dat op een smal strand leek.

De stuurknuppel in zijn handen schudde en trilde als een sloophamer. Dirk moest al zijn krachten gebruiken om de helikopter stabiel te houden en hij daalde al omdat het toestel uit elkaar leek te rammelen. Tergend dichtbij zag hij de kustlijn wenken terwijl de heli laag over de zee joeg, rookwolken uitbrakend en met de wielen nog net boven de golven scherend. Maar vlak voor het strand was het echt afgelopen met de kapotgeschoten turbine. De motor leek nog wat van zijn eigen onderdelen te vermalen, om vervolgens jankend en knarsend met een laatste plof tot stilstand te komen.

Terwijl de turbine het begaf, trok Dirk uit alle macht de stuurknuppel naar zich toe om de neus van het toestel omhoog te houden nu de rotors nog draaiden. De staartrotor sneed door het water, en dat werkte als een sleepanker, zodat het toestel afremde. De Sikorsky hing nog even in de lucht, tot de zwaartekracht sterker werd en de cockpit met een klap op het water sloeg. De hoofdrotor maalde even door het water en geselde de golven, maar de as brak vrijwel meteen en de hele rotor tolde wel vijftien meter weg, voor hij in een wolk schuim onder de golven verdween.

De cabine van de Sikorsky was wonderwel nog heel, ondanks de klap op het water, en bleef nog een paar seconden dobberen voordat de helikopter naar beneden werd gezogen. Door de verbrijzelde voorruit zag Dirk nog juist een golf op het strand stukslaan, maar toen voelde hij het ijskoude zeewater overal naar binnen kolken. Dahlgren probeerde een zijruit weg te trappen, terwijl het groene zeewater snel tot de bovenkant van de cockpit steeg. Beide mannen haalden gelijktijdig diep adem, vlak voordat het troebele water zich boven hen sloot. Toen verdween de turquoise helikopter helemaal onder de golven, om in een massa luchtbellen snel naar de rotsige zeebodem te zinken.

3

Nadat het radiocontact met Dirk en Dahlgren verbroken was, liet kapitein Burch onmiddellijk een zoekactie beginnen. Hij voer de *Deep Endeavor* naar de laatst bekende positie van de helikopter en begon op zicht te speuren naar de twee mannen, door in een westelijk zigzagpatroon van Yunaska naar Amukta te varen. Elk beschikbaar bemanningslid werd aan dek geroepen om de horizon af te speuren naar een teken van de twee mannen of van de helikopter, terwijl de marconist van het schip voortdurend oproepen naar het vermiste toestel uitzond.

Na drie uur zoeken was er nog steeds geen spoor van de helikopter gevonden, en de bemanning begon het ergste te vrezen. De *Deep Endeavor* was genaderd tot dicht bij Amukta, het kleine eilandje dat nauwelijks meer was dan een steil uit zee oprijzende vulkaan. De schemering begon te vallen en de hemel boven de westelijke horizon kleurde paarsrood naarmate het daglicht verder afnam. Scheepsofficier Leo Delgado tuurde naar de steile bergtop op het eiland, toen hij iets wazigs zag.

'Kapitein, ik zie rook bij de kust,' rapporteerde hij, met zijn vinger naar een nevelige plek op het eiland wijzend.

Burch hield een verrekijker voor zijn ogen en tuurde aandachtig in de aangewezen richting.

'Mogelijk een brandend wrak?' vroeg Delgado bezorgd.

'Misschien. Maar het kan ook een rooksignaal zijn. Dat is van hier niet te zien. Delgado, vaar met twee mannen in de Zodiac daarheen en kijk wat er aan de hand is. Ik zal het schip zo dicht mogelijk onder de kust manoeuvreren.'

'Begrepen,' antwoordde Delgado, en hij beende al naar buiten voor de kapitein helemaal uitgesproken was.

Een vlagerige wind was opgestoken, zodat de zee al ruwer werd toen de Zodiac te water werd gelaten. Terwijl de rubberboot stuiterend over de golven naar de kust raasde, werden Delgado en twee matrozen voortdurend door het koude buiswater besproeid. De hemel was al bijna donker en de man aan het roer had moeite de vage rookslierten te onderscheiden tegen de donkere achtergrond. Het eiland leek omringd door een steile en rotsige kustlijn, en Delgado vroeg zich af of ze wel aan land konden gaan. Toen zag hij even vlammen oplichten en hij liet de Zodiac in die richting koersen. Een smalle opening tussen de rotsen gaf toegang tot een beschut kiezelstrand. De roerganger gaf vol gas om bovenop een golf te komen, en de vier meter lange rubberboot schoot door het nauwe kanaal om even later met een krassend geluid van de stenen tegen de bodemplaat tot stilstand te komen.

Delgado sprong uit de rubberboot en rende bezorgd naar het vuur. Twee schimmige gestalten zaten ineengedoken bij het smeulende wrakhout, in een poging warm te blijven. Ze zaten met hun rug naar Delgado gekeerd.

'Pitt? Dahlgren? Alles oké?' riep Delgado aarzelend, nog voor hij hen dicht genaderd was.

De twee doorweekte schipbreukelingen keerden zich langzaam naar Delgado om, alsof ze gestoord werden in een belangrijk gesprek. Dahlgren hield een half opgegeten krabbenpoot in zijn hand, en een witte muis keek snuffelend over de rand van zijn borstzak. Dirk hield een scherpe stok met aan het uiteinde de gespietste schaal van een reuzenkrab met dunne pootjes boven het vuurtje.

'Hé,' zei Dirk, terwijl hij een dampende poot van het schaaldier trok, 'heb je wat citroensap en boter meegenomen?'

Nadat ze bij kapitein Burch verslag hadden gedaan over de confrontatie met de vissersboot hinkten Dirk en Dahlgren naar de ziekenboeg om hun verwondingen te laten behandelen en droge kleren aan te trekken. Dahlgren was geraakt door een kogel die het vlezige deel van zijn kuit had doorboord, maar gelukkig waren er geen pezen beschadigd. Terwijl de scheepsarts de wond hechtte, stak Dahlgren nonchalant een sigaar op, liggend op de onderzoekstafel. De arts trok de hechtingen bijna weer los, omdat hij moest niesen van de prikkelende rook, en hij verzocht Dahlgren de sigaar meteen weer uit te maken. Even later gaf de scheepsarts grijnzend een paar krukken aan Dahlgren, met de instructie zijn gewonde been de eerste drie dagen niet te belasten.

Dirk liet zijn bebloede wang en voorhoofd schoonmaken, waarna de snijwonden werden verbonden. Toen de helikopter op het water smakte, had hij de volle laag glassplinters in zijn gezicht gekregen. Gelukkig hadden de twee mannen door het ongeluk en tijdens het zinken van de Sikorsky verder geen verwondingen opgelopen. Dirk had hen van de verdrinkingsdood gered omdat hij had gezien dat er tijdens de harde landing een luik in de romp was weggeslagen. Nadat de heli vol water was gelopen, had hij Dahlgren meegetrokken, en zwemmend door de opening hadden ze aan de oppervlakte kunnen komen. Dankzij Dahlgrens' betrouwbare Zippo-aansteker hadden ze met wat droog drijfhout een vuurtje op het strand gestookt, zodat ze niet onderkoeld raakten. Tot Delgado met de rubberboot was gekomen.

Kapitein Burch rapporteerde het verlies van de helikopter aan het hoofdkwartier van NUMA, en hij meldde het ongeluk ook aan de kustwacht en de politie van het dorp Atka. De dichtstbijzijnde patrouilleboot van de kustwacht bevond zich honderden zeemijlen ver bij het eiland Attu vandaan, en al werd er en signalement van de vistrawler doorgegeven, de kans dat het schip opgebracht zou worden leek erg klein.

Nadat hij een zwarte trui en jeans had aangetrokken, ging Dirk naar de brug. Burch stond over de kaartentafel gebogen om de koers naar de Aleoeten uit te zetten.

'Gaan we niet terug naar Yunaska om de lichamen van die kustwachters te bergen?' vroeg Dirk.

Burch schudde zijn hoofd. 'Dat is geen karwei voor ons. We kunnen het hele onderzoek beter aan de bevoegde autoriteiten overlaten. Ik zet nu een koers uit naar de vissershaven Unalaska, om die wetenschappers van CDC daar aan land te zetten.'

'Ik zou liever die trawler achternagaan,' zei Dirk.

'We zijn onze helikopter al kwijt, en ze hebben een voorsprong van acht uur op ons. Het zou wel toevallig zijn als we dat schip vinden, áls we het al zouden kunnen inhalen. De marine, de kustwacht en de plaatselijke autoriteiten hebben allemaal een signalement gekregen en hebben dus meer kans dan wij om die boot te vinden.'

'Misschien, maar veel materieel hebben ze niet in dit deel van de wereld. De kans op succes blijft erg klein.'

'Veel meer kunnen wij niet doen. Ons werk is klaar, en die vergiftigde wetenschappers hebben goede medische verzorging nodig. Het heeft geen zin hier in de buurt te blijven hangen.'

Dirk knikte. 'Ja, u hebt gelijk.' Hij wenste dat er een manier was om de trawler op te sporen en daalde de scheepstrap af naar de kombuis om een kop koffie te drinken. Het avondeten was al een tijd geleden opgediend en de schoonmakers waren bezig de keuken op te ruimen en af te sluiten. Dirk schonk een beker koffie in uit een grote zilverkleurige kan, en toen hij zich omdraaide zag hij Sarah, zittend in een rolstoel, achter in de eetsalon. De vrouw met het goudblonde haar zat alleen aan een tafeltje en staarde door een grote patrijspoort naar het door de maan beschenen water. Ze was gehuld in een saaie katoenen ziekenhuispyjama, slippers en een blauwe kamerjas, maar toch maakte haar verschijning indruk. Toen Dirk naderbij kwam, keek ze hem met een twinkeling in haar ogen aan.

'Ben ik te laat voor het diner?' vroeg hij verontschuldigend.

'Ik vrees van wel. Je hebt de specialiteit van de chef-kok gemist: heilbot à la Oscar, en die smaakte voortreffelijk.'

'Heb ik weer eens pech,' zuchtte Dirk. Hij trok een stoel bij en ging recht tegenover haar zitten.

'Wat is er met jou gebeurd?' vroeg Sarah bezorgd, toen ze de pleisters op Dirks gezicht zag.

'Een ongelukje met de helikopter. Mijn baas zal niet blij zijn als hij dat hoort,' zei Dirk met een grimas toen hij even dacht aan het wrak van de kostbare helikopter op de zeebodem. Dirk vertelde wat er gebeurd was, en terwijl hij dat deed, bleef hij strak naar Sarahs lichtbruine ogen kijken.

'Denk je dat die vissersboot iets te maken heeft met de dood van de kustwachters en dat wij ziek werden?' vroeg ze.

'Daar kunnen we alleen naar raden. Het was wel duidelijk dat ze niet blij waren toen we zagen dat ze zeeleeuwen stroopten, of wát ze daar ook aan het uitspoken waren.'

'De zeeleeuwen,' mompelde Sarah. 'Hebben jullie zeeleeuwen gezien aan de westkant van het eiland, toen jullie daar vlogen?'

'Ja, Jack zag een paar zeeleeuwen, een eindje voorbij het kustwachtstation. De dieren leken allemaal dood.'

'Denk je dat de *Deep Endeavor* een kadaver kan ophalen, om het te onderzoeken? Ik kan wel regelen dat er weefselonderzoek wordt gedaan in het lab waar we voor werken.'

'Kapitein Burch voelt er weinig voor hier in de buurt te blijven, maar ik denk dat ik hem wel kan overreden een dode zeeleeuw op te halen voor wetenschappelijk onderzoek,' zei Dirk, voordat hij bedachtzaam een slok van zijn koffie nam. 'We gaan nu op weg naar de thuishaven in Seattle, en dan kunnen we dat kadaver daar afleveren.'

'We kunnen autopsie uitvoeren, waarbij de doodsoorzaak relatief snel bepaald kan worden. Ik weet wel zeker dat de autoriteiten in Alaska de tijd nemen voordat ze de doodsoorzaak van die kustwachters bekendmaken, en ze zullen het niet prettig vinden als het CDC over hun schouders meekijkt.'

'Zou er een verband zijn met de dode zeeleeuwen die op andere eilanden van de Aleoeten gevonden werden?'

'Geen idee. We vermoeden dat de kadavers die in de buurt van het vasteland werden aangetroffen besmet waren met hondsdolheidvirus.'

'Hondsdolheid?'

'Ja, een virusbesmetting door contact tussen een geïnfecteerde hond en een of meer zeeleeuwen. Hondsdolheid is erg besmettelijk en kan zich snel verspreiden in een zeehondenkolonie.'

'In Rusland was er enkele jaren geleden toch ook zo'n epidemie?' herinnerde Dirk zich vaag.

'Jawel, in Kazachstan. In 2000 stierven duizenden zeehonden als gevolg van een epidemie bij de rivier de Oeral en de Kaspische Zee.'

'Irv vertelde mij dat je op Yunaska gezonde zeeleeuwen hebt aangetroffen.'

'Klopt, die hondsdolheid heeft het verre westen kennelijk nog niet bereikt. En dat maakt een onderzoek van de dode zeeleeuwen die jij vanuit de helikopter zag des te interessanter.'

Er viel een stilte en, Sarah zag de afwezige blik in Dirks ogen, terwijl zijn gedachten maalden. Na een tijdje verbrak ze de stilte.

'Die mannen op de vissersboot.... Wat waren dat voor kerels? En wat spoken ze uit?'

Dirk staarde wel een minuut lang door de patrijspoort. 'Geen idee,' zei hij zacht, 'maar ik wil dat wel uitzoeken.'

4

De twaalfde hole van de Kasumigaseki Golf Club strekte zich langs een strakke fairway bijna 290 meter uit, tot een *dogleg* naar links en stijgende *green* met daarvoor een diepe bunker. De Amerikaanse ambassadeur in Japan, Edward Hamilton, liet de kop van zijn golfclub enkele keren heen en weer zwaaien, om het golfballetje vervolgens een rake slag te geven, dat even later op zo'n 275 meter van de *tee* verwijderd midden op de fairway belandde.

'Mooie klap, Ed,' prees David Monaco, de Britse ambassadeur in Japan en al bijna drie jaar de wekelijkse golfmaat van Hamilton. De slanke Brit legde zijn bal op de *tee* en zwiepte de bal met een fraaie boog tot twintig meter voorbij de bal van Hamilton, maar de bal stuiterde in het hoge gras aan de linkerkant van de fairway.

'Pittig geslagen, maar je zit wel in de *rough*,' zei Hamilton, de bal van zijn golfmaat nakijkend. De twee mannen begonnen over de fairway te kuieren, terwijl enkele vrouwelijke caddies op discrete afstand achter hen de golftassen meesjouwden. Vier bodyguards, duidelijk als zodanig herkenbaar, vormden een kordon op enige afstand van het tweetal en bewoog mee over de golfbaan.

Het wekelijkse uitstapje naar de golfbaan ten zuiden van Tokio was een informele manier om nieuwtjes uit te wisselen over wat er in het gastland allemaal gebeurde. En de twee ambassadeurs beschouwden dit ook als hun productiefste bezigheid.

'Ik hoorde dat je goede vorderingen maakt wat betreft dat verdrag over economische samenwerking met Tokio,' merkte Monaco op, terwijl ze over het kortgeschoren gras liepen.

'Iedereen heeft er baat bij als de invoerbeperkingen versoepeld worden. Maar onze heffingen op staal zijn nog een probleem voordat we tot een verdrag komen. Toch verandert de houding tegenover de internationale handel hier wel. Ik denk dat Zuid-Korea binnenkort een samenwerkingsverdrag met Japan gaat sluiten.'

'Over Korea gesproken: ik heb begrepen dat sommige heren in Seoel volgende week weer in het Koreaanse parlement gaan pleiten voor vertrek van de Amerikaanse troepen,' zei Monaco zacht maar nadrukkelijk.

'Ja, dat heb ik ook gehoord. De linkse arbeiderspartij DLP in Zuid-Korea gebruikt dat standpunt om een wig te drijven en zo meer politieke invloed te krijgen. Maar gelukkig is dat een kleine minderheid in het parlement.'

'Dat is waar, maar ze raken daar wel een gevoelige snaar. De DLP probeert ons te vergelijken met de bezetters uit het verleden, toen China en Japan het land overheersten. En dat raakt de gewone man in de straat.'

'Kan wel zijn, maar het zou me verbazen als de leiders van die partij zulke simpele motieven gebruiken,' zei Monaco, toen ze bij Hamiltons bal waren gekomen.

'Mijn collega in Seoel zegt dat we er geen bewijzen voor hebben, maar we weten vrijwel zeker dat enkele partijbonzen financieel gesteund worden door Noord-Korea,' antwoordde Hamilton. Hij pakte een ijzer 3 van zijn caddy aan, mikte zorgvuldig en sloeg zijn bal dwars over de *dogleg*, de grote bunker vermijdend.

'Ik heb begrepen dat er helaas ook buiten de DLP steun voor dat standpunt is,' vervolgde Monaco. 'De economische winst van hereniging trekt de aandacht van veel parlementariërs. En ik hoorde de directeur van de Zuid-Koreaanse Hyko Tractor Industries opmerken tijdens een congres in Osaka hoeveel hij aan loonkosten kan besparen en hoe concurrerend hij kan leveren als hij gebruik kan maken van Noord-Koreaanse arbeiders.'

Monaco stapte zoekend door het hoge gras tot hij zijn bal had gevonden. Met een ijzer 5 bracht hij zijn golfbal weer op de baan. De bal rolde tot op tien meter van de vlag.

'Dan ga je ervan uit dat hereniging de vrije markt in stand houdt,' zei Hamilton. 'Het is duidelijk dat het noorden het meest gebaat is bij een hereniging van beide landen, en zelfs nog meer als Amerikaanse troepen geen rol meer spelen.'

'Ik zal eens kijken of mijn mensen ergens connecties kunnen ontdekken,' bood Monaco aan toen ze de *green* naderden. 'Maar voorlopig ben ik blij dat we aan deze kant van de Japanse Zee werken.'

Hamilton knikte beamend en probeerde een *chipshot* naar de hole. Zijn club schaafde over de grond voordat hij de bal raakte, zodat die toch vijf meter voor de vlag tot stilstand kwam. Hij wachtte tot Monaco twee keer geput had en boog zich toen over zijn bal om een par te wagen. Maar terwijl hij met zijn putter zwaaide, was het alsof zijn hoofd door een klap getroffen werd, en in de verte klonk een korte knal. Hamiltons ogen draaiden weg en een fontein van bloed en weefsel spoot uit zijn linkerslaap tot op de broek en schoenen van Monaco. De Britse diplomaat keek vol afgrijzen toe hoe Hamilton op zijn knieën zakte, met zijn handen nog om de golfclub geklemd. Hij probeerde iets te zeggen, maar er kwam alleen een rochelend geluid over zijn lippen voordat hij opzij viel op het keurig verzorgde gras. Een fractie van een seconde later bereikte de met bloedspatten besmeurde golfbal van Hamilton de rand van de hole en rolde in het gaatje.

Zeshonderd meter verder kwam een kleine, gespierde Aziaat in blauwe kleding uit de *bunker* van de achttiende hole overeind. De zon glansde op zijn kale hoofd en heel even verscheen er een twinkeling in zijn koolzwarte ogen, die door de lange Fu Manchu-snor nog dreigender leken. Met zijn hoekige en sterke gestalte leek hij eerder een worstelaar dan een golfer, maar zijn vloeiende bewegingen maakten duidelijk dat hij ook heel lenig was. Met de verveelde houding van een kind dat zijn speelgoed moet opruimen, demonteerde de man zorgvuldig zijn M-40-scherpschuttersgeweer en borg de onderdelen in een geheim compartiment van zijn golftas op. Daarna pakte hij een golfclub en sloeg een krachtig boogschot vanuit de *bunker*, zodat het zand opspatte. Met drie putters maakte hij zijn ronde af, wandelde kalm naar zijn auto en borg de golftas in de kofferbak. Bij het wegrijden van het parkeerterrein gaf hij voorrang aan de stroom politieauto's en ambulances die met loeiende sirenes naar het clubhuis stoven, en hij verdween snel in het stadsverkeer.

5

Een paar technici, gehuld in beschermende kleding, voeren met de Zodiac van de *Deep Endeavor* naar de westkust van Yunaska, waar ze een jong mannetje uitkozen tussen de groep dode zeezoogdieren die verspreid op het strand lag. Het dier werd zorgvuldig in een nylonlaken gewikkeld en daarna in een stevige lijkenzak geschoven, voor het transport aan boord. Het onderzoeksschip van NUMA lag dicht bij het strand en stralenbundels van de schijnwerpers zwaaiden over het water om de bemanning van de rubberboot bij te lichten. Een gedeelte van de kombuis was ontruimd en het ingepakte kadaver werd in een vrieskist geborgen, naast een voorraad sorbet.

Toen dat gebeurd was, liet kapitein Burch zijn schip op volle kracht naar het eiland Unalaska varen, naar de havenplaats met dezelfde naam. Het eiland lag op meer dan tweehonderd mijl afstand. Omdat Burch de hele nacht op topsnelheid bleef varen, was de *Deep Endeavor* de volgende ochtend even voor tien uur in de vissershaven. Een wat oude ambulance stond op de kade te wachten om Sarah, Irv en Sandy naar het kleine vliegveld bij het stadje te brengen, waar een gecharterd vliegtuig gereedstond om hen naar Anchorage te brengen. Dirk wilde Sandy beslist zelf in haar rolstoel de ambulance induwen en hij gaf haar een lange kus op de wang zodra de rolstoel was vastgezet.

'We gaan een keertje uit in Seattle, oké? Ik ben je nog een krabmaaltijd schuldig,' zei Dirk met een innemende glimlach.

'Dat wil ik niet missen,' zei Sarah een beetje verlegen. 'Sandy en ik komen daarheen zodra we uit Anchorage weg kunnen.'

Nadat ze het CDC-team hadden uitgezwaaid, hadden Dirk en Burch een gesprek met de commissaris van politie en ze deden uitvoerig verslag van wat er gebeurd was. Dirk gaf een gedetailleerde beschrijving van de mysterieuze vistrawler en hij vroeg om een lijst met alle geregistreerde vissersboten aan de politiechef. De commissaris zegde toe dat hij ook informatie zou opvragen bij de visserij-inspectie, maar daar verwachtte hij weinig van. Japanse en Russische vissersboten werden wel vaker gezien bij illegale visvangst in de territoriale wateren, maar ze hadden de gewoonte spoorloos te verdwijnen als de autoriteiten de jacht erop openden.

Burch verspilde geen tijd in de havenstad en liet de *Deep Endeavor* weer uitvaren, in zuidelijke richting naar Seattle. De hele bemanning had wel veel vragen over de gebeurtenissen van de vorige dag maar slechts weinig antwoorden.

Sarah, Irv en Sandy doorstonden de lawaaiige en hobbelige vlucht naar Anchorage in een van de lokale tweemotorige vliegtuigen die gebruikt werden voor de verbinding tussen de eilanden, en ze arriveerden laat in de avond op de internationale luchthaven. Twee opgewekte stagiairs van het regionale CDC-kantoor stonden hen al op te wachten in de aankomsthal en brachten het drietal naar het Alaska Regional Hospital, waar ze een hele serie toxicologische tests en onderzoeken moesten ondergaan. De drie wetenschappers waren inmiddels weer op krachten gekomen en ze vertoonden geen uiterlijke ziekteverschijnselen meer. Vreemd genoeg waren de artsen niet in staat een vergiftiging of een andere kwaal vast te stellen. Na een nacht in het ziekenhuis voor observatie werden Sarah, Irv en Sandy ontslagen, met een verklaring dat ze kerngezond waren, alsof er helemaal niets was gebeurd.

Zes dagen later voer de *Deep Endeavor* kalm de Puget Sound in en verlegde de koers in oostelijke richting naar Shilshole Bay, even ten noorden van Seattle. Het onderzoeksschip werd afgemeerd in de schutsluis van Ballard Locks, en zoet water bracht het schip een eind omhoog, tot het niveau van het kanaal. De *Deep Endeavor* voer door het kanaal naar de noordelijke oever van Lake Union. Burch stuurde zijn schip langzaam naar een privékade voor een klein modern glazen gebouw waarin het kantoor van NUMA voor de noordwestelijke regio was gevestigd. Op de kade stond een rij vrouwen en kinderen van de bemanningsleden, enthousiast zwaaiend naar het naderende schip.

'Zo te zien heb jij je eigen welkomstcomité, Dirk,' merkte Burch op, en hij wees naar twee gestalten die aan het eind van de kade stonden te zwaaien. Dirk tuurde door een raam van de brug en herkende Sarah en Sandy tussen de vrolijke menigte die het turquoise schip begroette. Sarah zag er stralend uit in haar lichtblauwe broek en maïsgele satijnen blouse, die strak om haar slanke gestalte viel.

'Jullie zien er kerngezond uit,' zei Dirk toen hij de twee hartelijk begroette.

'En dat is vooral aan jou te danken,' bloosde Sarah. 'Eén nacht in het Alaska Regional Hospital, en we mochten als herboren op reis.'

'Hoe gaat het met Irv?'

'Prima,' antwoordde Sarah. 'Hij blijft nog een paar weken in Anchorage, om ons onderzoek naar de zeeleeuwen af te ronden bij het instituut voor vis en wild. Dat bureau had hulp toegezegd voor het veldwerk van ons onderzoek.'

'Ik ben erg blij dat iedereen gezond is. Wat was de diagnose in Anchorage?' vroeg Dirk.

Sandy en Sarah keken elkaar even aan, haalden hun schouders op en schudden tegelijk hun hoofd.

'Ze hebben niets kunnen vinden,' zei Sarah uiteindelijk. 'Het blijft een raadsel. We hadden allemaal wel sporen van een ontsteking aan de luchtwegen, maar verder niets. Bloed en urine waren ook in orde. Als we gif hebben ingeademd, dan was dat alweer uit ons lichaam verdwenen toen we in Anchorage arriveerden.'

'En daarom komen we hier die dode zeeleeuw ophalen. Hopelijk zijn er nog sporen te vinden in het kadaver,' zei Sandy.

'Dus jullie zijn niet gekomen om mij te zien?' Dirks stem klonk teleurgesteld, en hij keek overdreven triest.

'Ach, sorry, Dirk!' lachte Sarah. 'Heb je zin om later vanmiddag naar het laboratorium te komen, als we met het onderzoek klaar zijn? Dan kunnen we daarna wat gaan eten.'

'Ik ben nieuwsgierig naar de resultaten,' knikte Dirk, en ging met de twee vrouwen aan boord om de bevroren zeeleeuw uit de vrieskast te halen.

Toen het zoogdier van boord was gesjouwd, hielpen Dirk en Dahlgren het schip goed afmeren en brachten ze de gevoelige hightechapparatuur aan wal. Alles werd in een loods opgeborgen. Nadat al het werk aan boord klaar was, verlieten de bemanningsleden de *Deep Endeavor* om een paar dagen te passagieren voordat het schip weer naar zee zou vertrekken.

Dahlgren kwam met een rugzak over zijn schouders naar Dirk, en onder zijn arm klemde hij een paar krukken. Hij hinkte nog een beetje als hij liep.

'Dirk, ik ben weg, om een afspraakje te regelen met een sexy loketmeisje dat ik bij de bank zag vóór we aan deze reis begonnen. Zal ik eens polsen of ze een leuke vriendin heeft?'

'Nee, dank je. Ik ga me opfrissen en eens kijken of Sarah en Sandy nog iets vinden in die dooie zeeleeuw.'

'Jij valt altijd op die leergierige types,' grinnikte Dahlgren.

'Wat moet je eigenlijk met die krukken? Je loopt toch al drie dagen zonder?'

'Onderschat vrouwelijk medelijden nooit,' grijnsde Dahlgren. Hij haakte een kruk onder zijn oksel en deed of hij vreselijk veel pijn had, terwijl hij moeizaam hinkte.

'Als ik jou was zou ik me maar niet vergissen in het vermogen van vrouwen om slecht acteren meteen te herkennen,' reageerde Dirk lachend. 'Veel succes met je versiertoer.'

Dirk leende de sleuteltjes van een turquoise NUMA-jeep Cherokee en reed de korte afstand naar zijn gehuurde flat met uitzicht over Lake Washington. Al was Washington D.C. de plek waar hij zich thuis voelde, hij genoot van de tijdelijke aanstelling in het noordwesten. De weelderige groene omgeving, het koele, heldere water en de opgewekte jonge inwoners, ondanks het soms grijze en natte weer, maakten dit een aangename plek om te wonen.

Dirk nam een douche en trok een zwarte broek en een dunne sweater aan. Daarna at hij een boterham met pindakaas en dronk er een blikje Olympia-bier bij. Intussen luisterde hij naar de reeks berichten op zijn antwoordapparaat. Tevreden dat de wereld niet tot stilstand was gekomen tijdens zijn afwezigheid sprong hij weer in de jeep en reed in noordelijke richting over de I-5. Hij nam de afslag voorbij de groene Jackson Park Golfbaan en was niet lang daarna bij het parkachtige terrein van de Fircrest Campus. Dit was ooit een militaire kazerne geweest, maar de gebouwen waren overgedragen aan de staat Washington en verbouwd tot kantoren voor een aantal overheidsdiensten. Dirk keek naar de witte, hoekige gebouwen, omringd door grote bomen, en parkeerde vlak bij het bord met het opschrift: WASHINGTON STATE – LABORATORIUM GEZONDHEIDSDIENST.

Een pinnige receptioniste telefoneerde naar het kleine CDC-kantoor om Dirks komst aan te kondigen en even later kwamen Sandy en Sarah naar de hal. Aan hun gezichten was te zien dat ze minder vrolijk waren dan eerder op de dag.

'Dirk, fijn dat je gekomen bent. Er is een rustig Italiaans restaurant hier in de buurt, en daar kunnen we praten. En de Pasta Alfredo is daar trouwens erg lekker,' stelde Sarah voor.

'Goed idee. Dames gaan voor,' zei Dirk, en hield de toegangsdeur open voor de twee wetenschappers.

Zodra het drietal in het restaurant aan een tafeltje zat, vertelde Sarah wat ze gevonden hadden.

'Onderzoek van de dode zeeleeuw wees op de klassieke symptomen van ontsteking aan de luchtwegen als doodsoorzaak. Maar een eerste bloedtest leverde geen sporen van vergiftiging op.'

'Dus hetzelfde testresultaat als bij jullie in Anchorage,' begreep Dirk, tussen twee happen brood door.

'Inderdaad. Onze lichaamsfuncties waren in orde, al hadden we last van vermoeidheid, zwakte en tekenen die op een luchtweginfectie wezen, toen we in Anchorage arriveerden,' voegde Sandy eraan toe.

'Daarom hebben we meer tests gedaan met het bloed en het weefsel van die zeeleeuw, en uiteindelijk hebben we sporen van vergiftiging gevonden,' vervolgde Sarah. 'We weten het niet honderd procent zeker, maar we zijn er wel van overtuigd dat het dier gestorven is aan vergiftiging met waterstofcyanide.'

'Cyanide?' Dirk trok vragend zijn wenkbrauw op.

'Ja,' zei Sandy. 'En dat klopt ook wel, want cyanide verdwijnt snel uit het menselijk lichaam. Bij Sarah, Irv en mijzelf was dat gif alweer weg uit ons lichaam toen we in Anchorage werden opgenomen in het ziekenhuis. En dus werden er ook geen sporen aangetroffen in onze bloedmonsters.'

'Ik heb contact gezocht met het bureau van de lijkschouwer in Alaska en doorgegeven wat het resultaat van ons onderzoek is. Ze hebben nog geen rapport van de autopsie op de twee kustwachters, maar nu weten ze wel waar ze naar moeten zoeken. Ik ben er zeker van dat cyanide de doodsoorzaak is.' Er klonk een treurige ondertoon in Sarahs stem.

'Ik heb altijd gedacht dat cyanide via voedsel opgenomen moet worden om dodelijk te zijn,' zei Dirk.

'Dat is algemeen bekend, maar het is niet de enige manier waarop het gif dodelijk is. Iedereen weet van de tabletten met cyanide die spionnen in de oorlog bij zich hebben, en je hebt ook vast wel gehoord van de met cyanide vergiftigde Kool-Aid waarmee Jim Jones honderden mensen de dood in joeg. Maar cyanidegas is ook gebruikt als dodelijk wapen. De Fransen probeerden verschillende soorten cyanidegas uit op de Duitsers, in de loopgraven tijdens de Eerste Wereldoorlog. En al gebruikten de Duitsers het nooit op het slagveld, ze hadden wel een vorm van cyanide in de gaskamers van de concentratiekampen tijdens de Tweede Wereldoorlog.'

'Het beruchte Zyklon B,' wist Dirk.

'Juist. Dat was een sterkere vorm van een gas dat oorspronkelijk bedoeld was om schadelijke knaagdieren uit te roeien,' vervolgde Sarah. 'En in het recente verleden werd Saddam Hoessein ervan verdacht een variant van cyanidegas te gebruiken bij aanvallen op Koerdische dorpen in zijn eigen land, al is dat nooit met zekerheid vastgesteld.'

'Aangezien we onze eigen voorraden proviand en water hebben ingepakt,' vulde Sandy aan, 'is vergiftiging via de lucht wel aannemelijk. En het verklaart ook de dode zeeleeuwen.'

'Kan cyanidegas in de natuur ontstaan?' vroeg Dirk.

'Cyanide wordt aangetroffen in allerlei planten en eetbare dingen, van limabonen tot chokebessen. Maar het spul wordt vooral gebruikt als oplosmiddel in de industrie. Tonnen worden elk jaar geproduceerd voor elektrolyse, het winnen van goud en zilver en voor uitzwavelen. De meeste mensen komen vrijwel dagelijks in contact met een of andere vorm van cyanide. Om antwoord te geven op je vraag: het is onwaarschijnlijk dat het als gas in de natuur voorkomt met concentraties die dodelijk zijn. Sandy, heb jij nog gegevens gevonden over cyanideslachtoffers in de Verenigde Staten?'

'Dat zijn er heel wat, maar meestal gaat het om ongelukken, en moord of zelfmoord, waarbij cyanide in vaste vorm werd toegediend.' Sandy pakte de bruine map op die ze had meegebracht en bladerde snel door de pagina's.

'De enige duidelijke zaak was de Tylenol-vergiftiging, waarbij zeven mensen stierven, en ook daar werd cyanide ingenomen. Ik heb slechts twee verwijzingen gevonden waarbij het vermoeden bestaat dat meer mensen gedood werden door cyanidegas. In 1942 stierf een gezin van vier personen in de plaats Warrenton, Oregon, en in 1964 overleden drie mannen in Butte, Montana. Dat laatste was een mijnongeluk, met als oorzaak het gebruik van cyanide als winningsmiddel. In Warrenton is de oorzaak niet vastgesteld. Verder heb ik nauwelijks iets gevonden over incidenten in Alaska.'

'Dan lijkt cyanidegas uit een natuurlijke bron niet erg waarschijnlijk,' merkte Dirk op.

'Dus als het gas door mensen in de lucht werd gebracht, wie heeft dat dan gedaan, en waarom?' vroeg Sandy, met haar vork in de kom spaghetti prikkend.

'Ik vermoed dat de "wie" onze vrienden op de vistrawler zijn,' zei Drik droogjes.

'Is die boot al opgebracht door de autoriteiten?'vroeg Sarah.

Dirk schudde misprijzend zijn hoofd. 'Nee, die trawler is weg. Toen de lokale autoriteiten in dat gebied arriveerden, was de boot al spoorloos verdwenen. De officiële verklaring is dat het stropers uit een ander land waren.'

'Dat kan een mogelijkheid zijn. Het klinkt riskant, maar als ze bovenwinds gas bij een zeeleeuwenkolonie loslaten...' Sarah schudde meewarig haar hoofd.

'Een snelle manier om veel dieren te doden,' vulde Dirk aan. 'Maar dat stropers ook bewapend zijn met AK-74's lijkt me toch wel extreem. En ik vraag me af of er wel een markt is voor dode zeeleeuwen.'

'Het is krankzinnig. Ik heb nooit eerder zoiets gehoord.'

'Ik hoop maar dat jullie geen blijvende gevolgen ondervinden van dat gas,' zei Dirk, en hij keek bezorgd naar Sarah.

'Dank je,' antwoordde Sarah. 'Het was een klap voor ons lichaam, maar met ons komt het wel weer goed. Er zijn geen bewijzen dat langdurige blootstelling aan kleine hoeveelheden cyanide gevaarlijk is.'

Dirk duwde zijn lege bord weg en wreef voldaan over zijn maag.

'Prima restaurant.'

'Wij eten hier vaak,' zei Sarah, en met een snelle beweging griste ze de rekening weg voor Dirk die kon pakken.

'Ik sta erop je ook eens uit te nodigen,' zei Dirk, en keek met een innemende glimlach naar Sarah.

'Sandy en ik moeten voor een paar dagen naar het lab in Spokane, maar ik neem de uitnodiging graag aan als we weer terug zijn,' antwoordde ze, zonder Sandy erbij te betrekken.

Dirk knikte begrijpend. 'Ik kan nauwelijks wachten.'

6

Terwijl de Gulfstream V haar neus oplijnde met de landingsbaan, kwam het landingsgestel langzaam naar buiten. De vleugels sneden als een scalpel door de heiige lucht en het luxueuze zakenvliegtuig met negentien zitplaatsen streek sierlijk neer, tot de wielen met een snerpend geluid het asfalt raakten en kleine rookwolkjes veroorzaakten. De piloot stuurde het toestel naar de terminal van Tokio's moderne luchthaven Narita International en schakelde daar aangekomen de gierende straalturbines uit. Terwijl grondpersoneel blokken voor de wielen legde, reed er een glanzend zwarte Lincoln-limousine tot vlak bij het toestel en stopte precies voor de vliegtuigtrap.

Chris Gavin kneep zijn ogen halfdicht tegen het felle zonlicht en stapte uit het vliegtuig. Hij daalde de trap af naar de wachtende limousine, gevolgd door een legertje assistenten en enkele onderdirecteuren. Als hoogste chef van SemCon Industries gaf Gavin leiding aan de grootste fabriek van halfgeleiders in de hele wereld. De flamboyante en bourgondische directeur, die het bedrijf van zijn visionaire vader had geërfd, was van veel landgenoten in de Verenigde Staten vervreemd omdat hij winstgevende fabrieken had gesloten en duizenden werknemers zonder pardon had ontslagen, omdat hij de productie verplaatste naar nieuwe en goedkopere fabrieken in het buitenland. De winsten zouden groter worden, beloofde hij zijn aandeelhouders, en zelf genoot hij vooral van een levensstijl met internationale allure.

De chauffeur van de limousine reed weg van de luchthaven, zo'n zestig kilometer ten noordoosten van Tokio, en volgde met zijn lading duurbetaalde managers de Higashi Kanto-snelweg in de richting van de Japanse hoofdstad. Twintig minuten later verliet de chauffeur de snelweg, ongeveer twintig kilometer voor Tokio. De limo kwam al spoedig aan bij het industriegebied Chiba, een grote havenstad aan de oostkant van de baai bij Tokio. De chauffeur reed langs grote, grauwe bedrijfspanden tot hij stilhield voor een modern gebouw met veel glas en uitzicht over het water. Het gebouw leek eerder een directiekantoor dan een productiebedrijf, door de goudkleurig reflecterende ramen die vier verdiepingen hoog oprezen. Op het dak was in grote blauwe neonletters de naam SEMCON aangebracht, zichtbaar van kilometers afstand. Een groep werknemers, gekleed in lichtblauwe laboratoriumjassen, stond voor het gebouw te wachten op de komst van hun hoofddirecteur, die de nieuwe fabriek officieel zou openen.

De menigte juichte en camera's flitsten toen Gavin uit de limousine stapte en met een brede grijns naar het verzamelde personeel en de fotografen wuifde. Na enkele langdradige welkomsttoespraken van de burgemeester van Chiba en de bedrijfsleider van de nieuwe fabriek, sprak Gavin een kort dankwoord, om daarna met een komisch grote schaar het brede lint door te knippen dat voor de entree van het gebouw was gespannen. De omstanders applaudisseerden beleefd, en op dat moment klonk een doffe knal ergens in het gebouw, wat eerst werd opgevat als feestelijk vuurwerk ter ere van de opening. Maar even later volgde een hele serie explosies die het gebouw deden trillen, en het verzamelde personeel keek verschrikt om zich heen.

In het hart van het gebouw, waar de halfgeleiders werden gemaakt, was een kleine springlading met een tijdklok geëxplodeerd bij een tank vol silanegas, een licht ontvlambare stof die gebruikt wordt bij de productie van LCD-kristallen. Exploderend als een torpedo spatten metaalsplinters van de tank naar een aantal andere gastanks met silane en zuurstof, zodat een kettingreactie van ontploffingen volgde en even later een grote vuurbal in het gebouw ontstond. De enorme hitte deed de ramen uit de sponningen vliegen, zodat de verblufte toeschouwers buiten een hagelregen van glassplinters en scherven over zich heen kregen.

Terwijl het gebouw op zijn grondvesten schudde en de vlammen al uit het dak sloegen, vluchtten de personeelsleden in paniek weg. Gavin stond met de grote schaar in zijn handen, en op zijn gezicht was alleen verbijstering te lezen. Een scherpe pijn trok opeens door zijn nek en instinctief greep hij naar de gewonde plek. Geschrokken voelde hij een klein metalen bolletje met scherpe uitsteeksels in zijn huid. Hij pakte het bolletje, waar bloed van af drupte. Een vrouw rende krijsend voorbij, met een groot stuk glas in haar schouder gekerfd. Een tweetal geschrokken assistenten trok Gavin naar de limousine, hem afschermend voor een nieuwsgierige fotograaf die maar al te graag een plaatje wilde schieten van de industrieel voor zijn brandende bedrijf.

Terwijl hij naar de auto werd getrokken, voelde Gavin dat zijn benen opeens van rubber leken. Hij keerde zich naar een van de assistenten en wilde iets zeggen, maar er kwam geen woord over zijn lippen. Het portier van de auto werd geopend en hij wankelde naar binnen en viel languit op de dikke vloerbekleding. Een paniekerige assistent rolde hem op zijn rug en constateerde dat de hoofddirecteur niet meer ademde. Meteen werd kunstmatige beademing toegepast, terwijl de limousine met snerpende banden wegraasde naar het dichtstbijzijnde ziekenhuis, maar tevergeefs. Gavin, de eigenzinnige hoogste baas van een wereldwijde onderneming, was dood.

Weinig mensen hadden aandacht besteed aan de kale man met donkere ogen en een lange snor die tot dicht bij het platform voor de sprekers naar voren was gekomen. Met zijn blauwe laboratoriumjas en plastic identiteitskaartje viel hij niet op tussen het overige personeel van SemCon. En nog minder mensen was het opgevallen dat hij een plastic drinkbeker droeg met een vreemd bamboerietje erin. En in de verwarring na de explosies had niemand gezien dat hij het rietje tussen zijn lippen bracht en een vergiftigd bolletje naar de topman van de grote onderneming blies.

Nonchalant ging hij op in de menigte, en de kale moordenaar zocht zich een weg naar de rand van het bedrijfsterrein, waar hij het bekertje en de laboratoriumjas in een afvalbak deponeerde. Hij sprong op een fiets en wachtte even tot een brandweerwagen met rinkelende bellen en brullende motor naar het brandende gebouw raasde. Daarna peddelde hij kalm weg, zonder nog om te kijken.

Een galmende bel echode in Dahlgrens hoofd, als van een trein die in de verte een overgang nadert. De vurige hoop dat dit geluid een deel van zijn droom was, verdween toen hij helder werd en besefte dat het een rinkelende telefoon was. Hij tastte naar de hoorn op het nachtkastje en geeuwde vermoeid. ‘Hallo?’

‘Jack, snurk je nog?’ klonk Dirks stem lachend aan de andere kant van de lijn.

‘Ja, dankjewel dat je me wekte,’ antwoordde hij schor.

‘Ik dacht dat bankpersoneel het nooit zo laat maakt?’

‘Deze dame wel. En ze drinkt ook graag wodka. Het lijkt wel of er een dinosaurus in mijn mond heeft gescheten,’ zei Dahlgren, en hij boerde.

‘Dat klinkt niet best. Zeg, ik wil naar Portland rijden om mijn zeebenen te strekken en naar een autoshow te kijken. Zin om mee te gaan?’

‘Nee, bedankt. Van mij wordt verwacht dat ik ga kajakken met de bankjuf. Als ik tenminste uit mijn bed kan komen.’

‘Oké, ik laat wel een Bombay-martini naar je kamer brengen, om wakker te worden.’

‘Begrepen,’ zei Dahlgren met een grimas.

Dirk reed met de NUMA-jeep van Seattle naar het zuiden over de Interstate 5, en hij genoot van de bosrijke omgeving in het westen van Washington. Hij vond een rit door landelijk gebied altijd ontspannend, omdat hij zijn gedachten de vrije loop kon laten tijdens het rijden. Hij besloot een omweg te nemen langs de kust en volgde een zijweg naar Willapa Bay, voordat hij weer verder naar het zuiden reed langs de kust. Al spoedig kwam hij bij de monding van de Columbia en hij reed langs dezelfde oever waar Lewis en Clark in 1805 triomfantelijk voet aan land hadden gezet.

Hij reed over de bijna zeven kilometer lange Astoria-Megler-brug die de rivier overspande en nam de afslag naar de pittoreske vissershaven van Astoria. Toen hij voor een rood verkeerslicht moest wachten, trok een bord langs de weg zijn aandacht. Met witte letters stond op het groene bord WARRENTON 8 MIJL te lezen, met ernaast een pijl naar het westen. Nieuwsgierig geworden, volgde hij de aanwijzing, weg van de route naar Portland, en na een paar kilometer rijden was hij in Warrenton.

Het kleine stadje op de noordwestelijke punt van Oregon was oorspronkelijk gebouwd in moerassig getijdengebied, als haven voor vissers en pleziervaart op weg naar de oceaan, en het telde ongeveer vierduizend inwoners. Dirk reed een paar minuten zoekend door het plaatsje, voordat hij vond wat hij zocht. In de hoofdstraat parkeerde hij de jeep naast een Clatsop County dienstauto en liep over het betonnen pad naar de ingang van de openbare bibliotheek.

Het was een kleine bibliotheek, maar de instelling bestond zo te zien al zestig of zeventig jaar. Er hing een vage geur van oude boeken en stof. Dirk liep meteen naar een groot, metalen bureau, en daarachter keek een vrouw van ergens in de vijftig, met een moderne bril en kortgeknipt blond haar, argwanend naar hem op. Op een groene plastic badge op haar bloes gespeld stond haar naam: MARGARET.

'Goedemorgen, Margaret, mijn naam is Dirk,' zei hij met een glimlach. 'Hebt u ook lokale kranten uit de jaren veertig ter inzage?'

De bibliothecaresse leek te ontdooien. 'U bedoelt de *Warrenton News*, de krant die in 1964 werd opgeheven. We hebben de jaargangen compleet vanaf 1930. Komt u maar mee,' zei ze.

Margaret liep naar een hoek van de bibliotheek en ze opende enkele laden voordat ze de jaargang van 1940 had gevonden.

'Waar zoekt u naar?' vroeg ze, meer uit nieuwsgierigheid dan om behulpzaam te zijn.

'Ik ben geïnteresseerd in het artikel over een familie die hier plotseling stierf door vergiftiging, in 1942.'

'O, u bedoelt Leigh Hunt,' begreep Margaret meteen, trots op haar parate kennis. 'Hij was een vriend van mijn vader. Dat drama heeft hier een grote schok veroorzaakt. Even zien, ik dacht dat het in de zomer gebeurde,' zei ze, bladerend in de jaargang. 'Kende u dat gezin?' vroeg ze aan Dirk, zonder op te kijken.

'Nee, mijn hobby is geschiedenis en mysterieuze sterfgevallen.'

'Dit moet het zijn,' zei de bibliothecaresse, en ze sloeg een krant op met de datum zondag 12 juni 1942. Het was een kleine krant, met vooral overzichten van het weer, de getijden en statistieken over de visvangst, en verder wat lokale berichten en advertenties. Margaret legde de jaargang op de archiefkast, zodat Dirk het hoofdartikel kon lezen.

Vier doden op DeLaura Beach

Leigh Hunt, alhier woonachtig, zijn twee zonen Tad (13 jaar) en Tom (11 jaar) en een neef van wie alleen de voornaam Skip bekend is, zijn zaterdag 20 juni dood aangetroffen op DeLaura Beach. Het viertal ging die middag mosselen zoeken, volgens Hunts echtgenote Marie, en kwam niet thuis voor het avondeten. Sheriff Kit Edwards heeft de lijken aangetroffen, die geen sporen van een gevecht of andere verwondingen vertoonden. 'Omdat er geen verwondingen zichtbaar waren, rees meteen het vermoeden dat verstikking of vergiftiging de doodsoorzaak moet zijn. Leigh had een grote voorraad cyanide in zijn werkplaats, die hij gebruikte voor leerlooien,' verklaarde Edwards. 'Hij en de drie jongens moeten een grote dosis ingeademd hebben voordat ze naar het strand gingen, en daar deed het gif zijn dodelijke werk.' De begrafenis wordt nog nader bepaald als de lijkschouwing verricht is.

Dirk keek Margaret aan. 'Is er nog een artikel over de conclusie van de lijkschouwer?' vroeg hij.

Margaret bladerde door de ingebonden kranten tot ze een klein artikel over het drama vond. Ze las het hardop voor: de lijkschouwer noemde inademing van een grote hoeveelheid cyanide als vermoedelijke doodsoorzaak.

'Mijn vader heeft nooit willen geloven dat het een ongeluk was,' voegde Margaret er tot verbazing van Dirk aan toe.

'Het is vreemd dat ze pas op het strand bezweken, als ze die giftige dampen veel eerder in de schuur van Hunt hadden ingeademd,' peinsde hij hardop.

'Dat zei papa ook,' voegde Margaret eraan toe, wat minder gereserveerd. 'En hij zei ook dat de autoriteiten nooit aandacht aan de vogels hadden geschonken.'

'De vogels?'

'Ja, er zijn wel honderd dode zeemeeuwen gevonden op het strand waar Hunt en de jongens lagen. Fort Stevens, de legerbasis, was daar vlakbij. Papa dacht altijd dat ze omgekomen waren door een of ander militair experiment. Maar niemand zal het ooit weten.'

'Oorlogsgeheimen zijn vaak moeilijk te doorgronden,' zei Dirk. 'Bedankt voor je hulp, Margaret.'

Dirk liep terug naar de jeep en reed door het stadje naar de kustweg, die hij in zuidelijke richting volgde. Een eind verder kwam hij bij een zijweg met een bord: DELAURA BEACH ROAD. De weg leidde naar een openstaand hek met het opschrift FORT STEVENS STATE PARK, en versmalde daarachter tussen de dichte struiken. Dirk schakelde terug en reed hobbelend verder over een heuvel, tot de weg daalde naar een groot verlaten militair terrein, uitkijkend over de oceaan. Batterij Russell was een van de kustforten die de toegang tot de Columbia River bewaakten. Het fort was gebouwd tijdens de Burgeroorlog, en later gemoderniseerd met zware artillerie tijdens de Tweede Wereldoorlog. Vanaf het terrein had Dirk goed zicht op het zinderende water van de riviermonding, en hij zag ook DeLaura Beach, waar veel mensen die middag picknickten. Dirk haalde een paar keer diep adem in de frisse zeelucht en reed weer terug over de smalle weg. Een keer moest hij bijna de struiken in om een tegemoetkomende zwarte Cadillac te laten passeren. Een halve kilometer verder stopte hij bij een gedenkteken dat zijn aandacht trok. In een grote plaat graniet was een gedetailleerde onderzeeboot gegraveerd, en daaronder de inscriptie:

Op 21 juni 1942 explodeerde hier een 5,5 inch-granaat, één van de zeventien granaten die op de kustforten bij de Columbia werden afgevuurd door de Japanse onderzeeboot 25. Dit was de enige vijandige beschieting van een militaire basis op het Amerikaanse vasteland tijdens de Tweede Wereldoorlog, en de eerste sinds de oorlog van 1812.

Terwijl Dirk de inscriptie las, deinsde hij intuïtief achteruit van de weg, omdat de zwarte Cadillac terugkeerde. De auto reed langzaam, om geen stof op te werpen. Dirk bekeek de tekening van de onderzeeboot aandachtig en wilde weer weglopen. Maar toen werd zijn aandacht door iets getrokken: het was de datum. 21 juni, één dag nadat Hunt en de drie jongens dood gevonden waren op het strand.

Dirk tastte in het handschoenenkastje van de jeep en pakte zijn mobiele telefoon. Tegen de motorkap geleund toetste hij een nummer in. Na vier keer overgaan klonk een opgewekte stem.

'Met Perlmutter.'

'Julien, je spreekt met Dirk. Hoe staat het leven van mijn favoriete marinehistoricus?'

'Dirk, ouwe jongen! Wat leuk iets van je te horen. Ik zat juist te smullen van de groene mango's in het zuur die je vader mij stuurde van de Filippijnen. Maar, vertel eens: zit je nog in het Grote Witte Noorden?'

'We hebben net een inspectietocht gemaakt naar de Aleoeten, maar we zijn nu in Seattle. Die eilanden zijn schitterend, maar het is mij daar toch te koud.'

'Dat zal best!' lachte Perlmutter. 'Wat kan ik voor je doen, Dirk?'

'Japanse onderzeeboten, tijdperk Tweede Wereldoorlog, om precies te zijn. Ik ben nieuwsgierig naar een overzicht van hun aanvallen op het Amerikaanse vasteland, en of ze ook ongebruikelijke wapens aan boord hadden.'

'De keizerlijke duikboten, nietwaar? Ik kan me herinneren dat ze een paar tamelijk onschuldige aanvallen hebben uitgevoerd op de westkust, maar het is al een tijd geleden dat ik me bezighield met die dossiers. Ik zal het voor je opzoeken.'

'Bedankt, Julien. En dan nog iets: laat me weten of je ook verwijzingen vindt naar het gebruik van cyanide als wapen.'

'Cyanide. Nou, dat zou wel een beetje gemeen zijn, nietwaar?' vroeg Perlmutter retorisch voordat hij de verbinding verbrak.

Julien Perlmutter keek peinzend naar zijn enorme collectie zeldzame boeken en documenten op het gebied van maritieme historie. De verzameling puilde bijna uit zijn woning, een koetshuis in Georgetown, maar Perlmutter had al heel snel het materiaal gevonden waar hij naar zocht. Perlmutter leek op een overmaatse kerstman, met twinkelende blauwe ogen, een lange grijze baard en een enorme buik die hem hielp de naald van de weegschaal tot 160 kilo te krijgen. En al stond hij bekend als een echte smulpaap, hij was ook een van de meest vooraanstaande wetenschappers op het gebied van de maritieme geschiedenis, wat voor een groot deel ook te danken was aan zijn unieke bibliotheek.

Gekleed in een zijden pyjama en een paisley-kamerjas waggelde Perlmutter over een dik Perzisch tapijt naar een mahonie boekenkast, waar hij eerst langs de titels keek en toen met zijn vlezige handen een boek pakte en twee dikke mappen. Tevreden dat hij het materiaal wat hij zocht gevonden had, keerde de omvangrijke gestalte terug naar een roodlederen fauteuil, met daarnaast een dienblad met een schaal truffels en een hete pot thee.

Dirk reed verder naar Portland en vond de veiling van antieke auto's waar hij naar zocht op een groot grasveld aan de rand van de stad. Groepjes belangstellenden bewogen zich rond de glanzende auto's, meestal daterend uit de jaren veertig, vijftig en zestig, keurig in rijen geparkeerd op het grote veld. Dirk kuierde langs de automobielen en bewonderde het lakwerk en de mechanische restauraties, tot hij naar een grote witte tent liep waar de veiling aan de gang was.

In de tent klonk het staccato van de veilingmeester uit de luidsprekers. Als het geratel uit een machinegeweer werden in snel tempo de biedprijzen herhaald. Dirk zocht een stoel verder weg van de luidsprekers en hij keek geamuseerd naar het veilingpersoneel, dat zich bizar had uitgedost in een combinatie van jaren zeventig smokings en goedkope cowboyhoeden, in een vergeefse poging de opwinding en de prijs van de auto's op te schroeven. Nadat een aantal Corvettes en een vroege Thunderbird geveild waren, ging Dirk rechtop zitten toen een Chrysler 300-D uit 1958 het podium opreed. De grote auto had een originele Azteekse kleur turquoise, opgesierd met glanzend chroom en een paar staartvinnen die omhoogstaken als de rugvinnen van een haai. Een echte autoliefhebber kan meteen begrijpen dat Dirk zijn hartslag voelde versnellen bij de aanblik van deze artistieke massa staal en glas.

'Perfect gerestaureerd tot concoursconditie door Pastime Restorations uit Golden, Colorado,' kondigde de veilingmeester met hoge stem aan. Hij begon met ratelen, maar het bieden op deze auto werd al snel traag. Dirk stak zijn hand op en even later bood hij op tegen een zwaarlijvige man met gele bretels. Dirk pareerde elk bod van zijn tegenstander snel, om duidelijk te maken dat hij serieus was, en die tactiek had succes. Gele Bretels schudde zijn hoofd en liep naar de bar.

'Verkocht aan de man met die NUMA-pet!' riep de veilingmeester hard, en het publiek applaudisseerde beleefd. Al kostte dit een paar maandsalarissen, Dirk wist dat hij een goede koop had gedaan, want er waren minder dan tweehonderd Chrysler 300-D cabriolets gefabriceerd in 1958.

Terwijl hij bezig was het transport naar Seattle te regelen, rinkelde zijn mobiel.

'Dirk, met Julien. Ik heb wat voor je gevonden.'

'Dat is snelle service.'

'Nou, ik wilde verslag uitbrengen, voor het diner,' zei Perlmutter, denkend aan de volgende maaltijd.

'En wat kun je me vertellen, Julien?'

'Na Pearl Harbor hebben de Japanners negen of tien onderzeeboten gestationeerd langs de westkust, maar die werden geleidelijk teruggetrokken toen het strijdtoneel zich naar het zuiden van de Grote Oceaan verplaatste. Die Japanse onderzeeboten werden vooral op verkenning uitgestuurd, ze observeerden de belangrijkste havens en baaien, en probeerden de grote scheepvaartbewegingen in kaart te brengen. Ze hebben aan het begin van de oorlog een aantal koopvaardijschepen tot zinken gebracht, en daarmee veroorzaakten ze in die periode ook angst bij het grote publiek. Wat de aanvallen op het vasteland betreft, de eerste was in het voorjaar van 1942, toen de *I-17* een paar schoten loste bij Santa Barbara. Daardoor werden een pier en een boortoren beschadigd. In juni '42 vuurde de *I-25* op Fort Stevens, bij Astoria in

Oregon, en de *I-26* bombardeerde een radiostation op Vancouver Island in Canada. Bij geen van die aanvallen zijn slachtoffers gevallen. In augustus 1942 kwam de *I-25* weer naar Cape Blanco, Oregon, en lanceerde een watervliegtuig bewapend met brandbommen, in een poging brand te stichten in de bossen langs de kust. Die aanval werd een mislukking, want er ontstond alleen een klein vuurtje in dat gebied.'

'Dat klinkt alsof die aanvallen niet meer dan plaagstoten waren,' merkte Dirk op.

'Ja. Er was geen duidelijke strategie in hun acties. Na die aanval met brandbommen werd het nog minder, want de onderzeeboten moesten naar het noorden, om de strijd bij de Aleoeten te ondersteunen. Keizerlijke onderzeeboten waren intensief betrokken bij de bezetting en evacuatie van de eilanden Attu en Kiska, tijdens de gevechten van 1943. De Japanners verloren vijf onderzeeërs in die strijd, omdat onze sonarapparatuur ze steeds beter kon opsporen. Na de val van Kiska hebben nog enkele keizerlijke onderzeeboten in het noorden en westen van de Grote Oceaan geopereerd. De *I-180* werd aangevallen en tot zinken gebracht bij Kodiak, Alaska, in april 1944, en daarna bleef het rustig aan het thuisfront, tot de *I-403* in januari 1945 naar de kelder werd gejaagd bij Cape Flattery, Washington.'

'Vreemd, dat ze zich in een periode dat hun marine al op haar laatste benen liep nog bij onze westkust waagden.'

'En het is nog vreemder als je bedenkt dat de *I-403* een van hun grotere schepen was. Kennelijk wilden ze een luchtaanval uitvoeren, maar ze werden verrast door een Amerikaanse torpedobootjager.'

'Ik kan amper geloven dat ze toen al onderzeeboten bouwden die vliegtuigen aan boord hadden,' zei Dirk bewonderend.

'Hun grote onderzeeboten hadden wel drie toestellen aan boord. Maar dat waren ook behoorlijk grote schuiten.'

'Heb je nog aanwijzingen gevonden dat er cyanide als wapen werd gebruikt?'

'Niet in verslagen van de strijd, maar die wapens bestonden wel. Het Keizerlijke Leger experimenteerde met biologische en chemische wapens in de strijd met China. Ze rommelden onder andere met granaten vol cyanide. Dus is het mogelijk dat de marine daar ook mee experimenteerde, maar er zijn geen officiële rapporten dat het spul gebruikt werd.'

'Het zal wel niet te bewijzen zijn, maar ik vermoed dat de *I-25* een cyanidegranaat afvuurde, waardoor vier mensen gedood werden bij Fort Stevens.'

‘Dat is heel goed mogelijk, maar moeilijk te bewijzen, omdat de *I-25* later gezonken is in de zuidelijke Grote Oceaan, vermoedelijk bij Espiritu Santo Island, in 1943. Maar met een mogelijke uitzondering waren alle Japanse oorlogsbodems alleen met conventionele wapens uitgerust.’

‘En wat is die uitzondering?’

‘Alweer de *I-403*. Ik vond een verwijzing in een legerkrant van na de oorlog, dat een lading *Makaze* overgedragen moest worden aan de marine en aan boord gebracht van de onderzeeboot in Kure, vlak voor het vertrek. Ik heb nooit eerder een verwijzing naar *Makaze* gezien, en verder heb ik daar ook niets over gevonden in mijn documentatie.’

‘Heb je enig idee wat die term betekent?’

‘De beste vertaling die ik kan bedenken, is “Zwarte Wind”.’

Dirk telefoneerde kort met Leo Delgado, en daarna belde hij Dahlgren, die een biertje dronk in een restaurant met uitzicht over Lake Washington, na zijn kajaktocht met de bankmedewerkster.

‘Jack, heb je zin om morgen te gaan duiken?’ vroeg Dirk.

‘Tuurlijk. Gaan we speervissen in de baai?’

‘Ik denk aan iets groters.’

‘Zalm is wel iets voor mij.’

‘De vis die mij interesseert,’ zei Dirk, ‘heeft al meer dan zestig jaar niet gezwommen.’

7

Irv Fowler werd wakker met bonkende hoofdpijn. Gisterenavond te veel bier gedronken, dacht de wetenschapper, terwijl hij moeizaam uit bed stapte. Nadat hij een donut en een kop koffie naar binnen had gewerkt hield hij zichzelf voor dat hij zich beter voelde. Maar naarmate de ochtend verstreek werd de hoofdpijn steeds heviger, ondanks de aspirientjes die hij een paar keer innam. En zijn rug deed ook mee: pijnscheuten golfden door zijn lijf bij elke beweging die hij maakte. Halverwege de middag voelde hij zich zwak en ellendig, en hij vertrok eerder van zijn tijdelijke werkplek in het gebouw van de gezondheidsdienst van Alaska. Hij reed naar zijn flat om te rusten.

Maar toen hij een kom kippensoep had genuttigd, kreeg hij felle pijnscheuten in zijn ingewanden. Dit huismiddel werkt ook niet, dacht hij. Na een paar onrustige hazenslaapjes wankelde hij naar de badkamer en nam weer een dosis aspirine om de pijn te bestrijden. Toen hij in de spiegel naar zijn eigen vermoeide gezicht met de glazige ogen keek, zag hij een helderrode uitslag op zijn wangen verschijnen.

'Zo'n akelige griep heb ik nooit eerder gehad,' mompelde hij hardop, en liet zich even later weer op het bed vallen.

De beveiligingsmaatregelen waren streng bij het Hilton Hotel in Tokio, en de gasten voor het privébanket werd gevraagd langs drie aparte controlepunten te lopen vóór ze de chique eetzaal mochten betreden. Het jaarlijkse diner van de Japanse Export Associatie was een extravagant evenement, waar de beste chef-koks en artiesten zich inspanden voor de hoogwaardigheidsbekleders en directeuren van grote bedrijven. Managers van grote exportbedrijven in Japan sponsorden dit diner voor hun handelspartners. Naast belangrijke klanten werden ook diplomaten van alle westerse en Aziatische landen die handelsbetrekkingen hadden met Japan als speciale gasten behandeld.

De recente moord op de Amerikaanse ambassadeur Hamilton en de vernietigende explosies in het fabrieksgebouw van SemCon waren het belangrijkste gespreksonderwerp, en iedereen keek naar Robert Bridges, de plaatsvervangend chef de bureau van de Amerikaanse ambassade, toen die de zaal binnenkwam, vergezeld van twee beveiligingsmannen in burger.

Hoewel hij een carrièrediplomaat was, voelde Bridges zich beter op zijn gemak bij het uitwerken van een politieke strategie of het voorzitten van vergaderingen dan bij netwerken op drukke recepties. Hamilton was veel meer een man voor dit soort gelegenheden geweest, dacht Bridges, terwijl hij babbelde met een Japanse zakenman. Een medewerker van het hotel kwam even later naar Bridges toe en begeleidde hem naar een kleine tafel waar hij aanschoof met enkele Europese diplomaten.

Terwijl de traditionele gerechten met sashimi en soba-noedels werden opgediend, verscheen een groepje geishadanseressen elegant op het podium. De vrouwen waren gekleed in felgekleurde kimono's en ze wuifden met bamboewaaiers tijdens hun pirouettes. Bridges sloeg een glas warme sake achterover, als verdoving tegen het geklaag van de Franse ambassadeur over de armzalige kwaliteit van Aziatische wijnen, terwijl hij keek naar de sierlijke bewegingen van de danseressen.

Na het voorgerecht kwam een reeks directeuren aan het woord op het podium, om met blufferige toespraken reclame te maken voor zichzelf. Bridges maakte van de gelegenheid gebruik om naar het toilet te gaan en liep, voorafgegaan door een bodyguard, door een gang naar de herentoiletten.

De bodyguard inspecteerde de betegelde ruimte eerst, en zag alleen een kelner die zijn handen waste bij de laatste wastafel. Bridges liep naar een urinoir en de bodyguard sloot de deur naar de gang.

De kale kelner waste traag zijn handen en keerde zijn rug naar de bodyguard om zijn handen te drogen met een tissue uit het rek. Maar toen de man zich opeens razendsnel omdraaide, zag de bodyguard tot zijn schrik dat de kelner een .25 automatisch pistool in zijn hand hield. Een geluiddemper was op de loop van het kleine handwapen bevestigd en die loop wees recht naar het gezicht van de bodyguard. Instinctief greep de bodyguard naar zijn eigen wapen, maar hij had zijn hand amper bewogen of een .25-patroon werd met een gedempte knal afgeschoten. Een rond rood gaatje verscheen boven de linkerwenkbrauw van de bodyguard en de grote man zakte met een plof in elkaar op de vloer. Een rivier van rood bloed golfde uit zijn hoofd.

Bridges had het gedempte schot niet gehoord, maar hij hoorde wel dat de bodyguard op de grond plofte. Hij draaide zich om en zag dat de kelner het wapen op hem richtte. 'Wat heeft dat te...' begon hij.

De kale man in kelnerkostuum staarde hem aan met ijskoude zwarte ogen. Toen verscheen een sadistische grijns op zijn gezicht en een rij gele scheve tanden werd zichtbaar. Zonder een woord haalde hij twee keer de trekker over en hij keek hoe Bridges naar zijn borst greep, om meteen daarna op de vloer te vallen. De moordenaar haalde een getypte notitie uit zijn zak en rolde het stuk papier op. Hij bukte zich en stak het rolletje papier in de mond van de diplomaat. Zorgvuldig schroefde hij de geluiddemper los en deed die in zijn zak. Met een snelle beweging stapte hij over de twee lijken en verdween door de gang naar de keuken.

8

De polyesterboeg van de acht meter lange Parker-werkboot ploegde door de diepe golven en vormde een wit schuimspoor op weg naar de volgende hoge golf. Al mocht ze, vergeleken bij de andere vaartuigen van de NUMA-vloot klein worden genoemd, de stevige boot met op de achtersteven de naam *Grunion* was zeer geschikt om ondiepe wateren bij de kust te verkennen of daar duikoperaties te ondersteunen.

Leo Delgado draaide het stuurwiel naar rechts en de *Grunion* wendde de steven meteen naar rechts, weg van de ramkoers met een groot rood vrachtschip dat hen door de Straat van Juan de Fuca tegemoetkwam.

'Hoever zijn we van de zeestraat?' vroeg hij, het stuurwiel snel naar bakboord draaiend, om de boeggolf van het vrachtschip recht van voren te krijgen.

Dirk en Dahlgren stonden naast elkaar gebogen over een kleine tafel in de benauwde stuurhut en ze bestudeerden op een zeekaart hun positie, dicht bij de toegang naar de Grote Oceaan, ongeveer 125 mijl ten westen van Seattle.

'We zijn zo'n twaalf mijl ten zuidwesten van Cape Flattery,' zei Dirk over zijn schouder, en hij gaf de coördinaten door aan Delgado. De eerste officier van de *Deep Endeavor* tikte de positie op een klein toetsenbord van het navigatiesysteem. Enkele seconden later verscheen een klein wit vierkantje op de monitor. En aan de onderkant van het beeldscherm knipperde een driehoekje, de positie van de *Grunion* weergevend op weg naar de oceaan. Met hulp van een GPS-navigatiesysteem kon Delgado de boot direct naar de gemarkeerde positie sturen. 'Jongens, weten jullie zeker dat kapitein Burch er niet achter komt dat we zijn sloep geleend hebben en zijn diesel verstoken om voor ons plezier te gaan duiken?' vroeg Delgado een beetje schaapachtig.

'Deze boot is toch geen privébezit van Burch?' merkte Dirk spottend op.

'Als hij sputtert, dan zeggen we toch dat Bill Gates langskwam en ons een paar miljoen aan opties bood in ruil voor een vaartochtje met de *Grunion*?' opperde Dahlgren.

'Bedankt, ik wist wel dat ik op jullie kon rekenen,' mompelde Delgado hoofdschuddend. 'Trouwens, hoe exact heb je de positie van die onderzeeboot bepaald?'

'Die positie heb ik van het officiële rapport van de marine. Perlmutter heeft dat rapport naar mij gefaxt,' antwoordde Dirk, terwijl hij steun zocht aan de deurpost toen de boot heftig rolde op een hoge golf. 'We beginnen bij de positie die bepaald werd door de torpedobootjager die de *I-403* tot zinken bracht.'

'Jammer dat de marine nog geen GPS had in 1945,' klaagde Delgado.

'Ja, de rapporten waren in die tijd niet altijd exact, zeker niet als het om locaties gaat. Maar de torpedobootjager was niet ver van de kust bij de confrontatie met die onderzeeboot, dus de positie klopt waarschijnlijk wel.'

Toen de *Grunion* bij de gemarkeerde positie kwam, zette Delgado de gashendel op neutraal en opende een zoekscherm op de navigatiecomputer. Op het achterdek pakten Dirk en Dahlgren een Klein sonarsysteem Model 3000 uit de stevige plastic container. Terwijl Dirk de kabels verbond met het monitorsysteem, vierde Dahlgren met een kabel een gele sonarcilinder uit bij de achtersteven.

'Zo, de vis is uitgezet,' riep Dahlgren vanaf het achterdek. Delgado gaf gas en de boot bewoog weer naar voren. Dirk had de apparatuur na enkele minuten gekalibreerd en een stroom schimmige beelden verscheen op de kleurenmonitor. De beelden waren reflecties van de geluidsgolven die werden uitgezonden door de sonarcilinder, weerkaatsend op de zeebodem en opgevangen in het systeem, zodat uitsteeksels en holten in de zeebodem zichtbaar werden.

'Ik heb een zoekscherm met een raster van een mijl ingesteld rond de door de *Theodore Knight* gerapporteerde positie toen de onderzeeboot geramd werd,' zei Delgado.

'Dat lijkt me een goed begin,' zei Dirk. 'We kunnen zo nodig het zoekraster groter maken.'

Delgado stuurde de boot langs een witte lijn die op de monitor werd aangegeven, tot hij de rand van het raster had bereikt. Daar draaide hij snel aan het stuurwiel, zodat de boot in tegenovergestelde richting verder zocht. De *Grunion* voer telkens tweehonderd meter heen en weer en zo werd gestaag het zoekgebied doorkruist. Dirk lette scherp op of er een lange schaduw op de monitor verscheen, als aanwijzing dat de onderzeeboot daar op de zeebodem lag.

Een uur verstreek, maar het enige herkenbare silhouet was dat van een paar olievaten. Na twee uur haalde Dahlgren een paar broodjes tonijn uit de koelkast en probeerde hij de verveling te verdrijven door flauwe grappen te vertellen. Opeens verdreef de stem van Dirk de matte stemming.

'Beet! Noteer de positie.'

Geleidelijk werd het wazige beeld van een langwerpig voorwerp zichtbaar op het beeldscherm, met daarnaast twee kleinere vormen en een groot voorwerp ongeveer midscheeps.

'Grote genade!' riep Dahlgren uit, naar het scherm turend. 'Dat is volgens mij een onderzeeboot.'

Dirk keek naar de schaalverdeling onderaan het scherm. 'Die boot is ongeveer 110 meter lang, en dat klopt met de gegevens van Perlmutter. Leo, laten we nog een keer heen en weer varen om de positie te controleren en probeer dan recht boven die boot te blijven liggen.'

'Doen we,' antwoordde Delgado met een grijns, en hij stuurde de *Grunion* nog een keer heen en weer over het doelwit. De beelden op de monitor na de tweede passage maakten duidelijk dat de onderzeeboot intact was en recht op de zeebodem lag. Terwijl Delgado de exacte positie in het GPS-systeem toetste, haalden Dirk en Dahlgren de sonarsensor aan boord, om daarna een paar duikerpakken uit te pakken.

'Wat is hier de diepte, Leo?' vroeg Dahlgren, terwijl hij zijn voeten door de neopreen broekspijpen van zijn wetsuit werkte.

'Ongeveer zestig meter,' antwoordde Delgado, na een blik op de zoemende dieptemeter.

'Dan kunnen we hoogstens twintig minuten op de zeebodem blijven, en we moeten op weg naar boven vijfentwintig minuten pauzeren voor decompressie,' zei Dirk, zich de aanbevolen duiktijden herinnerend.

'Niet veel tijd om die grote vis te onderzoeken,' oordeelde Dahlgren.

'Ik ben het meest geïnteresseerd in de bewapening van de vliegtuigen,' zei Dirk. 'Volgens het marinerapport bevonden beide vliegtuigen zich aan dek toen de torpedobootjager aanviel. Ik durf te wedden dat op de sonarbeelden twee Seiran-bommenwerpers naast de boeg te zien zijn.'

'Ik vind alles best, zolang we maar niet in die doodskist gaan.' Dahlgren schudde even zijn hoofd en gespte tegelijk zijn veelgebruikte loodgordel om.

Toen Dirk en Dahlgren gereed waren om te duiken, stuurde Delgado de *Grunion* naar de juiste positie en liet een kleine boei uitgooien met tweehonderd meter lijn. De twee duikers sprongen in hun zwarte pakken van het duikplatform en plonsden in de oceaan.

Het koude zeewater was een schok voor Dirks huid toen hij onder water verdween, en hij wachtte even tot de groenige vloeistof in het neopreen de temperatuur van zijn lichaam had aangenomen.

'Verdorie, we hadden droogpakken mee moeten nemen,' kraakte de stem van Dahlgren in Dirks oren. De twee mannen droegen AGA Divator MK II-duikmaskers, met een ingebouwd draadloos communicatiesysteem, zodat ze onder water met elkaar konden spreken.

'Hoezo? Het is hier net als bij de Keys,' grapte Dirk, verwijzend naar het warme zeewater bij de eilanden ten zuiden van Florida.

'Jij hebt zeker te veel gerookte zalm gegeten,' bromde Dahlgren.

Dirk liet lucht uit zijn drijfcompensator ontsnappen, draaide zich naar beneden en werkte zich langs de verankerde lijn naar de diepte. Dahlgren volgde op korte afstand. Een lichte stroming duwde hen naar het oosten en Dirk compenseerde de drift door een schuine hoek tegen de stroom in terwijl hij afdaalde. Hij probeerde steeds recht boven hun doel te blijven. Ze passeerden een thermische laag en voelden dat het water opeens aanmerkelijk kouder werd. Op 35 meter diepte werd het groene water donkerder en filterde maar weinig zonlicht door. Op 40 meter knipte Dirk het lampje op zijn helm aan. Ze daalden nog verder, en opeens doemde de langwerpige donkere vorm van de Japanse onderzeeboot voor hen op.

Het grote zwarte gevaarte lag stil op de bodem, een ijzeren mausoleum voor de zeelieden die erin gestorven waren. De boot was na het zinken op de kiel beland en lag trots op de bodem, alsof het elk moment weer verder kon varen. Toen Dirk en Dahlgren dichterbij kwamen, raakten ze onder de indruk van de enorme afmetingen. Ze daalden af bij de boeg en zagen maar een kwart van de romp, die verdween in de troebele duisternis. Dirk zweefde even boven de boeg en bewonderde de breedte, voordat hij de katapulthelling op het middendek bekeek.

'Dirk, ik zie hier een van de vliegtuigen,' zei Dahlgren, wijzend naar een stapel wrakstukken aan bakboordzijde naast de boeg. 'Ik ga een kijkje nemen.'

'Het tweede vliegtuig moet verder naar achteren liggen, volgens de sonarbeelden. Ik ga die kant op,' antwoordde Dirk, en hij zwom weg langs het dek.

Dahlgren was even later bij het wrak en herkende een eenmotorig watervliegtuig, dat met een dikke laag fijn slib bedekt was. De Aichi M6A1 Seiran was een ranke bommenwerper, speciaal ontworpen om vanaf de grote I-duikboten gelanceerd te worden. Het smalle toestel had wel iets weg van een Messerschmitt Bf 109-gevechtsvliegtuig en zag er door de twee enorme drijvers die onder de vleugel waren bevestigd enigszins komisch uit. Ze deden denken aan grote clownschoenen. Dahlgren zag maar een deel van de ene drijver, omdat de linkerdrijver en -vleugel bij de aanval van de Amerikaanse torpedobootjager weggeslagen waren. De romp en de rechtervleugel waren nog intact, maar stonden onder een vreemde hoek met de beschadigde drijver. Dahlgren zwom naar de zeebodem vóór het vliegtuig en bekeek het zichtbare deel van de romp en de onderkant van de vleugel. Toen hij dichterbij kwam, waaierde hij slib weg van uitstekende onderdelen en herkende een paar bomrekken. Die waren leeg.

Dahlgren gleed langzaam langs de zijkant van de romp naar het half verbrijzelde cockpitdak en streek het slib weg van het glas. Hij scheen met zijn lamp naar binnen en zijn hart begon te bonzen bij de onverwachte aanblik. Een menselijke schedel staarde hem vanaf de pilotenstoel aan, met een rij tanden die macaber naar hem leken te grijnzen. Dahlgren liet de bundel licht door de cockpit dwalen en herkende een paar verteerde vliegeniersschoenen op de bodem. Een groot stuk bot stak uit de ene schoen omhoog. Dahlgren besefte dat het gebeente van de piloot nog in dit vliegtuig lag, omdat de man met zijn toestel ten onder was gegaan.

Dahlgren deinsde achteruit van het vliegtuig en riep Dirk op via de intercom.

'Zeg, ik heb hier de laatste landingsplek van een van de watervliegtuigen gevonden, maar het toestel was zo te zien niet bewapend toen het zonk. Piloot Schedel laat je trouwens groeten.'

'Ik heb de resten van het andere toestel gevonden, en dat was ook niet bewapend,' antwoordde Dirk. 'We treffen elkaar bij de commandotoren.'

Dirk had de tweede bommenwerper op dertig meter afstand van de onderzeeboot gevonden. Het toestel lag ondersteboven op de zeebodem. De twee grote drijvers waren van de Seiran afgerukt toen de onderzeeboot in de diepte verdween, en de romp van het toestel, met de vleugels er nog aan vast, was naar de zeebodem gedwarreld. Dirk zag snel dat er geen munitie was aangebracht en hij zag ook geen aanwijzingen dat een bom of torpedo was losgerukt toen het vliegtuig zonk.

Terugzwemmend naar het dek van de onderzeeboot volgde hij de dertig meter lange katapulthelling tot hij bij een groot rond dekluik kwam. Dit luik was het uiteinde van een buis met een diameter van vier meter vanaf de commandotoren en een lengte van bijna dertig meter. Deze luchtdichte buis was de hangar voor de Seiran-vliegtuigen, waar de onderdelen werden opgeborgen voordat de toestellen gereed werden gemaakt voor lancering. Boven de grote buis bevond zich een klein platform met 25mm-luchtafweergeschut. De twee lopen wezen nog schuin omhoog, wachtend op een onzichtbare vijand.

In plaats van een hoge, oprijzende metalen wand vond Dirk een gapend gat in het midden van de *I-403*, de plek waar eens de commandotoren werd weggeslagen door de aanvaring. Een kleine school kabeljauw zwom rond de grillig gevormde kraterrand. Ze deden zich tegoed aan kleinere zeedieren en gaven wat kleur aan het sombere tafereel.

'Allemachtig, je kunt met je Chrysler door dat gat rijden,' zei Dahlgren, toen hij naast Dirk kwam zwemmen.

'En dan is er nog ruimte over. Die boot moet heel snel gezonken zijn, toen de toren eraf was.' De twee mannen probeerden zich voor te stellen hoe hevig de aanvaring tussen de twee schepen was geweest, zoveel jaren geleden. En ze dachten aan de doodsstrijd van de hulpeloze opvarenden toen de *I-403* naar de zeebodem zonk.

'Jack, ga jij eens kijken in die hangar, om te zien of er nog munitie is,' zei Dirk, terwijl hij met zijn gehandschoende hand naar een scheur in het bovenste deel van de hangar wees. 'Dan ga ik benedendeks een kijkje nemen.'

Dirk keek op het oranje scherm van zijn Doxa-duikhorloge, een cadeau van zijn vader voor zijn laatste verjaardag. 'We hebben nog maar acht minuten bodemtijd, dus we moeten opschieten.'

'Ik zie je hier weer, over zes minuten,' zei Dahlgren, en verdween met een paar snelle bewegingen van zijn zwemvliezen door de opening in de wand van de hangar.

Dirk dook in het donkere gat naast de hangar en ontweek de scherpe randen aan het verwrongen staal. Toen hij verder daalde, zag hij de ongebruikelijke drukwanden in de lengterichting van de onderzeeboot tot aan de kiel. Hij kwam in een open ruimte en herkende de brug, met het grote stuurwiel dat nu overdekt was met zeepokken. Aan één zijde was de radio-apparatuur bevestigd en aan de andere kant en aan het plafond waren allerlei hendels en bedieningsknoppen zichtbaar. Hij liet het licht van zijn lamp schijnen op een paar afsluiters en kon de witte letters lezen: BARASUTO TANKU. Dirk vermoedde dat daarmee de ballasttanks werden bediend.

Met trage bewegingen van de zwemvliezen gleed Dirk verder, om geen slib op te wervelen. Terwijl hij van het ene compartiment naar het volgende zwom, was goed te zien hoe de Japanse bemanning hier aan boord geleefd had. Borden en bestek lagen op de vloer verspreid in een kleine kombuis, en in de kasten stonden nog porseleinen sakebekers. Dirk keek bewonderend naar een klein Shinto-altaar dat bij de officiershutten aan een wand bevestigd was.

Hij zwom verder naar voren, zich bewust dat de bodemtijd bijna verstreken was, en nam alles scherp in zich op. Zich bewegend langs een kluwen buizen, draden en hydraulische persleidingen, bereikte hij de hut van de kapitein, in het voorste deel van de romp. En eindelijk kwam hij bij het doel van deze duik: de voorste torpedokamer, die voor hem opdoemde. Met een paar snelle zwemslagen schoot hij vooruit naar de torpedokamer. Hij wilde naar binnen zwemmen, maar stopte met een ruk.

Hij knipperde een paar keer heftig, even in de waan dat zijn ogen hem bedrogen. Toen deed hij zijn lamp uit en keek weer door het luik. Het was geen zinsbegoocheling.

In de inktzwarte ingewanden van het roestige wrak, al meer dan zestig jaar op de zeebodem rustend, werd Dirk verwelkomd door een zwak maar toch duidelijk knipperend groen licht.

9

Dirk trok zichzelf door het luik in de torpedokamer, waar het aardedonker was, afgezien van de vreemde lichtstraal. Toen zijn ogen gewend waren aan de duisternis, werd de bron van het knipperende groene licht duidelijker. Het waren enkele kleine lampjes, op ooghoogte en bevestigd aan de verst verwijderde wand van de ruimte.

Dirk knipte zijn eigen zaklamp weer aan en keek om zich heen. Hij was in de bovenste torpedokamer van de twee die in het voorschip van de *I-403* gebouwd waren. Bij het voorste waterdichte schot zag hij de ronde panelen van de vier torpedobuizen met elk een doorsnee van veertig centimeter. In rekken aan weerszijden van de kamer waren zes enorme Type 95-torpedo's opgehangen, de dodelijke vissen die niet alleen betrouwbaarder waren dan de Amerikaanse torpedo's die tijdens de oorlog gebruikt werden, maar ook nog eens explosiever. Het licht uit Dirks lamp viel ook op twee torpedo's die uit de rekken waren gevallen toen de onderzeeboot tegen de zeebodem dreunde. Eén torpedo lag plat op de vloer, met de neus iets verbogen door de klap. De tweede torpedo lag op losse brokstukken en wees met de neus wat omhoog. En boven deze tweede torpedo flitste het naargeestige groene licht aan en uit.

Dirk zweefde naar het pulserende licht en bracht zijn duikmasker tot dicht bij de mysterieuze stralen. Het was niet meer dan een kleine digitale klok, geklemd in het torpedorek. De fluorescerende streepjes vormden een rij nullen, om aan te geven dat een ingestelde tijd langer dan vierentwintig uur geleden verstreken was. Dagen, weken of maanden eerder, dat was niet te bepalen. Maar dit klokje kon onmogelijk zestig jaar geleden hier geplaatst zijn.

Dirk pakte het plastic klokje, stopte het in de zak van zijn duikerpak en keek omhoog. De luchtbellen die hij uitblies verzamelden zich niet bij het plafond, zoals hij verwachtte, maar vormden een spoor naar een vage lichtbundel. Hij zwom omhoog en zag een groot luik naar het dek, dat halfopen stond, zodat een duiker gemakkelijk in en uit de torpedokamer kon zwemmen.

Een krakende stem klonk opeens in zijn oortelefoon.

'Dirk, waar zit je? Het is tijd om naar boven te gaan,' zei Dahlgren verwijtend.

'Ik ben in de torpedokamer. Kom naar de boeg, want ik heb nog een minuutje tijd nodig.'

Dirk keek op zijn horloge, en al zag hij dat de acht minuten bodemtijd verstreken waren, toch zwom hij weer naar het torpedorek.

Twee houten kratten waren in elkaar gedrukt onder de gevallen torpedo's en opengebarsten als een paar koffers. De kratten waren gemaakt van tropisch hardhout en ze hadden de aantasting door zout water en micro-organismen opmerkelijk goed doorstaan. Het hout was nog nauwelijks verweerd. Nieuwsgierig constateerde hij dat er ook geen slib op de gebroken kratten was afgezet, dit in tegenstelling met alle andere voorwerpen die hij in de onderzeeboot had gezien. Iemand moest kortgeleden de laag bezinksel weggewaaierd hebben, om de inhoud van de kratten te onthullen.

Dirk zwom naar het voorste krat en keek erin. Als in een karton eieren lagen er zes zilverkleurige vliegtuigbommen in het gelid. Elke bom was bijna een meter lang, met de vorm van een saucijs en vinnen bij de staart. De helft van de bommen zat nog klem onder de torpedo, maar ze waren door de val van de torpedo allemaal gebroken. Dirk vond het vreemd dat de projectielen alleen gebroken waren en niet platgedrukt. Hij streek met zijn hand over een onbeschadigd deel van een bom en voelde dat het oppervlak glad als glas was.

Zijn zwemvliezen voorzichtig bewegend, gleed Dirk naar het andere krat en zag daar hetzelfde tafereel. Alle bommen in het krat waren door de vallende torpedo ook gebroken. Maar nu telde hij vijf bommen in plaats van zes stuks. Eén plek was leeg. Dirk scheen met zijn lamp in de omgeving, maar er was nergens een bom te zien, en er waren ook geen scherven achtergebleven. Dus er ontbrak een van de bommen.

'De lift gaat nu naar boven,' kraakte Dahlgrens stem opeens.

'Hou die lift tegen, ik kom eraan!' antwoordde Dirk en keek op zijn horloge. De maximale bodemtijd was al vijf minuten geleden verstreken. Hij onderzocht de gehavende kratten voor de laatste keer en trok aan een van de minder geplette bommen. Het projectiel gleed uit de huls, maar viel in drie stukken uiteen in Dirks handen. Voorzichtig deed hij de stukken in zijn grote duiknet en werkte zich daarna zwemmend omhoog naar het open luik. Hij trok het duiknet mee en zag dat Dahlgren een paar meter voor hem wachtte. Beide duikers verspilden geen tijd meer en stegen snel op tot de decompressiestop.

Dirk hield de dieptemeter scherp in de gaten en hij spreidde zijn armen en benen uit als een parachutist in vrije val om minder snel te stijgen, terwijl hij lucht uit zijn masker blies. Dahlgren volgde zijn voorbeeld en de twee mannen bleven stabiel op een diepte van zeven meter om hun lichamen tijd te geven het teveel aan stikstof in hun bloed kwijt te raken.

'Die extra vijf minuten op de bodem kosten ons wel dertien minuten meer decompressietijd. Mijn zuurstoffles is helemaal leeg voordat de achtendertig minuten verstreken zijn,' zei Dahlgren, na een blik op zijn manometer. Voordat Dirk kon antwoorden hoorden ze een dof metalig geluid in de verte.

'Geen zorgen, Leo is in de buurt,' merkte Dirk op en hij wees naar een voorwerp vijftien meter naast hen.

Een paar zilverkleurige zuurstoftanks met regulators hing bij de zeven meter-markering, vastgebonden aan een touw dat naar de oppervlakte rees. Aan het andere uiteinde van dat touw stond Delgado, een banaan etend op het achterdek van de *Grunion,* en hij hield de luchtbellen van beide mannen scherp in de gaten om te voorkomen dat ze te ver van de boot afdwaalden. Na een kwartier zweven op decompressieniveau grepen de twee mannen de regulators die aan de tanks hingen en ze stegen op tot drie meter onder de oppervlakte, om daar nog eens vijfentwintig minuten te wachten. Toen Dirk en Dahlgren eindelijk boven water verschenen en aan boord klauterden, begroette Delgado hen met een kort handgebaar en stuurde de boot weer naar de kust.

Zodra de boot in het rustiger water van de zeestraat Juan de Fuca voer, haalde Dirk de stukken van de bom uit zijn net en legde ze op het dek.

'Zulke dingen waren niet bij de vliegtuigen en in de hangar?' vroeg Dirk.

'Absoluut niet. Er lag wel van alles, rommel en gereedschap, maar niets wat hier op leek,' zei Dahlgren, naar de stukken kijkend. 'Waarom zou zo'n huls openbarsten?'

‘Omdat die van porselein gemaakt zijn.’ Dirk hield een fragment omhoog, zodat Dahlgren het beter kon bekijken.

Dahlgren streek met zijn vinger over het oppervlak en schudde zijn hoofd. ‘Een porseleinen bom. Heel handig om een theekransje aan te vallen, lijkt me.’

‘Dit moet te maken hebben met de lading.’ Dirk paste de brokstukken als een legpuzzel aan elkaar. De explosieve lading was allang weggespoeld door het zeewater, maar het was duidelijk dat de binnenkant in verschillende compartimenten was verdeeld.

‘Het lijkt wel of er verschillende stoffen na de explosie een kettingreactie moesten veroorzaken.’

‘Een brandbom?’ vroeg Dahlgren.

‘Mogelijk,’ antwoordde Dirk peinzend. Hij zocht in de zak van zijn duikpak en haalde de digitale klok tevoorschijn. ‘Iemand heeft heel wat moeite gedaan om zo’n bom op te duiken,’ zei hij terwijl hij het klokje naar Dahlgren gooide.

Dahlgren bestudeerde het voorwerp en draaide het om in zijn handen.

‘Misschien was dit de eigenaar,’ zei hij ernstig. Hij hield zijn arm met het klokje omhoog en liet Dirk de achterkant zien. In het plastic was een regel met niet te ontcijferen Aziatische lettertekens te zien.

10

Als een roedel hyena's vechtend om een pasgedode zebra gromden en grauwden de veiligheidsadviseurs van de president naar elkaar om de verantwoordelijkheid voor de gebeurtenissen in Japan af te schuiven. De gemoederen raakten verhit in de Cabinet Room, de zaal in de westelijke vleugel van het Witte Huis.

'Het is een fiasco van de inlichtingendienst, dat is duidelijk. Onze ambassades krijgen niet de informatie die noodzakelijk is en het resultaat is dat twee van mijn mensen gedood zijn,' klaagde de minister van Buitenlandse Zaken bits.

'Wij hadden geen aanwijzingen vooraf dat er een toename van terroristische activiteiten in Japan was. En we hebben via diplomatieke bronnen gehoord dat de Japanse veiligheidsdienst ook in het duister tast,' pareerde de onderdirecteur van de CIA.

'Heren, gebeurd is gebeurd,' kwam de president tussenbeide terwijl hij een ouderwetse pijp probeerde op te steken. Met het uiterlijk van Ted Roosevelt en de zakelijke houding van Harry Truman, was president Garner Ward erg populair bij het volk, omdat hij nuchter en praktisch was. De president was in zijn eerste ambtstermijn en hij kon een levendig debat met zijn staf en ministers waarderen, maar hij had een hekel aan afschuiven van verantwoordelijkheid en aan dikdoenerij.

'We moeten de aard van deze dreiging begrijpen en de motieven van onze tegenstander leren kennen, dan kunnen we onze strategie bepalen,' zei de president kalm. 'En ik wil ook advies of de binnenlandse veiligheidsdienst een alarm voor verhoogde waakzaamheid moet uitvaardigen.' Hij knikte naar Dennis Jiménez, aan de andere kant van de vergadertafel in de Cabinet Room. Jiménez vertegenwoordigde de minister van Binnenlandse Zaken. 'Maar eerst moeten we uitvissen wie die terroristen zijn. Martin, vertel ons eens wat je weet.' De president richtte de laatste woorden tot FBI-directeur Martin Finch.

Als voormalig marinier had Finch nog altijd zeer kortgeknipt haar en hij sprak afgemeten als een sergeant die rekruten traint.

'Meneer, de moordaanslagen op ambassadeur Hamilton en plaatsvervangend chef-de-bureau Bridges schijnen gepleegd te zijn door dezelfde man. Op beelden van een bewakingscamera in het hotel waar Bridges vermoord werd, is een verdachte te zien die vermomd was als kelner. Deze man was niet in dienst van het hotel. Foto's van de opname zijn vergeleken met ooggetuigenverslagen van de onbekende die gezien werd op de golfbaan bij Tokio, kort voordat ambassadeur Hamilton werd neergeschoten.'

'Is er enig verband met de moord op zakenman Chris Gavin en die explosie in de SemCon-fabriek?' vroeg de president.

'We hebben nog geen verband kunnen leggen, maar er is wel een mogelijke aanwijzing in het briefje dat op het lichaam van Bridges werd achtergelaten. Uiteraard gaan we ervan uit dat er een verband is tussen beide incidenten.'

'En die verdachte?' vroeg de minister van Buitenlandse Zaken.

'De Japanse autoriteiten hebben hem niet gevonden in de misdaadregisters en evenmin zijn identiteit kunnen vaststellen. Hij is geen bekend lid van een cel in het Japanse Rode Leger. Kennelijk is hij totaal onbekend. De Japanse politie jaagt met man en macht op de verdachte en alle douaneposten zijn in de hoogste staat van paraatheid.'

'Al is er geen connectie, het lijkt me dat er weinig twijfel is dat hij voor het Japanse Rode Leger werkt,' voegde de CIA-directeur eraan toe.

'Dat briefje op het lichaam van Bridges, wat stond daarin?' vroeg Jiménez.

Finch bladerde door een map en haalde een getypt vel papier tevoorschijn.

'Uit het Japans vertaald is dit te lezen: "Wees verslagen, Amerikaanse imperialisten die Nippon bezoedelen met hebzucht, anders zal de dood haar zoete koude adem blazen over de kusten van Amerika. JRL." Typisch de woorden van zo'n extremistische club.'

'Wat is de status van het Japanse Rode Leger? Ik dacht dat het al jaren geleden uiteengevallen was?' vroeg president Ward. Wachtend op een reactie boog hij zijn hoofd achterover en blies een geurige wolk tabaksrook naar de panelen van het plafond, tot Finch antwoordde.

'U weet waarschijnlijk dat het Japanse Rode Leger een terroristische randgroepering is die in de jaren zeventig ontstond uit een aantal communistische cellen. Ze slaan nogal bombastisch anti-imperialistische taal uit en steunen de omverwerping van de Japanse regering en het keizerlijk hof met legale en illegale middelen. Dat JRL heeft vermoedelijk banden met het Midden-Oosten en Noord-Korea, en is verantwoordelijk voor een aantal bomaanslagen en kapingen, met als climax de poging in het jaar 1975 de Amerikaanse ambassade in Kuala Lumpur te bezetten. Ze schenen steun te verliezen in de jaren negentig, en in het jaar 2000 waren de meeste leiders van deze organisatie wel gearresteerd. Hoewel velen geloofden dat de organisatie dood was, zijn er de laatste twee jaar toch weer activiteiten gemeld. Door toedoen van de media en door het verslechterend economisch klimaat ontstaat er een nieuwe voedingsbodem voor hun doctrine. Hun boodschap is nu meer gericht op anti-Amerikaanse en antikapitalistische dogma's dan op het omverwerpen van de regering. Een klein deel van de Japanse jeugd heeft daar wel oren naar. Maar vreemd genoeg is er geen duidelijk zichtbare leider van die groep.'

'Ik ben het eens met Marty's analyse, meneer de president,' begon de CIA-chef. 'Tot die aanslagen op onze mensen hebben we al jaren geen enkele activiteit van dat JRL gezien. De bekende leiders zitten achter tralies. En eerlijk gezegd weten we niet wie nu de touwtjes in handen heeft.'

'Weten we wel zeker dat er geen connectie met Al-Qaeda is?'

'Dat is wel mogelijk maar niet waarschijnlijk,' antwoordde Finch. 'De manier waarop de moorden gepleegd werden is zeker niet hun stijl, en radicale moslims zijn niet zichtbaar aanwezig in Japan. Op dit moment hebben we absoluut geen bewijzen dat er een verband is.'

'En wat doen we samen met de Japanners?' vroeg de president.

'We hebben een antiterreurteam van de FBI in het land, en dat werkt nauw samen met de Japanse politie. De autoriteiten zijn zich goed bewust van de schandalige aard van deze moorden in hun land en ze hebben veel mankracht op het onderzoek gezet. We kunnen weinig meer vragen dan ze al aangeboden hebben.'

'Ik heb via het ministerie gevraagd om een bijgewerkte lijst met het profiel van riskante individuen,' kwam Jiménez tussenbeide. 'En we zullen in samenwerking met de FBI alle grensposten alarmeren.'

'En wat doen we verder in het buitenland om te voorkomen dat er nog meer van dit soort schietpartijen volgen?' vroeg de president aan de minister van Buitenlandse Zaken.

'We hebben verhoogde paraatheid aangekondigd op al onze ambassades,' antwoordde de minister. 'We hebben de beveiliging van onze belangrijke diplomaten ook uitgebreid en voor al het personeel in diplomatieke dienst tijdelijke beperking van reizen in het gastland. Voorlopig worden onze ambassadeurs scherp bewaakt.'

'Enig idee of er een onmiddellijke dreiging bestaat voor ons land, Dennis?'

'Op dit moment niet, president,' antwoordde de directeur van de binnenlandse veiligheidsdienst. 'We hebben bij de immigratie en douane het toezicht op reizigers uit Japan verscherpt, maar we denken niet dat er een nationale alarmering nodig is.'

'Mee eens, Marty?'

'Jazeker. Alles wijst erop dat deze incidenten beperkt zullen blijven tot Japan.'

'Uitstekend. En hoe zit het met de dood van die twee kustwachtmeteorologen in Alaska?' vroeg de president, weer aan zijn pijp puffend.

Finch bladerde door een stapel documenten voordat hij antwoordde. 'Dat was op het eiland Yunaska, bij de Aleoeten. We hebben een onderzoeksteam ter plaatse en dat werkt samen met de lokale autoriteiten. Ze bekijken ook of het verongelukken van een NUMA-helikopter daarmee verband houdt. De eerste berichten zijn dat deze sterfgevallen veroorzaakt werden door stropers, die cyanidegas gebruikten om een groep zeeleeuwen te vangen. We proberen een Russische trawler op te sporen, omdat bekend is dat het schip illegaal viste in dat zeegebied. De lokale politie lijkt tamelijk zeker te zijn dat ze het schip kunnen opbrengen.'

'Cyanidegas om op zeeleeuwen te jagen? Er zijn ook overal gestoorde gekken op deze planeet. Zo, heren, laten we ons uiterste best doen om die moordenaars op te sporen. Dat onze diplomaten neergeschoten worden zonder dat het repercussies heeft is niet bepaald de boodschap die ik wil uitstralen in de wereld. Ik kende Hamilton en Bridges. Dat waren prima kerels.'

'We zullen ze vinden,' beloofde Finch.

'Doe dat,' zei de president, en hij klopte met de kop van zijn pijp tegen de stalen asbak om zijn woorden kracht bij te zetten. 'Ik vrees dat die boeven nog meer in petto hebben, en daar heb ik geen trek in.' Terwijl hij dit zei, viel er wat smeulende pijptabak onelegant in de asbak. Niemand sprak nog een woord.

11

Hoewel Keith Catana pas drie maanden in Zuid-Korea was, had hij zijn favoriete kroeg buiten de basis al gevonden. Chang's Saloon leek weinig te verschillen van een tiental andere bars in 'A-Town', een wat smoezelig uitgaansgebied aan de rand van Kunsan City, bestemd voor het militaire personeel van de luchtmachtbasis Kunsan. Maar bij Chang stond de muziek niet keihard en een lokaal gebrouwen Koreaans OB-biertje was er niet duur. Nog belangrijker vond Catana dat Chang's Saloon de mooiste meisjes van A-Town aantrok.

Alleen gelaten door twee maten die besloten een groepje Amerikaanse luchtmachtvrouwen achterna te gaan naar een dancing om de hoek, bleef Catana achter met zijn vierde glas bier, wachtend tot het langzaam drukker werd in de bar. De drieëntwintigjarige eerste sergeant was specialist in vliegtuigapparatuur op de luchtmachtbasis en hij deed onderhoud aan de F-16-straaljagers van de Eighth Fighter Wing. Op enkele minuten vliegen van de DMZ, de gedemilitariseerde zone, stond zijn squadron altijd klaar voor een tegenaanval voor het geval Noord-Korea mocht besluiten het zuiden binnen te vallen.

De sentimentele gedachten aan zijn familie in Arkansas werden opeens verdreven toen de deur van de bar openzwaaide en Catana een beeldschone Koreaanse vrouw binnen zag komen. Nooit eerder had hij zo'n knappe Koreaanse gezien. Vier biertjes waren niet genoeg om zichzelf te misleiden: ze was echt een opmerkelijke schoonheid. Haar lange, sluikzwarte haar omlijstte een delicaat, bijna porseleinen gezicht met een schattig neusje en mond, en twee opvallend grote donkere ogen. Een strakke leren rok en een zijden topje sloten nauw om haar ranke gestalte en leken haar volle, chirurgisch vergrote boezem te accentueren.

Als een tijgerin op zoek naar een prooi overzag de vrouw de drukke bar voor haar, tot haar blik bleef rusten op de eenzame luchtmachtsergeant in zijn hoekje. Ze bleef strak naar hem kijken, kwam heupwiegend naar Catana's tafeltje en gleed op de stoel tegenover hem.

'Hallo Joe, wees eens lief en bestel een drankje?' klonk het bijna kirrend.

'Eh... graag,' stamelde Catana. Deze vrouw was duidelijk anders dan de gewone hoertjes in A-Town, dacht hij, en niet het type dat zich door het lagere personeel laat inpalmen. Maar wat maakte het uit? Als de voorzienigheid had besloten dat deze schoonheid op betaaldag op zijn schoot moest belanden, dan lachte het geluk hem alleen maar toe.

Na een snel biertje vroeg de vrouw al of hij met haar meeging naar haar hotelkamer. Catana was aangenaam verrast dat ze niet over de prijs onderhandelde. Vreemder nog, ze noemde helemaal geen bedrag.

Ze ging hem voor naar een goedkoop hotel in de buurt en gearmd liepen ze door de sjofele gang met rode lampjes. Aan het einde van de gang opende de vrouw het slot van een deur, en daarachter lag een benauwde kleine hoekkamer. Slapen werd hier niet veel gedaan, begreep Catana, toen hij de condoomautomaat aan de muur naast het bed zag.

Nadat ze de deur achter hen gesloten had, trok de vrouw snel haar topje uit en omhelsde Catana voor een lange, hartstochtelijke tongzoen. Hij besteedde weinig aandacht aan het geluid bij de garderobekast toen hij de warmte van de exotische vrouw voelde, en hij werd bedwelmd door een combinatie van haar schoonheid, de alcohol en haar dure parfum. Zijn aangename delirium werd wreed verstoord door een scherpe prik in zijn billen, gevolgd door een verzengend felle pijn. Onvast draaide hij zich om en zag geschrokken dat er nog een man in de kamer was. De gespierde kale man grijnsde gemeen achter zijn lange snor en zijn kille zwarte ogen leken dwars door Catana heen te boren. In zijn handen hield hij een grote injectienaald, met de zuiger helemaal ingedrukt.

Pijn en verwarring overweldigden Catana, tot zijn lichaam opeens gevoelloos werd. Hij wilde zijn handen opheffen, maar miste de kracht. Zelfs zijn lippen werkten niet meer samen met zijn brein toen hij een kreet van protest wilde slaken. Het duurde nog een paar seconden voordat een zwarte golf hem overmande en hij niets meer kon waarnemen.

Het was uren later toen een onophoudelijk bonken hem wekte uit zijn bewusteloosheid. Het bonken zat niet in zijn hoofd, wat hij eerst dacht, maar kwam van buiten, van de hotelkamerdeur. Hij voelde iets warms en kleverigs rond hem, terwijl hij vocht om de wazigheid uit zijn ogen te verdrijven. Waarom dat gebonk? Wat was dat voor vochtigheid? In de schemerig verlichte kamer en met zijn halfverdoofde geest kon hij het niet thuisbrengen.

Het bonzen op de deur stopte even, maar toen klonk er een harde dreun en zwaaide de deur open, wat gepaard ging met een zee van licht. Knipperend tegen het felle schijnsel zag Catana een groepje politiemannen binnenstormen, gevolgd door twee mannen met camera's. Toen zijn ogen gewend raakten aan het schijnsel, zag hij ook wat de kleverige en warme substantie was.

Bloed. Overal was bloed, op de lakens, de kussens, en overal op zijn lijf gesmeerd. Maar het meeste bloed vormde een plas rond de naakte vrouw die dood naast hem lag.

Catana deinsde instinctief achteruit van het dode lichaam. Terwijl twee agenten hem van het bed trokken en handboeien aandeden, schreeuwde hij het uit van afschuw.

'Wat is er gebeurd? Wie heeft dit gedaan?' zei hij verdwaasd.

Hij zag geschokt dat een derde politieman het laken wegtrok dat gedeeltelijk over de dode vrouw lag, zodat haar hele lichaam zichtbaar werd. Het lichaam was gruwelijk verminkt. En tot verbijstering van Catana zag hij nu dat het lijk niet de beeldschone vrouw was die hij de vorige avond had ontmoet, maar een jong meisje dat hij nooit eerder had gezien.

Catana liet zich willoos uit de kamer slepen, te midden van de flitslampen van de fotografen. Tegen de middag van die dag was het nieuws over de verkrachting en brute moord op een dertien jaar oud Koreaanse meisje door een Amerikaanse luchtmachtsoldaat overal in het land vol afschuw bekendgemaakt. In de loop van de avond werd de nationale verontwaardiging nog groter. En toen het meisje twee dagen later werd begraven, was het misdrijf uitgegroeid tot een internationaal conflict.

12

De middagzon stond hoog aan de hemel en weerkaatste fel op het saffierkleurige water van de Bohol Zee, zodat Raul Biazon zijn ogen tot spleetjes moest knijpen terwijl hij naar het grote researchschip tuurde dat in de verte voor anker lag. Even dacht de bioloog van de Filippijnse regering dat de zonnestralen zijn ogen bedrogen. Geen enkel respectabel wetenschappelijk schip kon toch in zo'n felle kleur geschilderd zijn? Maar toen de kleine verweerde loodssloep waar hij in meevoer dichterbij kwam, zag hij dat er niets mis was met zijn gezichtsvermogen. Het schip was echt glanzend turquoise geschilderd, van de boeg tot de achtersteven, waardoor het eerder tot de onderzeese wereld leek te behoren dan te deinen op de golven. Laat het maar over aan de Amerikanen, dacht Biazon, om te ontsnappen aan het alledaagse.

De loods manoeuvreerde de verweerde houten sloep naast de boordladder aan de zijkant van het grote schip. Biazon verspilde geen tijd en sprong uit de sloep. Hij sprak kort enkele woorden in Tagalog tegen de loods en beklom toen snel de ladder naar het dek, bijna opbotsend tegen een lange, gespierde man die daar bij de reling stond. Met zijn dunne blonde haar en stevige bouw leek de man wat op een Viking, al was hij gekleed in een smetteloos wit kapiteinsuniform.

'Dr. Biazon? Welkom aan boord van de *Mariana Explorer*. Ik ben kapitein Bill Stenseth,' zei de man met een hartelijke glimlach in zijn grijze ogen.

'Dankuwel dat u mij op zo korte termijn aan boord wilt ontvangen, kapitein,' antwoordde Biazon, zich weer een houding gevend. 'Een lokale visserman zei me dat een NUMA-onderzoeksvaartuig in het gebied gesignaleerd was, en ik hoop dat u misschien wat assistentie kunt verlenen.'

'Laten we naar de brug gaan, weg van deze hitte,' stelde Stenseth voor, 'dan kunt u ons meer vertellen over de milieuramp die u via de radio meldde.'

'Ik hoop niet dat ik uw researchwerk onderbreek?' vroeg Biazon terwijl de twee mannen een trap beklommen.

'Helemaal niet. We hebben juist een seismisch karteringsproject afgerond, in de buurt van Mindanao, en we doen nu alleen wat tests met de apparatuur, om daarna naar Manilla te varen. En trouwens,' zei Stenseth met een grijns, 'als mijn baas zegt: stop de boot, dan stop ik de boot.'

'Uw baas?' herhaalde Biazon niet-begrijpend.

'Ja.' Stenseth trok de zijdeur van de brug open. 'Hij reist met ons mee.'

Biazon stapte door de deuropening en huiverde onwillekeurig toen een kille windvlaag van de airconditioning over zijn bezwete lichaam streek. Aan de andere kant van de brug zag hij een rijzige man met een gedistingeerd uiterlijk, gekleed in shorts en een poloshirt. De man stond gebogen over een kaartentafel en bestudeerde een zeekaart.

'Dr. Biazon, mag ik u voorstellen aan Dirk Pitt, directeur van NUMA,' zei Stenseth. 'Dirk, dit is dr. Raul Biazon, manager gevaarlijke afvalstoffen van de Filippijnse milieudienst.'

Biazon was verbaasd dat het hoofd van een grote overheidsdienst op zee aan het werk was, ver weg van Washington. Maar na een blik op Pitt begreep Biazon meteen dat hij niet met een gewone topambtenaar te maken had. De chef van NUMA was bijna een hoofd groter dan hij, en met zijn gebruinde en gespierde lichaam was het wel duidelijk dat hij niet veel tijd achter een bureau doorbracht. Al wist Biazon het niet, Pitt senior was nog maar een vage afspiegeling van Pitt junior met dezelfde voornaam. Het gezicht was verweerd, en in het ravenzwarte haar waren streepjes grijs zichtbaar bij de slapen, maar de heldergroene ogen straalden van levenslust. Dit waren ogen die veel gezien hadden in het leven, begreep Biazon. De ogen weerspiegelden een mengeling van intelligentie, vrolijkheid en volharding.

'Welkom aan boord,' groette Pitt hartelijk, en hij schudde Biazon stevig de hand. 'Dat daar is mijn technisch directeur onderzee, Al Giordino,' voegde hij eraan toe, en wees met zijn duim over zijn schouder naar een hoek van het stuurhuis. Op een bankje lag een man opgerold te slapen. De man was kort en gezet, en had krullend donker haar. Een zacht gesnurk was hoorbaar bij elke uitademing van zijn tonvormige borst. De gedrongen lichaamsbouw deed Biazon onwillekeurig aan een rinoceros denken.

'Al, kom er eens bij!' riep Pitt door het stuurhuis.

Giordino opende knipperend zijn ogen en was met een ruk klaarwakker. Hij kwam overeind en ging bij de andere mannen staan, zonder een spoor van slaperigheid.

'Ik zei al tegen de kapitein dat ik uw aanbod om te helpen zeer waardeer,' zei Biazon.

'De Filippijnse overheid is altijd erg welwillend geweest wat betreft research in uw zeegebied,' antwoordde Pitt. 'Dus toen we via de radio uw verzoek om assistentie ontvingen in verband met die vergiftiging in zee gaven we daar graag gehoor aan. Misschien kunt u wat meer vertellen over de situatie?'

'Een paar weken geleden nam een hotel op Panglao Island contact met ons op. De directie van het hotel was erg bezorgd omdat er grote hoeveelheden dode vis op het badstrand aanspoelden.'

'En dan verdwijnt de vakantiesfeer meteen,' grinnikte Giordino.

'Inderdaad,' beaamde Biazon ernstig. 'We zijn de kustlijn gaan monitoren en we hebben geconstateerd dat de vissterfte in alarmerend tempo toenam. Over een lengte van tien kilometer strand spoelen dode zeedieren aan en de aantallen worden groter. De hoteldirecties zijn ten einde raad, en wij zijn vooral bezorgd over mogelijke schade aan het koraalrif.'

'Hebt u al vastgesteld waardoor de vis sterft?' vroeg Stenseth.

'Nog niet. We weten alleen dat het een soort vergiftiging is. We hebben weefselmonsters naar ons lab in Cebu gestuurd voor analyse, maar we wachten nog op de resultaten.' Aan Biazons gezicht was te zien dat hij zich ergerde aan het trage werk van het laboratorium.

'Enig idee wat de oorzaak kan zijn?' vroeg Pitt.

Biazon schudde zijn hoofd. 'We veronderstelden eerst dat het industriële vervuiling is, want dat is helaas maar al te vaak de oorzaak van milieuschade in mijn land. Maar mijn medewerkers in het veld en ik hebben de hele kuststreek afgezocht, zonder een industrie te vinden die de veroorzaker kan zijn. We hebben in zee ook geen sporen van illegale lozingen gevonden. Persoonlijk denk ik dat de oorzaak ergens in de zee te vinden is.'

'Kan het rode vloed zijn?' opperde Giordino.

'We hebben wel vaak een uitbraak van giftige fytoplanktongroei bij de Filippijnen,' zei Biazon, 'maar dat gebeurt meestal tijdens de warmere maanden in de nazomer.'

'Het zou ook een gecamoufleerde industriële lozing kunnen zijn,' zei Pitt. 'Waar ligt het getroffen gebied precies, dr. Biazon?'

Biazon keek naar de zeekaart, waarop Mindanao en de zuidelijke eilanden van de Filippijnen waren getekend. 'Bij de provincie Bohol,' zei hij, wijzend naar een groot rond eiland ten noorden van Mindanao. 'Panglao is een klein toeristeneiland, dicht bij de zuidwestkust. Ongeveer vijftig kilometer hiervandaan.'

'Daar kunnen we binnen twee uur naartoe varen,' zei Stenseth, toen hij de afstand zag.

Pitt knikte naar de kaart. 'We hebben een schip vol wetenschappers, en die kunnen helpen het antwoord te vinden. Bill, zet een koers uit naar Panglao Island, dan gaan we daar eens kijken.'

'Dank u,' zei Biazon, duidelijk opgelucht.

'Doctor, misschien wilt u een rondleiding over het schip, terwijl we ons gereedmaken voor vertrek?'

'Dat zou ik graag willen.'

'Al, kom je met ons mee?'

Giordino keek bedenkelijk op zijn horloge. 'Nee, bedankt. Twee uur is net genoeg tijd om mijn project af te ronden,' antwoordde hij, en liet zich weer op de bank zakken om meteen weer in slaap te sukkelen.

De *Mariana Explorer* voer soepel over de kalme zee en arriveerde na ruim negentig minuten bij Panglao Island. Pitt tuurde naar een digitale zeekaart van het gebied, zichtbaar op een monitor. en Biazon wees de rechthoek aan waarin de vissterfte geconstateerd was.

'Bill, de stroming loopt hier van oost naar west, dus de gevarenzone moet aan de oostkant van dr. Biazons rechthoek zijn. Zullen we van het westen tegen de stroom naar het oosten varen, en dan elke kwart mijl watermonsters nemen?'

Stenseth knikte. 'Ik vaar een zigzagkoers, om te zien tot hoever van de kust er concentraties gif zijn.'

'En laten we de sidescan-sonar ook maar gebruiken. Dan kunnen we zien of er door mensen gemaakte objecten een rol spelen.'

Dr. Biazon zag belangstellend hoe de sonarmodule op de achtersteven aan een lijn werd uitgevierd voordat de *Mariana Explorer* de stippen van de uitgezette koers op het navigatiescherm begon te volgen. Met tussenpozen nam een team marinebiologen monsters van het zeewater op verschillende diepten. Terwijl het schip naar de volgende positie voer, werden de verzamelde monsters meteen naar het boordlaboratorium gebracht voor onderzoek.

Op de brug volgde Giordino de signalen van de sonarmodule. Het elektronische beeld van de ondiepe zeebodem toonde zandvlakten, afgewisseld met rafelig koraal toen het schip over het rif voer. In korte tijd hadden zijn getrainde ogen al een scheepsanker en een buitenboordmotor op de zeebodem herkend. Bij elk object drukte Giordino de knop met het opschrift MARK in, zodat de locatie bewaard werd voor later onderzoek.

Pitt en Biazon keken met bewondering naar de tropische stranden van Panglao Island, op minder dan een halve zeemijl afstand. Pitt keek naar het water naast het schip en zag een zeeschildpad en veel dode vissen, drijvend met de buik omhoog.

'We zijn nu in de vergiftigde zone,' zei Pitt. 'Dus moeten we snel resultaten van de monsters krijgen.'

Naarmate het researchschip verder naar het westen stoomde, nam de concentratie dode vissen in het water eerst toe, om daarna geleidelijk minder te worden, tot de blauwe zee weer schoon was.

'We zijn nu een halve mijl buiten de rechthoek van dr. Biazon,' meldde Stenseth. 'En aan het zeewater te oordelen zijn we buiten het vergiftigde gebied.'

'Mee eens,' zei Pitt. 'Laten hier blijven tot de resultaten van het lab bekend zijn.'

Het grote schip kwam stil te liggen en de sonarmodule werd aan boord gehaald. Pitt leidde Biazon naar een met teak betimmerde vergaderzaal, gevolgd door Giordino en Stenseth. Biazon keek naar de portretten van enkele befaamde diepzeeonderzoekers aan de wand, en hij herkende de gezichten van William Beebe, Sylvia Earle en Don Walsh. Zodra ze rond de tafel zaten, kwamen twee zeebiologen in witte laboratoriumjassen de vergaderzaal binnen. Een kleine, aantrekkelijke vrouw met een paardenstaart liep naar het aan de wand opgehangen projectiescherm, terwijl haar mannelijke assistent commando's in het systeem typte.

'We hebben in totaal vierenveertig watermonsters verzameld, die werden geanalyseerd door toxische moleculen te separeren,' zei ze met heldere stem. Terwijl ze sprak verscheen er een beeld op het scherm achter haar. Het scherm leek op het navigatiescherm op de brug dat Biazon bij het volgen van de koers eerder had gezien: een zigzaglijn met daarop vierenveertig grote stippen langs de kust van Panglao Island. Elke stip had een kleurcode, al zag Biazon dat de meeste stippen groen oplichtten.

'De monsters werden onderzocht op toxische bestanddelen, in delen per miljard, en bij vijftien monsters was de uitslag positief,' verklaarde de biologe, wijzend naar een rij gele stippen. 'Zoals u ziet neemt de concentratie toe naar het oosten, en hier hebben we de hoogste waarden gemeten.' Ze wees naar enkele oranje stippen en een eenzame rode stip bijna aan de bovenkant van het beeldscherm.

'Dus de bron is een bepaalde locatie,' begreep Pitt.

'Voorbij die rode stip is de uitslag negatief, en dat wijst op een bepaald punt vanwaar de vergiftiging zich met de zeestroom naar het oosten verspreidt.'

'Dan is het dus geen rode vloed. Al, is dat te rijmen met wat we op de sonarbeelden zien?'

Giordino liep naar het bedieningspaneel, en leunend over de schouder van de assistent typte hij snel enkele commando's. Op het projectiescherm verschenen opeens meer dan tien X'en op verschillende plaatsen dicht bij de zigzaglijn. Bij elke X stond een letter, beginnend met A onderaan, tot L bovenaan het scherm.

'Dat is Al's "Dirty Dozen"-lijst,' grijnsde hij, en ging weer zitten. 'We zijn in de buurt geweest van twaalf door mensen gemaakte voorwerpen, meestal stukken buis, roestige ankers en dat soort zaken. Er zijn drie voorwerpen die mogelijk verdacht zijn,' zei hij, kijkend naar zijn aantekeningen. 'Merkteken C is een drietal 200-litervaten op het zand.'

Iedereen keek naar de C op het scherm. Maar de stippen in de omgeving waren allemaal groen, dus daar was geen gif aangetroffen.

'Geen gif in de buurt; de volgende!' commandeerde Pitt.

'Merkteken F lijkt een houten zeilboot, mogelijk een lokale vissersboot. Die ligt recht overeind op de zeebodem, met de mast nog intact.'

Deze X was naast de eerste gele stip. Pitt maakte een opmerking dat het nog benedenstrooms van de gifmetingen was.

'We worden warm.'

'Mijn laatste merkteken is een beetje vreemd, want dat was bijna buiten bereik van de sonar,' zei Giordina, en zweeg toen even.

'Nou, hoe ziet het eruit?' vroeg Stenseth.

'Een scheepsschroef. Het leek of die uit het rif stak. Ik kon echter geen schip herkennen. Het kan een losse schroef zijn, die afbrak op het rif. Dat is merkteken K.'

Het werd stil in de ruimte toen iedereen naar de X met daarbij de letter K keek. De letter stond vlak bij de enige rode stip op het scherm.

'Het lijkt me dat daar wel wat meer is dan alleen een scheepsschroef,' zei Pitt uiteindelijk. 'Lekkende brandstof uit een gezonken schip, of mogelijk zijn lading?'

'We hebben geen grote concentraties petroleumbestanddelen aangetroffen in de watermonsters,' zei de NUMA-biologe.

'Je hebt nog niet verteld wat jullie dan wél gevonden hebben,' zei Giordino, en hij trok een donkere wenkbrauw op naar de biologe.

'Ja, u zei toch dat u giftige stoffen in het water hebt herkend, nietwaar?' vroeg Biazon gespannen. 'Wat hebt u dan aangetroffen?'

'Iets wat ik nooit eerder in zout water heb gevonden,' antwoordde ze hoofdschuddend. 'Arsenicum.'

13

Het koraalrif vormde een uitwaaierende regenboog van schitterende kleuren, in een serene schoonheid die de landschappen van Monet flets deed lijken. Helderrode zeeanemonen wuifden met hun tentakels loom in de stroming, te midden van een tapijt van magentakleurige zeesponzen. Tere groene zeewieren rezen sierlijk op naast de ronde klompen violette koraal. Stralend blauwe sterrenvissen gloeiden als neonreclame boven het rif, en tientallen zee-egels bedekten de zeebodem als evenzoveel roze speldenkussens.

Weinig dingen in de natuur overtreffen de schoonheid van een gezond koraalrif, dacht Pitt, terwijl hij de kleurenpracht bekeek. Hij zweefde iets boven de zeebodem en zag door zijn duikmasker geamuseerd hoe twee kleine clownsvisjes wegschoten in een koraalspleet, op de vlucht voor een gespikkelde rog op jacht naar een hapje. Van alle fraaie duikplekken op de wereld vond Pitt de koraalriffen in de warme wateren van de westelijke Grote Oceaan toch altijd weer het meest adembenemend.

'Het wrak moet iets verder vóór ons en wat noordelijker liggen,' klonk Giordino's stem krakend in zijn oren, de stilte verbrekend. Nadat de *Mariana Explorer* voor anker was gegaan op de plek waar de grootste concentratie gif was gemeten, hadden Pitt en Giordino droogpakken aangetrokken met helmen, om beschermd te zijn tegen mogelijke chemische of biologische besmetting. Ze hadden zich van het gangboord in het water laten vallen en doken in het heldere warme water dat hier veertig meter diep was.

De aanwezigheid van arsenicum in het water was voor iedereen een schok. Dr. Biazon vertelde dat er wel arsenicum lekte bij mijnbouw op het vasteland, en dat er enkele mangaanmijnen waren op het eiland Bohol, maar hij voegde eraan toe dat er geen mijnen waren bij het eiland Panglao. De NUMA-biologe merkte op dat arsenicum ook werd verwerkt in insecticide. Het was toch mogelijk dat een container met insecticide van een vrachtschip was gevallen, of met opzet gedumpt? Pitt stelde dat er maar één manier was om zekerheid te krijgen: naar de plek duiken en een kijkje nemen.

Met Giordino naast zich keek Pitt op zijn kompas en werkte zich met zijn zwemvliezen dwars op de onzichtbare zeestroom. Het zicht was hier bijna vijfentwintig meter, en Pitt zag dat het koraalrif geleidelijk oprees naar minder diep water. Hij zwom vlak boven de zeebodem en begon te zweten in het dikke droogpak, dat beter isoleerde dan in tropisch water nodig was.

'Kan iemand de airco aanzetten?' hoorde hij Giordino mopperen. Pitt dacht er net zo over.

Er was nog steeds geen spoor van het scheepswrak, maar hij zag wel hoe een eindje voor hem de koraalbodem steil oprees. Rechts van hem was een groot onderzees duin gevormd tegen het rif, en het geribbelde oppervlak reikte tot buiten Pitts gezichtsveld. Hij zwom omhoog, om met krachtige slagen van zijn zwemvliezen aan de andere kant te komen. Verbaasd zag hij dat het rif hier een verticale wand vormde, zodat er een steile krater werd gevormd. En met nog meer verbazing zag hij iets op de bodem van dit ravijn. Het was de boeg van een schip.

'Wat krijgen we nou?' bromde Giordino, toen hij het vreemde wrak zag.

Pitt keek even aandachtig naar de resten van het schip en lachte toen door het onderwatercommunicatiesysteem. 'Ik ben er ook ingetuind. Het is een optische illusie. De rest van dat schip is bedolven onder het zandduin.'

Giordino keek nog eens naar het wrak en begreep dat Pitt gelijk had. Het grote duin naast het rif had over de achtersteven van het gezonken schip een glooiende bodem gevormd. Maar de zeestroom was midscheeps te sterk om zand te laten bezinken, zodat er een scherpe aftekening was ontstaan, waardoor de indruk ontstond dat er slechts de helft van een schip lag.

Pitt wendde zich af van het zichtbare deel van het schip en zwom een aantal meters over het duin, tot dat steil onder hem wegviel.

'Hier is je scheepsschroef, Al,' zei hij, en wees naar beneden.

Onder zijn zwemvliezen was een klein deel van de achtersteven van het schip zichtbaar. De bruin aangekoekte scheepshuid vormde een bocht naar de grote bronzen schroef, die als een windmolen uit het zand stak. Giordino kwam erbij en inspecteerde de schroef, waarna hij wat hoger zwom om de laag zand weg te vegen van de romp. Aan de kromming van de achtersteven zag hij dat het schip sterk naar bakboord helde, wat ook te zien was bij de zichtbare boeg. Pitt zweefde dichterbij en zag dat Giordino de laatste letters van de scheepsnaam op de achtersteven kon ontcijferen.

'Het laatste deel is MARU, meer zie ik niet,' zei hij, terwijl de uitgegraven geul zich weer met zand vulde.

'Een Japans schip,' zei Pitt, 'en aan de roest te oordelen ligt het wrak hier al een tijd. Als er gif lekt, dan moet dat bij het voorschip gebeuren.'

Giordino groef niet meer in het zand en volgde Pitt naar de voorkant van het wrak. Het rees op uit het duin bij de schoorsteen, die bijna horizontaal lag en met het bovenste deel in het koraal stak. Aan de kleine brug en het lange voordek kon Pitt zien dat het een gewoon vrachtschip was. Hij schatte de lengte op bijna zeventig meter. Toen ze over de scheefhangende bovenkant zwommen, zag hij dat het hoofddek verdwenen was. De houten planken waren al lang geleden weggerot in het warme water bij de Filippijnen.

'Die kranen zien er ouderwets uit,' merkte Giordino op, kijkend naar een paar roestige dekkranen die als uitgespreide armen over het dek reikten.

'Als ik moet gokken, denk ik dat deze boot in de jaren twintig is gebouwd,' zei Pitt, zwemmend langs een reling die van brons gemaakt leek.

Pitt volgde het dek tot hij bij een paar vierkante luiken kwam, de toegang tot het voorste ruim. Omdat het vrachtschip zware slagzij maakte, had Pitt verwacht dat de deksels wel van hun plaats waren geraakt, maar dat was niet het geval. Samen zwommen de beide mannen rond elk dekluik, zoekend naar een aanwijzing van lekkage.

'Die luiken zitten muurvast en alles is dicht,' zei Giordino toen ze weer bij hun beginpunt waren.

'Dan moet er ergens anders een opening zijn.'

Pitt zwom langzaam omhoog, tot hij over de stuurboordzijde van de romp kon kijken. Rond het schip rees het koraal aan beide zijden steil omhoog. Op zijn intuïtie afgaand, zwom hij langs de romp naar de gedeeltelijk zichtbare kiel en gleed toen langzaam verder naar de boeg.

Maar na enkele zwemslagen bleef hij met een ruk stilhangen. Voor hem strekte zich een rafelige, meer dan een meter brede scheur uit, over een lengte van bijna zeven meter tot aan de punt van de boeg. Pitt hoorde gepiep in zijn oortelefoon toen Giordino naast hem de gapende wond ook zag.

'Net als de *Titanic*,' zei hij, zeer onder de indruk. 'Maar deze schuit schraapte zich naar de kelder door koraal, en niet door een ijsberg.'

'Dit schip is misschien met opzet aan de grond gezet,' opperde Pitt.

'Op de vlucht voor een tyfoon?'

'Of voor een Corsair van de marine. Leyte Gulf is hier om de hoek, en daar werd in 1944 de Japanse vloot gedecimeerd.'

De Filippijnen waren fel betwist gebied tijdens de Tweede Wereldoorlog, herinnerde Pitt zich. Meer dan zestigduizend Amerikanen sneuvelden bij de vergeefse verdediging en latere herovering van de eilanden: een tol aan mensenlevens groter dan de verliezen in Vietnam. Na de verrassingsaanval op Pearl Harbor waren de Japanse troepen bij Manilla geland en ze hadden de Amerikaanse en Filippijnse legermacht met garnizoenen op Luzon, Bataan en Corregidor snel overwonnen. De haastige aftocht van generaal MacArthur werd gevolgd door een drie jaar durende bezetting door de Japanners, tot de Amerikanen weer de overhand kregen in het oceaangebied, wat leidde tot de invasie op het zuidelijke eiland Leyte in oktober 1944.

Op ruim honderd zeemijl afstand van Panglao waren de provincie Leyte en het omringende zeegebied het strijdtoneel van de grootste confrontatie ter zee en in de lucht uit de geschiedenis. Enkele dagen nadat generaal MacArthur met zijn invasieleger op Leyte was geland, verscheen de Japanse keizerlijke marine, die er vervolgens in slaagde een wig te drijven tussen de troepen en de ondersteunende Amerikaanse zeestrijdkrachten. De Japanners waren er bijna in geslaagd de Zevende Vloot te vernietigen, maar uiteindelijk moesten ze de aftocht blazen met enorme verliezen: vier vliegdekschepen en drie slagschepen, een ervan de imposante *Musashi*. Deze verliezen maakten een einde aan de korte heerschappij van de keizerlijke marine in dit gedeelte van de oceaan. Een jaar later was het totale militaire apparaat van Japan op de knieën gedwongen.

De zeestraten tussen de zuidelijke eilanden van de Filippijnen, zoals Leyte, Samar, Mindanao en Bohol, lagen na de hevige strijd bezaaid met gezonken vrachtschepen en oorlogsbodems. Pitt zou er niet vreemd van opkijken als er gifstoffen vrijkwamen uit de scheepswrakken. En de grote scheur in de romp van dit vrachtschip wees erop dat het vaartuig ook in de strijd ten onder was gegaan.

Pitt zag in gedachten hoe het Japanse vrachtschip vanuit de lucht bestookt werd en hoe de kapitein in wanhoop koos voor het aan de grond zetten van zijn schip, in een riskante poging de bemanning en de lading te redden. De scheepshuid werd opengereten door het scherpe koraal en vanaf de boeg kolkte het water naar binnen, zodat het schip kantelend naar bakboord op de zeebodem zakte. Welke lading de kapitein ook had willen redden, die lag daarna tientallen jaren sluimerend en verborgen onder de golven.

'Ik denk dat het echt bingo is,' zei Giordino somber.

Pitt keek op en zag de gehandschoende hand van Giordino wijzen naar het aangrenzende rif. Verdwenen was het heldere rood, groen en blauw van de koralen die ze eerder hadden gezien. In een waaiervormig patroon vanaf de scheepsboeg had het koraal een effen, dofwitte kleur. En Pitt zag ook dat er geen vis te bekennen was.

'Gebleekt en gedood door arsenicum,' begreep hij.

Zich weer naar het wrak wendend, greep hij een kleine zaklantaarn die aan zijn drijfcompensator bevestigd was en dook naar de gapende opening in de romp. Langzaam verder zwemmend, knipte hij de lamp aan en bescheen het inwendige van het schip. Bij de boeg lag alleen een dikke ankerketting, opgerold als een ijzeren slang. Meer naar achteren kruipend, bewoog Pitt zich naar een waterdicht schot, met Giordino achter hem aan. Bij het schot liet Pitt de lichtbundel dwalen over de stalen wand die de afscheiding met het voorste ruim vormde. Aan stuurboord vond hij waar hij naar zocht. De druk van het rif tegen de scheepshuid had een van de staalplaten losgewrongen en zo was een opening ontstaan, alsof er een luik halfopen stond, met toegang naar het vrachtruim.

Pitt naderde de opening behoedzaam, om geen slib op te wervelen, en stak toen zijn hoofd naar binnen. Zich bijlichtend met de lamp zag hij op enkele centimeters afstand een enorm oog dat hem levenloos aanstaarde. Hij wilde achteruitdeinzen, maar besefte toen dat het een oog van een zandbaars was. De groene, twintig kilo zware vis dreef traag heen en weer in het ruim en de grijze buik wees omhoog naar de opstijgende belletjes van de lucht die Pitt uitademde. Turend langs de dode vis in zijn donkere tombe voelde Pitt het bloed in zijn aderen stollen toen hij het ruim zag. Verspreid en op hopen, als stapels eieren in een kippenfarm, lagen honderden roestende granaten. De veertigponds projectielen waren granaten voor het 105mm-geschut, een dodelijk landmachtwapen dat het keizerlijke leger tijdens de oorlog had gebruikt.

'Een Welkom-op-de-Filippijnen-cadeau voor generaal MacArthur?' vroeg Giordino, toen ook hij naar binnen tuurde.

Pitt knikte zwijgend en pakte toen zijn duiktas, met daarin een rol plastic zakken. Giordino begreep het en pakte meteen een van de projectielen, die door Pitt in het plastic geseald werd en daarna in de tas opgeborgen. Giordino rekte zich uit, pakte nog een roestige granaat en hield het projectiel een paar centimeter boven de bodem. Beide mannen keken nieuwsgierig toe en zagen een bruine, olieachtige substantie uit het projectiel lekken.

'Dat lijkt helemaal niet op de hoogexplosieve poeders die ik elders heb gezien,' zei Giordino, en legde het projectiel meteen weer neer.

'Ik denk niet dat dit normale munitie is,' antwoordde Pitt toen hij nog een poel bruine vloeistof zag bij een stapel granaten. 'Laten we deze meenemen aan boord en dan in het lab uitzoeken wat voor spul het is.' Hij klemde de ingepakte granaat als een rugbybal onder zijn arm. Daarna gleed hij weer naar het boegcompartiment, door de scheur in de romp en terug naar het heldere, zonverlichte water.

Pitt twijfelde er niet aan dat het opgedoken projectiel munitie uit de Tweede Wereldoorlog was. Maar waarom er arsenicum gebruikt was, begreep hij niet. De Japanners waren innovatief met hun oorlogstuig en het was mogelijk dat granaten met arsenicum daar ook bij hoorden. Het verlies van de Filippijnen was een voorbode van het einde van de oorlog voor Japan, en het was denkbaar dat ze dit wapen wilden inzetten in een laatste wanhoopsdaad tegen de oprukkende geallieerden.

Toen ze met het mysterieuze projectiel aan de oppervlakte kwamen, voelde Pitt een merkwaardig gevoel van opluchting. De dodelijke lading in het jaren geleden gezonken vrachtschip had nooit haar bestemming bereikt. Hij was blij dat het schip op het rif was vergaan, zodat de vernietigende wapens nooit gebruikt werden in de strijd.

DEEL TWEE

CHIMERA

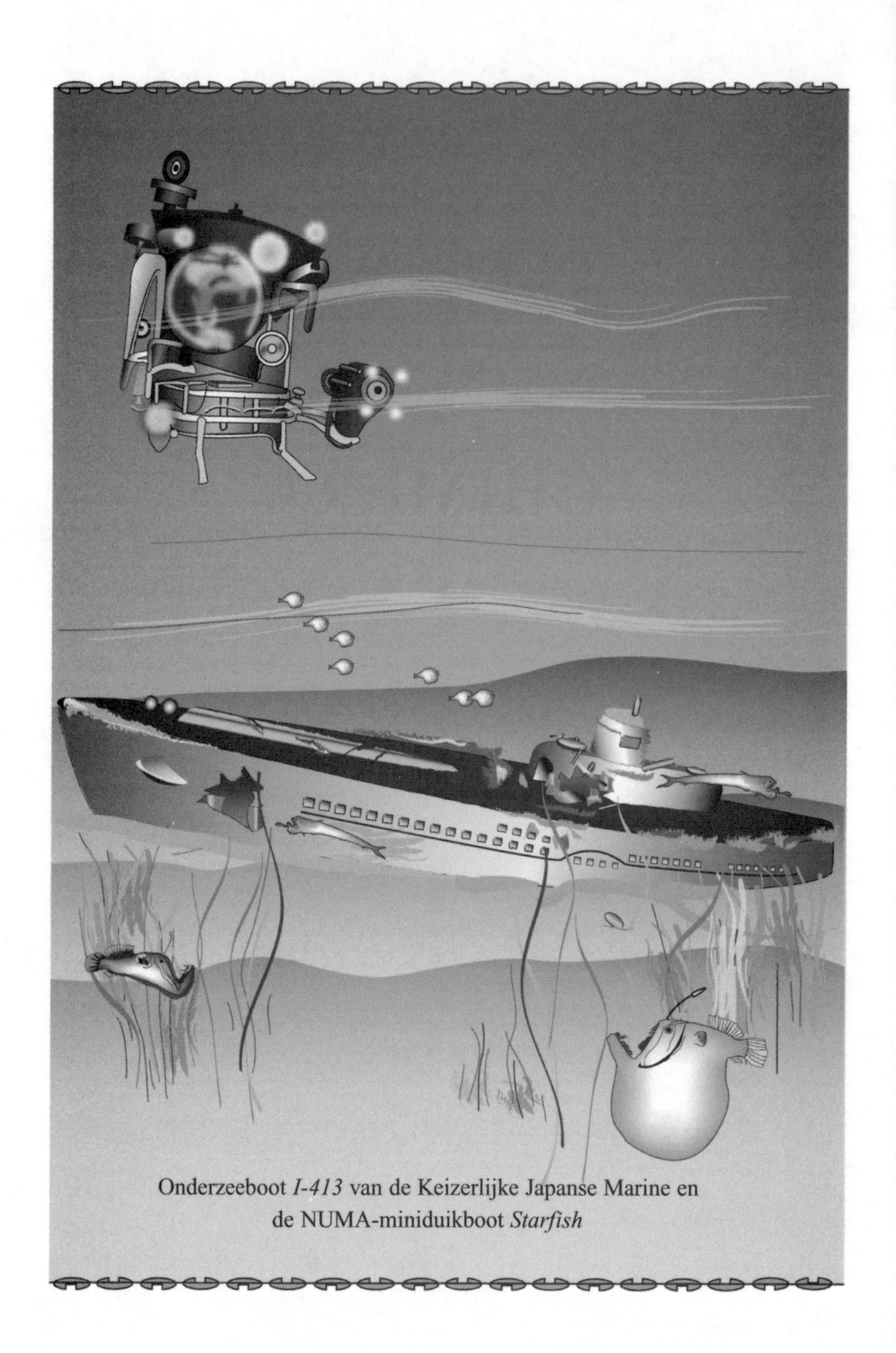

Onderzeeboot *I-413* van de Keizerlijke Japanse Marine en de NUMA-miniduikboot *Starfish*

14

4 juni 2007
Het eiland Kyodongdo, Zuid-Korea

Met een lengte van vijfenvijftig meter was de stalen romp van het Benetti-jacht indrukwekkend, zelfs naar de welgestelde normen van Monte Carlo. Het luxueuze interieur van het Italiaanse jacht, alles naar wens van de opdrachtgever gemaakt, was voorzien van marmeren vloeren, Perzische tapijten en zeldzame Chinese antiquiteiten die de salons en hutten een warme elegantie gaven. Een verzameling vijftiende-eeuwse schilderijen van de Vlaamse meesterschilder Hans Memling sierde de wanden, wat de exclusieve inrichting nog benadrukte. Het glanzend kastanjebruine en witte exterieur, met een brede band donker getinte vensters, gaf het jacht een meer klassiek uiterlijk, evenals het ingelegde teakhouten dek en het bronzen beslag bij de gangboorden. Het geheel was een smaakvolle mengeling van ouderwetse charme, gecombineerd met moderne snelheid, design en functionele techniek. Als het vaartuig voorbijraasde, trok het altijd veel aandacht op de rivier de Han en in de omgeving van Seoel. Voor de lokale society was een uitnodiging om aan boord te komen een vurig gewenst bewijs dat men belangrijk was, en zo'n invitatie bood ook de zeldzame mogelijkheid in contact te komen met de raadselachtige eigenaar van het jacht.

Dae-jong Kang was een topman uit de Zuid-Koreaanse industrie die overal belangen in leek te hebben. Er was maar weinig bekend over de jeugd van deze magnaat, afgezien van zijn plotselinge verschijning tijdens de economische voorspoed van de jaren negentig als directeur van een regionaal bouwbedrijf. Zodra hij daar de teugels in handen kreeg, veranderde het bouwbedrijf in een zakelijke Pac-Man, die allerlei bedrijven op het terrein van scheepvaart, halfgeleiders en telecommunicatie opslokte, door al dan niet vijandelijke overnames en fusies. Alle activiteiten vielen onder de paraplu van Kang Enterprises, een privé-onderneming die door Kang persoonlijk geleid werd. Niet bang voor de publieke schijnwerpers, was Kang vaak te zien in gezelschap van politici en industriëlen, en hij kreeg daardoor veel invloed op de hoogste leiding van Zuid-Korea's grootste ondernemingen.

De vijftig jaar oude vrijgezel hield echter een waas van geheimzinnigheid over zijn privéleven. Veel tijd bracht hij door in zijn grote landhuis, op een afgesloten deel van het eiland Kyodongdo, een weelderig en bergachtig oord bij de monding van de Han, aan de westkust van Korea. Daar leefde hij zich uit met zijn stal Australische renpaarden of werkte hij aan zijn golftechniek, volgens de weinigen die wel eens uitgenodigd waren in deze particuliere enclave. Nog beter verborgen was een duister geheim van de grote zakenman, dat zijn politieke en industriële vrienden hevig zou schokken als het bekend werd. Zelfs zijn naaste medewerkers wisten niet dat Kang al meer dan vijfentwintig jaar een stille spion was voor de Democratische Republiek van Korea, ofwel Noord-Korea, zoals dat land in de rest van de wereld bekend is.

Kang werd geboren in de provincie Hwanghae, in Noord-Korea, kort na de Koreaanse oorlog. Toen hij drie jaar oud was, werden zijn ouders gedood bij een treinramp, veroorzaakt door Zuid-Koreaanse opstandelingen, en het kleine jongetje werd geadopteerd door een oom van moederskant. Deze oom, in 1945 een van de oprichters van de Koreaanse Arbeiderspartij, was een bondgenoot van Kim Il Sung en zijn anti-Japanse guerrillastrijders die tijdens de Tweede Wereldoorlog bases hadden in de Sovjet-Unie. Toen Kim Il Sung later in Noord-Korea aan de macht kwam, werd de oom rijkelijk beloond met een reeks benoemingen in het provinciale bestuur, waarna hij zichzelf verder opwerkte naar invloedrijke kringen en uiteindelijk een plaats wist te bemachtigen in de elite van het Centrale Volkscomité, het hoogste orgaan van Noord-Korea.

Tijdens de opkomst van zijn oom werd Kang grondig geïndoctrineerd met dogma's van de Koreaanse Arbeiderspartij, en hij kreeg met staatssteun de beste opleiding die het jonge land hem kon bieden. Omdat hij een schrandere leerling was met uitstekende studieresultaten, werd Kang erop voorbereid een geheim agent in het buitenland te worden, met steun van zijn oom.

Gezegend met een scherp financieel inzicht, leiderskwaliteiten en een meedogenloos karakter werd Kang op tweeëntwintigjarige leeftijd naar Zuid-Korea gesmokkeld, om als arbeider te gaan werken bij een klein bouwbedrijf. Met brutale doortastendheid werkte hij zich snel op tot voorman en arrangeerde enkele 'toevallige' bedrijfsongevallen, waarbij de directeur en enkele bedrijfsleiders om het leven kwamen. Door de eigendomsbewijzen te vervalsen wist Kang binnen twee jaar na zijn komst de leiding over het bedrijf in handen te krijgen. Met geheime aansturing en kapitaalinjecties uit Pyongyang breidde de jonge communistische ondernemer zijn netwerk van bedrijven in de volgende jaren gestaag uit, en hij richtte zich daarbij vooral op diensten en producten die interessant waren voor Noord-Korea. Kangs belangen in de telecommunicatie maakten het mogelijk over westerse apparatuur voor computernetwerken te beschikken, wat waardevol was voor de militaire controlesystemen in zijn vaderland. Zijn fabrieken voor halfgeleiders produceerden in het geheim chips voor gebruik in korteafstandsraketten. En zijn vloot koopvaardijschepen maakte het mogelijk defensietechnologie ongemerkt naar Noord-Korea te vervoeren. De winsten, gemaakt met zijn zakenimperium, die niet in de vorm van westerse producten en technologie naar het noorden werden gesluisd, gebruikte hij als smeergeld om overheidscontracten binnen te halen of voor de vijandige overname van andere bedrijven. Toch was het gedreven bundelen van macht en technologie maar van zijdelings belang, vergeleken bij zijn hoofddoel dat hem door zijn manipulators zoveel jaren geleden was ingeprent. Kangs missie was heel eenvoudig: hij wilde dat de gescheiden delen van Korea weer tot één natie verenigd werden, maar wel op de voorwaarden die Noord-Korea stelde.

Het slanke Benetti-jacht minderde vaart toen het bij een smalle zijstroom van de Han kwam, die slingerend toegang gaf tot een beschutte baai. Terwijl het jacht de doorgang passeerde, gaf de roerganger meer gas, en de boot stoof over het kalme water van de afgeschermde lagune. Een gele drijvende steiger deinde aan de overkant van de baai, snel groter wordend naarmate het jacht dichterbij kwam. Het grote jacht raasde naar de steiger, om pas op het laatste moment parallel te zwaaien, waarna de motoren werden gestopt. Een tweetal mannen in zwarte uniformen greep de meertrossen bij de boeg en de achtersteven en legde het jacht vast. Het walpersoneel rolde een platformtrap naar de zijkant van het jacht, waarvan de bovenste tree ter hoogte van het hoofddek kwam.

Een hutdeur zwaaide open en drie grijze mannen in donkerblauwe kostuums stapten aan wal. Ze keken onwillekeurig even naar het grote stenen gebouw dat hoog boven hen op de bijna verticale rotswand te zien was. Het enorme huis was gebouwd op de rand van het uitstekende klif. Dikke muren omringden het huis, wat het een middeleeuwse aanblik gaf, al was het huis zelf duidelijk een Aziatisch ontwerp, met een pannendak dat uitstak tot over de bruine stenen muren. Het geheel lag bijna zeventig meter boven zeeniveau en was toegankelijk via een steile trap, uitgehouwen in de rotsen. De drie heren zagen dat de stenen ommuring doorliep tot beneden aan de oever, zodat alle privacy verzekerd was. En de bewaker, die met strakke lippen en een machinegeweer over zijn schouder op de steiger stond, benadrukte dat nog meer.

Terwijl de heren in kostuum over de steiger liepen, werd een deur van een klein gebouw op de oever geopend en kwam de gastheer hen tegemoet om hen te begroeten. Het was meteen duidelijk dat Dae-jong Kang een indrukwekkende verschijning was. Met zijn lengte van een meter tachtig en een gewicht van ongeveer honderd kilo mocht zijn postuur voor Koreaanse begrippen fors worden genoemd. Maar het was vooral zijn strenge gezicht met de indringende ogen die duidelijk maakten dat hij een wilskrachtig heerschap was. Onder bepaalde omstandigheden leek zijn doordringend priemende blik bijna in staat een man in tweeën te snijden. Een geoefende maar vluchtige glimlach kon ontwapenend zijn, maar altijd bleef er een wolk van ijzige afstandelijkheid rond hem hangen. Dit was een man die naar macht geurde, en ook een man die niet bang was macht te gebruiken.

'Welkom, heren,' zei Kang met vriendelijke stem. 'Ik mag hopen dat de reis van Seoel hierheen prettig was?'

De drie heren waren stuk voor stuk vooraanstaande volksvertegenwoordigers in het Zuid-Koreaanse parlement en ze knikten tegelijk. De oudste van het drietal, een kalende man met de naam Youngnok Rhee, antwoordde namens de groep. 'Een tocht over de Han is een genot, met zo'n prachtige boot.'

'Zo naar Seoel te forensen heeft ook mijn voorkeur,' zei Kang, aangevend dat vliegen met zijn privéhelikopter hem verveelde. 'Komt u mee, deze kant op.' Hij gebaarde naar het kleine gebouw aan de voet van het klif.

De politici volgden hem gehoorzaam langs een kleine controlepost en door een smalle gang naar de wachtende lift. De liftschacht was uitgehouwen in de rotswand. De bezoekers keken bewonderend naar de antieke schildering van een tijger op de achterwand van de liftcabine, die snel naar het grote huis zoefde. Toen de deuren openschoven, stapten de mannen in een ruime, prachtig ingerichte eetzaal. Achter een elegante mahonie eettafel was een glazen wand van vloer tot plafond, met een adembenemend uitzicht over de delta van de Han, die uitmondt in de Gele Zee. Aan de horizon waren aftandse sampans en kleine vrachtschepen te zien, zwoegend op weg naar Seoel met hun lading handelswaar. De meeste schepen voeren langs de zuidelijke oever van de rivier, op veilige afstand van de demarcatielijn met Noord-Korea, in het midden van de rivier.

'Dit uitzicht is fantastisch, meneer Kang,' zei de langste van de drie politici. De man heette Won Ho.

'Ik geniet er vooral van omdat onze beide landen zichtbaar zijn,' antwoordde Kang nadrukkelijk. 'Neemt u plaats.' Hij maakte een handgebaar terwijl hij sprak en ging zelf aan het hoofdeinde van de tafel zitten. Een groep bedienden in uniform bracht in hoog tempo flessen wijn en delicatessen naar de tafel, terwijl de conversatie van de heren op het onderwerp politiek kwam. Een waaier van kruidige geuren zweefde boven de schotels, en de gasten aten *daiji-bulgogi*, gemarineerd speenvarken in pittige knoflooksaus, en *yachae gui,* een schotel gemarineerde groenten. Kang was een innemende gastheer, tot ze allemaal wat onder invloed van de wijn raakten, en toen kwam hij opeens ter zake.

'Heren, het wordt hoog tijd dat we een serieuze poging doen onze twee landen te herenigen,' zei hij langzaam, om het effect van zijn woorden te versterken. 'Als Koreaan weet ik dat we één land zijn, niet alleen wat de taal en cultuur betreft, maar ook in ons hart. En als zakenman weet ik hoeveel sterker we kunnen zijn op de wereldmarkt. De Chinees-Amerikaanse dreiging, die lange tijd een rechtvaardiging was voor de supermachten om onze landen als onderpand te gebruiken, bestaat niet meer. Het is hoog tijd dat we de ketenen van vreemde overheersing afwerpen en doen wat goed is voor Korea. Onze toekomst is eenheid, en die kans moeten we nu grijpen.'

'Het ideaal van hereniging klopt sterk in onze harten, maar het meedogenloze regime en de militaire junta in Noord-Korea dwingen ons tot voorzichtigheid,' antwoordde Kim, de derde politicus, een man met kraalogen.

Kang veegde de opmerking terzijde. 'Zoals u weet, heb ik onlangs een rondreis door Noord-Korea gemaakt, een reis die gesteund werd door het ministerie van Hereniging, om de stand van zaken op te nemen. We hebben gezien dat de economie deplorabel is, en overal is groot gebrek aan voedsel. De slechte economische situatie heeft ook haar tol geëist van het leger. De strijdkrachten die wij bezocht hebben waren allemaal slecht toegerust en het moreel is bijzonder laag,' loog Kang.

'Ja, ik weet ook dat de situatie daar moeilijk is,' antwoordde Won Ho, 'maar denkt u werkelijk dat hereniging gunstig is voor onze eigen economie?'

'De noordelijke provincies hebben een overvloed van goedkope werkkrachten, en die zijn ook meteen beschikbaar. We zouden onmiddellijk concurrerend op de wereldmarkt zijn, omdat onze gemiddelde loonkosten aanzienlijk minder worden. Ik heb een berekening gemaakt voor mijn eigen ondernemingen, en ik maak er geen geheim van dat mijn winst spectaculair zou stijgen. En bovendien zijn de noordelijke provincies een onontgonnen consumentenmarkt, die meteen bediend kan worden door Zuid-Koreaanse bedrijven. Nee, heren, het is overduidelijk dat hereniging een economische buitenkans is voor ons allemaal in het zuiden.'

'Dan is er nog wel het punt dat Noord-Korea de harde lijn volgt in deze kwestie,' merkte Won Ho op. 'We kunnen niet eenzijdig de hereniging bereiken.'

'Ja,' voegde Kim eraan toe. 'Ze hebben herhaaldelijk geëist dat de militaire aanwezigheid van de Verenigde Staten in ons land moet verdwijnen voordat hereniging zelfs maar overwogen kan worden.'

'En daarom,' vervolgde Kang kalm, 'vraag ik u de resolutie te steunen die onlangs in het parlement is voorgesteld: dat de Amerikaanse militaire aanwezigheid in Zuid-Korea verdwijnt.'

Er viel een verbaasde stilte in de zaal en de drie politici lieten Kangs woorden op zich inwerken. Kang had hen hier uitgenodigd met een doel, dat wisten ze. Maar de parlementariërs hadden verwacht dat de topindustrieel belastingverlichting of andere hulp wilde voor zijn zakenimperium. Geen van drieën had een dringend verzoek verwacht dat zo riskant was voor hun eigen politieke carrière. De oudere staatsman, Rhee, schraapte uiteindelijk zijn keel en sprak bedachtzaam. 'Die resolutie is door enkele radicale elementen in het parlement opgesteld. Er is weinig kans dat deze resolutie in stemming komt.'

'Wel als jullie ze alle drie steunen,' zei Kang.

'Dat is onmogelijk,' stamelde Kim. 'Ik kan onmogelijk verzwakking van onze militaire verdediging bepleiten, terwijl Noord-Korea alles in het werk stelt om zijn militaire macht te vergroten.'

'Dat kunt u wél, en dat dóét u ook. Na de recente moord, gepleegd door een Amerikaanse soldaat op een meisje in Kunsan, is er een storm van haat tegen de Amerikaanse militairen opgestoken bij de bevolking. Het is uw verantwoordelijkheid om druk uit te oefenen op onze president om in actie te komen, en wel nu meteen.'

'Maar de Amerikaanse troepen zijn essentieel voor onze veiligheid. Er zijn meer dan vijfendertigduizend manschappen gestationeerd voor onze defensie,' protesteerde Kim, voordat hij onderbroken werd.

'Mag ik u eraan herinneren,' siste Kang, en op zijn gezicht verscheen een boosaardige trek, 'dat ik betaald en geregeld heb dat u nu deze zetel in het parlement hebt?' In zijn ogen was een gloed van beheerste woede te lezen.

Rhee en Won Ho leunden achterover op hun stoelen en knikten ernstig, beseffend dat hun politieke toekomst verkeken was als de knoeierij van de afgelopen jaren bekend werd bij de pers. 'Goed, we doen het,' zei Won Ho berustend.

Maar Kim scheen niet onder de indruk van Kangs woede. Hoofdschuddend zei hij ferm: 'Het spijt me, maar ik kan ons vaderland niet blootstellen aan een mogelijke militaire nederlaag. Ik zal tegen de resolutie stemmen.' Hij keek zijn collega's verongelijkt aan.

Het bleef enige tijd stil, tot de bedienden kwamen om de schalen af te ruimen. Kang leunde opzij en fluisterde iets in het oor van een bediende, die snel naar de keuken verdween. Een paar seconden later zwaaide een zijdeur open en twee gespierde bewakers, geheel in het zwart gekleed, kwamen binnen. Zonder een woord te spreken liepen ze naar Kim en grepen van weerszijden zijn armen. De politicus werd ruw overeind getrokken.

'Wat heeft dit te betekenen, Kang?' riep Kim uit.

'Ik wil niet langer last hebben van je onnozelheid,' antwoordde Kang kil. Na een handgebaar trokken de twee bewakers Kim naar een deur die toegang gaf tot het balkon. Spartelend en tegenstribbelend tegen de veel sterkere mannen werd Kim naar de rand van het balkon gesleept, boven het steile klif. Hij vloekte en schold en eiste dat hij losgelaten werd, maar zijn smeekbeden werden genegeerd. Terwijl Rhee en Won Ho met afgrijzen toekeken, trokken de twee mannen in het zwart de tegenstribbelende Kim overeind en gooiden hem zonder pardon over de rand van het balkon.

De ijselijke doodskreet van Kim was nog secondenlang hoorbaar, toen hij langs de rotswand naar beneden tuimelde. Een doffe plof was het teken dat zijn lichaam op het strand beneden was beland en het krijsen verstomde. Rhee en Won Ho waren asgrauw en de twee bewakers liepen kalm terug naar de eetzaal. Kang nam een slokje wijn en zei nonchalant tegen de mannen: 'Berg dat lichaam en breng het naar Seoel. Leg het op straat ergens bij zijn huis en zorg ervoor dat het lijkt alsof hij aangereden werd door een chauffeur die doorreed.'

Zodra de twee mannen de eetzaal uit waren, wendde Kang zich tot de geschrokken politici en zei ijzig beleefd: 'U blijft toch wel voor het dessert, hè?'

Kang keek uit het raam van de eetzaal en zag dat Rhee en Won Ho snel aan boord van zijn jacht stapten. Het lijk van Kim, gewikkeld in een bruine deken, was zonder omhaal op het achterdek gelegd en bedekt met een stuk zeildoek, maar de twee geschrokken politici konden nog duidelijk een gestalte herkennen. Kang keek het jacht na, dat met grote snelheid begon aan de vijftig mijl lange tocht stroomopwaarts naar Seoel. Kang draaide zich om toen een man de zaal binnenkwam en hem naderde. De man was broodmager en had vettig zwart haar en een fletse huid die zelden in het daglicht kwam. Zijn blauwe kostuum was afgedragen en zijn stropdas ouderwets, maar zijn witte overhemd was kraakhelder gesteven. Wat Kangs administratieve assistent miste aan zwierigheid compenseerde hij met zijn werklust en efficiëntie.

'Was uw bespreking geslaagd?' vroeg de man onderdanig aan Kang.

'Jawel, Kwan. Rhee en Won Ho zullen ons initiatief om de Amerikaanse troepen te laten vertrekken in het parlement steunen. Helaas moesten we Kim elimineren, maar het was duidelijk dat hij niet langer loyaal was. Zijn dood is een duidelijk signaal voor de beide anderen.'

'Een verstandige beslissing. Meneer, een koerier uit Yonan arriveert vanavond per boot om een prototype van de besturings-chip voor geleide raketten op te halen. Die chip is goed getest bij de laatste proeven in de halfgeleiderfabriek. Wilt u daar nog een tekst bij?'

Als een ambassade in een vijandig land vertrouwden Kang en zijn superieuren in Noord-Korea op koeriers voor het overbrengen van informatie, technologie en smokkelwaar uit het zuiden. Hoewel internet de beste handlanger voor een spion is geworden voor het doorspelen van informatie, was het nog altijd noodzakelijk contacten van mens tot mens te onderhouden voor het doorgeven van tastbare zaken. Een bejaarde visser, varend met een aftandse sampan, werd gemakkelijk genegeerd door de marinepatrouilles en was daarom de favoriete dekmantel om langs de DMZ naar het landhuis van Kang te reizen.

'Ja, we kunnen rapporteren dat over enkele weken een stemming in het parlement zal worden gehouden over de resolutie om de Amerikanen tot vertrek te dwingen, en dat er inmiddels vorderingen zijn gemaakt. Onze georganiseerde studentenprotesten groeien in omvang, en met onze invloed op de media zal de aandacht ook groot blijven voor de moordzaak met die Amerikaanse militair als dader,' zei Kang met een sluw glimlachje. 'Onze tactiek om verdeeldheid te zaaien is heel effectief. Nu moet nog blijken of we het chimera-project snel genoeg kunnen uitvoeren om de onvrede bij de Amerikanen te maximaliseren. Wat is het laatste nieuws uit het biochemisch laboratorium?'

'Dat nieuws is veelbelovend. De laboranten hebben de testresultaten van de Aleoeten bestudeerd, en het staat vast dat het virus met succes geactiveerd is na verspreiding in de lucht. En bovendien blijkt de verspreiding van het virus door het sproeimechanisme in de modelraket een groter spoor op de grond te trekken dan verwacht. De ingenieurs zijn ervan overtuigd dat het grote systeem dat al gebouwd is probleemloos kan functioneren.'

'Als we voldoende voorraad van dat virus kunnen produceren. Het was een vervelende tegenslag dat alle granaathulzen op één na aan boord van de onderzeeboot *I-403* vernietigd werden.'

'Een onvoorziene omstandigheid. Omdat het grootste deel van de gevonden stof werd gebruikt bij de testlancering op de Aleoeten, was er maar heel weinig beschikbaar als kiemmateriaal. Dr. Sarghov van het lab zei me dat het zeker drie maanden duurt om de noodzakelijke hoeveelheid te kweken. Daarom zijn we al begonnen met een poging de tweede lading Japanse munitie te bergen.'

'Een tweede Japanse onderzeeboot,' bromde Kang, en hij zag in gedachten een vaartuig van de keizerlijke marine op de zeebodem liggen nadat het door een torpedo was getroffen. 'Het is een knap staaltje speurwerk dat er niet één maar twee van die onderzeeboten met zo'n gevaarlijke lading aan boord vernietigd werden. Hoelang duurt het voor de bergingsoperatie begint?'

'Eerst moet die onderzeeboot gelokaliseerd worden. We hebben de *Baekje* naar Yokohama gestuurd om een gehuurde mini-onderzeeër op te halen. Dat vaartuig is nodig voor een bergingsoperatie op volle zee.

Als we eenmaal op de plaats zijn, dan duurt het onderzoek ongeveer twee dagen en kan de hele berging binnen tien dagen voltooid zijn.'

'En Tongju?'

'Hij komt naar het bergingsvaartuig in Yokohama en blijft aan boord als verantwoordelijke man voor de veiligheid.'

'Mooi zo,' zei Kang, en hij wreef tevreden in zijn handen. 'Alles verloopt voorspoedig, Kwan. De druk op de Amerikanen neemt flink toe, en het chimera-project zal een trap in hun nieren zijn. We moeten ons voorbereiden op het naderende offensief en de hereniging van ons vaderland onder één nationale vlag.'

'U zult een hooggeëerd man zijn in het nieuwe Korea,' vleide Kwan.

Kang keek weer naar het weidse panorama dat zich voor hem naar het noorden uitstrekte. De glooiende heuvels van zijn geboorteland Noord-Korea lagen juist achter de Han en strekten zich uit tot aan de horizon.

'Het wordt tijd dat we ons land weer terugkrijgen,' mompelde hij zacht.

Kwan maakte aanstalten de eetzaal te verlaten, maar bleef staan en draaide zich om.

'Meneer, er is nóg iets gebeurd wat te maken heeft met het chimera-project.'

Kang keek hem vragend aan.

'De helikopter, die neergeschoten werd bij de Aleoeten was afkomstig van een Amerikaans onderzoeksschip van de National Underwater and Marine Agency. Onze bemanning meende dat de piloot en zijn passagier gedood waren, en dat werd eerst ook bevestigd door een bericht in de media in Alaska. Maar nu hebben onze mensen, die de reactie van de Amerikanen op onze tests in de gaten houden, gerapporteerd dat de piloot, een zekere Pitt die directeur speciale projecten is, en zijn copiloot de crash wel overleefd hebben.'

'Dat doet er niet toe,' reageerde Kang geërgerd.

Kwan schraapte nerveus zijn keel. 'Eh... meneer, ik heb die piloot laten schaduwen door onze mensen, toen hij weer in zijn thuishaven Seattle was. En twee dagen later zijn mensen van NUMA gezien in een kleine boot die naar het gebied voer waar de *I-403* gelokaliseerd is.'

'Wat? Dat is onmogelijk!' brieste Kang opeens woedend, zichtbaar gemaakt door een grote ader die kloppend op zijn voorhoofd verscheen. 'Hoe kunnen ze iets weten van onze activiteiten?'

'Dat begrijp ik ook niet. Het zijn professionele diepzeeonderzoekers. Mogelijk werd onze bergingsoperatie gezien door anderen en controleerden ze of er geen plunderaars bij de *I-403* waren. Het kan ook toeval zijn. Misschien waren ze daar voor archeologisch of technisch onderzoek.'

'Misschien. Maar we kunnen nu geen pottenkijkers bij ons project gebruiken. Zorg ervoor dat ze uitgeschakeld worden,' beval Kang.

'Jawel, meneer,' antwoordde Kang, waarna hij snel achterwaarts naar de deur verdween. 'Dat zal meteen gebeuren.'

15

Bij de oude Azteken in Centraal-Mexico stond het bekend als de 'Grote Melaatsheid'. De vreselijke plaag die dood en verderf zaaide, manifesteerde zich enige tijd na de komst van Hernando Cortés en zijn troepen in 1518. Sommigen menen dat een rivaliserende conquistador met de naam Narváez, vanuit Cuba zeilend, deze gesel had meegebracht. Maar wie de brenger ook was, de gevolgen waren afgrijselijk. Toen Cortés in 1521, na vier maanden belegering van Montezuma en zijn strijdmacht, de stad Mexico binnentrok, was hij geschokt door wat hij daar zag. Overal stapels lijken in ontbinding – in de huizen, op straat en waar hij ook keek in de stad. Er waren geen inwoners gesneuveld tijdens de gevechten: de doden waren allemaal bezweken aan de vreselijke ziekte.

Niemand kent de oorsprong van *Variola major*, maar het dodelijke virus, beter bekend als het pokkenvirus, heeft een lang en breed spoor van ellende over de wereld getrokken. Hoewel er bij beschavingen als van de oude Egyptenaren al pokkenepidemieën worden beschreven, is deze gesel toch het meest bekend in beide Amerika's, en vooral bij de voor besmetting zeer vatbare oorspronkelijke bewoners. De pokken werden naar de Nieuwe Wereld gebracht door schepelingen van Columbus, en het virus zaaide overal in het Caribisch gebied verderf, waardoor de indiaanse bevolking vrijwel gedecimeerd werd.

De introductie van de pokken door Cortés en Narváez in Mexico heeft in 1521 naar schatting bijna de helft van de driehonderdduizend inwoners van de stad Mexico het leven gekost. En in het hele land moeten er miljoenen gestorven zijn aan de uiterst besmettelijke ziekte.

In Zuid-Amerika werd ook een slachting aangericht onder de inlandse stammen. Toen Pizarro in 1531 in Peru aan land ging, tijdens zijn grote zoektocht naar goudschatten, had het pokkenvirus de Inca-bevolking al grotendeels uitgeroeid. Met een legertje van minder dan tweehonderd man zou Pizarro er nooit in geslaagd zijn het Inca-imperium te overwinnen als die cultuur niet in een chaotische strijd verwikkeld was met de verderfelijke epidemie. Meer dan vijf miljoen Inca's zijn mogelijk gestorven aan de pokken, waardoor hun hele beschaving werd uitgeroeid.

In Noord-Amerika waren de indianenstammen evenmin immuun voor de ziekte. Talrijke stammen in de vallei van Mound Builders zijn helemaal verdwenen door de pokken, en de stammen Massachusetts en Narragansett werden bijna weggevaagd. Schattingen wijzen erop dat de bevolking van de Nieuwe Wereld met 95 procent afnam in de eeuw na de komst van Columbus, vooral door besmetting met het pokkenvirus.

Maar het dodelijke virus reikte nog verder, en in de volgende twee eeuwen waren er sporadisch epidemieën die duizenden in Europa het leven kostten. Sinistere militaire wetenschappers maakten gebruik van het virus als strijdmiddel door de vijand opzettelijk te infecteren. Er zijn historische aanwijzingen dat de Britten omstreeks 1760 met pokken besmette dekens gaven aan opstandige Amerikaanse stammen, en dat deze tactiek ook gebruikt werd tegen de Amerikaanse troepen in de strijd om Quebec tijdens de Burgeroorlog.

Een primitieve vorm van inenting werd uiteindelijk ontdekt in het begin van de negentiende eeuw, door gebruik te maken van het verwante koepokkenvaccin, waardoor enige controle over de verspreiding van de ziekte mogelijk werd. Korte uitbarstingen en angst tijdens de Koude Oorlog maakten in de Verenigde Staten inenting tegen pokken een routine tot in de jaren zeventig van de twintigste eeuw. Grotendeels dankzij de succesvolle campagne van de Wereldgezondheidsorganisatie werd in 1977 bekendgemaakt dat de pokken geheel uitgeroeid waren. Afgezien van een kleine voorraad voor researchdoeleinden in het Amerikaanse Centrum voor Ziektenbeheersing en een onbekende hoeveelheid virus voor militaire doelen in de voormalige Sovjet-Unie, werden alle voorraden overal ter wereld vernietigd. Pokken werd bijna een vergeten ziekte, tot de terroristische aanslagen in de eerste jaren van de nieuwe eeuw de vrees deden ontstaan dat een grote uitbraak van het besmettelijke virus weer een serieuze dreiging werd.

De historische verwoestingen door pokken veroorzaakt konden Irv Fowler op dat moment niet boeien. Nadat hij zichzelf voldoende had opgepept om naar de eerste-hulpafdeling van het Alaska Regional Hospital te rijden, was zijn enige hoop dat hij een rustige kamer en een aantrekkelijke verpleegster zou treffen om te herstellen van de zware griep die hem geveld had. En zelfs toen een parade van ernstig kijkende artsen langs hem liep om hem te bekijken en er vervolgens gezegd werd dat hij onmiddellijk met een rolstoel in quarantaine gereden moest worden, voelde hij zich nog te zwak om gealarmeerd te zijn. Pas toen twee artsen met een mondmasker hem vertelden dat hij positief was getest op besmetting met pokken, begonnen zijn gedachten te tollen. Twee gedachten kwamen telkens even naar voren, voordat hij weer wegzakte in een delirium: zou hij tot de dertig procent behoren die in leven bleven? En wie had hij nog meer besmet?

16

'Dirk, ik heb heel slecht nieuws.' De bezorgdheid in Sarahs stem was bijna tastbaar, zelfs door de telefoon.

'Wat is er dan gebeurd?'

'Irv is ziek. Hij ligt in het ziekenhuis in Anchorage. De artsen zeggen dat hij met pokken is besmet. Ik kan het gewoon níét geloven.'

'Pokken? Maar die ziekte is toch uitgeroeid?'

'Dat is ook zo. Als de artsen de diagnose juist hebben gesteld, dan is dit het eerste ziektegeval in de Verenigde Staten sinds dertig jaar. De medische autoriteiten houden het geheim, maar het CDC laat al grote hoeveelheden vaccin naar Alaska brengen, voor het geval er een epidemie uitbreekt.'

'Hoe gaat het met hem?'

'Hij is in een kritieke fase,' antwoordde Sarah met gesmoorde stem. 'De volgende twee, drie dagen zijn cruciaal voor hem. Hij ligt in quarantaine in het Alaska Regional Hospital in Anchorage, met drie mensen met wie hij nauw contact had.'

'Wat akelig om te horen,' zei Dirk, en in zijn stem klonk oprechte bezorgdheid door. 'Maar Irv is een taaie kerel, en ik ben ervan overtuigd dat hij weer helemaal gezond wordt. Heb jij enig idee hoe hij in hemelsnaam met pokken besmet kon raken?'

'Nou,' zei Sarah, en ze moest even slikken, 'de incubatietijd is ongeveer twee weken, dus moet hij geïnfecteerd zijn in de tijd dat we op Yunaska waren... en aan boord van de *Deep Endeavor*.'

'Zou hij bij ons aan boord besmet kunnen zijn?' vroeg Dirk ongelovig.

'Ik weet het niet. Het moet aan boord of op dat eiland gebeurd zijn, maar dat doet er nu weinig toe. Het pokkenvirus is erg besmettelijk. We moeten meteen iedereen die zich aan boord van de *Deep Endeavor* bevond laten onderzoeken, en degenen die ook besmet zijn isoleren. Er is geen tijd te verliezen.'

'En jij en Sandy? Jullie werkten en woonden bij Irv. Zijn jullie niet besmet?'

'Als werknemers van CDC zijn Sandy en ik twee jaar geleden ingeent, toen er een dreiging was dat het pokkenvirus door bioterroristen gebruikt kon worden. Maar Irv was door de dienst epidemiologie van Alaska aan ons uitgeleend, en hij was nog niet ingeënt.'

'Kan de bemanning van de *Deep Endeavor* alsnog ingeënt worden?'

'Dat heeft helaas geen zin. Het vaccin is effectief tijdens de eerste dagen na besmetting, maar daarna werkt het niet meer. Pokken is een vreselijke ziekte, en als je daar eenmaal mee besmet bent, dan is er niets tegen te doen, je kunt alleen afwachten.'

'Ik zal contact opnemen met kapitein Burch en we zullen alle bemanningsleden zo snel mogelijk onderzoeken.'

'Ik kom vanavond terug uit Spokane. Als jij de bemanning kunt verzamelen, dan kan ik de scheepsarts helpen morgen iedereen op ziektesymptomen te onderzoeken.'

'Dat komt in orde. Sarah, ik wil je nog iets vragen: is het goed als ik je morgen kom ophalen?'

'Ja, graag. En, Dirk... ik hoop vurig dat jij niet besmet bent.'

'Maak je geen zorgen,' antwoordde Dirk vol overtuiging. 'Er zit zoveel rum in mijn bloed dat geen enkele bacterie het overleeft.'

Dirk telefoneerde meteen met kapitein Burch, en geholpen door Leo Delgado nam hij contact op met alle opvarenden van de *Deep Endeavor*. Tot hun opluchting rapporteerde niemand van de mannen dat ze ziek waren, en iedereen verscheen de volgende ochtend bij het kantoor van NUMA.

Zoals beloofd, haalde Dirk die ochtend Sarah op bij haar flat, en als vervoermiddel had hij de grote '58 Chrysler daarvoor uitgekozen.

'Mijn hemel, wat een grote auto,' zei Sarah, terwijl ze in de oldtimer met de grote staartvinnen stapte.

'Dit is de originele definitie van *heavy metal*,' grinnikte Dirk terwijl hij wegreed van het parkeerterrein, op weg naar het kantoor van NUMA.

Veel bemanningsleden van de *Deep Endeavor* begroetten Sarah hartelijk toen ze voor de verzamelde groep arriveerde, en ze bedacht dat al deze mensen elkaar eerder als familie beschouwden dan als collega's.

'Het is fijn om mijn NUMA-vrienden weer te zien,' zei Sarah tegen de mannen en vrouwen. 'Jullie weten waarschijnlijk al dat bij mijn collega Irv Fowler, die ook bij ons aan boord was, besmetting met pokken is vastgesteld. Dat virus is uiterst besmettelijk, en wie eenmaal besmet is moet meteen afgezonderd worden. Daarom wil ik van jullie weten of je een of meer van de volgende symptomen had sinds Irv, Sandy en ik van boord stapten: koorts, hoofdpijn, rugpijn, pijnlijke ingewanden, een delirium of rode uitslag op het gezicht, op de armen of de benen.'

Een voor een onderzocht ze de geschrokken bemanningsleden, ze nam de temperatuur op en stelde vragen over mogelijke symptomen van de dodelijke ziekte. Zelfs Dirk en kapitein Burch werden door Sarah onderzocht, en toen dat gebeurd was, slaakte ze een zucht van opluchting.

'Kapitein, slechts drie van uw mensen vertonen lichte symptomen van een griepachtige ziekte, en dat kan wel of niet een stadium van besmetting met het virus zijn. Ik vraag u dringend deze mensen in quarantaine te houden tot we alle bloedtests gedaan hebben. De overige bemanningsleden moeten de eerstkomende dagen zo min mogelijk met anderen in contact komen. Ik wil aan het eind van de week nog een vervolgcontrole doen, maar het ziet ernaar uit dat er geen besmetting is onder deze mensen.'

'Dat is goed nieuws,' antwoordde Burch, hoorbaar opgelucht. 'Toch vreemd dat het virus zich kennelijk niet verspreid heeft op het schip.'

'Patiënten zijn het meest besmettelijk als de uitslag verschijnt, en dat is meestal twaalf tot veertien dagen na de infectie. Irv was allang van boord en hij werkte in Anchorage toen dat stadium bij hem begon, dus het is mogelijk dat het virus zich niet verspreid heeft toen we nog aan boord waren. Kapitein, ik raad u dringend aan zijn hut op de *Deep Endeavor* grondig te laten desinfecteren, en ook al het linnengoed aan boord, voor de zekerheid.'

'Ik laat dat meteen doen.'

'Het lijkt erop dat de bron van die pokkenbesmetting op Yunaska was,' peinsde Dirk hardop.

'Dat denk ik ook,' beaamde Sarah. 'Het is een wonder dat jij en Jack niet blootgesteld werden aan het virus toen jullie ons kwamen ophalen.'

‘Misschien zijn we gered door onze beschermende kleding.’
‘Gelukkig maar,’ zei Sarah dankbaar.
‘Het lijkt wel of onze mysterieuze vrienden op die vistrawler met iets rommelden wat nog veel gemener is dan cyanide. En dat doet me denken aan de gunst die ik je wilde vragen.’
Dirk liep met Sarah naar de Chrysler en hij opende het grote kofferdeksel. In de achterbak lag de porseleinen granaathuls uit de *I-403*, ingepakt in een krat. Sarah bekeek het voorwerp met een vragende blik op haar gezicht.
‘Ik geef het op. Wat is het?’
Dirk vertelde in weinig woorden over zijn tocht naar Fort Stevens en de duik naar de Japanse onderzeeboot.
‘Kun jij in het lab uitzoeken wat voor spul er in die huls zit? Ik heb zo’n gevoel dat het iets met deze besmetting te maken heeft.’
Sarah zweeg even voordat ze antwoordde.
‘Ja, we kunnen het onderzoeken,’ zei ze ernstig. ‘Maar dat kost je wel een lunch,’ voegde ze er met een schalkse glimlach aan toe.

17

Dirk bracht Sarah naar het geneeskundig laboratorium op de Fircrest Campus, waar ze de gebarsten granaathuls voorzichtig naar een kleine werkkamer droegen. Eerst protesteerde Hal, een joviale, wat kalende analist, dat ze explosieven in het gebouw brachten, maar hij was toch bereid, na afloop van een stafvergadering, het projectiel te onderzoeken.

'Zo te zien kunnen we heel lang gaan lunchen. Waar gaan we naartoe?' vroeg Sarah.

'Ik weet een rustige plek met fraai uitzicht over het water,' zei Dirk met een uitdagende grijns.

'Breng me er maar heen in die groene kar,' lachte Sarah, en ze stapte weer in de turquoise Chrysler.

Dirk reed met de Chrysler weg van het krappe parkeerterrein bij het laboratorium en passeerde daarbij een zwarte Cadillac CTS met draaiende motor. De auto kwam hem bekend voor. Zodra ze het terrein verlaten hadden, reed hij naar het zuiden langs het drukke centrum van Seattle en dan verder naar het westen, de richtingborden naar Fauntleroy volgend. Bij de oever van Puget Sound reed Dirk naar de kade van de Fauntleroy Ferry en stuurde de Chrysler over de oprit naar het autodek van de gereedliggende veerboot. Hij parkeerde tussen de rijen auto's van forensen. Sarah boog zich naar hem toe en kneep even in zijn hand.

'Het buffet van een veerpont? Donuts en koffie?' vroeg ze.

'Ik weet wel wat beters. Laten we naar boven gaan om van het uitzicht te genieten.'

Sarah volgde hem de trap op en ze kwamen op het bovendek waar ze een onbezet bankje vonden met uitzicht over de Puget Sound. Een lange stoot op de scheepshoorn en een lichte schok in het vaartuig maakte duidelijk dat ze wegvoeren, toen de twee 2500 pk dieselmotoren de 110 meter lange veerpont langzaam wegduwden van de kade.

Het was een kristalheldere dag op de Sound, het soort dag dat de lokale bevolking weer duidelijk maakt waarom ze de lange druilerige winters in dit kustgebied doorstaat. In de verte rezen de Cascade en Olympic bergketens boven de horizon uit, afstekend tegen de azuurblauwe hemel die bijna tastbaar dichtbij leek. De hoogbouw in het centrum van Seattle doorbrak de horizon met een schittering van staal en glas, en de opvallende Space Needle rees op als een futuristische monoliet uit een George Jetson-cartoon. Dirk wees naar andere veerponten die met hun menselijke lading door het water ploegden en hij keek hoe ze de grote vrachtschepen ontweken bij het kruisen van de vaarroute van en naar open zee.

De overtocht naar hun bestemming, Vashon Island, duurde maar een kwartier, en toen de kapitein de veerboot naar de kade manoeuvreerde, keerden Dirk en Sarah terug naar de Chrysler. Terwijl hij het portier voor Sarah openhield, zag Dirk in de rij auto's de zwarte Cadillac weer. Het was dezelfde Cadillac die met draaiende motor bij het laboratorium geparkeerd had gestaan. En nu herinnerde hij zich dat hij de auto ook had gezien toen hij naar Fort Stevens was gereden.

'Ik geloof dat er een bekende achter ons staat,' zei Dirk kalm tegen Sarah. 'Ik ga even gedag zeggen.'

Hij liep nonchalant langs de rij auto's en zag dat er twee Aziaten in de auto zaten die hem strak aankeken. Toen hij ter hoogte van het portier aan de kant van de bestuurder was, boog hij zich opeens voorover en stak zijn gezicht door het geopende raampje.

'Sorry, jongens, maar weten jullie waar de toiletten ergens zijn?' vroeg hij onnozel.

De bestuurder, een zwaargebouwde kerel met gemillimeterd haar, keek strak voor zich uit en weigerde oogcontact te maken. Hij schudde alleen maar traag zijn hoofd. Dirk zag waar hij naar zocht: een kleine bobbel onder de linkeroksel van de jas van de bestuurder, waaruit bleek dat de man een wapen verborgen hield. De man naast de bestuurder deed minder afwerend. Hij was mager, had lang haar en een sprietige geitensik. Hij keek Dirk met een dreigende grimas aan, terwijl een half opgerookte sigaret tussen zijn lippen hing. Tussen zijn voeten stond een grote leren tas op de bodem van de auto, en Dirk veronderstelde dat er meer in zat dan een rekenmachine en een mobiele telefoon.

'Heb je die kennis gevonden?' vroeg Sarah, toen Dirk weer bij de Chrysler was.

'Nee, ik heb me vergist,' antwoordde hij hoofdschuddend.

Een lange stoot op de scheepshoorn, gevolgd door twee korte, kondigde aan dat de veerboot afgemeerd was, en even later reed Dirk de Chrysler van het overdekte autodek, weer naar het felle zonlicht. Hij reed weg van de veersteiger, volgde een lange kade en reed Vashon Island op.

Vashon Island, gelegen aan de zuidkant van de Puget Sound, heeft een schilderachtige natuurlijke haven en ligt niet ver van de drukte van Seattle en Tacoma. Omdat het eiland alleen per boot bereikbaar is, heerst er nog een landelijke rust, dit in contrast met de grote steden in de buurt. Tussen de beboste gebieden liggen velden met aardbeien en frambozen, en het eiland wordt bewoond door wat alternatieve boeren en computernerds die kiezen voor een rustiger levenstempo dan in de stad.

Dirk klapte de cabrioletkap neer, zodat ze meer konden genieten van het uitzicht en de geuren, en reed over Vashon Highway naar het zuiden, weg van de veerbootterminal aan de noordelijke punt van het eiland. In zijn spiegeltje zag hij dat de zwarte Cadillac ook de terminal verliet en een eind achter de oude Chrysler bleef rijden. Ze volgden de weg verscheidene kilometers naar het zuiden, langs de zomerhuisjes en boerderijtjes die tussen de pijnbomen verscholen lagen.

'Dit is heerlijk,' zei Sarah, haar armen boven haar hoofd strekkend, zodat ze de koele wind tussen haar vingers voelde blazen. Dirk glimlachte voor zich uit, want hij kende genoeg vrouwen die niet in een cabriolet willen rijden omdat hun kapsel dan verwaaide. Voor hem was in een snelle cabriolet rijden zoiets als een storm op zee doorstaan of naar een onbekend wrak duiken. Een beetje extra avontuur maakte het leven toch leuker.

Zodra hij een bord met het opschrift BURTON zag, minderde Dirk vaart en verliet de hoofdweg. Via een smalle zijweg reden ze verder naar het kleine plaatsje. De weg kronkelde langs een groepje huizen en leidde uiteindelijk naar een restaurant in een villa pal aan het water. Het drie etages tellende grote huis was omstreeks de vorige eeuwwisseling gebouwd als zomerverblijf voor een krantenmagnaat in Seattle en geschilderd in de pastelkleuren groen en lavendelblauw. Er stonden overal fleurige bloempotten en -bakken, zodat het één grote, weelderige kleurenpracht was.

'Dirk, het is hier prachtig,' zei Sarah stralend, terwijl hij de auto parkeerde naast een tuinkoepel. 'Hoe heb je deze plek ontdekt?'

'Een van onze wetenschappers heeft een zomerhuis op dit eiland. Hij beweert dat ze hier de beste zalm van allemaal hebben, en die wil ik wel eens proeven.'

Dirk leidde Sarah naar een knus restaurant aan één kant van het landhuis, ook in victoriaanse stijl ingericht. Het restaurant was bijna helemaal leeg en ze kozen een tafeltje voor een groot raam, met uitzicht over de oostkant van de baai. Nadat ze een lokale chardonnay hadden besteld, genoten ze van het panorama over Quartermaster Harbor tot aan Maury, een kleiner eiland. In het zuidoosten was Mount Rainier te zien, majestueus oprijzend in de verte.

'Dit doet me een beetje aan de Grand Tetons denken,' zei Sarah, zich de scherpe bergtoppen in het noordwesten van Wyoming herinnerend. 'Vroeger reed ik kilometers te paard rond Lake Jackson, aan de voet van de Tetons.'

'Ik wil wedden dat jij ook behoorlijk goed kunt skiën,' waagde Dirk.

'Ik heb wel een paar ski's versleten in mijn jeugd,' lachte Sarah. 'Hoe weet jij dat?'

'Ach, Jackson Hole is daar dichtbij. Een paar jaar geleden heb ik daar geskied. Fantastische sneeuw.'

'Het is daar heerlijk,' verzuchtte Sarah, en haar lichtbruine ogen glansden. 'Maar het verbaast me wel dat jij daar geweest bent. Ik dacht dat het voor een directeur speciale projecten van NUMA verboden is buiten het zicht van de oceaan te komen?'

Nu moest Dirk lachen. 'Dat geldt niet tijdens mijn jaarlijkse vakantie. En de Gobiwoestijn was dat jaar al volgeboekt. Maar vertel eens: hoe raakt een leuke meid uit Wyoming verzeild in een baan bij de gezondheidsdienst?'

'Juist *omdat* ik een leuke meid ben,' kirde ze. 'Op de ranch van mijn ouders was ik vaak bezig met de verzorging van een ziek kalf of een mank paard. Mijn vader zei altijd dat ik soft was, maar ik vond het heerlijk om bij de dieren te zijn en ze te helpen. Daarom studeerde ik diergeneeskunde, en na een paar baantjes kreeg ik de kans veldonderzoeker te worden bij het CDC. Nu reis ik de wereld rond om te voorkomen dat er epidemieën uitbreken en verzorg ik zieke dieren, terwijl ik er ook nog voor betaald wordt.' Ze glimlachte.

Dirk zag dat haar dierenliefde oprecht was. Sarah had een warm hart, en dat was aan haar hele wezen te zien. Als ze niet in dienst was geweest bij het CDC zou ze waarschijnlijk een hondenkennel leiden, of iets doen voor bedreigde diersoorten, betaald of onbetaald. Als hij naar haar zachte ogen keek, was hij blij dat ze nu bij hem was.

Een kelner kwam aanlopen en verbrak het intieme moment, maar hij serveerde wel een heerlijke maaltijd op tafel. Dirk genoot van een gegrilde zalmfilet en Sarah van de kalfsoesters, zo mals dat ze volgens haar in de mond smolten. Na een dessert van verse kwarktaart met frambozen maakten ze hand in hand een wandeling langs de waterkant. Dirk keek of hij ergens de twee mannen van de zwarte Cadillac zag, maar even later herkende hij hun auto, die een paar blokken verder stond geparkeerd.

'Het is hier schitterend, maar ik denk dat we terug moeten gaan,' zei Sarah een beetje teleurgesteld. 'De resultaten van het bloedonderzoek van de bemanning moeten nu wel bekend zijn, en waarschijnlijk heeft Hal de inhoud van die granaathuls ook al geanalyseerd.'

Toen ze bij de auto kwamen, keerde ze zich om naar Dirk en omhelsde hem.

'Bedankt voor de heerlijke lunch,' fluisterde ze.

'Knappe dames rond het middaguur ontvoeren is mijn specialiteit,' lachte hij, voor hij haar in zijn armen sloot en haar lang en hartstochtelijk kuste. Ze beantwoordde zijn omhelzing door haar armen steviger om zijn middel te klemmen.

Dirk verliet het parkeerterrein en volgde langzaam de slingerende weg met eenrichtingverkeer door Burton. Hij zag de zwarte Cadillac in een zijstraat, wachtend tot hij gepasseerd was. In het spiegeltje zag hij een beetje verbaasd dat de zwarte auto meteen in beweging kwam en hem volgde. De bestuurder deed geen moeite hem onopvallend te volgen, en dat was geen goed teken, bedacht Dirk.

De Cadilllac bleef achter hen rijden, tot ze bij de kruising met Vashon Highway kwamen. Toen hij stopte om de weg op te draaien, keek Dirk weer in zijn spiegeltje. Hij zag de bijrijder met de geitensik iets pakken tussen zijn benen, waarschijnlijk uit de grote leren tas.

Dirk kreeg een wee makend gevoel in zijn maag en zonder een ogenblik te aarzelen trapte hij het gaspedaal in. Met gierende banden schoot de Chrysler in noordelijke richting de hoofdweg op.

'Dirk, wat doe je?' vroeg Sarah geschrokken, terwijl ze in haar stoel werd gedrukt.

Een ogenblik later kwam de Cadillac scheurend achter hen aan, een regen van grind opspattend. Deze keer bleef de zwarte auto hen niet volgen, maar ging op de rijbaan voor tegemoetkomend verkeer rijden, klaar om hen in te halen.

'Ga op de vloer liggen!' riep Dirk, toen hij de zwarte auto zag naderen in zijn zijspiegel. Verward, maar de dwingende opdracht begrijpend, liet Sarah zich zakken op de bodem van de Chrysler en maakte zich zo klein mogelijk. Dirk liet het gaspedaal opkomen en keek opzij, waar de Cadillac naast hen kwam rijden. Het raampje van de passagier was open en de jonge Aziaat grijnsde sardonisch naar Dirk. Toen bracht hij zijn Ingram Mac-10 pistoolmitrailleur langzaam in de aanslag en richtte daarbij op Dirks hoofd.

De schutter was jonger, maar Dirk had snellere reflexen. Op het moment dat de schutter de trekker overhaalde, stond Dirk al op de remmen. Een salvo schampte af op de motorkap van de Chrysler, die in een wolk schroeiend rubber afremde, terwijl de Cadillac naar voren schoot. De smalle banden van de Chrysler protesteerden krijsend toen de wielen blokkeerden, tot Dirk het rempedaal losliet. Hij pauzeerde een seconde, wachtend op de reactie van de Cadillac, en zag zijn kans. Zodra de remlichten van de zwarte auto opgloeiden, verschoof hij de automatische versnellingshendel in stand 2 en trapte het gaspedaal tot op de bodem in.

Een stroom benzine kolkte door de kelen van de dubbele carburators en die sproeiden een stormvlaag van brandstof naar de hongerige 6,4 liter V-motor. Met 380 pk was de Chrysler 300-D de snelste en krachtigste in serie geproduceerde auto in 1958. Zonder een teken van zijn hoge leeftijd kwam de Chrysler brullend in actie en daverde over de weg, als een aanvallende rinoceros.

De belagers werden verrast door de plotseling accelererende Chrysler en ze vloekten hartgrondig toen de grote groene auto voorbijstoof. De schutter probeerde nog een salvo te lossen, maar hij was te laat om goed te richten, en leegde zijn magazijn op de bomen langs de weg. Er was geen tegemoetkomend verkeer en Dirk bleef op de linkerbaan rijden nadat hij de Cadillac gepasseerd was, waardoor het voor de schutter in de passagiersstoel moeilijker werd om op hem te richten.

'Wat gebeurt er? Waarom schieten ze op ons?' huilde Sarah op de vloer.

'Zeker familie van onze vrienden in Alaska!' riep Dirk boven het brullen van de motor uit, terwijl hij weer schakelde. 'Die kerels volgden ons al een tijd.'

'Kunnen we aan hen ontsnappen?' vroeg Sarah angstig.

'Op de rechte stukken houden we een voorsprong, maar in de bochten zullen ze inlopen. Als we bij de veerboot kunnen komen, waar meer mensen zijn, zullen ze wel afdruipen,' antwoordde Dirk, hopend dat hij gelijk had.

De Chrysler had een flinke voorsprong, maar de Cadillac kwam weer dichterbij. Een scherpe bocht in de weg voor hem dwong Dirk gas terug te nemen, om de 2300 kilo zware auto op de weg te houden, zodat de lichtere Cadillac weer kostbare meters dichterbij kroop.

De schutter, kwaad en ongedisciplineerd, schoot weer in het wilde weg een magazijn patronen leeg in de richting van zijn doelwit. De meeste kogels sloegen zonder ernstige schade aan te richten in het kofferdeksel, waarin een aantal kleine ronde gaten verscheen. Dirk kromp ineen op de bestuurdersstoel en liet de auto zigzaggen om geen gemakkelijk doelwit te vormen.

'Hoever is het nog?' vroeg Sarah, nog steeds ineengedoken op het bodemtapijt.

'Een paar kilometer. We redden het wel,' antwoordde Dirk, met een bemoedigende knipoog.

Maar inwendig vervloekte Dirk zijn onnozelheid. Hij nam zichzelf kwalijk dat hij Sarah in gevaar had gebracht en dat hij niet eerder om hulp had gevraagd, toen hij merkte dat ze gevolgd werden. En hij verweet zichzelf dat hij ongewapend was: hij kon zich alleen verdedigen met een bijna vijftig jaar oude auto.

Als een gier die zijn prooi volgt imiteerde de zwarte Cadillac elke beweging van de Chrysler, verbeten proberend de onderlinge afstand tussen de voortrazende auto's kleiner te maken. Toen de auto's op een lang recht stuk van de Vashon Highway reden, zag Dirk dat de naald van de snelheidsmeter trillend op 220 kilometer per uur stond. Een blauwe pick-up kwam hen tegemoet en Dirk zwenkte naar de rechterbaan, zonder zijn voet van het gaspedaal te halen. De bestuurder van de Cadillac was vastbesloten de Chrysler weer in te halen en zag de aanstormende pick-up eerst niet. Met een ruk aan het stuur en in paniek remmend, ontweek de zwarte auto een botsing. De Chrysler vergrootte de voorsprong daardoor weer met kostbare meters asfalt, en de gefrustreerde schutter uitte een stroom woedende verwensingen.

Maar de tijdelijke voorsprong van Dirk werd toch kleiner. Aan het noordelijke eind van de Vashon Highway zijn veel bochten, voor de weg afdaalt naar de veerbootterminal. Dirk moest nu in plaats van volgas racen al zijn stuurmanskunst gebruiken. Hij was aan het einde van het rechte weggedeelte en remde krachtig voor een bocht naar links, vechtend om de zware cabriolet onder controle en op de weg te houden. De meer wendbare Cadillac haalde de achterstand snel in en was even later op een paar meter achter Dirks bumper. Weer hoorde hij het ratelen van machinegeweervuur, en hij dook weg. Het salvo raakte de voorruit, die overal gaten en barsten vertoonde. Eén kogel kwam lager en Dirk voelde het projectiel langs zijn wang zoeven voordat het in het dashboard verdween.

'Ik heb me vandaag al geschoren, schoften,' gromde hij, en zijn woede verdreef elk gevoel van angst. Toen hij de Chrysler in de volgende bocht gooide, krijsten de ouderwetse banden en er bleef een rokend zwart spoor achter op het asfalt. De schutter achter hem had al twee magazijnen leeggeschoten en hij begon nauwkeuriger te richten om zijn resterende munitie te sparen. Hij wachtte tot de Chrysler een bocht naar rechts maakte en belaagde de auto toen met korte, gerichte salvo's. Maar hij was wel zo dom om niet op de banden te richten, maar op het dashboard.

In de auto werden Dirk en Sarah voortdurend besproeid met splinters glas, metaalflarden en plastic, als er weer een salvo het interieur raakte. Dirk deed zijn best om te verhinderen dat de Cadillac hem kon inhalen om een voltreffer te plaatsen. Een paar keer liet hij de Chrysler met een ruk opzij zwenken, bijna de voorkant van de Cadillac rammend, alvorens de bestuurder van de zwarte auto terugdeinsde en een meter afstand hield.

Dirk voelde zich als een bokser in de ring, heen en weer bewegend met zijn hoofd en telkens wegduikend om de weg te blijven zien en de kogelregen te ontwijken. Hij kromp ineen toen hij de auto door een scherpe bocht naar rechts sleurde en een lint van kogelgaten in de motorkap werd geslagen. Het salvo doorboorde de radiator, en een witte stoompluim siste uit de grille en de motorkap. Dit kon niet lang meer duren, besefte Dirk. Zonder koeling zou de motor snel oververhit raken en vastlopen. Dan waren hij en Sarah een gemakkelijk doelwit.

Ze naderden de noordpunt van het eiland en hij besloot zijn laatste tactische zet te proberen. Bij de nadering van een scherpe bocht naar links ging Dirk weer in het midden van de weg rijden en hij minderde vaart, zodat de Cadillac nog dichterbij kwam. Op dat moment trapte hij uit alle macht op de rem. De gierend smeltende rubberbanden vormden een rookwolk, en de Cadillac kuste de achterkant van de

Chrysler hard voordat de achterste bestuurder ook op de rem sprong. Maar Dirks poging om de voorkant van de Cadillac te verkreukelen mislukte. De ouderwetse trommelremmen van de Chrysler waren geen partij voor de vier schijfremmen en het ABS-systeem van de Cadillac. De nieuwere auto stond al bijna stil terwijl de oldtimer nog slippend doorschoot. De chauffeur van de Cadillac begreep de list en bleef nu op veilige afstand. Dirk liet het rempedaal los en ramde het gaspedaal op de plank, in de hoop de afstand groter te maken. Hij kon weinig anders meer proberen.

De twee auto's waren bij de laatste heuvel aan de noordkant van het eiland. Vanaf dit punt slingerde de weg naar beneden tot aan de waterkant, met eerst enkele winkelstraten en woningen, en vervolgens het eindpunt bij de steiger van de veerpont. Dirk zag een kleine stroom tegemoetkomende auto's, en hij begreep dat de veerpont kortgeleden aangekomen was.

Ondanks meer drukte op de weg ging het machinegeweervuur achter hen gewoon door. De achtervolgers waren nu tot alles in staat en ze wilden Dirk en Sarah vermoorden, onverschillig wie daarbij in de vuurlinie kwam. Dirk keek even naar Sarah en grijnsde zuur. In haar zachte ogen was een mengeling van angst en vertrouwen te zien. Vertrouwen dat hij op de een of andere manier in staat was hen in veiligheid te brengen. Hij greep het stuurwiel stevig beet, meer dan ooit vastberaden haar te beschermen tegen de aanvallers.

Maar er was amper een paar seconden respijt om nog iets te doen. Het leek wel of de oude Chrysler door een B-52 was bestookt en het niet lang meer zou uithouden. Rookwolken golfden uit de motorkap, begeleid door knarsende en kreunende geluiden van de bezwijkende motor. Vonken spatten op onder het chassis, waar een afgebroken uitlaatpijp met een akelig raspend geluid over het asfalt schraapte. De banden hadden gladde plekken van het hevig afremmen en waren niet meer rond. De naald van de thermometer stond al enkele minuten stevig in het rode vlak.

Toen ze dichter bij de kade kwamen, kon Dirk boven het geraas van de motor uit de scheepshoorn van de veerpont horen. Achter hem klonken de gierende banden van de Cadillac en het ratelende geluid van het machinegeweer. De grote Chrysler sprong plotseling naar voren toen de krachtige V-motor echt kookte. Dirks ogen schoten heen en weer, zoekend naar een politieauto, een bewapende bewaker bij een bank of wie ook hulp kon bieden in een laatste poging zich te verdedigen. Maar hij zag alleen schattige zomerhuisjes met kleine voortuintjes vol bloemen.

Toen, kijkend over de helling naar de terminal in de verte, kreeg hij een ingeving. De kans op succes was heel klein, maar ze hadden toch niets meer te verliezen.

Sarah keek op en zag de vastberaden blik op Dirks gezicht verschijnen.

'Wat ga je doen, Dirk?' schreeuwde ze boven het motorgeraas uit.

'Sarah, schat van mij,' antwoordde hij geruststellend, 'ik geloof dat onze boot er is.'

18

Larry Hatala keek hoe de laatste auto in de rij, een erwtgroen Volkswagenbusje uit 1968, moeizaam de veerboot opreed. De pontbediende, met dertig jaar ervaring bij het openbaar vervoer van de staat Washington, schudde zijn hoofd en glimlachte naar de bestuurder van de oude hippie-auto, een bebaarde man met een haarband en een omabrilletje. Zodra de VW veilig aan boord was, liet Hatala de oranjewitte houten slagboom zakken, zodat er geen verkeer meer naar de pont kon. Zijn werk was bijna klaar, tot de volgende veerboot over een halfuur zou arriveren. Hatala deed zijn versleten baseballpet af, veegde met zijn mouw langs zijn voorhoofd en wuifde daarna vrolijk met zijn pet naar een collega aan boord van de vertrekkende veerboot. Een jongeman in een grijze overall trok het hek voor de achtersteven en beantwoordde de groet van Hatala met een spottend militair saluut. Zodra de kapitein de scheepshoorn liet toeteren, maakte Hatala de landvasten los en gooide het losse eind touw aan boord, waar zijn collega het touw keurig oprolde voor gebruik aan de overkant.

De echo van de scheepshoorn was nauwelijks verstomd toen Hatala een ongewoon geluid hoorde. Het geluid werd veroorzaakt door krijsende banden op asfalt. Hij tuurde naar de weg en zag achter de bomenrijen twee auto's die met grote snelheid de heuvel afraasden. Het loeien van de motoren en de gillende banden werd luider, en toen hoorde hij ook een ratelend geluid, dat hij uit zijn marinetijd nog herkende als geweervuur. De twee auto's waren voorbij de bomen en stoven op de terminal af. Hatala keek verbijsterd toe.

De grote groene Chrysler leek wel een galopperende draak, compleet met rook en stoom die als briesende adem uit de grille wolkte. Een man met zwart haar zat ineengedoken achter het stuur en hij wist het rokende voertuig behendig op de weg te houden met deze vervaarlijk hoge snelheid. Tien meter daarachter volgde een zwarte Cadillac, met een jonge Aziaat die uit het raampje hing en in het wilde weg vuurde met een machinegeweer, maar daarbij meer de bomen langs de weg raakte dan de auto voor hem. Tot afgrijzen van Hatala raasde de groene cabriolet zonder vaart te minderen de terminal op naar de pier.

De motor van de oude Chrysler had allang vastgelopen moeten zijn. Een regen van geweervuur had de auto vol lood gepompt, de banden, leidingen en aandrijfriemen doorsnijdend, en overal in de carrosserie waren kogelgaten geslagen. Hete olie vermengd met koelvloeistof spoot uit de motor, die bijna drooggelopen was. Maar met een soort eigen wil had de Chrysler het nog steeds niet opgegeven en leverde een laatste oprisping van kracht.

'Dirk, waar zijn we nu?' vroeg Sarah, die niets kon zien vanaf haar plek op de vloer. Een ratelend geluid van wielen op hout maakte haar duidelijk dat ze niet meer op de geasfalteerde hoofdweg reden.

'We moeten de boot halen,' zei Dirk. 'Zet je schrap!"

Hij zag een man wild met zijn armen zwaaien aan het einde van de pier. En hij zag ook het kolkende water van de scheepsschroeven die de veerpont in beweging brachten, weg van de wal. Dit werd spannend.

De Cadillac raakte even achterop, omdat de bestuurder niet gerekend had op de manoeuvre van Dirk. Maar de bestuurder was vastbesloten aan Dirks bumper te blijven kleven en gaf weer vol gas, zich niets aantrekkend van de naderende kaderand en de vertrekkende veerboot. De schutter had ook maar één doel: een kogel jagen in de eigenwijze bestuurder, die op de een of andere manier al zijn salvo's had ontweken.

Dirk hield het gaspedaal ook diep ingedrukt, maar om een andere reden. Hij hield zijn adem in en hoopte vurig dat de Chrysler het nog een paar tellen vol zou houden. Al was het eind van de pier nog maar een paar meter verder, het leek een eeuwigheid te duren om daar te komen. En intussen kroop de veerboot steeds verder weg van de oever.

Een paar jongens liepen naar een sportvissersboot aan het eind van de kade, maar doken opzij voor de twee aanstormende auto's die de hengels vermorzelden. Dirk zag verbaasd dat de man aan het eind van de kade niet meer wuifde en de oranjewitte slagboom weer omhooggedeed. De man besefte waarschijnlijk dat het zinloos was de zware auto die kwam aanstormen met de slagboom tegen te houden. Terwijl Dirk voorbijraasde, knikte hij een bedankje naar Hatala en stak zijn hand op. Hatala staarde alleen terug, totaal verbijsterd.

De machtige V-8 motor van de Chrysler bokte nu als een sloophamer, maar bleef de auto voortbewegen. De grote cabriolet raasde over het hellende plankier aan het eind van de pier omhoog en vloog als een afgeschoten kanonskogel door de lucht. Dirk greep het stuurwiel steviger vast en zette zich schrap voor de klap, terwijl hij onder zich een twaalf meter brede strook blauw water zag. Er werd geschreeuwd door wegvluchtende passagiers op de achterplecht van de veerboot, toen ze het groene gevaar met enorme snelheid op zich af zagen vliegen. De vaart van de auto en de helling van het plankier waren zodanig dat de Chrysler een perfecte boog schuin omhoog beschreef, tot de zwaartekracht de overhand kreeg en de neus van de auto naar beneden dook. Maar de strook water was al overbrugd en de cabriolet zou op het dek van de veerboot belanden.

Een paar meter voorbij de achterkant van de veerboot sloegen de voorwielen van de Chrysler op het dek, en de banden klapten meteen onder het geweld. Een fractie van een seconde later kwamen de achterwielen ook neer, de lage reling vernielend. Een deel van die reling zwiepte daarbij omhoog in een wielkast, terwijl het volle gewicht van de auto naar beneden kwam. Dat bleek levensreddend. In plaats van door te schieten naar de rijen auto's op het dek, werd de Chrysler afgeremd door de scherpe reling, die zich als een anker in het houten dek werkte. De zware cabriolet stuiterde nog twee keer op tot acht meter voorbij de achterkant van de veerboot, om dan schuivend tegen de erwtgroene Volkswagenbus tot stilstand te komen.

De zwarte Cadillac had minder geluk. Met een paar seconden achterstand zag de bestuurder te laat dat de veerpont al wegvoer van de kade. In paniek durfde hij niet meer te remmen, maar hield zijn voet op het gaspedaal om net als de Chrysler in volle vaart gelanceerd te worden. Maar de veerboot was alweer een eindje verder.

De schutter slaakte een bloedstollende kreet toen de Cadillac sierlijk door de lucht vloog, om even later met een krakende klap tegen de achtersteven van de veerboot te slaan. De voorbumper kuste de naam van de pont, *Issaquah*, juist boven de waterlijn, voordat de hele auto als een harmonica in elkaar kreukelde. Een fontein water spoot omhoog toen het verwrongen wrak in het water tuimelde en vijftien meter diep naar de bodem zonk, de beide verbrijzelde inzittenden meesleurend naar een waterig graf.

In de Chrysler schudde Dirk de verdwazing na de harde landing van zich af en inventariseerde zijn verwondingen. Hij voelde een verdraaide knie en een pijnlijke heup, terwijl hij bloed van zijn lip veegde. Zijn lip was opengebarsten door de harde klap tegen het stuurwiel. Maar verder leek alles in orde. Sarah keek op van de vloer, waar ze in een vreemde draai zat, en ze dwong zichzelf tot een gepijnigde grimas.

'Ik denk dat mijn rechterbeen gebroken is,' zei ze kalm, 'maar verder ben ik oké.'

Dirk tilde haar uit de auto en legde haar voorzichtig op het dek, terwijl een aantal passagiers te hulp schoot. Voor hen vloog een portier van de VW-bus open en de overjarige hippie sprong uit de auto. De man had een paardenstaart en een bierbuik die maar half verborgen werd door zijn vlekkerige Grateful Dead T-shirt. Zijn ogen puilden bijna uit de kassen toen hij het tafereel achter zijn busje zag. Rook kringelde op van het wrak van de Chrysler en er verspreidde zich een geur van smeulend rubber en hete motorolie. De carrosserie van de cabriolet was van voor tot achter doorzeefd met kogelgaten en het interieur lag bezaaid met glasscherven en flarden van de leren bekleding. De voorbanden waren door de klap uiteengerafeld en uit een van de achterste wielkasten stak een stuk metalen reling. Achter het wrak was een diepe voor in het houten dek te zien. Dirk glimlachte flauwtjes naar de hippie die naar hem toe kwam en de ravage overzag.

Hoofdschuddend zei de oude hippie uiteindelijk: 'Wauw, man, ik hoop wel dat je verzekerd bent.'

Het duurde slechts een paar uur voordat de autoriteiten een dekschuit naar de aanlegsteiger van de pont hadden gedirigeerd. De hefkraan op de schuit hees de verkreukelde Cadillac moeiteloos op van de bodem en het wrak werd op het smoezelige dek geplaatst. Ambulancepersoneel haalde de vermorzelde lichamen uit de auto om ze over te brengen naar het lokale lijkenhuis. De doodsoorzaak werd kort en bondig genoteerd als: fatale verwondingen na een verkeersongeluk.

Op verzoek van NUMA begon de FBI een rechercheonderzoek naar het incident. Een eerste poging om de identiteit van de schutters vast te stellen leverde niets op, omdat er geen papieren op de lijken werden aangetroffen. De Cadillac bleek een gestolen huurauto. Maar de immigratiedienst kon later vaststellen dat de inzittenden twee Japanse nationalisten waren, die het land illegaal via Canada waren binnengekomen.

In het regionale mortuarium schudde de lijkschouwer geërgerd zijn hoofd als er weer een onderzoeker kwam om de doden te onderzoeken.

'Zolang die Japanse gangsters hier liggen kan ik mijn normale werk niet doen,' bromde hij tegen een ondergeschikte, toen er weer een paar rechercheurs vertrokken.

De assistent, een ex-legerarts die vroeger een jaar in Seoel gestationeerd was, knikte instemmend.

'We kunnen wel een draaideur in de koelruimte laten plaatsen,' grapte hij.

'Ik zal blij zijn als we de formulieren hebben, zodat ze afgevoerd kunnen worden naar Japan.'

'Als ze daar inderdaad vandaan komen,' zei de assistent, en hij schoof de twee lijken weer in de koeling. 'Als u het mij vraagt zijn dit twee Koreanen.'

19

Nadat Dirk twaalf uur aan Sarahs ziekbed in het Swedish Providence Hospital in Seattle had gezeten, wist hij de artsen eindelijk te overtuigen dat ze haar de volgende ochtend zouden ontslaan. Al is een gebroken been geen reden voor langdurige observatie, de artsen waren bezorgd over andere verwondingen als gevolg van het ongeluk en daarom moest ze toch een nacht blijven. Ze had nog geluk dat de breuk in haar scheenbeen niet met een metalen plaatje geschroefd hoefde te worden om te herstellen. De artsen wikkelden haar onderbeen in gipsverband, pompten haar vol pijnstillers en tekenden daarna het formulier dat ze kon vertrekken.

'Ik vrees dat ik je voorlopig niet kan uitnodigen om ergens te gaan dansen,' grapte Dirk terwijl hij haar in een rolstoel het ziekenhuis uitduwde.

'Tenzij je graag blauwe tenen wil,' reageerde Sarah met een grimas naar het dikke gips om haar onderbeen.

Al beweerde Sarah dat ze best kon werken, toch bracht Dirk haar maar naar haar smaakvolle flat in het Capitol Hill-district van Seattle. Hij droeg haar voorzichtig naar de lederen bank en legde haar gipsbeen op een dik kussen.

'Ik moet helaas terug naar Washington,' zei hij, langs haar zijdeachtige haar strijkend toen hij de kussens achter haar rug verschikte. 'Vanavond vertrek ik, maar ik vraag of Sandy bij je langskomt.'

'Die zou toch wel komen,' lachte Sarah. 'Maar hoe staat het met de zieke bemanningsleden van de *Deep Endeavor*? We moeten te weten komen of ze niet besmet zijn.' Ze probeerde overeind te komen op de bank. De zware pijnstillers wikkelden haar geest en lichaam in een zachte deken en ze moest vechten tegen het hevige verlangen in slaap te vallen.

'Oké,' zei Dirk, haar zacht terugduwend, en hij gaf haar een draadloze telefoon. 'Bel maar, en daarna: oogjes dicht.'

Sarah belde naar het lab en Dirk keek in de keuken of er voldoende voorraden waren. Hij opende de koelkast en vroeg zich af waarom alleenstaande vrouwen altijd veel minder in huis hebben dan elke vrijgezelle man die hij kende.

'Goed nieuws!' riep Sarah wat schor, nadat het telefoongesprek afgelopen was. 'De tests van de zieke bemanningsleden zijn allemaal negatief. Geen enkel teken van besmetting met pokken.'

'Dat is inderdaad goed nieuws,' zei Dirk, en hij ging naast haar zitten. 'Ik zal het ook tegen kapitein Burch zeggen, voor ik naar de luchthaven vertrek.'

'Wanneer zie ik je weer?' vroeg Sarah, even in zijn hand knijpend.

'Ik moet alleen even naar het hoofdkantoor. Voor je het weet, ben ik alweer terug.'

'Dat is je geraden ook,' mompelde ze, en haar oogleden zakten dicht. Dirk boog zich over haar heen, streek haar haren opzij en kuste teder haar voorhoofd. Toen hij overeind kwam, zag hij dat ze al in slaap was gevallen.

Dirk sliep vast tijdens de nachtelijke vliegreis, en hij was meteen klaarwakker toen de wielen van de NUMA-jet de landingsbaan raakten op Ronald Reagan Airport in Washington. Het was even na acht uur in de ochtend. Een dienstauto stond voor hem gereed bij de regeringsterminal en hij stuurde de auto zelf door de motregen van het parkeerterrein. Wegrijdend van de luchthaven keek hij naar de half vervallen hangar naast een van de startbanen. Al was zijn vader niet in het land, hij voelde toch de drang om even naar diens favoriete schuilplek te gaan en wat te rommelen met een van de vele antieke auto's die daar verzameld waren. Maar hij wist dat het werk voorging en hij reed de auto naar de snelweg.

Hij reed in noordelijke richting de George Washington Memorial Parkway op, passeerde het Pentagon links van hem en volgde de oever van de rivier de Potomac. Een eindje verder verliet hij de snelweg en reed naar een torenhoog gebouw met veel groen glas, waar het hoofdbureau van NUMA gevestigd was. Hij passeerde een bewaakte poort en parkeerde in de ondergrondse garage, opende de kofferbak en hing een grote plunjezak over zijn schouder. Daarna ging hij met de lift naar de tiende etage, en achter de open glijdende liftdeuren zag hij een kantoorlandschap vol zoemende computerapparatuur.

Met een budget waar een derdewerelddictator van zou watertanden, was het NUMA Ocean Data Center een hypermodern computernetwerk. In deze databanken was de grootste verzameling van oceanografische gegevens ter wereld opgeslagen. In *real-time* kwamen hier metingen van weersomstandigheden, zeestromen en temperatuur binnen, en via satellieten en honderden meetpunten overal op de aardbol werd informatie doorgeseind over de biodiversiteit. Het hele systeem gaf voortdurend een accuraat beeld van de situatie in de oceanen en ook een voorspelling van de nabije toekomst. Verbindingen met research-afdelingen bij vooraanstaande universiteiten leverden gegevens over onderzoek op het gebied van geologie, maritieme biologie en projecten over onderzeese flora en fauna of op technisch gebied. Het historisch archief van NUMA telde letterlijk miljoenen gegevensbronnen en vormde een enorm reservoir aan informatie voor researchinstituten overal ter wereld.

Dirk zag de dirigent van dit grote computernetwerk achter zijn hoefijzervormig bureau zitten, happend van een broodje terwijl hij met zijn vrije hand op een toetsenbord bezig was. Voor een buitenstaander leek Hiram Yaeger op een bezoeker van een Bob Dylan-concert. Zijn slanke lichaam was gekleed in een verbleekte Levi's met een bijpassend spijkerjasje over zijn witte T-shirt. Aan zijn voeten droeg hij een paar kaal getrapte cowboylaarzen. Met zijn lange grijze haar in een paardenstaart had hij een uiterlijk waaraan niet te zien was dat hij in een chique wijk van Maryland woonde, met zijn vrouw die ooit fotomodel was, en ook niet dat hij in een BMW 7-serie reed. Hij zag Dirk naderen toen hij over zijn ronde brilletje opkeek en glimlachte.

'Kijk eens aan, daar hebben we meneer Pitt junior,' grijnsde hij hartelijk.

'Hiram, hoe staat het leven?'

'Ach, aangezien ik mijn auto niet in de prak heb gereden en ook geen helikopter van de zaak in schroot heb veranderd, mag ik zeggen dat het allemaal prima gaat. Trouwens, is onze geachte hoofddirecteur al op de hoogte dat een vliegend voertuig van NUMA helaas verloren is gegaan?'

'Ja. En omdat Pa en Al nog op de Filippijnen zijn, was de reactie wat gematigd.'

'Ze hebben hun handen daar vol aan een giflozing bij Mindanao, dus je timing was goed gekozen,' zei Yaeger. 'Maar vertel eens, waar heb ik de eer van jouw bezoek aan te danken?'

'Eh... ' Dirk aarzelde even. 'Het gaat om je dochters. Ik wil graag met hen gaan stappen.'

De kleur trok even weg uit Yaegers magere, jongensachtige gezicht, omdat hij even dacht dat Dirk het meende. Yaegers tweelingdochters deden dit jaar eindexamen op de middelbare school en de meisjes waren zijn grootste trots. Zeventien jaar had hij met succes elke mannelijke belangstellende afgeschrikt, als die het waagde een vinger naar zijn oogappels uit te steken. En de hemel mocht verhoeden dat ze onder de indruk raakten van Dirk, met zijn stoere charisma.

'Als je hun naam ook maar nóémt waar ik bij ben, dan laat ik je meteen van de loonlijst schrappen, met de aantekening: niet kredietwaardig de eerste twee eeuwen,' dreigde Yaeger.

Nu was het Dirks beurt om te lachen, omdat hij Yaegers zwakke plek weer eens geraakt had. Het computergenie ontspande zich en kon toch wel grinniken om Dirks opmerking.

'Oké, de meiden laat ik met rust. Maar ik wil wel wat van jouw tijd en die van Max, voor mijn bespreking met Rudi, later in de ochtend.'

'Dat klinkt beter,' zei Yaeger met een ferme hoofdknik. Het broodje was opgegeten en hij tikte snel met beide handen op het toetsenbord om zijn bionische vertrouweling Max op te roepen.

Max was geen computerdeskundige, maar een kunstmatig intelligentiesysteem, met een virtueel interface in de vorm van een hologram. Omdat Max het geesteskind van Yaeger was, ontwikkeld als hulpmiddel bij het doorzoeken van gigantische databases, had hij het visuele beeld gemodelleerd naar zijn vrouw Elsie, compleet met sensuele stem en aantrekkelijke persoonlijkheid. Boven een plateau tegenover het hoefijzervormige bureau verscheen opeens het beeld van een knappe vrouw met kastanjebruin haar en topaaskleurige ogen. Ze droeg een sexy topje dat haar navel bloot liet en een heel kort leren rokje.

'Goedemorgen, heren,' murmelde het driedimensionale portret.

'Hallo Max. Weet je nog wie Dirk Pitt junior is?'

'Natuurlijk. Leuk je weer te zien, Dirk.'

'Je ziet er goed uit, Max.'

'Ik zou er nog beter uitzien als Hiram me niet aankleedt met die Britney Spears-pakjes,' antwoordde ze misprijzend en liet haar handen langs haar gestalte glijden.

'Oké, morgen draag je Prada,' beloofde Yaeger.

'Dank je.'

'Dirk, wat wilde je aan Max vragen?' kwam Yaeger ter zake.

'Max, wat kun je mij vertellen over de Japanse productie van chemische en biologische wapens tijdens de Tweede Wereldoorlog?' vroeg Dirk, nu ook serieus.

Max aarzelde even, omdat de vraag een enorme speurtocht door duizenden digitale archieven veroorzaakte. Yaeger had het computernetwerk van NUMA ook gekoppeld aan overheidsbestanden en openbare informatiebronnen, van de Library of Congress tot de databanken van de effectenbeurs. Maar Max zeefde uit de oeverloze hoeveelheid gegevens een korte samenvatting met de hoofdpunten.

'Het Japanse leger deed uitvoerige experimenten en research naar chemische en biologische wapens, zowel voor als tijdens de Tweede Wereldoorlog. De eerste tests en toepassing ervan waren in Mantsjoerije, onder leiding van het keizerlijke Japanse leger, nadat het noordoosten van China in 1931 door Japan bezet was. Veel testlocaties werden gebouwd in de regio, onder dekmantel van houtzagerijen of andere nijverheid. In deze fabrieken werden Chinese krijgsgevangenen blootgesteld aan allerlei proeven met bacteriële en chemische stoffen. De Qiqihar-vestiging, onder commando van legereenheid 516, was het grootste Japanse testcentrum van chemische wapens, hoewel de feitelijke productie van chemische wapens in Japan plaatsvond. Changchun, onder toezicht van legereenheid 100, en de grote Ping Fan-vestiging, onder leiding van legereenheid 731, waren de grootste testcentra voor biologische oorlogvoering. Deze vestigingen waren in feite grote gevangenissen, waar lokale criminelen en opgepakte landlopers werden gebruikt als proefpersonen, en slechts weinigen zouden dit overleven.'

'Ik heb iets gelezen over die eenheid 731,' merkte Dirk op. 'Ze deden daar experimenten waarbij vergeleken de nazi's eerder padvinders lijken.'

'Er zijn eindeloos veel beschuldigingen dat de Japanners onmenselijke experimenten deden, vooral bij eenheid 731. Chinese gevangenen en zelfs enkele geallieerde krijgsgevangenen werden routinematig ingeënt met dodelijke ziekteverwekkers, omdat men de dodelijke dosis exact wilde bepalen. Biologische bommen werden afgeworpen boven vastgebonden gevangenen, om het transport van de wapens te testen. Veel experimenten vonden plaats buiten het terrein van de testlocaties.

Tyfusbacillen werden opzettelijk verspreid in waterbronnen bij dorpen, waardoor dodelijke koortsepidemieën ontstonden. Ratten die met de pest geïnfecteerde vlooien in hun pels hadden werden losgelaten in dichtbevolkte stedelijke gebieden, om de verspreidingssnelheid en heftigheid van de infecties te testen. Kinderen werden ook beschouwd als een acceptabel doelwit. Bij een experiment kregen kinderen met anthrax vergiftigde chocolade, die gretig verorberd werd, maar de gevolgen waren afgrijselijk.'

'Dat is toch walgelijk,' zei Yaeger hoofdschuddend. 'Ik mag hopen dat die schurken gestraft zijn voor hun wandaden.'

'Dat gebeurde meestal niet,' vervolgde Max. 'Bijna niemand die betrokken was bij deze experimenten werd veroordeeld als oorlogsmisdadiger. De Japanners vernietigden vóór de overgave veel documenten en testkampen. Amerikaanse inlichtingendiensten waren niet op de hoogte van de verschrikkingen, of ze wilden in sommige gevallen de resultaten van de experimenten weten en negeerden daarom de wreedheden. Veel medici van het keizerlijke leger die in de vernietigingskampen werkten zijn na de oorlog gerespecteerde directeuren geworden van de Japanse farmaceutische industrie.'

'Met bloed aan hun handen,' bromde Dirk.

'Niemand weet het zeker, maar experts schatten dat minstens tweehonderdduizend Chinezen zijn gestorven als gevolg van Japans chemisch en biologisch wapentuig in de jaren dertig en veertig. Een groot percentage slachtoffers waren onschuldige burgers. Het is een oorlogstragedie waar pas sinds kort aandacht voor is bij wetenschappers en historici.'

'De wreedheid van de mens blijft me verbazen,' zei Yaeger ernstig.

'Max, welke ziekteverwekkers en chemicaliën gebruikten de Japanners?' vroeg Dirk.

'Je kunt beter vragen welke stoffen ze níét gebruikten voor hun experimenten. Het staat vast dat ze research deden met bacteriën en virussen variërend van anthrax, cholera, builenpest, pokken tot tyfus. In de wapens gebruikten ze chemische stoffen als mosterdgas, cyanide, zwavel en lewisiet – dat is een blaartrekkend gas. Het is niet bekend hoeveel van deze wapens op het slagveld gebruikt werden, ook omdat de Japanners de meeste documenten vernietigden tijdens de terugtocht uit China en aan het einde van de oorlog.'

'Hoe werden die chemische stoffen gebruikt op het slagveld?'

'Chemische stoffen die lang stabiel blijven zijn prima geschikt voor munitie. De Japanners maakten grote hoeveelheden chemische munitie, meestal in de vorm van granaten, mortieren en in allerlei patronen. Duizenden van deze wapens werden aan het eind van de oorlog achtergelaten in Mantsjoerije. De Japanse methoden om biologische wapens in te zetten waren minder succesvol, omdat de gebruikte stoffen gevoeliger zijn. De ontwikkeling van een praktisch bruikbaar biologisch artilleriewapen bleek moeilijk, en daarom werd de aandacht vooral gericht op de toepassing door middel van vliegtuigbommen. Uit gevonden documenten blijkt duidelijk dat de Japanse wetenschappers nooit helemaal tevreden waren over de effectiviteit van de biobommen die ze ontwikkelden.'

'Max, weet jij iets over het gebruik van porselein als materiaal voor het omhulsel van die chemische en biologische wapens?'

'Jazeker. Stalen bommen worden geweldig heet bij de explosie, waardoor de biologische ziekteverwekkers vernietigd worden. Daarom maakten de Japanners gebruik van keramisch materiaal. Het is bekend dat diverse soorten porseleinen bomhulzen werden getest in China, bestemd voor het verspreiden van biologisch materiaal met vliegtuigbommen.'

Dirk voelde een steen in zijn maag. De *I-403* was in 1945 inderdaad op een dodelijke missie geweest, met een lading biologische granaten aan boord. Gelukkig was de onderzeeboot tot zinken gebracht, maar was dat het definitieve einde van de mislukte missie?

Yaeger verbrak zijn gepeins. 'Max, dit is allemaal nieuw voor mij. Ik wist echt niet dat de Japanners in de oorlog chemische en biologische wapens hebben gebruikt. Zijn die wapens ook buiten China toegepast, tegen de Amerikaanse troepen?'

'Het Japanse gebruik van chemische en biologische wapens was primair beperkt tot de strijd in China. Er zijn wel meldingen van toepassing in Birma, Thailand en Maleisië. Mijn gegevens tonen geen gerapporteerd gebruik van biologische of chemische wapens tegen westerse geallieerden troepen, mogelijk vanwege Japanse angst voor vergelding. Het vermoeden bestaat dat chemische wapens desnoods wel gebruikt zouden worden bij een invasie van het eigen land. Uiteraard bewijst de ontdekking van jouw vader dat voorraden chemische wapens werden aangelegd bij de Filippijnen, voor de verdediging van die eilanden.'

'Ontdekking van mijn vader? Wat bedoel je?' vroeg Dirk.

'Neem me niet kwalijk, Dirk. Ik zal het uitleggen. Ik kreeg een melding van gifonderzoek aan boord van de *Mariana Explorer*, van een monster dat door jouw vader en Al Giordino werd opgevist.'

'Heb je de database over dat arsenicummonster al doorzocht? Ik dacht dat je pas na de lunch met resultaten kon komen?' vroeg Yaeger aan het hologram.

'Soms ben ik razend efficiënt,' antwoordde Max, met een nuffige blik.

'En welk verband is er dan?' vroeg Dirk, die het nog steeds niet goed begreep.

'Jouw vader en Al ontdekten dat arsenicum lekte uit een oud vrachtschip, dat kennelijk tijdens de Tweede Wereldoorlog zonk bij een koraalrif in de buurt van Mindanao. Dat arsenicum lekte uit een lading artilleriegranaten in het ruim van dat schip,' verduidelijkte Yaeger.

'Het waren 105mm-granaten, om precies te zijn,' voegde Max eraan toe. 'Dat is het normale kaliber van de kanonnen binnen het keizerlijke Japanse leger. Alleen waren de granaten niet altijd met arsenicum geladen.'

'Wat heb je gevonden?' vroeg Yaeger.

'De feitelijke inhoud was een mengsel van mosterdzwavel en lewisiet. Een populaire chemische combinatie in de jaren dertig en een stof die op dodelijke wijze blaartrekkend is wanneer het als gas wordt verspreid. Lewisiet is een derivaat van arsenicum, en dat verklaart de aanwezigheid van gif bij de Filippijnen. De Japanners produceerden duizenden mosterdgasgranaten in Mantsjoerije, en een deel werd gebruikt tegen de Chinezen. Tegenwoordig worden er nog wel eens van die chemische wapens opgegraven.'

'Was de Japanse marine betrokken bij het gebruik van deze wapens?' vroeg Dirk.

'De Japanse keizerlijke marine was inderdaad betrokken bij de productie van chemische wapens op de marinewerf Sagami, en men veronderstelt dat er nog vier arsenalen waren bij Kure, Yokosuka, Hiroshima en Sasebo. Maar de marine beschikte over slechts een fractie van de naar schatting 1,7 miljoen ton aan chemische bommen en granaten die tijdens de oorlog werden geproduceerd. Er zijn geen verslagen dat deze wapens ooit werden gebruikt bij de strijd op zee. De research naar biologische wapens werd gefinancierd door het keizerlijk leger, en was gecentreerd in bezet China, zoals ik al zei. Een mogelijk instituut voor de research was de militaire medische academie in Tokio, maar het is niet bekend of de marine via dit instituut betrokken was, omdat het verwoest werd tijdens bombardementen in 1945.'

'Dus er zijn geen rapporten uit die periode waaruit blijkt dat chemische of biologische wapens gebruikt werden aan boord van marineschepen?'

'In elk geval geen openbare rapporten,' zei Max, haar holografische hoofd schuddend. 'Het merendeel van de in beslag genomen Japanse rapportage over de oorlog, daarbij inbegrepen die van de marine, is overgedragen aan de Nationale Archieven. Als een gebaar van goede wil zijn de meeste documenten later teruggegeven aan de Japanse regering. Er is slechts een klein deel gekopieerd, en een nog kleiner deel daarvan werd ooit vertaald.'

'Max, ik wil graag in die documenten zoeken naar informatie over de missie van een bepaalde Japanse onderzeeboot, de *I-403*. Weet jij of die documenten nog bestaan?'

'Het spijt me, Dirk, maar ik heb geen toegang tot die bestanden in de Nationale Archieven.'

Dirk keek met een verbaasde frons vragend naar Yaeger.

'De Nationale Archieven, nou dat lijkt me minder gevaarlijk dan tappen bij Langley,' zei Yaeger schouderophalend.

'Zo ken ik je weer, ouwe hacker,' antwoordde Dirk lachend.

'Geef me een paar uur tijd, dan kijk ik wat ik kan doen.'

'Max,' zei Dirk, recht naar de transparante vrouw kijkend, 'bedankt voor je informatie.'

'Ik vond het leuk, Dirk,' reageerde ze sensueel. 'Ik ben je altijd graag van dienst.'

En een ogenblik later was het hologram verdwenen. Yaeger concentreerde zich op de monitor en zijn vingers vlogen over het toetsenbord, want hij was al begonnen aan zijn illegale actie.

Om tien uur precies betrad Dirk de chique vergaderruimte, nog steeds met de grote plunjezak over zijn schouder. Het dikke azuurblauwe tapijt onder zijn voeten vormde een passende ondergrond voor de donkere kersenhouten conferentietafel en lambrisering, met daarboven oude schilderijen van oorlogsschepen uit de achttiende eeuw. Een wand werd in beslag genomen door een groot venster, dat een weids uitzicht bood over de Potomac en de Washington Mall aan de overkant van het water. Aan de tafel zaten twee mannen met ernstige gezichten. Ze waren gekleed in donker kostuum en luisterden aandachtig naar een schriele man met een hoornen bril die verslag deed van de gebeurtenissen met de *Deep Endeavor* bij de Aleoeten. Rudi Gunn onderbrak zijn zin en kwam snel overeind toen Dirk de kamer betrad.

'Dirk, wat fijn dat je zo snel naar Washington bent gekomen,' groette hij hartelijk, en zijn helderblauwe ogen straalden achter de dikke brillenglazen. 'En ik zie dat je verwondingen na de harde landing op die veerboot ook meevallen,' voegde hij eraan toe, na een blik op Dirks gezwollen lip en de pleister op zijn wang.

'Mijn passagier heeft haar been gebroken, maar ik heb alleen een dikke lip. We hadden meer geluk dan die kerels,' zei hij met een besmuikte lach, 'wie dat ook waren. Fijn je te zien, Rudi.' Dirk schudde de adjunct-directeur de hand.

Gunn liep mee en stelde Dirk voor aan de twee andere heren.

'Dirk, dit is Jim Webster, van de binnenlandse veiligheidsdienst, afdeling Informatieanalyse en bescherming infrastructuur.' Hij maakte een wuivend gebaar naar een man met een bleek gezicht en kort, krullend haar. 'En dit is Rob Jost, adjunct-directeur van de dienst Kustbeveiliging, die ook onder Binnenlandse Zaken valt.' Een mollige man die wat aan een beer deed denken en een nogal rode neus had, knikte zonder te glimlachen naar Dirk.

'We bespraken juist het rapport van kapitein Burch over jouw redding van het CDC-team op het eiland Yunaska,' vervolgde Gunn.

'Het was een geluk dat we daar in de buurt waren. Alleen spijtig dat we te laat waren voor die twee kustwachters.'

'Gezien de hoge gifniveaus die bij dat station vrijkwamen, waren ze waarschijnlijk toch kansloos,' zei Webster.

'Daarmee bevestigt u dat ze aan cyanidevergiftiging zijn bezweken?' vroeg Dirk.

'Ja. Hoe weet u dat? Die informatie is nog niet vrijgegeven.'

'Wij hebben een dode zeeleeuw meegenomen van dat eiland, en het CDC-team heeft het kadaver in Seattle onderzocht. Daar werd vastgesteld dat het dier gestorven was door inademing van cyanide.'

'Dat komt overeen met de autopsierapporten over de twee kustwachters.'

'Hebt u al informatie gevonden over de vistrawler die ons beschoot en vermoedelijk cyanide heeft geloosd?'

Na een drukkende stilte antwoordde Webster: 'Er is geen nadere informatie bekend. Helaas zijn er duizenden boten die aan het signalement van die trawler voldoen. Het vermoeden bestaat dat het geen lokaal schip betreft, en we werken samen met de Japanse autoriteiten omdat er sporen naar Japan leiden.'

'Dus u veronderstelt een Japanse connectie. Enig idee waarom iemand een gifaanval zou beginnen, gericht tegen een afgelegen weerstation op de Aleoeten?'

'Meneer Pitt,' onderbrak Jost hem, 'kende u de twee mannen die in Seattle probeerden u te vermoorden?'

'Nee, nooit eerder gezien. Ze leken wel tamelijk professioneel. In elk geval waren het geen ingehuurde straatjongens.'

Webster sloeg een map op tafel voor hem open en streek over een verkreukelde foto met het formaat van een ansichtkaart. Dirk keek zwijgend naar de zwart-witfoto van een strijdbare vijftigjarige Japanse vrouw die fel in de cameralens keek.

'Een portret van Fusako Shigenobu, vroeger de revolutionaire leidster van het JRL,' vervolgde Webster. 'Deze foto vonden we in de portefeuille van een van je belagers, nadat we hem opgevist hadden bij de veerpont.'

'Wat betekent JRL?' vroeg Dirk.

'Het Japanse Rode Leger. Dat is een internationale terroristische cel die nog uit de jaren zeventig dateert. We dachten dat die lui na de arrestatie van Shigenobu in 2000 verdwenen waren, maar ze schijnen toch weer op gewelddadige wijze actief te zijn.'

'Ik heb gelezen dat de economische malaise in Japan er mede de oorzaak van is dat er bij de randgroepjongeren weer belangstelling voor deze beweging is,' voegde Gunn eraan toe.

'Het JRL heeft meer dan enkele verveelde pubers aangetrokken. Ze eisen de verantwoordelijkheid op voor de moordaanslagen op onze ambassadeur en plaatsvervangend chef de bureau in Japan, en ook voor de explosie in de SemCon-fabriek in Chiba. Dat waren professionele aanslagen. En de publieke verontwaardiging zet onze betrekkingen met Japan uiteraard onder druk.'

'Wij vermoeden dat het JRL mogelijk achter de cyanideaanval op Yunaska zit, als voorproef van een veel grotere aanslag op een groot stedelijk gebied,' vulde Jost aan.

'En ook achter de besmetting met pokken, waar Irv Fowler ziek van werd,' constateerde Dirk.

'Of er een verband is, hebben we nog niet vastgesteld,' wierp Webster tegen. 'Onze analisten denken dat die wetenschapper mogelijk besmet werd door een lokale inwoner van Unalaska. De Japanse autoriteiten geloven niet dat het JRL voldoende toegerust is om het pokkenvirus te bemachtigen en te verspreiden.'

'Ik denk er anders over,' waarschuwde Dirk.

'Meneer Pitt, we zitten hier niet om uw complottheorieën aan te horen,' zei Jost op neerbuigende toon. 'Wij willen alleen weten waarom twee agenten van het JRL in ons land zijn en waarom ze probeerden een duiker van NUMA te vermoorden.'

'Directeur speciale projecten,' verbeterde Dirk, en zette de plunjezak op de vergadertafel. Met een snelle beweging schoof hij de tas naar Jost. De arrogante hoge ambtenaar moest zijn koffiekopje snel wegtrekken, omdat de tas het anders tegen zijn borst had geduwd.

'Daarin zit het antwoord,' zei Dirk kortaf.

Webster ging staan en trok de rits open, terwijl Jost en Gunn nieuwsgierig toekeken. Zorgvuldig in schuimplastic verpakt lag daar een groot deel van de granaathuls die Dirk van de *I-403* had meegenomen. De porseleinen huls was opengespleten, zodat de binnenkant met lege segmenten zichtbaar was, waaronder een in de neus van het projectiel.

'Wat is dat?' vroeg Gunn.

'Een zestig jaar oude smerige bom,' antwoordde Dirk. Hij vertelde over de aanval op Fort Stevens tijdens de Tweede Wereldoorlog, zijn ontdekking van de onderzeeboot en het bergen van de huls.

'Het is een ingenieus wapen,' vervolde Dirk. 'Ik heb het in het lab laten onderzoeken op sporen, om erachter te komen wat de lading was.'

'Het is gemaakt van porselein,' merkte Webster op.

'Als bescherming voor de biologisch actieve stoffen. De neus bevatte een eenvoudige tijdbom, ontworpen om te exploderen op een van tevoren bepaalde hoogte, zodat de effectieve lading verspreid werd. U ziet dat het een tamelijk kleine springlading was: voldoende krachtig om de porseleinen huls te laten barsten, maar zo klein dat de effectieve lading niet werd blootgesteld aan grote hitte of druk.'

Dirk wees op de compartimenten in het projectiel, die sigaarvormig waren en zich bijna tot de staartvinnen uitstrekten.

'Het is niet duidelijk of de stoffen gemengd werden tijdens de vlucht of pas na de explosie. Maar deze bom kon duidelijk verschillende chemische stoffen bevatten. De inhoud kan mogelijk een biologische stof met een katalysator zijn geweest, of een combinatie van biologische en chemische stoffen. In het lab is alleen een spoor van een chemische stof gevonden in een van de vakken van dit projectiel.'

'Cyanide?' veronderstelde Gunn.

'Zeker weten,' antwoordde Dirk.

'Waarom zouden ze verschillende vakken hebben gemaakt?' vroeg Webster.

'Om diverse dodelijke zones te creëren, en misschien ook om de aandacht af te leiden. Laten we veronderstellen dat cyanide werd gecombineerd met een biologisch actieve stof. Het cyanidegas zou in een klein gebied dodelijk zijn, terwijl de biologische stoffen geleidelijk hun werk deden in de wijde omgeving. Cyanidegas vervliegt snel, dus de overlevenden zouden weer snel terugkeren naar het getroffen gebied, zich niet bewust van het tweede gevaar. Maar dat is gissen. Het is ook mogelijk dat het inwendige ontworpen is om toe te slaan met een mengsel van stoffen waardoor de vernietigende kracht groter werd.'

'Wat voor stoffen kunnen er verder nog in die bom gezeten hebben?' vroeg Gunn.

Dirk schudde langzaam zijn hoofd. 'Dat weten we niet. De mensen in het lab konden geen sporen van stoffen aantonen in de andere compartimenten. We weten wel dat het porselein gebruikt werd vanwege de biologische stoffen, maar de Japanners experimenteerden met allerlei organismen, van builenpest tot gele koorts.'

'En pokken?' vroeg Gunn.

'Ook met pokken,' beaamde Dirk.

Het gezicht van Jost liep rood aan. 'Dit is een belachelijke fantasie,' gromde hij. 'Interessante geschiedenisles, maar niet relevant. Een moderne terroristische groepering zou wapens plunderen uit een onderzeeboot van de Tweede Wereldoorlog? Mooi verhaal, maar hoe zouden die virussen zestig jaar op de zeebodem kunnen overleven, meneer Pitt? Wij kennen het Japanse Rode Leger. Het is een kleine, compacte organisatie, met weinig technische mogelijkheden. Politieke moorden en bomaanslagen, dat kunnen ze. Maar van diepzeeduiken en microbiologie hebben ze geen kaas gegeten.'

'Ik ben het met Rob eens,' zei Webster, 'al is de vondst van die cyanidehuls in combinatie met de aanval op Yunaska wel zeer toevallig. Maar cyanide is gemakkelijk verkrijgbaar. En je gaf toe dat er geen sporen zijn gevonden van het pokkenvirus. We weten niet eens zeker of de ontbrekende projectielhuls in de onderzeeboot nog ergens anders aan boord is, of mogelijk nooit aan boord werd gebracht.'

Dirk boog zich voorover en opende de rits van een zijvak in de tas.

Hij haalde het nog knipperende digitale klokje te voorschijn dat hij in de torpedokamer had gevonden. 'Misschien kunt u bepalen waar dit vandaan komt,' zei hij, het klokje aan Webster gevend.

'Het kan achtergelaten zijn door een sportduiker,' opperde Jost.

'Maar dan wel door een sportduiker met een moorddadig karakter,' merkte Dirk droogjes op. 'Ik ben nu al twee keer beschoten, en al weet ik niet wie de daders zijn, ze nemen het wel serieus.'

'Ik verzeker u dat er een uitgebreid onderzoek begonnen is,' zei Webster. 'Ons laboratorium in Quantico zal die huls en dat klokje grondig bekijken. We zullen de misdadigers vinden die de dood van de twee kustwachters op hun geweten hebben.' Het waren ferme woorden, maar de vlakke toon van zijn stem maakte duidelijk dat hij zelf weinig vertrouwen in de uitkomst had.

'We kunnen u aan een veilig schuiladres helpen, meneer Pitt, tot we arrestaties hebben verricht.'

'Nee, bedankt. Als die mensen inderdaad Japanse activisten zijn, dan heb ik niets meer te vrezen. Hoeveel agenten van het JRL kunnen ze in ons land hebben?' Dirk keek indringend naar de man tegenover hem.

Webster en Jost keken elkaar onzeker aan. Gunn verbrak diplomatiek de pijnlijke stilte.

'Wij waarderen het dat u onderzoek doet naar onze verloren gegane helikopter,' zei hij, en maande de twee heren naar de deur. 'Hou ons alstublieft op de hoogte van elke nieuwe ontwikkeling. En uiteraard zal NUMA u graag op alle mogelijke manieren assisteren.'

Nadat de twee mannen de kamer uit waren, schudde Dirk meewarig zijn hoofd.

'Ze hebben die incidenten op Yunaska verzwegen, omdat ze al zoveel kritiek kregen over de onopgeloste moorden in Japan,' zei Gunn. 'De binnenlandse veiligheidsdienst en de FBI zitten in een impasse en ze hopen dat er een doorbraak komt bij de Japanse autoriteiten. Het laatste wat ze willen erkennen, is dat die besmetting met pokken ook bij de aanval hoort.'

'De aanwijzingen mogen zwak zijn, maar dat is toch geen reden om een aanval op ons grondgebied te negeren,' zei Dirk

'Ik zal het met de admiraal bespreken. De directeur van de FBI is een tennisvriend van hem. Hij zal ervoor zorgen dat dit niet onder het tapijt wordt geveegd.'

Ze werden gestoord door een klop op de deur, en het magere gezicht van Yaeger keek hen aan.

‘Sorry dat ik stoor, Dirk, maar ik heb iets voor je.’

‘Kom binnen, Hiram. Rudi en ik waren juist bezig een staatsgreep te beramen. Kon Max doordringen in die beveiligde bestanden van de Nationale Archieven?’

‘Wat dacht je?’ reageerde Yaeger met gespeelde verontwaardiging.

Gunn keek Dirk even geamuseerd aan. ‘Als jullie gepakt worden voor het schenden van staatsgeheimen, leg de schuld dan alsjeblieft wel bij jouw vader, wil je?’

Dirk lachte. ‘Tuurlijk, Rudi. Wat heb je gevonden, Hiram?’

‘De rapporten van de marine zijn nogal summier. Het is een schande dat het merendeel van de originele documenten in de jaren vijftig aan de Japanse regering werd teruggegeven. En de beschikbare documenten in het archief zijn uiteraard in het Japans, en ook nog in verschillende dialecten, dus ik moest een paar vertaalprogramma’s toepassen voordat ik een scan kon uitvoeren.’

Yaeger zweeg even en schonk zichzelf een kop koffie in uit de glanzende thermoskan voor hij verder sprak.

‘Maar we hebben geluk. Ik vond een logboek met orders van de Japanse Zesde Vloot, over het laatste halfjaar van 1944.’

‘Ook voor de *I-403*?’ vroeg Dirk.

‘Jawel. De missie van die boot in december 1944 was kennelijk zeer belangrijk. De vlootadmiraal gaf daar persoonlijk goedkeuring voor. En de feitelijke opdracht om uit te varen was kort en krachtig.’

Yaeger pakte een vel papier uit een dunne map en hij las hardop voor.

‘“Vaar in noordelijke richting naar de westkust van de Grote Oceaan, tank brandstof in Amchitka (*Morioka*). Begin luchtaanval met *Makaze*-munitie zodra mogelijk. Eerste doel: Tacoma, Seattle, Vancouver, Victoria. Tweede doel: Alameda, Oakland, San Francisco. Met keizerlijke zegen.”’

‘Dat is wel een ambitieus aanvalsplan voor twee vliegtuigjes,’ merkte Gunn op.

‘Nou, die steden liggen zo dicht bij elkaar dat ze met één vlucht te bereiken zijn,’ zei Dirk. ‘Twee of drie biologische bommen per stad zouden al enorme schade aanrichten, als dat inderdaad de munitie was. Hiram, je zei dat die munitie *Makaze* werd genoemd. Julien Perlmutter heeft dezelfde term aangetroffen. Enig idee wat dat precies is?’

‘Daar was ik zelf ook nieuwsgierig naar,’ antwoordde Yaeger. ‘De letterlijke vertaling is “kwade wind” of “zwarte wind”. Maar er is verder geen informatie over te vinden in de officiële marinedocumenten.'

Yaeger leunde achterover en keek hen veelbetekenend aan.

'Nou, heb je nog meer gevonden?' drong Gunn aan.

'Max heeft wat gevonden,' zei Yaeger trots. 'Nadat alle bestanden in de Nationale Archieven doorgespit waren, liet ik haar de openbare archieven in de Verenigde Staten en Japan doorzoeken. En in een database over genealogie was het raak: ze vond een dagboek van een Japanse zeeman die tijdens de oorlog aan boord van de *I-403* diende.' Terwijl hij de uitgeprinte tekst omhooghield, vertelde hij verder. 'Mecanicien eerste klasse Hiroshi Sakora, van de Keizerlijke Luchtmacht, was een geluksvogel. Hij kreeg blindedarmontsteking toen de onderzeeboot bezig was met de oversteek van de oceaan, in december 1944. Hij werd bij de Aleoeten naar een bevoorradingsschip overgebracht. Alle andere opvarenden van de onderzeeboot zijn uiteraard omgekomen toen de boot voor de kust van de staat Washington tot zinken werd gebracht.'

'En schrijft hij iets over de missie van de *I-403*?' vroeg Dirk.

'Ja, en gedetailleerd ook. Het wordt duidelijk dat deze Sakora naast zijn taken als vliegtuigmecanicien ook verantwoordelijk was voor het monteren van de bommen aan de watervliegtuigen van de onderzeeboot. Hij schrijft dat, voor het begin van de laatste reis, een legerofficier met de naam Tanaka een ongebruikelijk type vliegtuigbom aan boord bracht dat bij de aanval gebruikt moest worden. Het moreel aan boord steeg meteen, schrijft hij, toen de bemanning begreep dat er een aanval op de Verenigde Staten uitgevoerd zou worden. Maar er was wel veel geheimzinnigheid en speculatie over dat onbekende wapen.'

'Heeft hij ontdekt wat het was?' vroeg Gunn.

'Dat probeerde hij wel, maar die Tanaka was geen gemakkelijke man. "Een naargeestige, botte superieur", schrijft hij over deze officier. Typisch de rivaliteit tussen de marine en de landstrijdkrachten, denk ik. En bovendien kon de onderzeebootbemanning het niet bepaald waarderen dat deze Tanaka op het laatste moment aan boord verscheen. Sakora probeerde informatie los te krijgen van Tanaka, maar tevergeefs. Uiteindelijk, kort voordat hij ziek werd en van boord werd gehaald, kreeg hij meer te weten van een van de piloten. Deze piloot, aldus het verslag, dronk sake met Tanaka en kreeg te horen welke geheime lading er in de bommen zat. Dat bleek het pokkenvirus te zijn.'

'Grote hemel, dus het is waar!' riep Gunn uit.

'Kennelijk wel. Hij schrijft dat de gevaarlijke lading gevriesdroogd virus was, en dat spul moest door middel van een explosie boven dichtbevolkte stedelijke gebieden worden verspreid. Binnen twee weken werd langs de hele westkust een pokkenepidemie verwacht. Met een sterftecijfer van dertig procent zou het aantal slachtoffers enorm groot zijn. De Japanners verwachtten dat de paniek hun de kans gaf vredesonderhandelingen te beginnen. Onderhandelingen op hún voorwaarden.'

'De dreiging van nog meer bombardementen met het pokkenvirus zou veel mensen kunnen overhalen de strijd te staken,' veronderstelde Gunn.

Er ontstond een onrustige sfeer toen de drie mannen rond de tafel bedachten dat de geschiedenis een andere loop zou hebben genomen als de missie van de *I-403* geslaagd was. Maar toen beseften ze dat er nu misschien een nieuwe dreiging was.

'Je zei dat het virus gevriesdroogd was. Dus hadden ze mogelijkheden om het virus voor lange tijd te bewaren en ook weer te activeren,' zei Dirk.

'Dat moet wel, voor een lange zeereis,' voegde Yaeger eraan toe. 'Volgens Max hadden de Japanners moeite het virus levend te houden in hun munitie. Maar uiteindelijk lukte het om het virus te vriesdrogen, zodat het gemakkelijker bewaard en getransporteerd kon worden tot het weer geactiveerd werd. Voeg een beetje water toe, en klaar is Kees.'

'Dus dat virus kan nog steeds gevaarlijk zijn, zelfs na zestig jaar op de zeebodem,' begreep Gunn. 'Daarmee is de vraag van Jost wel beantwoord, denk ik.'

'Er is geen reden om aan te nemen dat het pokkenvirus in gevriesdroogde vorm niet zou overleven als de porseleinen hulzen niet gebroken waren. En omdat die hulzen van porselein zijn gemaakt, zou het virus onder water zelfs eeuwenlang bewaard kunnen blijven,' zei Dirk. 'Dat kan ook de verschillende compartimenten in die projectielen verklaren. Er was een compartiment met water nodig om het virus weer te activeren.'

'Misschien is het een groter geluk dan wij beseffen dat op één na alle hulzen gebarsten zijn in de *I-403*,' merkte Gunn op.

'Maar die ene huls ontbreekt nog,' zei Dirk.

'Ja, evenals de bommen voor die andere missie,' voegde Yaeger eraan toe.

Dirk en Gunn keken elkaar aan. 'Welke andere missie?' vroeg Gunn niet-begrijpend.

'De *I-411.*'

Yaeger voelde alle ogen op zich gericht.

'Wisten jullie dat niet?' vroeg hij. 'Er was nog een tweede onderzeeboot, de *I-411*. Die boot was ook bewapend met *Makaze* en werd naar de oostkust van de Verenigde Staten gestuurd,' zei Yaeger, en op dat moment besefte hij dat hijzelf ook een bom had laten vallen.

20

Het was een lange dag geweest voor Takeo Yoshida. Als kraandrijver bij het havenbedrijf van Yokohama had hij sinds zes uur in de ochtend hard gewerkt aan het beladen van een oud Spaans vrachtschip, door container na container vol Japanse consumentenelektronica aan boord te hijsen. Hij had juist de laatste zeecontainer aan dek geplaatst toen de walkietalkie in zijn cabine kraakte.

'Yoshida, hier Takagi,' klonk de zware stem van zijn ploegbaas. 'Ga naar kade D-5, als je klaar bent met de *San Sebastian*. Een enkele vracht voor de *Baekje*. Dit was Takagi, over!'

'Begrepen, Takagi-san,' antwoordde Yoshida, zijn ergernis bedwingend. Hij had nog twintig minuten dienst, en dan gaf Takagi hem nog een klus helemaal aan de andere kant van de werf. Hij vergrendelde de kraan en liep achthonderd meter over de Honmoku-terminal naar Kade D-5, en bij iedere stap vervloekte hij Takagi hartgrondiger. Toen hij aan het einde van de kade kwam, keek hij naar het drukbevaren water in de haven van Yokohama, waar een aanhoudende stroom vrachtschepen in positie manoeuvreerde om geladen of gelost te worden.

Met driehonderd meter kade was terminal D-5 ruim genoeg voor de grootste vrachtschepen. Yoshida was verbaasd dat het schip dat hier afgemeerd lag niet een jumbocontainerschip was, wachtend op een lading, maar een speciaal kabelschip. Yashida herkende de *Baekje,* en hij wist dat deze boot gebouwd was op de Mitshubishi-scheepswerf. Met een lengte van bijna 145 meter en een breedte van 44 meter was het plompe schip ontworpen voor het leggen van glasvezelkabels op de zeebodem, in de vaak ruwe omstandigheden van de noordelijke oceaan. Aan de moderne opbouw en de glanzend witte verf zag Yoshida dat het schip nog maar enkele jaren geleden van stapel was gelopen in de baai van Yokohama. Aan de mast wapperde een Koreaanse vlag, en Yoshida herinnerde zich dat dit schip van Kang Enterprises was, toen hij de blauwe bliksemschicht op de schoorsteen zag. Maar de kraandrijver kende de Koreaanse geschiedenis niet, dus wist hij niet dat de naam *Baekje* dezelfde was als een van de eerste koninkrijken die het Koreaanse schiereiland overheersten in de derde eeuw van onze jaartelling.

Twee dokwerkers maakten kabels vast onder een langwerpig voorwerp dat op een dieplader stond. Een van de mannen keek op en begroette Yoshida die naderbij kwam.

'Hé, Takeo, heb jij wel eens een onderzeeboot laten vliegen?' riep de man.

Yoshida keek verbaasd, tot hij besefte dat het grote geval op de dieplader een kleine witte onderzeeboot was.

'Takagi zegt dat onze ploeg klaar is zodra we dit aan boord hebben,' zei de dokwerker grijnzend, zodat te zien was dat hij een voortand miste. 'Dus hijsen maar, dan gaan we een paar Sapporo's pakken.'

'Is hij gezekerd?' vroeg Yoshida, naar de onderzeeboot wijzend.

'Alles vast,' antwoordde de andere dokwerker snel. Hij was een knaap van negentien, en Yoshida wist dat hij pas sinds een paar weken in de haven werkte.

Een eindje verder bij de loopplank vandaan zag Yoshida een gedrongen kale man staan, die met zijn donkere ogen spiedend toekeek. Zijn verschijning had iets dreigends, dacht Yoshida. Hij had zó vaak ruzies meegemaakt in de havenkroegen dat hij wel herkende of iemand een echte mannetjesputter was of alleen deed alsof. Deze man was zeker geen kleine jongen, oordeelde hij.

Yoshida dacht liever aan de smaak van een koud Sapporo-biertje en beklom de ladder naar de cabine van de hoge hijskraan. Daar aangekomen, startte hij de dieselmotor. Met handige bewegingen bediende hij de hendels, als een concertpianist die de ivoren toetsen bespeelt, en vakkundig manoeuvreerde hij de giek van de kraan en het hijsblok met de haak tot een paar centimeter boven de kleine onderzeeboot. De twee dokwerkers schoven snel een paar kabels door de haak en gaven Yoshida het teken om te hijsen. Heel behoedzaam trok de kraandrijver de hijskabel strak en werd de dikke staaldraad op de rol achter de kraancabine gewikkeld. Langzaam hees Yoshida de 24 ton wegende onderzeeboot tot vijftien meter hoogte, wachtend tot de draaiende beweging stopte, voordat hij de giek van de kraan naar de juiste plek boven het achterdek van de *Baekje* liet zwenken. Maar daar kreeg hij de kans niet voor.

Nog voor hij het zag, en bijna voor er echt iets gebeurde, voelden de ervaren handen van Yoshida dat er iets mis was met de controlehendels. Een van de kabels was niet goed aan de onderzeeboot geborgd en de staart glipte weg uit de lus. Een seconde later wees de achtersteven naar beneden en hing de witte metalen capsule vreemd verticaal aan de kabel die bij de neus was bevestigd. Yoshida's adem stokte en even leek het of de bungelende onderzeeboot stabiliseerde. Maar nog voor hij iets kon doen, klonk er een knallend geluid en brak de kabel. Als een vracht stenen plofte de onderzeeboot met zijn staart op de kade en kreukelde de romp als een harmonica ineen, waarna het gevaarte opzij rolde.

Yoshida trok een grimas bij de gedachte aan wat hem bij Takagi te wachten stond, en aan de stapels verzekeringspapieren die hij dan moest invullen. Gelukkig was niemand gewond geraakt.

Yoshida keek naar de kale man bij de loopplank en verwachtte een woedende uitbarsting. Maar dat gebeurde niet, de mysterieuze man keek hem alleen met een ijzige, doorborende blik aan.

De driepersoons Shinkai-duikboot was aan één kant zwaar beschadigd en duidelijk niet meer te gebruiken. Het vaartuig zou teruggebracht worden naar het Japans maritiem technologiecentrum voor de drie maanden durende reparatiewerkzaamheden, voordat het weer zeewaardig was. De twee dokwerkers wachtte een ander lot. Hoewel ze niet ontslagen werden, merkte Yoshida op dat ze de volgende dag niet op het werk verschenen. Sterker nog: er werd nooit meer iets van hen gehoord of gezien.

Twintig uur later en 400 kilometer naar het zuidwesten landde een Amerikaans verkeersvliegtuig op de moderne luchthaven Kansai bij Osaka en taxiede naar de internationale terminal. Dirk strekte zijn lange gestalte toen hij uit het toestel stapte, opgelucht dat hij bevrijd was uit zijn krappe vliegtuigstoel, waarin alleen een jockey comfortabel kon zitten. Hij passeerde vlot de douane en kwam in de drukke hal waar zakenlieden zich haastten om hun vliegtuig nog te halen. Hij bleef staan en keek zoekend om zich heen, maar vond al snel de vrouw die hij zocht tussen de mensenmassa.

Met haar rijzige postuur en schouderlang vlammend rood haar leek Summer, zijn tweelingzus, een baken in de zee van zwartharige Japanners. Haar parelgrijze ogen glinsterden en een brede glimlach verscheen om haar zachte mond zodra ze haar broer zag en naar hem wuifde.

'Welkom in Japan,' zei ze, hem omhelzend. 'Hoe was de reis?'

'Alsof je in een sardineblikje met vleugels zit.'

'Mooi, dan zul jij je meteen thuis voelen in de kooi die ik voor je geregeld heb aan boord van de *Sea Rover*,' lachte ze.

'Ik was bang dat je er nog niet zou zijn,' zei Dirk, terwijl hij zijn bagage pakte en haar naar het parkeerterrein volgde.

'Toen kapitein Morgan bericht van Rudi kreeg dat we ons onderzoek naar vervuiling langs de oostkust van Japan moesten staken om meteen te assisteren bij een reddingsoperatie, verspilde hij geen tijd. Gelukkig waren we niet ver van Shikoku toen we dat bericht kregen, dus konden we vanochtend al in Osaka afmeren.'

Evenals haar broer had Summer al sinds haar jeugd een liefde voor de zee. Nadat ze was afgestudeerd in oceanografie bij het Scripps Institute, was ze ook bij NUMA gaan werken, en zo herenigd met haar vader, die nu aan het hoofd stond van de organisatie. Omdat ze even doortastend en praktisch van aard was als haar broer, dwong ze met haar kennis en vaardigheden respect af bij collega's. En met haar aantrekkelijke uiterlijk trok ze altijd de aandacht.

Ze liep met Dirk langs de rijen geparkeerde auto's, tot Summer bleef staan bij een kleine oranje Suzuki.

'O nee, toch niet weer zo'n sardineblik?' lachte Dirk toen hij het kleine autootje zag.

'Even geleend van de havendienst. Je zult nog verbaasd zijn.'

Nadat hij zijn bagage in de kleine kofferbak had gepropt, opende Dirk het linkerportier en stapte in. Tot zijn verbazing bleek het interieur van het autootje, met rechts stuur, juist erg ruim en met een lage zitpositie, zodat er voldoende hoofdruimte was voor twee lange mensen. Summer ging achter het stuur zitten en even later reden ze over de Hanshin-snelweg, in noordelijke richting naar het centrum van Osaka. Summer trapte het gaspedaal van de kleine Suzuki diep in, behendig tussen de verkeerstromen manoeuvrerend, voor de twaalf kilometer lange rit naar de haven. Ze verliet de snelweg en reed over het haventerrein van de Osaka Intermodal Terminal tot aan een kade waar de *Sea Rover* aangemeerd lag.

Het onderzoeksschip van NUMA was een wat nieuwere en grotere versie van de *Deep Endeavor*, compleet met dezelfde turqoise kleurstelling. Dirks blik werd getrokken naar het achterdek, waar een feloranje miniduikboot met de naam *Starfish* glansde in de ondergaande zon.

'Welkom aan boord, Dirk,' baste de zware stem van Robert Morgan, de gezagvoerder van de *Sea Rover*. Morgan was een gespierde man met een baard. Hij was joviaal van aard en had enorm veel ervaring met de zeevaart omdat hij kapitein was geweest op schepen, variërend van sleepboten op de Mississippi tot Arabische olietankers. En omdat hij een prima pensioen had opgebouwd tijdens de periode bij de koopvaardij had Morgan zich alleen voor het avontuur aangemeld bij NUMA, om zo alle uithoeken van de aarde te bevaren. Hij werd zeer gewaardeerd door zijn bemanning en als kapitein van de *Sea Rover* was hij een efficiënte leider, met een scherp oog voor details.

Nadat de bagage van Dirk aan boord was gebracht ging het drietal naar de vergaderruimte aan stuurboord. Achter de patrijspoorten was een schilderachtig uitzicht over de haven van Osaka. Ze kregen gezelschap van Tim Ryan, de eerste officier, een slanke man met ijsblauwe ogen. Dirk dronk een kop koffie om weer helder te worden na de lange vliegreis, waarna Morgan meteen ter zake kwam.

'Vertel eens wat dit voor reddingsoperatie is. Gunn was nogal vaag over de details, toen ik hem via de satelliettelefoon sprak.'

Dirk gaf een verslag van het incident bij Yunaska, de vondst van het projectiel in de *I-403* en wat er bekend was over de mislukte missie van de onderzeeboot.

'Toen Hiram Yaeger de Japanse marinerapporten doorzocht, ontdekte hij dat er vrijwel identieke orders waren gegeven aan een andere onderzeeboot, de *I-411*. Die boot had dezelfde opdracht, maar moest de Atlantische Oceaan oversteken en een aanval uitvoeren op New York en Philadelphia aan de oostkust.'

'Wat is er gebeurd met die *I-411*?' vroeg Summer.

'Dat moeten wij uitzoeken. Yaeger heeft geen informatie kunnen vinden over het lot van de *I-411*, alleen dat die boot niet arriveerde op een locatie bij Singapore om brandstof in te nemen, en dus vermoedelijk in de Zuid-Chinese Zee is gezonken. Ik heb contact opgenomen met Julien Perlmutter, die nog meer informatie opdiepte. Hij vond een officieel verslag van de Japanse marine dat de onderzeeboot gezonken is in het midden van de *Oost*-Chinese Zee, in de eerste weken van

1945. Perlmutter merkte daarbij op dat die feiten passen bij een rapport van de Amerikaanse onderzeeboot *Swordfish,* die meldde dat in dat gebied en in dezelfde periode een grote vijandelijke onderzeeboot tot zinken was gebracht. Helaas is de *Swordfish* later tijdens die missie zelf aangevallen en gezonken, zodat er geen details bekend zijn. Maar het radiobericht meldde wel de positie van de plek waar die vijandelijke boot naar de zeebodem verdween.'

'Dus moeten wij de *I-411* vinden,' begreep Morgan.

Dirk knikte. 'We willen zekerheid dat de biologische bommen vernietigd zijn toen die onderzeeboot zonk, en als ze nog intact zijn, moeten we ze bergen.'

Summer staarde door een patrijspoort naar een wolkenkrabber in de verte, waar het centrum van Osaka was. 'Dirk, Rudi Gunn heeft ons ingelicht over het Japanse Rode Leger. Zouden die lieden de biologische wapens al uit de *I-411* gehaald hebben?'

'Dat is mogelijk. De binnenlandse veiligheidsdienst en de FBI denken dat het JRL de middelen niet heeft om een bergingsoperatie op volle zee uit te voeren, en vermoedelijk hebben ze gelijk. Maar uiteindelijk is het alleen een kwestie van geld, en wie weet hebben ze genoeg kapitaal, of werken ze samen met een andere terroristische groep. Rudi is het met mij eens dat we het zekere voor het onzekere moeten nemen.'

Het werd stil toen iedereen peinsde over het bergen van dodelijke biologische bommen, diep onder het oppervlak van de oceaan, en wat de gevolgen konden zijn als die wapens in verkeerde handen vielen.

'Jullie hebben het beste schip en de beste bemanning van NUMA tot je beschikking,' zei Morgan uiteindelijk. 'We gaan ervoor.'

'Kapitein, het is een behoorlijk groot zeegebied dat we moeten doorzoeken. Hoelang duurt het voor we kunnen vertrekken?' vroeg Dirk.

'We moeten de brandstoftanks tot de nok vullen, en enkele bemanningsleden zijn nog aan wal voor de proviandering. Ik denk dat we over zes uur onderweg zijn,' antwoordde Morgan, na een blik op de scheepsklok aan de wand.

'Mooi. Ik ga de coördinaten opzoeken en dan geef ik die meteen door aan de navigator.'

Toen ze de vergaderruimte verlieten, trok Summer aan Dirks elleboog.

'Vertel eens, wat heeft het je gekost om die gegevens van Perlmutter los te krijgen?' giechelde ze, wetend dat de historicus geneigd was te bezwijken voor culinaire chantage.

'Niet zoveel. Alleen een pot ingemaakte zee-egels en een tachtig jaar oude fles sake.'

'En die vond jij zeker al in Washington?'

Dirk keek zijn zus met een hulpeloos smekende blik aan.

'Nou ja,'zei ze lachend, 'we hebben nog zes uur de tijd om te passagieren.'

21

'Maar Dae-jong, de poorten naar het noorden openzetten zal mij geen ervaren en gemotiveerde arbeiders opleveren,' zei de president-directeur van Zuid-Korea's grootste autofabriek vastbesloten, voordat hij een trekje van zijn grote havanna nam.

Zittend aan de andere kant van de mahonie salontafel schudde Dae-jong Kang beleefd zijn hoofd, terwijl een serveerster een tweede ronde drankjes langsbracht. De conversatie viel stil, terwijl de serveerster van de Chaebel Club de glazen op tafel plaatste. De club was een enclave voor de superrijken en machtigen in Korea, een veilige en neutrale ontmoetingsplek waar grote deals werden beklonken met glazen kimchi en martini. De aristocratische club was passend ondergebracht op de honderdste verdieping van het hoogste gebouw ter wereld, de onlangs opgeleverde Business Center Tower, in het westelijk deel van Seoel.

'U moet de lagere loonkosten in overweging nemen. De kosten van bijscholing zullen laag zijn en snel terugverdiend. Mijn staf heeft de gevolgen geanalyseerd, en ik kan twintig miljoen dollar per jaar besparen aan loonkosten als we personeel uit Noord-Korea kunnen aantrekken, bij het huidige prijspeil. Dus ik kan me amper voorstellen hoe groot de besparingen voor uw automobielfabrieken zijn. Stel, dat u in plaats van de Ulsan-fabriek uit te breiden, een geheel nieuwe fabriek bouwt in de noordelijke provincie Yanggang. Hoeveel concurrerender kunt u dan zijn op de wereldmarkt? En vergeet niet dat u dan ook meteen toegang hebt tot de consumenten in het noorden.'

'Ja, maar dat is niet zo eenvoudig. Ik moet rekening houden met de vakbonden, en met kapitaalverschaffers. Ik kan niet zomaar mensen op straat zetten in Ulsan en nieuw personeel aannemen in het noorden voor de helft van het salaris. En bovendien moeten we rekening houden met de mentaliteit van de arbeiders uit het noorden. Vergeet niet dat geen enkele socialistische staat ooit indruk maakte met de kwaliteit van zijn producten.'

'Met de juiste bijscholing en kapitalistische beloning is dat probleem snel opgelost,' wierp Kang tegen.

'Misschien. Maar we moeten ook onder ogen zien dat er in het noorden helemaal geen markt is voor auto's. Het land is een economische puinhoop en de gewone man heeft als voornaamste zorg dat hij elke dag eten op tafel krijgt. Er is daar geen koopkracht voor auto's.'

'Ja, maar dan kijkt u naar het heden, en niet naar de toekomst. Onze beide landen zijn op koers voor een onvermijdelijke hereniging, en wie daar vandaag op voorbereid is, zal morgen de rijke vruchten plukken. U was zo vooruitziend om de productie naar India en de Verenigde Staten uit te breiden, en nu bent u een belangrijke speler op de automobielmarkt. Nu moet u de visie hebben van een verenigd Korea en meehelpen ons vaderland op te stoten in de wereld.'

De directeur blies een grote blauwe wolk sigarenrook naar het plafond terwijl hij nadacht over de woorden van Kang. 'Ik begrijp uw redenering wel. Ik zal mijn afdeling strategie om advies vragen, en mogelijk komt daar iets uit. Maar ik weet niet of ik wel zin heb om rekening te houden met allerlei politieke zaken en goedkeuring van beide regeringen, om nu al met een vestiging in het noorden te beginnen,' hield hij een slag om de arm.

Kang zette zijn wodka-lime neer en glimlachte. 'Ik heb vrienden en invloed in beide regeringen, en die kunnen u helpen als de tijd rijp is,' zei hij veelbetekenend.

'Dat is heel vriendelijk. En kan ik iets voor u terugdoen, mijn waarde?' vroeg de directeur met een besmuikte lach.

'De motie in het parlement om de Amerikaanse militairen van ons grondgebied te laten vertrekken krijgt steeds meer steun,' antwoordde Kang. 'En uw steun aan dat voorstel zou heel gunstig zijn voor de publieke opinie.'

'De onaangename incidenten met Amerikaanse militairen zijn inderdaad belemmerend voor onze zakelijke activiteiten, maar toch ben ik er niet van overtuigd dat een Amerikaanse terugtrekking noodzakelijk is.'

'Natuurlijk wel,' loog Kang. 'De Amerikaanse aanwezigheid vergroot de agressie in het noorden. Als de Amerikanen vertrekken zal dat de verstandhouding tussen onze landen verbeteren en uiteindelijk leiden tot hereniging.'

'Denkt u werkelijk dat dit de juiste weg is?'

'Wij zouden daar heel erg rijk van kunnen worden, Song-woo,' zei Kang.

'Dat zijn we al,' lachte de autofabrikant, en hij drukte zijn sigaar uit in een porseleinen asbak. 'We zijn al rijk.'

Kang nam met een handdruk afscheid van de andere industrieel en stapte daarna in de lift, om met ploppende oren honderd etages lager naar de imposante hal van de kantoortoren te zoeven. De in zwarte kleding gestoken lijfwacht die hem vergezelde, sprak kort in een portofoon en seconden later stopte een rode Bentley Arnage RL-limousine voor de ingang. Terwijl Kang zwijgend op de lederen achterbank van de auto plaatsnam, vond hij dat hij zichzelf wel mocht feliciteren.

Alles verliep beter dan verwacht en volgens plan. De in scène gezette moord op een jong meisje door een Amerikaanse militair had grote verontwaardiging gewekt in het hele land. Moeders demonstreerden bij Amerikaanse militaire bases en een groep luidruchtige en op rellen beluste studenten was naar de Amerikaanse ambassade opgetrokken. De administratie van Kangs bedrijf had een felle brievencampagne georganiseerd, en daarmee werden lokale politici bestookt om te eisen dat de buitenlandse militairen uit Korea moesten verdwijnen. En Kangs chantage van enkele partijleiders in het parlement had geleid tot een resolutie waar de Zuid-Koreaanse president spoedig op moest reageren. Nu bewerkte hij de topmensen uit het zakenleven, die de werkelijke invloed hadden in de media en in het parlement.

De Noord-Koreaanse regeringsleiders in Pyongyang deden mee in de misleiding, door bij elke gelegenheid over hereniging te spreken. Als gebaar dat de betrekkingen verbeterd waren, werden de reisbeperkingen naar het noorden voor een groot deel tijdelijk opgeheven. En met de nodige bombarie werd aangekondigd dat een tankdivisie vreedzaam werd teruggetrokken uit de gedemilitariseerde zone, zonder erbij te vermelden dat de troepen op korte afstand weer posities innamen.

De Bentley reed naar het centrum van Seoel en passeerde de toegangspoort van een onopvallend laag gebouw met veel glas. Op de gevel was een klein bord bevestigd met de aanduiding: KANG ENTER-

PRISES – SEMICONDUCTOR DIVISION. De limousine reed verder over het drukbezette parkeerterrein en vervolgens verder naar de achterkant van het gebouw, aan de oever van de rivier de Han. De chauffeur stopte voor een privésteiger, waar het Italiaanse motorjacht van Kang lag afgemeerd. Een bediende verwelkomde Kang en zijn lijfwacht aan boord, de motoren werden gestart en nog voordat hij de salon binnenstapte voer het jacht al terug naar Kangs landgoed.

Kwan, de assistent van Kang, maakte een buiging toen de grote zakenman een kleine binnenhut betrad, die hij als werkkamer aan boord gebruikte. Zoals altijd gaf Kwan aan het einde van de werkdag de belangrijke berichten door aan zijn baas, ofwel aan boord, of in het landhuis. Een stapel berichten en gegevens waar een westerse inlichtingendienst zich niet voor zou schamen lag gereed op het bureau. Kang bekeek de teksten vluchtig: het was gevarieerde informatie over de verwachte kwartaalwinst van zijn telecomonderneming, over militaire oefeningen van het Zuid-Koreaanse leger, en ook berichten over welke politicus zijn eigen echtgenote bedroog. Onderwerpen die betrekking hadden op subversieve activiteiten of informatie afkomstig van beschermde bronnen waren geprint op speciaal oranje papier dat meteen oploste in water. Deze papieren werden meteen vernietigd als Kang de tekst had gelezen.

Nadat hij een aantal zaken had afgewerkt, wreef Kang over zijn ogen en vroeg: 'Wat hebben we gehoord van Tongju en de *Baekje*?'

Kwans gezicht werd bleek. 'We hebben een probleem met de uitrusting voor de bergingsoperatie,' begon hij voorzichtig. 'De Japanse miniduikboot die we gehuurd hebben is beschadigd tijdens het transport aan boord van de *Baekje*. Dat was de schuld van een paar slordige dokwerkers.'

Kwan zag een ader opzwellen op Kangs slaap. De zakenman werd snel kwaad, maar die woede klonk alleen door in een beheerst sissen.

'Dit gestuntel moet afgelopen zijn! Eerst verliezen we twee mensen in Amerika, die een simpele afrekening moeten uitvoeren, en nu dit. Hoelang duurt de reparatie?'

'Minstens drie maanden. De Shinkai is onbruikbaar,' zei Kwan zacht.

'Wij hebben een tijdschema, en daar moeten we ons aan houden,' zei Kang geagiteerd. 'We praten over dagen, niet over maanden.'

'Ik ben meteen een zoektocht naar alle beschikbare duikboten in de regio begonnen. De andere geschikte Japanse duikboot is in revisie, en alle Russische exemplaren zijn nu actief in westerse wateren. Een boot uit de Oekraïne kan gebruikt worden voor de berging, maar die vaart nu in de Indische Oceaan. Het duurt drie weken om die boot naar de betreffende plek te transporteren.'

'Dat is te laat,' mompelde Kang. 'De steun die we in het parlement hebben opgebouwd is bijna op zijn hoogtepunt. Er zal binnen enkele weken een gedwongen stemming komen. We moeten die voor zijn. Ik hoef je er niet aan te herinneren dat we zouden toeslaan tijdens de G8-assemblee,' zei hij met van woede ziedende ogen.

In de hut viel een pijnlijke stilte. Toen waagde Kwan het iets te zeggen.

'Meneer, er is nog een andere mogelijkheid. We hebben gehoord dat een Amerikaans wetenschappelijk vaartuig in de Japanse wateren actief is met een kleine duikboot. Ik heb dat schip eerder vandaag gelokaliseerd, toen het brandstof bunkerde in Osaka. Het is een NUMA-schip, en volledig uitgerust voor bergingsoperaties op volle zee.'

'Alweer NUMA?' peinsde Kang hardop. Op zijn gezicht verscheen een frons toen hij nadacht over de goede voorbereidingen die hij had getroffen voor zijn project, en het risico van vertraging in de uitvoering. Uiteindelijk knikte hij naar Kwan.

'Het is beslist noodzakelijk dat we zo snel mogelijk met de berging beginnen. Zorg dat wij die Amerikaanse onderzeeboot bemachtigen, maar doe het onopvallend.'

'Tongju is daar om de operatie te leiden,' zei Kwan vol vertrouwen. 'Op uw instructies zal hij meteen in actie komen. Hij zal ons niet teleurstellen.'

'Regel het meteen,' antwoordde Kang, terwijl hij Kwan doordringend aankeek met zijn donkere ogen.

22

Twee meter hoge golven met witte schuimkoppen duwden en trokken aan de *Sea Rover*, zodat de dekken heen en weer wiegden op de deinende zee. Langzaam trok een hogedrukgebied over de Oost-Chinese Zee en kapitein Morgan zag tevreden dat de harde zuidelijke wind geleidelijk afgenomen was sinds ze de vorige avond in deze zee ten zuidoosten van de grote Japanse eilanden waren aangekomen. Terwijl Morgan vanaf de brug keek, brak de grauwe dageraad aan, zodat het grote schip in gedempt licht baadde.

Bij de rijzende en dalende boeg zag hij een eenzame gestalte aan de reling staan, turend naar de horizon. Een lok zwart haar bewoog onrustig in de wind boven de opgeslagen kraag van zijn marineblauwe windjack.

Dirk zoog zijn longen vol zeelucht en proefde de zilte smaak op zijn tong. De oceaan gaf hem altijd energie, zowel lichamelijk als geestelijk, en de blauwe uitgestrektheid werkte als een rustgevend drankje, waardoor hij in staat was helder te denken en te handelen. Omdat hij geen type was voor bureauwerk, was hij verslaafd aan het buitenleven en hij genoot wanneer hij zich één voelde met wat Moeder Natuur te bieden had.

Nadat hij even gekeken had naar een paar zeemeeuwen die traag boven het schip zweefden, op zoek naar hun ontbijt, keerde hij terug naar het achterschip en klom naar de brug. Zodra Morgan in de controleruimte van het schip verscheen, reikte hij hem een dampende mok koffie aan.

'Je bent al vroeg op,' baste de kapitein met een joviale grijns op zijn gezicht, ondanks het vroege uur.

'Ik wil niets missen,' zei Dirk, en nam een flinke slok van zijn koffie. 'Ik dacht al dat we kort na het aanbreken van de dag in het zeegebied zouden arriveren.'

'We zijn er bijna,' zei Morgan. 'Over veertig minuten zijn we op de locatie waar de *Swordfish* volgens de rapporten die Japanse onderzeeboot tot zinken bracht.'

'Hoe diep is het hier?'

Een jonge roerganger in een blauwe overall keek naar de dieptemeter en meldde afgemeten: 'Diepte 920 voet, meneer.'

'Dat lijkt me een gebied voor een diepwater AOV-zoektocht,' zei Dirk.

'Summer moet Audry maar eens wekken en haar aan het werk zetten,' antwoordde Morgan grijnzend.

Audry was een variant van een Autonoom Onderwater Vaartuig, en de wetenschappers van NUMA die het hadden ontworpen, hadden de naam gekozen als afkorting van 'Autonomous Underwater Data Recovery Vehicle', een onbemande miniduikboot voor het verzamelen van gegevens onder water. Het hypermoderne toestel was uitgerust met een sidescan-sonar, een magnetometer en een bodemprofielmeter, allemaal ondergebracht in een torpedovormige huls die eenvoudig langszij te water gelaten kon worden. De gecombineerde sensors maakten het mogelijk de zeebodem seismisch in kaart te brengen, compleet met natuurlijke en door mensen gemaakte objecten, en de apparatuur kon zelfs onder de zeebodem speuren naar afwijkingen in de grond. De visvormige sensor kon op een diepte van vijfduizend voet zelfstandig over de zeebodem zweven, aangedreven door een krachtige elektromotor, zodat er geen hinderlijke lange sleepkabel nodig was.

Terwijl de *Sea Rover* het zoekgebied naderde, voerden Dirk en Summer de zoekparameters in Audry's navigatiecomputer in.

'We gebruiken alleen de sidescan-sonar, zodat we in bredere stroken kunnen zoeken,' instrueerde Dirk. 'Als de *I-411* daar ergens ligt, dan moeten we het wrak op de bodem kunnen zien.'

'Hoe groot wordt het zoekraster?' vroeg Summer, terwijl ze de instructies in een laptop typte.

'We hebben alleen een grove positiebepaling van de *Swordfish*, dus moeten we een behoorlijk groot gebied afzoeken. Laten we eerst een vierkant uitzetten van vijf bij vijf zeemijl.'

'Dat is nog binnen het bereik van het systeem voor dataoverdracht.

Ik zal de apparatuur even controleren, en dan kunnen we beginnen.'

Terwijl de besturingssoftware van Audry werd aangepast, liet de *Sea Rover* een paar zelfpositionerende transducers te water aan beide zijden van het zoekgebied. Met de ingebouwde GPS-ontvangers konden de transducers Audry onder water loodsen, zodat het toestel in een exact patroon heen en weer zou varen boven de zeebodem. Audry zou op zijn beurt de gegevens doorseinen naar de transducers, zodat de details van de sonarverkenning zichtbaar werden.

'De lier is gereed!' riep een matroos.

Dirk stak zijn duim omhoog en keek met Summer hoe de bijna drie meter lange, citroengele robot uit een rek aan dek werd getild en over de reling in het water zakte. Een witte, schuimende pluim achter de staart maakte duidelijk dat de kleine schroef van Audry al draaide, en toen werd het vaartuig losgelaten. Als een volbloed renpaard stoof het torpedovormige apparaat naar voren langs de *Sea Rover* tot het in een golf verdween, op weg naar de diepte.

'Audry zet er wel de sokken in,' merkte Dirk op.

'Ze is onlangs aangepast en kan nu met een snelheid van 9 knopen onder water varen.'

'Met dat tempo geeft ze me te weinig tijd voor het favoriete deel van de zoektocht.'

'En dat is?' vroeg Summer met een vragende blik.

'Nou, met een biertje en een boterham pindakaas wachten op de resultaten,' grinnikte hij.

Terwijl Audry heen en weer snorde langs de denkbeeldige stroken op dertig meter boven de zeebodem, controleerde Summer de bewegingen van het toestel op een monitor aan boord van de *Sea Rover*. Elke twintig minuten werden de sonargegevens draadloos via de transducers naar het schip geseind en dan elektronisch verwerkt tot een grafische afbeelding. Dirk en Summer keken bij toerbeurt naar de beelden van de zeebodem, speurend naar hoekige vormen en lijnen die op de aanwezigheid van een scheepswrak konden wijzen.

'Het lijkt wel een pepperonipizza,' bromde Dirk terwijl hij de met rotsblokken bezaaide zeebodem bekeek en vreemde steenklompen zag die ronde schaduwen wierpen op de vlakke achtergrond.

'Je hebt toch niet alweer honger?' zei Summer hoofdschuddend.

'Nee, maar Audry vast wel. Hoelang kan ze varen op een tank accuzuur?'

'De batterijen hebben een capaciteit voor acht uur, als ze met hoge snelheid vaart. Maar we laten haar nooit langer dan zeven uur varen, zodat we zeker weten dat ze nog puf heeft om vanuit de diepte omhoog te komen. Ze is nu zes uur onder water,' zei Summer, na een blik op haar horloge, 'dus we moeten haar binnen een uur terug laten komen om de batterij te vervangen.'

Een pop-up verscheen op de monitor, het teken dat er nieuwe gegevens waren verwerkt.

'Nog één strook en dan hebben we het eerste zoekvak gehad,' zei Dirk, overeind komend van zijn computerstoel en zijn armen strekkend. 'Ik zal de grenzen van het volgende vak maar eens bepalen. Kun jij kijken naar de nieuwe beelden?'

'Tuurlijk, ik vind het wel voor je,' grapte Summer. Ze ging op zijn plek zitten en typte een serie commando's op het toetsenbord. Een nieuwe reeks beelden verscheen op de monitor: een strook oceaanbodem schoof over het beeldscherm. Het leek wel een luchtfoto van een droge, onverharde weg door de woestijn. Summer had de kleuren zo ingesteld dat de losse rotsblokken en bulten op de bodem een bruinige schaduw veroorzaakten. Ze tuurde aandachtig naar de monitor en zag de eentonige zeebodem voorbijglijden. Opeens verscheen een donkere, smoezelige vlek in de rechterbovenhoek van het beeldscherm, en die vlek werd snel groter. Het was een schaduw, besefte ze meteen, veroorzaakt door een groot, buisvormig object dat helder afstak met een donkere, roodbruine tint.

'Mijn hemel, daar is het!' piepte ze, verbaasd over het geluid van haar eigen stem.

Een klein groepje verzamelde zich rond Summer, die de beelden een paar keer vertraagd afspeelde. Het herkenbare silhouet van een onderzeeboot was duidelijk te zien, compleet met de commandotoren die een lange schaduw wierp. Het beeld werd vager bij het ene uiteinde van het schip, maar Summer kon bepalen dat het object meer dan honderd meter lang was.

'Dat lijkt zeker op een onderzeeboot, en een grote ook,' zei ze, nog niet overtuigd dat ze haar ogen kon geloven.

'Die zochten we,' zei Dirk vastberaden. 'Dat voorwerp lijkt sprekend op het gescande beeld van de *I-403*.'

'Mooi werk, Summer,' prees Morgan, toen hij er ook bij kwam staan.

'Bedankt, kapitein, maar Audry heeft al het werk gedaan. We kunnen haar maar beter aan boord hijsen voordat ze helemaal naar China vaart.'

Summer typte weer een paar commando's en de instructies werden via de transducers naar het apparaat geseind. Een paar seconden later onderbrak Audry haar zoekpatroon en steeg naar de oppervlakte, waar ze op een paar honderd meter van de *Sea Rover* boven water verscheen. Summer, Dirk en Morgan keken hoe een paar matrozen in een Zodiac-rubberboot snel naar de stilliggende gele Audry stoven en het apparaat langszij vastbonden. Langzaam voer de Zodiac terug naar het onderzoeksschip, waar Audry uit het water werd gehesen en teruggeplaatst op haar plek op het achterdek.

Toen de tweede transducer aan boord werd gehesen, keek Dirk belangstellend naar het grote schip dat op een zeemijl afstand traag voorbijstoomde, met een Japanse vlag wapperend boven de hoge boeg.

'Dat schip legt kabels,' verduidelijkte Morgan, toen hij Dirks blik volgde. 'Het volgde ons al bij de Binnenzee.'

'Wat een prachtig schip. En ze heeft zo te zien geen haast,' zei Dirk, de lage snelheid van het vaartuig opmerkend.

'Werkt zeker op contractbasis per dag,' lachte Morgan, en keek of de transducers wel veilig aan boord werden gebracht.

'Misschien,' beaamde Dirk glimlachend, maar hij voelde toch een vage argwaan. Hij schudde het gevoel van zich af en concentreerde zich op de taak die nu wachtte. Het werd tijd de *I-411* met eigen ogen en van dichtbij te bekijken.

23

De bemanning van de *Sea Rover* verspilde geen tijd en begon meteen aan de voorbereidingen om het wrak op de zeebodem te onderzoeken. Kapitein Morgan liet zijn schip keren en recht boven de positie van het doel stilhouden, gebruikmakend van de GPS-coördinaten die door Audry bepaald waren. Computergestuurde zijschroeven werden geactiveerd en de *Sea Rover* werd zo op exact dezelfde positie gehouden, ondanks de invloed van stroming en wind, tot op enkele centimeters nauwkeurig boven de gezonken onderzeeboot.

Op het achterdek werkten Dirk, Summer en eerste officier Ryan nauwgezet de checklist af voordat de *Starfish* te water werd gelaten. De *Starfish* was een vernuftige minionderzeeboot en speciaal ontworpen voor diepzeeonderzoek, met een dieptebereik tot tweeduizend meter. Als een reusachtige doorzichtige bal op een vorkheftruck kon de *Starfish* twee bemanningsleden vervoeren in een versterkte acrylbol die een panoramisch uitzicht bood op de omgeving. De transparante bol was bevestigd op een helder oranje onderstel en gevuld met een groot aantal sensoren, foto- en videocamera's, meetinstrumenten en boorapparatuur. Vier verstelbare stuwbuizen waren achter en onder de bol gemonteerd, zodat het toestel heel goed te manoeuvreren was. En de bruikbaarheid werd nog vergroot door de twee beweegbare stalen armen aan weerszijden van de bol, om monsters te nemen of om de analyseapparatuur te verplaatsen. Omdat de rechterarm groter was dan de linker, deed het gevaarte denken aan een krab als hij op de zeebodem kroop.

'Ik denk dat we klaar zijn,' zei Summer, kijkend naar het laatste punt op haar checklist. 'Ben jij klaar voor onder water?'

‘Alleen als ik mag sturen,’ grinnikte Dirk.

Gekleed in blauwe NUMA-overalls kropen broer en zus in de kleine cockpit door een luik in de achterkant. Al was de ruimte klein, Dirk en Summer zaten in comfortabele stoelen, met zicht door de transparante voorkant van de acrylbol. Dirk zette een koptelefoon met microfoon op en sprak met eerste officier Ryan.

‘Hier de *Starfish*,’ meldde hij, om het systeem te controleren. ‘Wij zijn er klaar voor, Tim.’

‘Allemaal klaar voor actie,’ klonk de stem van Ryan.

Een laadboom lierde de dikke kabel waaraan de minionderzeeboot bevestigd was in, zodat het toestel een meter boven het dek zweefde. Ryan drukte op een knop van het bedieningspaneel en het dek spleet open doordat twee delen op rollers opzijschoven. Onder de *Starfish* glinsterde het lichtgroene water van de Oost-Chinese Zee. Ryan drukte op een andere knop en een rij onderwaterschijnwerpers flitste aan, zodat de ronde uitsparing in de romp van de *Sea Rover* goed verlicht werd. Een grote zaagbaars werd gevangen in het licht en de vis schoot snel weg onder de scheepsromp. Het oranje vaartuig zakte langzaam door het gat naar beneden en Dirk meldde dat alle boordsystemen van de *Starfish* in orde waren, waarna de hijskabel werd losgekoppeld.

‘Kabel is los,’ klonk Ryans stem in Dirks koptelefoon. ‘Jullie kunnen vrij zwemmen, jongens. Goede jacht!’

‘Bedankt,’ antwoordde Dirk. ‘Ik toeter wel als we terugkomen.’

Dirk testte de straalbesturing voor de laatste keer en Summer opende een afsluiter van de ballasttank, zodat het zoute water snel naar binnen kolkte. De *Starfish* begon langzaam naar de diepte te zakken.

Het bleekgroene water werd geleidelijk bruin en veranderde in inktzwart toen de *Starfish* steeds verder afdaalde. Summer knipte een schakelaar om en een fel schijnsel uit een rij xenonlampen verlichtte hun pad, al was er weinig te zien in het troebele water. Ze waren afhankelijk van de zwaartekracht, en de afdaling naar de zeebodem op bijna driehonderd meter diepte duurde ongeveer een kwartier. Ondanks de koude omgeving werd het voor de inzittenden snel warm door de elektronische apparatuur in de geïsoleerde acrylbol. Summer schakelde de airconditioning in, zodat ze het een beetje koel zouden houden. Om de tijd te doden vertelde Dirk een paar flauwe grappen die hij van Jack Stahlgren had gehoord, en Summer deed haar broer verslag van het onderzoek naar vervuiling aan de Japanse oostkust.

Op een diepte van negenhonderd voet begon Summer de ballast bij te regelen, zodat ze langzamer daalden en niet met een smak op de zeebodem zouden belanden. Dirk zag dat het zicht hier verbeterde, maar er was weinig leven op deze diepte. Even later doemde de bekende sigaarvorm voor hem op in het donkere water.

'Daar is ze, recht voor ons.'

De schimmige zwarte opbouw van de commandotoren van de *I-411* leek een kleine wolkenkrabber toen de *Starfish* midscheeps de grote onderzeeboot naderde. Dirk zag dat de *I-411* evenals de *I-403* bijna recht overeind op de bodem lag, met een slagzij van hoogstens vijftien graden. De aangroei op de romp was echter veel minder dan bij de *I-403* en het leek wel of de boot pas enkele maanden in plaats van vele jaren op de bodem rustte. Dirk activeerde de straalbesturing van de *Starfish* en voer een eindje achteruit, terwijl Summer de ballast zo afstelde dat ze ter hoogte van het dek van de onderzeeboot bleven.

'Wat een enorm gevaarte!' riep Summer uit, toen ze de doorsnee kon inschatten. Zelfs in het felle schijnsel van de lampen kon ze maar een deel van het grote vaartuig zien.

'Dit is bepaald geen doorsnee U-boot uit de Tweede Wereldoorlog,' zei Dirk. 'Laten we eens kijken waar ze geraakt werd.'

Met de straalbesturing manoeuvrerend, stuurde Dirk langs de stuurboordzijde van de onderzeeboot, iets boven de afgeronde bovenkant. Toen ze langs de achtersteven voeren, wees Summer op de bladen van twee enorme bronzen scheepsschroeven, die boven de modderige bodem uitstaken. Ze bewogen verder langs de bakboordzijde en na bijna twintig meter zagen ze een grote opening in de romp.

'Torpedo voltreffer nummer één,' zei Dirk, zodra hij het gapende gat zag dat door een torpedo van de *Swordfish* was veroorzaakt. Hij manoeuvreerde de *Starfish* zodanig dat de felle lampen door de onregelmatige opening schenen. Binnen was overal verwrongen metaal te zien, glanzend als de open kaken van een haai met ijzeren tanden. Ze voeren verder naar de voorsteven van het stille wrak en na tien meter zagen ze een tweede opening.

'Torpedo nummer twee,' zei Dirk.

Anders dan de eerste scheur in de bakboordflank zat het tweede gat een stuk hoger, bij de rand van het dek, bijna alsof het projectiel van boven af ingeslagen was.

'Je hebt gelijk, dat moet de tweede voltreffer zijn,' meende Summer. 'De achtersteven zonk al na de eerste treffer weg, en toen de onderzeeboot terugrolde na de eerste inslag kwam de tweede torpedo.'

'Dan moeten ze goed gericht hebben op de *Swordfish*. Ze vielen de onderzeeboot 's nachts aan, toen die aan de oppervlakte voer.'

'Is dat het ruim voor de vliegtuigen?' vroeg Summer, wijzend naar een grote buis die in de lengte van het achterdek tot de commandotoren liep.

'Ja. Zo te zien opengebarsten door de explosie,' zei Dirk, en ze zweefden naar de opening. Een zeven meter lang gedeelte van de hangar was weggeslagen door de verwoestende inslag. In het licht van de schijnwerpers zagen ze een driebladige schroef aan de achterkant van de hangar. Dirk draaide de *Starfish* en stuurde verder naar voren, langs de commandotoren met de nog intacte geschutplatforms. De *Starfish* kwam langs het voordek en draaide bij de voorsteven, dicht bij een van de trimvlakken die als een grote vleugel uit de romp stak.

'Dat was de rondvaart voor vandaag,' zei Dirk. 'Laten we eens kijken of we kunnen ontdekken wat ze aan boord had.'

'We kunnen beter eerst rapporteren aan de jongens boven,' zei Summer. Ze zette haar koptelefoon op en drukte op de zendknop.

'*Sea Rover,* hier *Starfish*. We hebben de paashaas gevonden, en nu gaan we eieren zoeken.'

'Begrepen,' kraakte Ryans stem. 'Beetje voorzichtig met het mandje, wil je?'

'Hij is meer bezorgd over zijn duikbootje dan over ons,' zei Dirk droog. Hij stuurde de *Starfish* behoedzaam boven het boeggedeelte van de onderzeeboot en keek naar het voordek. Na even turen zag hij wat hij zocht.

'Daar is het luik naar de bovenste torpedokamer. Als ze hetzelfde deden als met de *I-403*, dan moeten daar die biologische wapens opgeslagen zijn.'

Dirk stuurde de *Starfish* naar het luik voordat hij op het voordek van de *I-411* landde en de straalbesturing uitschakelde.

'Kun jij een beetje inbreken?' vroeg hij aan Summer.

Anders dan bij de *I-403* was het voorste luik dicht en afgesloten met een wiel waaraan zeewier groeide. Summer bewoog een joystick in de armleuning van haar stoel en de hydraulische grijparm kwam in beweging. Terwijl ze de knoppen bediende, rekte de metalen arm zich met stramme bewegingen naar voren. Langzaam liet ze de arm boven het dekluik zakken, door telkens kort de joystick te bewegen. Met de precisie van een chirurg opende ze een klauwachtige hand en liet de metalen vingers zakken tussen de spaken van het wiel op het luik.

'Mooi gedaan,' zei Dirk bewonderend.

'Nu kijken of dat luik open kan,' antwoordde Summer. Ze drukte op een andere knop en de mechanische klauw begon te draaien. Dirk en Summer drukten hun neus tegen de bolle ruit, nieuwsgierig of het wiel zou draaien. Maar na zestig jaar op de zeebodem was er geen beweging in te krijgen. Summer bewoog de klauw een aantal keren heen en weer, maar tevergeefs.

'Dat wiel zit te vast,' zei ze ten slotte.

'Blijf dat wiel vasthouden,' zei Dirk, 'dan proberen we een beetje te wrikken.'

Hij schakelde de straalbesturing in en de *Starfish* steeg een paar centimeter boven het dek. Terwijl Summer de klauw vastgeklemd hield in de spaken, gaf Dirk vol gas achteruit, in een poging met het gewicht van de *Starfish* het wiel los te wrikken. Het wiel bewoog niet, en daarom begon Dirk nu steeds naar voren en naar achteren te manoeuvreren.

'Je breekt de arm nog af,' waarschuwde Summer.

Zwijgend bleef Dirk volhouden. Bij een volgende ruk zag hij een bijna onwaarneembare beweging in het wiel. Nog een ruk en eindelijk draaide het wiel een kwartslag.

'Zo, nu weten we wie de baas is,' zei Summer.

'Zeg maar niet tegen Ryan dat de rechterarm van zijn troetelkind nu een paar centimeter langer is geworden,' lachte Dirk.

Zwevend boven het dekluik kon Summer het wiel nu snel ronddraaien, tot het blokkeerde. Dirk liet de *Starfish* achteruitvaren, en terwijl Summer het wiel in de metalen greep hield, zwaaide het dekluik eindelijk open. Weer naar voren varend, konden ze door de opening kijken, maar binnenin was alles zwart.

'Dit lijkt me een karwei voor *Snoopy*. Jij mag sturen,' zei Summer.

Dirk pakte een klein bedieningspaneel en drukte op de power-knop. Een rij groene lichtjes flitste aan. 'Klaar? Apporteren maar,' mompelde hij, en drukte op een knop die een kleine straalbesturing activeerde.

Uit een houder aan de buitenkant van de acrylbol verscheen een klein Remote Operated Vehicle, vastgebonden aan een lijn. Niet groter dan een koffertje was de kleine ROV weinig meer dan een videocamera met eigen besturing. Omdat deze *Snoopy* in nauwe ruimtes kon manoeuvreren, was het een ideaal hulpmiddel om gevaarlijke delen van een gezonken wrak te doorzoeken.

Summer keek hoe *Snoopy* in beeld kwam en met een spoor van luchtbelletjes achter zich door de opening verdween. Dirk drukte op een andere knop van het paneel en op een kleurenmonitor verschenen meteen beelden van de camera in de ROV. Kijkend naar de monitor stuurde hij het toestel door het torpedoruim. *Snoopy* voer langs een rij torpedo's, en te zien was dat de vijf grote stalen vissen nog in de rekken lagen. Aan de andere kant van het torpedoruim was hetzelfde te zien. De *I-411* was kennelijk niet voorbereid geweest op een gevecht toen ze door de *Swordfish* verrast werd en tot zinken werd gebracht.

Maar Dirk had geen belangstelling voor de torpedo's. Doelbewust stuurde hij *Snoopy* naar de voorkant van het torpedoruim en liet de ROV heen en weer de hele omgeving afspeuren, tot hij zeker wist dat elke vierkante meter bekeken was.

'Geen spoor van hulzen of kratten. Maar er is nog een tweede torpedoruimte beneden, en daar kan dat spul ook opgeslagen zijn.'

'Kan *Snoopy* daar ook komen?' vroeg Summer.

'Er is een luik in de vloer, voor het laden van de torpedo's, maar ik denk niet dat *Snoopy* het kan oplichten. Misschien weet ik een andere route.'

Met de cameralens van *Snoopy* het ruim doorzoekend, zag hij de deur in het waterdichte schot, met daarachter de kapiteinshut. De deur stond open en Dirk manoeuvreerde de ROV even later door de opening.

'Kijk daar,' zei Summer, en ze wees naar een hoek van de monitor. 'Daar is een ladder die zo te zien naar een dek beneden leidt.'

Dirk bewoog de ROV naar een opening in de vloer. Een verdieping lager was *Snoopy* bij de ingang van het onderste torpedoruim met een tweede voorraad projectielen. Hoewel wat kleiner, omdat de romp hier smaller werd, was de ruimte een kopie van de torpedoruimte een verdieping hoger. En evenals boven toonde de camera alle tien de dodelijke Type 95-torpedo's, rustend in de rekken. Hoewel de kabel die *Snoopy* van stroom voorzag bijna helemaal afgewikkeld was, doorzocht Dirk alle uithoeken van de ruimte. Afgezien van de voorraad torpedo's was er verder niets te zien. De holle ruimte bleek leeg.

'Zo te zien vinden we hier geen paaseieren,' zei Summer, en ze schudde teleurgesteld haar hoofd.

24

Dirk begon 'Swanee River' te fluiten, terwijl hij behoedzaam de kleine ROV terughaalde naar de *Starfish*. Summer keek haar broer verbaasd en nieuwsgierig aan.

'Jij lijkt me heel blij, hoewel die biologische bommen zoekgeraakt zijn,' zei ze.

'Zus, we weten niet waar ze zijn, maar we weten wel zeker waar ze níét zijn. En als je het mij vraagt, dan zijn die eitjes dicht bij de kip.'

Summer dacht even na over deze woorden, maar toen klaarde haar gezicht op.

'In de dekhangar? Waar die vliegtuigen ondergebracht werden?'

'Juist, in de dekhangar,' herhaalde Dirk. 'En de *Swordfish* was zo vriendelijk de deur voor ons te openen.'

Zodra *Snoopy* veilig in zijn houder zat, activeerde Dirk de straalbesturing en de *Starfish* steeg op boven het dek. Het toestel bewoog naar voren, tot aan de opening die door de tweede torpedo was ontstaan. De scheur was zó groot dat de *Starfish* daar gemakkelijk doorheen naar binnen kon zweven, maar de doorsnee van de vliegtuighangar was met bijna vier meter te krap om binnen te manoeuvreren. Dirk tuurde naar de scheur in de vliegtuighangar, om de *Starfish* vervolgens heel langzaam tot in de opening te sturen. Flarden dek waren weggeslagen, zodat er grote gaten waren die toegang gaven tot de donkere ingewanden van de onderzeeboot. Dirk liet de *Starfish* dalen tot hij een stabiel gedeelte zag dat groot genoeg was om het toestel erop te parkeren. Uit zijn ooghoeken zag hij dat de schroef die ze eerder gezien hadden rechts van hem hing. Hij daalde tot de steunpoten van de *Starfish* op het stevige dek stonden.

Toen hij de voortstuwing had uitgeschakeld bleef het even stil. Samen tuurden ze door de hangar, die zich als een eindeloze tunnel voor hen uitstrekte. De stilte werd verbroken door een dof metalen geluid in het water.

'Dirk, de schroef!' schreeuwde Summer, en ze wees naar rechts.

Het rek waar de driebladige reserveschroef aan hing was in de loop van zestig jaar doorgeroest, en door de plotselinge beweging in het zoute water, veroorzaakt door de aandrijving van de *Starfish*, brak het helemaal af. De zware schroef viel met de twee onderste bladen recht op het dek.

Maar dat was nog niet alles. Ze zagen allebei machteloos en tegelijk gefascineerd hoe de schroef naar voren helde, waarbij het bovenste blad rakelings langs het bolle glas en Summers gezicht scheerde. Het zware voorwerp bewoog in slow motion, afgeremd door het water. Weer klonk er een metalige galm, echoënd door het water, toen het blad en de punt van de as tegen het dek sloegen, waarbij de rechterrobotarm en de voorste steunen van de *Starfish* werden geblokkeerd.

Een wolk bruin sediment rees op en belemmerde even het zicht, maar toen het water weer helder werd, zag Summer een dun straaltje donkere vloeistof oprijzen, alsof de *Starfish* bloedde.

'We zitten vast!' hijgde Summer, zodra ze zag dat de zware schroef op de voorste steunen lag.

'Probeer de rechterarm. Kijk of je dat schroefblad kunt oplichten, dan probeer ik achteruit te varen,' zei Dirk, terwijl hij de straalbesturing weer inschakelde.

Summer greep de joystick en bewoog die om de arm omhoog te sturen. Het metalen uitsteeksel bewoog even omhoog en viel toen machteloos terug. Ze trok en duwde herhaaldelijk aan de joystick, maar er gebeurde niets.

'Het lukt niet,' zei ze kalm. 'Het schroefblad heeft de hydraulische leiding doorgesneden. De rechterarm is zo ongeveer geamputeerd.'

'Dat was zeker die vloeistof die we zagen. Probeer de linkerarm,' opperde Dirk.

Summer pakte een tweede joystick en schakelde de linkerarm in. Werkend met de besturing probeerde ze de linkerrobotarm van de *Seafish* uit te strekken naar de gevallen schroef. Omdat de linkerarm kleiner en korter was dan de rechter, kon er minder mee gedaan worden, maar na een paar minuten buigen en strekken had ze de grijpklauw eindelijk in een positie om het uiteinde van het schroefblad te pakken.

‘Ik heb wel houvast, maar onder een moeilijke hoek. Ik vrees dat we niet genoeg kracht kunnen zetten.’

De joystick en knoppen bedienend, kreeg Summer gelijk: de robotarm probeerde de schroef op te heffen, maar het zware gevaarte kwam niet in beweging. Ze deed nog een paar verwoede pogingen, maar zonder resultaat.

‘Ik denk dat we ons los moeten rukken,’ zei Dirk knarsetandend.

Hij gaf vol gas en probeerde de *Starfish* omhoog te werken, zodat het toestel onder de schroef vandaag zou schuiven. De elektrisch aangedreven straalbuizen zoemden en trilden heftig, het water uit alle macht wegstuwend, maar het gewicht van de schroef was gewoon te zwaar. De *Starfish* bleef onbeweeglijk als een rotsblok, ondanks vol motorvermogen, waardoor wolken sediment en zand werden opgeworpen. Dirk schakelde vooruit en achteruit, in een poging een schommelende beweging te veroorzaken, maar het bleek zinloos. Na enkele vruchteloze pogingen schakelde Dirk de aandrijving uit en wachtte tot de bruine wolken in het water weer neergedaald waren.

‘We putten alleen de accu’s uit als we hiermee doorgaan,’ zei hij hoofdschuddend. ‘We hebben niet genoeg motorvermogen om ons los te wrikken.’

Summer zag dat haar broer koortsachtig nadacht. Het was niet de eerste keer dat ze met Dirk onder water in de val zat, en zijn aanwezigheid stelde haar gerust. Een paar maanden eerder waren ze allebei bijna verdronken bij Navidad Bank, toen hun onderzeese researchcapsule in een rotsspleet was gekanteld tijdens een orkaan. Alleen omdat hun vader en Al Giordino nog net op tijd te hulp schoten, waren ze gered van een langzame dood door zuurstofgebrek. Maar nu waren hun vader en Al Giordino duizend zeemijlen ver weg.

In de naargeestige duisternis begonnen stemmen uit het verleden te fluisteren. De lang geleden gestorven bemanning van de *I-411* leek Dirk en Summer te roepen dat ze zich bij de manschappen moesten voegen in het kille zeemansgraf, driehonderd meter onder de oppervlakte. De stille zwarte onderzeeboot had iets griezeligs, en Summer voelde een huivering langs haar ruggengraat gaan. Het in beroering gebrachte water kwam tot rust en ze konden weer ver in de hangar kijken. Onwillekeurig bedacht Summer dat ze nu in het ijzeren graf van tientallen dappere matrozen van de keizerlijke marine zaten. Ze verdreef de macabere gedachte uit haar hoofd en probeerde haar aandacht weer te richten op wat ze nu moesten doen.

'Hoeveel tijd hebben we nog?' vroeg Summer, toen de hopeloosheid van hun positie duidelijk werd.

Dirk keek naar een rij meters naast hem. 'We zitten hier best, tot de gaszuiveraars het begeven door gebrek aan stroom. Over drie uur gaan de lichten uit, en dan hebben we nog voor ongeveer een uur zuurstof. We kunnen maar beter contact opnemen met de *Sea Rover*.' Zijn stem klonk vlak en zakelijk.

Summer schakelde het communicatiesysteem in en riep Ryan op, maar er kwam geen antwoord. Na nog een paar oproepen kraakte een stem in haar koptelefoon.

'*Starfish*, hier de *Sea Rover*. We kunnen je niet verstaan, herhaal nog eens, over.' De stem van Ryan klonk zwak en moeilijk verstaanbaar.

'Ons signaal wordt geblokkeerd door de waterdichte schotten,' begreep Dirk. 'We kunnen hen horen, maar zij horen ons niet.'

'Ik blijf het proberen, misschien vangen ze toch iets op.'

Summer bleef tien minuten lang oproepen, en ze sprak helder en nadrukkelijk, maar telkens kwam het frustrerende antwoord van Ryan.

'Dit heeft geen zin. Ze kunnen ons niet horen. We staan er alleen voor,' moest Summer uiteindelijk erkennen.

Dirk haalde een aantal schakelaars over, om alle systemen die niet noodzakelijk waren uit te schakelen en zo de accu's te sparen. Zijn hand bewoog bij de bedieningsconsole van *Snoopy* en hij aarzelde.

'Heb je bezwaar als ik *Snoopy* even uitlaat?'

'We zijn hier gekomen om de hangar te onderzoeken, dus kunnen we dat karwei net zogoed afmaken. We moeten nog altijd controleren of er biologische wapens aan boord zijn, of dat er aanwijzingen zijn dat die van boord zijn gehaald,' zei Summer.

'Dat dacht ik ook,' zei Dirk, en schakelde de kleine ROV in. Met het bedieningspaneel op schoot liet hij het kleine toestel uit het rek komen en stuurde het tot boven de gevallen schroef. Daarna liet hij *Snoopy* opstijgen tot ooghoogte voor de *Starfish*. Voor hen lag de lange, donkere hangar, die zich uitstrekte tot de commandotoren. Dirk bediende de aandrijving van de ROV en *Snoopy* zweefde naar voren.

Allebei keken ze afwisselend naar de verlichte ROV voor hen en naar de kleurenmonitor, die beelden toonde van wat in *Snoopy's* gezichtsveld verscheen, terwijl het toestel zich verwijderde. De hangar leek eerst leeg, maar naarmate *Snoopy* verder ging, werden met aangroei bedekte objecten zichtbaar. De cameralens gleed langs een korstig begroeid voorwerp op een platform aan de ene kant, en daarachter waren kasten aan de wand van de hangar zichtbaar.

'Dat is een reservevliegtuigmotor,' verduidelijkte Dirk, terwijl hij *Snoopy's* ogen op het metalen blok richtte.

'En dat zullen wel bergkasten zijn voor reserveonderdelen en gereedschap van de mecaniciens,' voegde Summer eraan toe, wijzend naar de kasten.

'Daar zal zeker een krik bij zijn,' zuchtte Dirk, wetend dat het onmogelijk was gereedschap op te halen waarmee ze zich misschien konden bevrijden.

Langzaam leidde hij *Snoopy* door de donkere hangar, tot hij de ROV bijna tegen een aantal dunne metalen platen liet botsen. De platen hingen verticaal, en toen de camera wat naar achteren was bewogen herkende Dirk de staart van een vliegtuig, met het verticale deel en de twee horizontale delen ingeklapt. Toen *Snoopy* opzij langs de platen zweefde, konden ze duidelijk zien dat dit het staartstuk was van een Aichi M6A1 Seiran, een met twee drijvers uitgerust watervliegtuig.

'Wauw,' mompelde Summer, onder de indruk van de grootte en de conditie van de tweepersoonsbommenwerper. 'Dat je zo'n vliegtuig kunt opvouwen en hier opbergen.'

Dirk stuurde *Snoopy* langs de romp om het toestel van opzij te bekijken. De camera toonde dat de vleugels aan het toestel bevestigd waren, maar naar achteren gevouwen als de vleugels van een eend. Vaag konden ze onder de aangroei op de vleugeltips de bekende ronde, rode herkenningstekens van Japan zien.

'Het is verbazingwekkend dat ze vliegtuigen konden bergen, lanceren en weer aan boord halen op een onderzeeboot,' peinsde Summer hardop.

'Je rolt het toestel naar het voordek, klapt de staart en de vleugels uit en schroeft alles vast, en dan lanceren met een katapult. Een getrainde ploeg van vier man kon zo'n toestel binnen dertig minuten in elkaar zetten en laten vliegen.'

'Ik denk dat het maar goed is dat die grote Sen Toku-boten er eerder in de oorlog nog niet waren,' vond Summer.

Dirk liet *Snoopy* verder snuffelen in de hangar. Zwevend langs de romp toonde de camera een paar gigantische drijvers, vastgesjord op een houten pallet. Met een straalstoot van de ROV werd een laag bezinksel en modder weggeblazen van een drijver, zodat de donkergroene bovenkant en de grijze buik zichtbaar werden. De vleugels en de romp waren in dezelfde camouflagekleuren geschilderd.

Voorbij de drijvers was een leeg compartiment in de hangar, en *Snoopy* snuffelde als een speurhond verder langs elk voorwerp of brokstuk waar Dirk hem naartoe stuurde. Langzaam werden aan weerszijden van de donkere hangar enkele rekken zichtbaar en Dirk zag meteen dat ze bestemd waren voor torpedo's. In elk rek lagen vier metalen vissen: het waren luchttorpedo's, per stuk 600 kilo wegend en veel kleiner dan de grote torpedo's die vanaf een onderzeeboot werden gelanceerd.

Dirk en Summer staarden naar de monitor, speurend naar een aanwijzing dat er andere munitie te vinden was. Maar die was er niet. Dirk keek naar zijn zus en zag dat Summer op haar horloge keek, zich grimmig bewust dat de minuten onverbiddelijk verstreken.

'Laten we doorgaan. Er moet nog minstens één vliegtuig zijn,' stelde Dirk voor, om haar af te leiden van het onvermijdelijke. De ROV bewoog weer door een leeg compartiment en kwam in het volgende gedeelte van de hangar. Een paar tellen later kwamen de staart en de romp van een tweede Seiran-bommenwerper in beeld, ook met opgevouwen vleugels. En voor het toestel lag weer een stel drijvers, met kabels aan het dek vastgemaakt. Een aantal gereedschapskasten aan de muur, en daarachter zeven meter lege ruimte. Uiteindelijk stootte *Snoopy* zachtjes tegen een groot, rond luik, in het waterdichte schot naar het voordek.

'Nou, dat was het,' zei Dirk ernstig. 'We hebben de hele lengte van de hangar bekeken, en geen spoor van andere bommen dan die torpedo's.'

Summer bleef zwijgen, maar onbewust beet ze op haar onderlip van teleurstelling. 'Nou ja... er is geen teken dat hier ergens ingebroken is, en het bezinksel leek ook niet kortgeleden verstoord. Misschien zijn die wapens vernietigd bij de torpedoaanval?'

'Dat is mogelijk. Er is nog een klein deel van de hangar achter ons waar we een kijkje kunnen nemen.'

Dirk haalde *Snoopy* weer terug naar de *Starfish*, de elektrische verbindingskabel opwikkelend. Het werd stil in de cabine, terwijl broer en zus nadachten over hun hachelijke situatie. Dirk vervloekte in stilte dat ze zoveel pech hadden en de bommen niet gelokaliseerd hadden. Toen de ROV zich weer langs de romp van het tweede vliegtuig bewoog en de drijvers van het eerste vliegtuig naderde, verscheen er een nadenkende trek op Summers gezicht.

'Dirk, wacht eens even,' zei ze, wijzend naar de monitor.

'Wat is er?' vroeg hij, en hij liet de ROV stilhangen.

'Kijk eens naar die drijvers. Zie jij verschil?'

Dirk tuurde naar de monitor en schudde zijn hoofd.

'Het stel drijvers verderop was aan het dek bevestigd,' zei Summer, 'maar deze staan elk op een platform.'

Hij keek weer naar het beeldscherm, en zijn frons werd dieper. Elke drijver stond op een vierkant platform, dat ruim een halve meter hoog was.

Dirk liet de ROV omkeren en afdalen tot op het platform. Hij liet de ROV ronddraaien en gaf kort vol gas, in een poging de laag modder te verwijderen. Daarna bracht hij de ROV weer in positie en wachtte tot het water langzaam helder werd. Turend door het troebele water zag hij duidelijk een gedeelte van het platform. Het was een hardhouten krat, kennelijk van mahonie gemaakt. Dirk bestudeerde het hele platform aandachtig.

'Mijn hemel, dat moet het zijn.'

'Weet je het zeker?' vroeg Summer.

'Nou, ik kan niet zien wat erin zit, maar het heeft uiterlijk dezelfde constructie en afmetingen als die opengebarsten kratten in de *I-403*.'

Dirk bekeek het krat van alle kanten en zag ook een krat onder de andere drijvers. Summer maakte een notitie op de videobeelden, zodat de exacte locatie in de hangar bekend was. Pitt zag dat elk krat op zijn plaats gehouden werd door de druk van een drijver, die stevig aan dek verankerd was met enkele dikke staalkabels kriskras eroverheen.

'Scherp opgemerkt, Summer. Daarmee heb je een biertje verdiend.'

'Doe mij maar een fles Martin Ray-chardonnay,' antwoordde ze met een glimlachje. 'Ik ben al blij dat we nu weten waar die spullen zijn.'

'Het wordt nog een heel karwei om ze hier weg te krijgen.'

'Ook om zelf weg te komen,' zei ze veelbetekenend.

Dirks gedachten werkten nog steeds koortsachtig om een ontsnappingsplan de bedenken, terwijl hij de ROV terugleidde naar de *Starfish*. Zijn aandacht verslapte toen de felle lichten van *Snoopy* naderden en naar binnen schenen. Even verblind door het schijnsel liet hij de ROV instinctief duiken naar het hangardek, terwijl het toestel dichterbij kwam. Maar opeens bleef *Snoopy* met een ruk stilhangen en weigerde de laatste meters naar zijn rek te bewegen.

'Dirk, *Snoopy's* lijn zit ergens vast,' waarschuwde Summer, door het raam wijzend.

Dirk volgde de lijn en zag in de troebele verte dat de kabel van de ROV achter een wrakstuk haakte, ongeveer acht meter verderop.

'Ik was al verbaasd dat we zover gekomen zijn op deze hindernisbaan,' zei hij.

Hij schakelde en de ROV bewoog van hen vandaan. De kabel haakte achter iets wat op een kleine motor leek, gemonteerd in een frame dat een meter hoog was.

'Ik wil wedden dat het een compressor is,' zei hij, toen hij een paar verteerde slangen aan de ene kant van de motor zag.

'En wat is dat voor een grote hendel?' vroeg Summer. Aan de zijkant stak een metalen staaf met aan het eind een handgreep uit het motorblok.

'Dat is een ouderwetse mechanische starter. Ongeveer zoals je een grasmaaier met een touw start. Door met die hendel te pompen wordt de motor gestart. Ik heb wel eens een Zwitserse compressor gezien op een schip, en die had ook zo'n ding.' Dirk keek strak naar de hendel en liet de ROV stilhangen.

'Breng je *Snoopy* nog thuis of niet?' vroeg Summer uiteindelijk.

'Jawel, maar eerst moet hij ons helpen hier weg te komen.' Er blonk opeens een schittering in zijn ogen.

Aan boord van de *Sea Rover* werden de kapitein en de bemanning langzaam nerveus en bezorgd. Het was al bijna negentig minuten geleden sinds ze voor het laatst contact hadden met de *Starfish,* en Morgan maakte al voorbereidingen voor een reddingsoperatie. De *Sea Rover* had geen tweede miniduikboot aan boord en het dichtstbijzijnde exemplaar van NUMA was op minstens twaalf uur varen afstand.

'Ryan, we nemen contact op met de diepzee-unit van de marine. Leg de situatie uit en vraag hoe laat ze hier kunnen zijn met een reddingsvaartuig,' commandeerde Morgan, de ernst van de situatie beseffend.

Als Dirk en Summer echt in moeilijkheden waren, dan was het een kwestie van minuten, niet van uren. Hun kans op redding zou miniem zijn.

25

'Oké, Summer, stop de haspel!'

Dirk had *Snoopy* in een positie gebracht bij het plafond van de hangar, een eindje voorbij de compressor, toen hij de opdracht aan Summer gaf. Ze drukte op een knop en het opwikkelen van de stroomdraad naar de ROV stopte meteen. Dirk bewoog de ROV voorzichtig naar de compressor en hij zag dat de kabel verslapte. Als een spin die zijn prooi inkapselt, manoeuvreerde Dirk de ROV in cirkels boven de compressor, zodat de kabel om de uitstekende metalen hendel werd gedraaid. Even later had hij vijf lussen om de hendel gelegd, die aangetrokken werden toen de ROV opsteeg.

'Oké, nu weer haspelen, dan trek ik met *Snoopy.*'

'Maar die compressor weegt zeker honderdvijftig kilo. Zelfs onder water krijg je hem nooit in beweging,' zei Summer, en ze vroeg zich af of haar broer gek geworden was.

'Ik wil die compressor niet, ik wil alleen de hendel.'

Manipulerend met de bedieningsknoppen liet hij *Snoopy* harder trekken, nu in de richting van de *Starfish*. De ROV sprong naar voren tot de kabel strak om de metalen hendel zat. De straalbesturing perste het water weg en de kleine ROV vocht om naar voren te komen, maar had te weinig kracht om de hendel te bewegen. Summer schoot te hulp door de kabelhaspel te activeren en aan het andere eind van de kabel te trekken. De kabel werd nu aan twee kanten aangetrokken, en het deel waar Summer aan trok kwam los. Het vierkante uiteinde van de hendel schoot uit de opening in het vliegwiel en even later zweefde de hendel boven de compressor in de richting van de *Starfish*. Dirk trok de hendel behoedzaam in een horizontale positie, zodat hij niet uit de lussen kon glippen. De hendel kwam recht voor de cockpit van de *Starfish*.

'Ryan zal het niet waarderen wat jij met zijn ROV uitspookt,' zei Summer met gespeelde bezorgdheid.

'Hij krijgt een nieuwe van mij als dit lukt.'

'En wat ben je dan van plan?' vroeg Summer, die nog steeds niet begreep wat Dirk bedacht had.

'Nou, dit is een hefboom, lieve zus. Als jij zo vriendelijk wil zijn met de linkerrobotarm mijn nieuwe breekijzer te grijpen, dan zul je zien wat ik ga doen.'

Dirk stuurde de ROV naar de linkerkant van de *Starfish* en de hendel bewoog mee. Summer bediende de robotarm en opende de klauw. Samen brachten ze de twee objecten bij elkaar, tot Summer de hendel stevig kon vastgrijpen met de robotklauw. Dirk vierde de kabel van de ROV een beetje en hij stuurde *Snoopy* iets naar achteren, zodat de kabel losraakte van de hendel. Even later kon hij weer inhalen en hij manoeuvreerde *Snoopy* behendig in zijn houder aan de *Starfish*.

'Nou, *Snoopy* kan aardig goed apporteren,' merkte Summer op.

'We moeten nu kijken of onze robotarm ook als krik te gebruiken is,' zei Dirk.

Zijn blik dwaalde naar de rij ampèremeters op het controlepaneel. Ze hadden met de ROV meer dan een uur gevaren en de batterijcapaciteit was nog amper dertig procent. De tijd begon te dringen, als ze nog hoop wilden koesteren om op eigen kracht naar de oppervlakte te komen.

'Laten we het in één keer proberen. We blazen de tanks leeg.' Hij drukte op een paar knoppen, zodat water uit de ballasttanks werd gepompt en het drijfvermogen groter werd. Daarna schakelde hij de straalbesturing in. Summer had de robotarm al naar de voorkant van de *Starfish* gebracht en helemaal gestrekt. Ze tuurde naar de liggende schroef. Die moest wat opgetild worden en naar voren geduwd, zodat ze zich konden bevrijden. Maar er was weinig ruimte om de hendel ertussen te werken. Ze liet de hendel tegen een van de steunen rusten en kreeg de metalen staaf met de klauw tot vijftien centimeter onder het schroefblad.

'Klaar,' zei ze onzeker, en veegde haar bezwete handpalm af aan haar broekspijp. Dirk transpireerde ook hevig, want nadat ze de airconditioning uitgeschakeld hadden om stroom te sparen was het in de benauwde cockpit erg warm geworden.

'Wrik ons los,' zei Dirk, met zijn hand op de knoppen voor straalbesturing. Tot het uiterste gespannen bewoog Summer de bedieningshendels van de robotarm. Hoewel de hydraulische kracht van de arm te zwak was, gaf de hendel juist genoeg hefboomwerking om de schroef te bewegen. Heel langzaam kwam het schroefblad een paar centimeter omhoog. Dirk voelde de achterkant van de *Starfish* door het toenemend drijfvermogen van het dek omhoogkomen. Zodra Summer het schroefblad tot boven de voorste steunen had opgeduwd, gaf Dirk meteen vol gas achteruit.

Er volgde geen krachtige stoot of acceleratie, maar de *Starfish* bewoog met een rukje naar achteren. Het vaartuig kwam vrij en de hendel schoot weg onder de schroef, die met een metalige dreun terugviel op het dek, een paar centimeter achter de steunen van de *Starfish.*

'Mooi werk, zus. Zullen we nu een luchtje gaan scheppen?' zei Dirk, en hij stuurde de *Starfish* behendig uit de hangar van de *I-411.*

'Prima idee,' antwoordde Summer, duidelijk opgelucht.

Bijna meteen nadat ze uit de romp waren, klonk de zware stem van Ryan luid in hun oortelefoons. '*Starfish,* hier de *Sea Rover*, horen jullie mij?' De stem klonk monotoon, en het was duidelijk dat hij de woorden al tientallen keren had herhaald.

'Hier de *Starfish,*' antwoordde Summer. 'Ja, we horen je luid en duidelijk. We stijgen nu op, maak klaar voor aan boord te nemen.'

'Begrepen, *Starfish,*' zei Ryan, nu met opgetogen stem. 'Jullie lieten ons wel in de rats zitten. Heb je assistentie nodig?'

'Nee. We hebben onze tenen hier beneden gestoten. Alles in orde, we zijn zo boven.'

'Begrepen. We staan klaar om jullie aan boord te halen.'

Het opstijgen ging wat sneller dan het afdalen, en na tien minuten zagen ze de lichten van de ronde opening in de romp van de *Sea Rover*. Het vage silhouet werd duidelijker toen ze naderden, en Dirk gebruikte het laatste beetje stroom om in het midden van de verlichte cirkel te manoeuvreren. Dirk en Summer slaakten allebei een zucht van opluchting toen ze door het gat in de bodem kwamen en aan de oppervlakte dobberden. Morgan, Ryan en enkele bemanningsleden stonden in een kring te kijken hoe de *Starfish* uit het water werd getakeld en voorzichtig aan dek geplaatst. Dirk schakelde de systemen uit en Summer maakte het luik open. Allebei stapten ze uit en ademden dankbaar de frisse lucht in.

'Wij waren al bang dat jullie beneden zouden blijven,' lachte Morgan, met een nieuwsgierige blik op de compressorhendel die nog in de klauw van de linkerrobotarm geklemd zat.

'Dat is onze wandelstok,' verduidelijkte Summer. 'We maakten een wandelingetje waar we beter niet konden komen, en het was een beetje lastig om weer weg te komen.'

'Nou,' vroeg Morgan, een beetje ongeduldig, 'wat hebben jullie gevonden?'

'Twee dozen eieren, klaar voor bezorging,' grijnsde Dirk.

De bemanning van de *Sea Rover* werkte koortsachtig aan het herstel van de robotarm van de *Starfish* en de accu's werden opgeladen. Dirk, Summer en Morgan bespraken de strategie voor het bergen van de munitie. Ze bekeken de videobeelden die *Snoopy* had gemaakt nog een keer en berekenden de exacte positie van de bomkratten in de hangar. Aandachtig de beelden bestuderend, concludeerden ze dat de waterdichte wanden verdeeld waren in secties van drie meter.

'We kunnen door de naden snijden en een paneel van drie meter bij de drijvers weghalen,' zei Dirk, en hij tikte met een potlood op het stilstaande videobeeld. 'De *Starfish* is twee meter veertig breed, dus hebben we voldoende manoeuvreerruimte om de bommen met de robotarmen op te pakken.'

'Het is een geluk dat de stroming bij het wrak maar één of twee knopen is, dus daar hebben we geen hinder van. Maar we zullen wel een aantal keren moeten duiken,' voegde Summer eraan toe.

"Ryan kan afwisselend met jullie duiken,' zei Morgan. 'Als jullie eerst een paar uur uitrusten, dan maken wij alles gereed om een stuk uit die romp snijden, oké?'

'Dat hoef je geen twee keer te vragen,' geeuwde Summer.

Maar ze kon niet lang slapen, want na drie uur werd ze door Dirk gewekt voor een tweede duik. Met volle accu's werd de *Starfish* weer te water gelaten en ze daalden langzaam af naar de onderzeeboot. De *Starfish* zweefde naast de grote scheur in de hangar en bewoog daarna langzaam naar de commandotoren. Elke twee meter, gemeten tussen twee half gestrekte robotarmen, kwam Dirk naar de romp en kraste met de linkerklauw een merkteken in het roestige metaal. Na de tiende meting, twintig meter voorbij het gat in de romp, kraste hij een ruwe X in de zijwand van de hangar.

'Hier gaan we snijden,' zei hij tegen Summer. 'Eens kijken of we de naden kunnen vinden.'

Met een klauw langs de oppervlakte schrapend liet Dirk de *Starfish* langszij varen, zodat een lange kras in de wand werd getrokken. Ze voeren weer terug, en scherp naar de kras turend, waarvandaan roest en metaaldeeltjes dwarrelden, vonden ze al snel een verticale naad, waar twee platen van de waterdichte hangar aan elkaar waren gelast. Zoals verwacht was er drie meter verder weer een verticale streep. Terwijl de *Starfish* bleef zweven, krabde Summer met de klauw de lasnaden schoon. Toen ze daarmee klaar was, werd een vierkant zichtbaar, als een garagedeur geëtst in de hangar.

'Dat was het makkelijke werk,' zei Dirk. 'Ben je klaar om te snijden?'

'Zet dit op en dan gaan we aan de slag,' antwoordde Summer. Ze gaf een lasbril aan Dirk en zette er zelf ook een op. Via het controlepaneel van beide robotarmen pakte Summer uit een mand op de voorste steun van de *Starfish* een elektrodehouder, die door een dikke kabel met de 230 volts generator aan boord was verbonden. Met de linkerklauw schoof ze een ijzeroxide onderwaterelektrode in de houder en schakelde de stroom in. Anders dan een gewoon onderwaterlasapparaat, dat aanvoer van zuurstof nodig heeft, wordt bij een lasdraad van ijzeroxide alleen energie gebruikt om een hete lasvlam te veroorzaken. Het eenvoudige systeem was beter geschikt voor laswerk in de diepte. De elektrische stroom vormde een heldere boog geel licht, met een hitte van enkele duizenden graden.

'Laten we bovenaan rechts beginnen en naar beneden werken,' zei Summer. Dirk manoeuvreerde de *Starfish* naar de hoek en bleef daar stilhangen, terwijl Summer de rechterrobotarm naar de hangar bracht, tot de gloeiend hete vlam tegen de wand brandde. De *Starfish* werd gecompenseerd voor de lichte zeestroming, en Summer begon met de lasvlam door het zestig jaar oude plaatstaal te branden. Het ging langzaam, omdat de bewegingen van de *Starfish* de snijbrander minder effectief maakte, maar geleidelijk werd een chirurgische snee zichtbaar in de wand van de hangar, terwijl Dirk de *Starfish* liet zakken. Na een kwartier was de elektrode opgebrand. Summer schakelde de stroom uit en plaatste een nieuwe elektrode in de houder, om dan weer verder te gaan met de snijbrander. Het trage karwei vorderde langzaam, tot het hele vierkant uit de wand was gesneden. Summer werkte aan de laatste centimeters en stuurde toen de vrije robotarm naar het paneel om het vast te grijpen. Ze sneed het laatste stukje metaal door en trok met de robotarm het paneel los. Het paneel viel op het dek van de onderzeeboot en een wolk sediment wervelde op.

Dirk stuurde de *Starfish* achteruit en wachtte tot het water helder werd voordat hij door de nieuwe opening zweefde. Hij zag dat ze de positie goed uitgerekend hadden, want recht voor hen bevonden zich de drijvers van het vliegtuig, en daaronder de houten kratten. Hij stuurde de *Starfish* voorzichtig verder naar binnen, en het toestel stootte zacht twee keer tegen het plafond van de hangar, om vervolgens op het dek neer te dalen, naar een metalen oog. Door het oog liepen de kabels waarmee de drijver tijdens het varen aan het dek bevestigd was.

'We moeten die kabels doorsnijden en proberen de drijver weg te schuiven,' opperde hij.

Summer ontstak de vlam van de snijbrander weer en sneed door de eerste van drie gevlochten staalkabels. De roestige strengen bezweken snel onder de vlam van de snijbrander, en even later was ze bij de tweede kabel. Ze zag verbaasd dat de drijver even bewoog toen de tweede kabel doorgesneden was. Zodra de derde kabel het begeven had, zag ze geschrokken dat de drijver sierlijk naar boven zweefde, tot aan het plafond van de vier meter hoge hangar.

'Er zit nog lucht in dat ding,' bracht ze uit.

'Compliment voor de constructeurs ervan. En het maakt ons werk ook wat gemakkelijker,' zei Dirk terwijl hij de *Starfish* langs de houten kratten stuurde. Summer bestuurde de twee robotarmen en liet één klauw zachtjes boven een container zakken. Ze liet de metalen vingers bewegen tot ze stevig grip had en het deksel kon optillen. Het eens zo stevige hardhout leek een natte pannenkoek en brak in stukken toen Summer het opzij probeerde te leggen.

'Dat was een deksel,' zei Dirk droog.

Maar de schat zat erin. Zes zilverkleurige porseleinen bommen lagen intact en netjes op een rij. Dirk en Summer keken elkaar opgelucht aan.

'Ik geloof dat we vandaag toch geluk hebben,' zei Summer triomfantelijk. 'Die bommen zijn er nog, en onbeschadigd.'

Dirk stuurde voorzichtig dichter bij het krat, terwijl Summer zich schrap zette voor het bergen van de breekbare bommen uit het vermolmde hout.

'Rustig aan zus, vergeet niet dat ze van glas zijn,' waarschuwde hij.

Summer wist het, en uiterst behoedzaam manipuleerde ze de mechanische armen. Ze verschoof de eerste bom wat en werkte de klauwen onder het projectiel. Langzaam bracht ze de grijper met de bom naar een met schuimrubber beklede kist die aan de voorkant van de *Starfish* was bevestigd. Zodra ze zeker wist dat de bom veilig in de kist lag, bewoog ze de grijparm naar de volgende bom, om die netjes naast de eerste te leggen.

'Bommenrichter aan piloot. Gereed voor opstijgen,' zei ze. Twee van deze bommen was het maximum wat veilig met de *Starfish* vervoerd kon worden.

Het toestel steeg langzaam weer naar de oppervlakte, waar de bommen voorzichtig aan dek werden gebracht. De gevaarlijke munitie werd in een kist gelegd die de scheepstimmerman haastig had gemaakt.

'Twee binnen, nog tien op te halen,' meldde Dirk aan Morgan en Ryan. 'Beide kratten zijn goed bereikbaar met de robotarmen, dus als het meezit kunnen we alle twaalf hulzen opvissen.'

'Het weer blijft ook stabiel,' antwoordde Morgan, 'en als we in dit tempo de hele nacht doorwerken, is de bergingsoperatie morgenochtend klaar.'

'Ik vind het prima,' zei Dirk met een grijns. 'Zo vaak duiken geeft me wel het gevoel dat ik een jojo ben.'

Op minder dan een zeemijl afstand tuurde Tongju door een krachtige kijker naar het NUMA-schip. Bijna veertig minuten lang bestudeerde de persoonlijke beul van Kang de *Sea Rover,* en hij prentte zich details van de gangboorden, trappen en luiken in, en van elke bijzonderheid van het schip voor zover hij die in de verte kon onderscheiden. Tevreden met zijn observaties ging de kale moordenaar naar de brug van de *Baekje* en stapte een kleine zijhut in. Een man met een bokserstronie en kortgeknipt haar zat op een houten stoel en keek aandachtig naar een paar scheepsplattegronden. Hij verstarde even toen Tongju de hut binnenstapte.

'Chef, het aanvalsteam heeft tekeningen van de indeling van het NUMA-onderzoeksschip bekeken. We hebben een strategie voor de aanval en de overmeestering opgesteld, en we zijn nu klaar om in actie te komen,' zei Ki-Ri Kim met afgemeten stem, zoals verwacht kon worden van een voormalige commando van het Koreaanse Volksleger.

'Uit de opgevangen gesprekken met duikers onder water is af te leiden dat ze de wapens gevonden hebben en voorbereidingen treffen die van de zeebodem op te halen,' zei Tongju met zachte stem. 'Ik heb de kapitein gezegd dat we de operatie vannacht uitvoeren.'

Er verscheen een brede grijns op het gezicht van de commando, waarna hij één enkel woord sprak: 'Uitstekend.'

'Zoals gepland,' vervolgde Tongju, 'zal ik Team A leiden, voor de aanval op stuurboord en de boeg, en jij leidt Team B, voor de aanval op bakboord en de achtersteven. Laat de mannen verzamelen voor een laatste briefing om 01.00 uur. We beginnen de aanval om 02.00 uur.'

'Mijn mannen zullen gereed zijn. Ze willen graag weten of we enige tegenstand kunnen verwachten?'

Tongju snauwde zelfverzekerd en kortaf: 'Nauwelijks.'

Kort na middernacht dobberde de *Starfish* aan de oppervlakte in de opening van de romp van de *Sea Rover*, en het helderoranje toestel weerkaatste de gouden stralen van de felle onderwaterschijnwerpers. Dirk en Summer stonden aan dek te kijken hoe het toestel opgehesen werd en voorzichtig op een platform geparkeerd. Een paar monteurs die nachtdienst hadden rolden een kleine kraan naar de steunen bij de voorkant en begonnen aan de delicate taak de twee porseleinen bommen uit de mand te halen.

Dirk liep naar de andere kant en hielp bij het openen van het achterluik van de *Starfish*, zodat Ryan en technicus Mike Farley zich uit het krappe compartiment konden wurmen.

'Mooi werk, Tim. Nu hebben we in totaal acht stuks. Dus je kon zonder problemen bij dat tweede krat komen?' vroeg Dirk.

'Dat was een makkie. We sneden de kabels van de tweede drijver door en die zweefde meteen omhoog, net als de eerste. Mike verdient alle lof, want hij werkt als een chirurg met die robotarmen.'

Farley was een innemende man die voortdurend glimlachte, en met zijn zachte stem voegde hij eraan toe: 'Dat tweede krat zakte uit elkaar alsof het van aardappelpuree was gemaakt. Maar alle zes de bommen lagen er intact. We pakten de eerste twee, en de andere vier liggen voor het oprapen. Maar let op de stroming, want die is sterker geworden sinds onze vorige duik.'

'Bedankt, Mike, doen we.'

Dirk hielp de technici met het verwisselen van de accu's in de *Starfish* en werkte daarna methodisch de checklist af om zeker te zijn dat alle systemen aan boord goed werkten. Kort na één uur in de nacht kropen hij en Summer weer in de cabine van het toestel en werden ze te water gelaten voor een nieuwe duik naar de *I-411*. Ze zaten rustig tijdens de langzame afdaling, zonder veel tegen elkaar te zeggen. Het telkens weer duiken, de klok rond, begon zijn tol te eisen, en ze raakten vermoeid. Maar Dirk was opgetogen dat het lukte de bommen intact te bergen en dat spoedig duidelijk zou worden wat precies de gevaarlijke biologische lading was.

Summer geeuwde nadrukkelijk. ‘Lag ik maar in mijn kooi te soezen, zoals de rest van de bemanning,’ mompelde ze. ‘Als wij klaar zijn met de laatste twee duiken, liggen alle anderen nog te slapen.’

‘Bekijk het positief,’ lachte Dirk. ‘Dan staan we vooraan in de rij voor het ontbijt.’

26

Ze kwamen als demonen uit het donker, stil over het water glijdend. Mannen in zwarte kleding, zittend in zwarte rubberboten die over de zwarte zee schoven. Tongju leidde de aanval met de eerste boot, en hij was in gezelschap van vijf zwaarbewapende, gespierde commando's. Kim volgde in de tweede boot, ook met vijf mannen. Samen raasden ze naar de *Sea Rover* in Zodiac-rubberboten, voortgestuwd door krachtige elektromotoren, een opgevoerde versie van de motoren die vissers gebruiken om stil over het meer te varen. Maar deze boten konden een snelheid bereiken van 30 knopen, en daarbij maakten ze een amper waarneembaar gezoem. In het holst van de nacht was alleen het geluid hoorbaar van de golven, spattend tegen de boeg van de rubberboten met stijve bodems.

Aan boord van de *Sea Rover* keek de roerganger naar het radarscherm op de brug en zag de grote vlek, veroorzaakt door een schip aan stuurboord. Het grote kabelschip, op een zeemijl afstand van de *Sea Rover*, lag nog steeds op dezelfde plek. De roerganger zag af en toe een paar vage witte streepjes op het groene radarscherm verschijnen, ergens halverwege de twee grote schepen. De strepen waren te klein voor een schip, op deze afstand van de kust. Waarschijnlijk waren het hoge golfkammen die op het scherm oplichtten.

De twee rubberen golfkammen minderden vaart toen ze tot honderd meter afstand van het NUMA-schip waren genaderd, en de laatste meters werden langzaam afgelegd. Tongju bracht zijn boot langszij de stuurboordflank van de *Sea Rover* en wachtte even tot Kim met zijn boot om de achtersteven was verdwenen, naar de bakboordzijde. Gelijktijdig, al konden de aanvallers elkaar niet zien, werden een paar met rubber beklede enterhaken omhooggestoken, die vasthaakten aan de onderste reling van de *Sea Rover*. Smalle touwladders, vastgemaakt aan de enterhaken, vormden de weg naar boven. Snel klauterden de commando's langs de zwaaiende ladders omhoog.

Op het dek aan bakboord keek een slapeloze bioloog naar de nachtelijke hemel toen hij iets tegen het schip hoorde stoten. Een kromme haak doemde een meter naast hem op. Nieuwsgierig boog de bioloog zich over de reling, en juist op dat moment verscheen een aanvaller met een zwarte muts op zijn hoofd, zodat de twee hoofden krakend tegen elkaar sloegen. De geschrokken wetenschapper tuimelde achteruit en wilde iets schreeuwen, maar de commando sprong razendsnel aan dek, met een geweer als een knuppel in zijn hand. De kolf van het geweer trof de arme bioloog bij zijn kaakbeen en de man zakte bewusteloos in elkaar.

De twee commandoteams verzamelden zich onafhankelijk van elkaar en slopen naar voren over het dek, vastbesloten de brug en de radiohut te overmeesteren voordat er een oproep om hulp verzonden werd. Geluidloos over het slapende schip sluipend, was het om twee uur in de nacht spookachtig stil aan boord.

Op de brug dronken de roerganger en de tweede stuurman koffie, terwijl ze over rugby praatten. Zonder waarschuwing stormden Tongju en zijn mannen naar binnen door de deur aan stuurboord en ze richtten hun wapens op de twee verbouwereerde mannen.

'Liggen! Op de vloer!' schreeuwde Tongju in goed Engels. De tweede stuurman liet zich snel op zijn knieën zakken, maar de roerganger raakte in paniek. Hij liet zijn beker koffie vallen en sprong naar de deur aan bakboord, in een poging weg te vluchten. Voordat Tongju of een van zijn mannen de man kon grijpen, dook een commando van Kim op, en hij beukte met de kolf van zijn geweer tegen de borstkas van de vluchtende man, om hem daarna hard in zijn kruis te trappen. De roerganger kromp ineen en zakte kreunend van pijn op het dek.

Tongju verkende snel de brug, en zodra hij zag dat er niemand in de aangrenzende radiohut was, knikte hij naar een van de commando's dat die de wacht moest houden bij de communicatieapparatuur. Daarna liep hij naar de kapiteinshut aan de achterkant van de brug. Met een zwijgende hoofdknik wenkte hij een van zijn mannen om naar binnen te stormen.

Morgan lag te slapen in zijn kooi toen de commando de hut instoof, het licht aanknipte en de loop van zijn AK-74-geweer op het hoofd van de kapitein richtte. De kapitein was meteen klaarwakker en sprong gekleed in T-shirt en boxershort overeind, klaar om zich te verdedigen.

'Wat heeft dit te betekenen?' baste hij, en stormde naar voren. De geschrokken commando aarzelde in de deuropening toen de gespierde kapitein op hem af kwam. Met een snelle armbeweging duwde Morgan de loop van het geweer bij zijn borst vandaan, zodat het wapen naar het plafond wees, en schoof met een kracht als van een goederentrein met zijn vrije rechterhand de commando de deur uit. De commando was zó overdonderd dat hij ruggelings op de vloer viel en in de richting van de kajuitwand schoof.

De commando gleed nog over de vloer toen Tongju zijn halfautomatische Glock 22-pistool richtte en een enkel schot op Morgan loste. De .40-kogel raakte Morgans linkerdijbeen en er spoot een fontein van bloed tegen de wand achter hem. Morgan vloekte en greep naar zijn been voordat hij wegstrompelde.

'Dit is een regeringsvaartuig van de Verenigde Staten,' siste hij woedend.

'Nu is dit mijn schip,' antwoordde Tongju kalm. 'Nog één brutale opmerking, kapitein, en de volgende kogel gaat door uw schedel.' Om zijn woorden kracht bij te zetten deed hij een stap naar voren en schopte met zijn rechterbeen naar de knielende kapitein. De zwarte laars sloeg keihard tegen Morgans jukbeen en de gezagvoerder tuimelde plat op het dek. De trotse kapitein krabbelde langzaam weer op zijn knieën en keek strak naar zijn belager, met van haat flitsende ogen.

Niet in staat zijn bemanning te waarschuwen, kon Morgan slechts machteloos toezien hoe het kleine groepje indringers zijn schip overnam. Er was maar weinig verzet, omdat de commando's de slapende bemanningsleden met een por van hun geweerloop wakker maakten. Alleen in de machinekamer verraste een gespierde hulpstoker een van de commando's door met een pijpsleutel zijn schedel in te slaan. De machinist werd meteen onschadelijk gemaakt door geweerschoten van een andere commando, maar de verwondingen waren niet dodelijk. Hier en daar resoneerden schoten door het schip, terwijl de commando's de *Sea Rover* doorzochten. Binnen twintig minuten hadden de aanvallers hun doel bereikt en het gezag over het 110 meter lange onderzoeksschip overgenomen.

Tim Ryan en Mike Farley waren in de controlekamer voor onderzeese operaties en volgden de duik van de *Starfish* toen een paar commando's naar binnen stormden. 'Wat heeft dit te betekenen...' kon Ryan nog uitbrengen in het communicatiesysteem voordat hij met geweld werd weggetrokken en evenals Farley onder bedreiging met vuurwapens werd weggevoerd uit de controlekamer.

Als schapen die naar de slachtbank worden geleid stonden de bemanningsleden in groepjes van drie en vier man op het achterdek van de *Sea Rover*. Bij de ronde achtersteven was nog een vrachtruim, waarin de *Starfish* en ander materieel werden gestouwd. Onder leiding van Kim werd het zware stalen luik van het vrachtruim met een kraan opgetild. De angstige gevangenen moesten de steile ladder afdalen naar de donkere, holle ruimte.

Tongju ging naar Kim op het achterdek, met de hinkende Morgan geboeid achter hem aan. Een commando dwong met zijn porrende geweerloop de kapitein door te lopen.

'Rapport?' vroeg Tongju kortaf.

'Alle doelen bereikt,' meldde Kim trots. 'Eén slachtoffer, Ta-kong, in de machinekamer, maar alle delen van het schip zijn nu onder controle. We hebben de bemanning naar het ruim achter overgebracht. Jinchul meldt dat acht eenheden munitie intact zijn aangetroffen in de tijdelijke laboratoriumruimte aan boord,' voegde Kim eraan toe, en hij knikte naar een magere commando die bij de getimmerde kist stond. 'De kleine duikboot is nu bezig met het bergen van nog meer munitie.'

'Heel goed,' zei Tongju, met een zeldzame glimlach, waardoor zijn sterk vergeelde tanden zichtbaar werden. 'Neem contact op met de *Baekje*. Vraag of ze langzij komen en zich gereedmaken voor het overnemen van het materiaal.'

'Jullie zullen niet ver komen,' gromde Morgan, en hij spuwde een mondvol bloed uit terwijl hij sprak.

'We zijn al ver, kapitein,' antwoordde Tongju met een boosaardige grijns.

Driehonderd meter onder de *Sea Rover* plaatste Summer de tiende bom voorzichtig in de geïmproviseerde houder naast de negende huls die ze kort daarvoor van de bodem had opgeraapt. Met de robotarmen legde ze beide bommen recht en keek Dirk aan toen ze daarmee klaar was.

'Tien gevangen, nog twee te gaan. Je kunt ons naar huis brengen, Jeeves.'

‘Zeker, mylady,’ antwoordde Dirk met een Cockney-accent, en hij schakelde de straalbesturing in, zodat de *Starfish* achteruit voer uit de hangar. Zodra ze boven het dek van de *I-411* voeren, meldde Summer zich via de radio in de controlekamer van de *Sea Rover*.

‘*Sea Rover*, hier de *Starfish*. We hebben weer een stel geborgen en zijn gereed voor opstijgen met de bommen. Over.’

Er kwam geen antwoord. Ze herhaalde haar oproep een paar keer tijdens het opstijgen, maar er kwam geen enkele reactie.

‘Ryan is zeker in slaap gevallen,’ veronderstelde Dirk.

‘Dat kan ik hem niet kwalijk nemen,’ zei Summer, een geeuw onderdrukkend. ‘Het is halfdrie in de nacht.’

‘Als de kerel die de kraan bedient maar wakker is,’ grinnikte Dirk.

Zodra ze het zeeoppervlak naderden, zagen ze de vertrouwde gloed van de ronde opening en Dirk manoeuvreerde de *Starfish* naar het midden, om even later aan de oppervlakte te dobberen. Dirk en Summer zagen een paar schimmige gestalten aan dek toen de hijshaak boven hen zakte en vastgemaakt werd. Dirk schakelde de elektrische systemen uit. Pas toen ze ruw uit het water omhoog werden getrokken, zodat de *Starfish* wild heen en weer zwaaide en bijna tegen de scheepswand sloeg, beseften ze dat er iets mis was.

‘Wie bedient in hemelsnaam die kraan?’ vroeg Summer, toen ze met een dreun op het dek werden gezet. ‘Weten ze niet dat we twee bommen aan boord hebben?’

‘Dit is niet ons eigen welkomstcomité,’ merkte Dirk droog op, kijkend door het grote ronde raam.

Recht voor hem stond een Aziatische man, gekleed in zwarte paramilitaire kleding en met een automatisch pistool gericht op de maag van kapitein Morgan. Dirk zag de lange Fu Manchu-snor van de man en de kwaadaardige grijns met de scheve gele tanden onder de ogen.

Die ogen waren kil en zwart, met een dreigende en meedogenloze uitdrukking. Dirk wist dat dit de ogen van een ervaren moordenaar waren.

Summer hapte naar adem toen ze Morgan zag. Een slordig verband was om zijn linkerdijbeen gewikkeld, en ze zag ook de bloedsporen op zijn onderbeen. Morgans wang was geschaafd en flink gezwollen, en hij had ook een blauw oog. Meer opgedroogd bloed was te zien bij zijn mond en op zijn shirt. Toch stond de kapitein rechtop, onbevreesd, zodat het Summer niet eens opviel dat Morgan alleen een boxershort droeg.

Een paar commando's sprongen opeens voor de bolle acrylvoorruit van de *Starfish* en zwaaiden dreigdend met hun AK-74's, om duidelijk te maken dat Dirk en Summer meteen moesten uitstappen. De geweerlopen werden meteen tegen hun gezichten gedrukt, zodra ze uit de *Starfish* kropen, en ze werden gedwongen naar Morgan en Tongju te lopen.

'Meneer Pitt,' zei Tongju met zachte stem. 'Fijn dat u gekomen bent.'

'Ik geloof niet dat ik het genoegen heb u te kennen,' reageerde Dirk sarcastisch.

'Ik ben een nederige dienaar van het Japanse Rode Leger, en mijn naam is niet belangrijk,' antwoordde Tongju met gespeelde elegantie, en hij boog even zijn hoofd.

'En ik wist niet dat er nog mafketels als jullie vrij rondliepen.'

De grijns bleef op het starre gezicht van Tongju. 'U en uw zus hebben een kwartier om de batterijen te verwisselen en u gereed te maken om de laatste twee stuks munitie op te halen,' zei hij kalm.

'Die zijn beschadigd en in stukken gebroken,' loog Dirk, terwijl zijn gedachten koortsachtig werkten in een poging om een plan te bedenken.

Tongju bracht zijn Glock langzaam omhoog naar Morgan en richtte de loop op de rechterslaap van de kapitein. 'U hebt veertien minuten, dan zal ik de kapitein doden. Daarna dood ik uw zus. En daarna dood ik u.' De stem van Tongju klonk afgemeten en zijn lippen vormden een zelfvoldane grijns.

Dirk voelde het bloed door zijn aderen gieren en hij wilde de krankzinnige voor hem aanvliegen. Maar de zachte aanraking van Summers hand op zijn schouder weerhield hem van overhaaste actie.

'Kom mee, Dirk, we hebben niet veel tijd,' zei ze en trok hem mee naar een steekwagen met volle accu's voor de *Starfish*. Morgan keek Dirk aan en knikte instemmend. Vechtend tegen het gevoel van machteloosheid begon Dirk met tegenzin de accu's naar de *Starfish* te brengen, intussen de leider van de commando's scherp in de gaten houdend.

Terwijl ze het toestel voor de laatste duik gereedmaakten, werden de laatste bemanningsleden onder dwang van wapens naar het ruim onder het achterdek gebracht. Summer zag de angstige blik op de gezichten van twee laboranten toen die ruw door het luik werden geduwd.

Dirk en Summer vervingen binnen twaalf minuten de accu's. Er was geen tijd voor de normale controles van alle systemen die ze standaard uitvoerden voordat de *Starfish* weer te water werd gelaten. Ze moesten maar hopen dat alles goed werkte tijdens de laatste duik.

Tongju kwam met afgemeten passen naderbij en keek naar de twee Amerikanen, die een stuk langer waren dan hij.

'U gaat de resterende munitie bergen en keert onmiddellijk terug aan boord. U hebt negentig minuten om dat te doen, anders volgen er ernstige consequenties.'

'Als ik u was zou ik me zorgen maken over de consequenties van onze militaire strijdkrachten omdat u een regeringsschip hebt gekaapt,' siste Summer woedend.

'Er zijn geen consequenties voor een schip dat niet meer bestaat,' antwoordde Tongju met een scheve glimlach.

Voordat Summer kon reageren, keerde Tongju zich op zijn hielen om en liep weg. Zijn plaats werd meteen ingenomen door twee commando's, die hun wapens in de aanslag hielden.

'Kom mee, zus,' bromde Dirk. 'Het heeft geen zin te discussiëren met een psychopaat.'

Dirk en Summer kropen terug in de *Starfish* en werden door de kraandrijver weer ruw heen en weer geschud. Terwijl alles gereed werd gemaakt om de kabel los te maken, zag Dirk door de bolle voorruit dat Morgan met geweld naar het ruim in het achteronder werd geduwd. Een commando bij de kraan hees het zware stalen deksel op en liet het boven de opening op zijn plaats zakken. Nu was de hele bemanning opgesloten in de donkere bergruimte.

Met een flinke plons werd de *Starfish* ruw neergelaten en losgemaakt van de hijskabel.

'Hij wil de *Sea Rover* tot zinken brengen,' zei Dirk tegen Summer, toen ze aan de langzame afdaling naar de zeebodem begonnen.

'Met de hele bemanning opgesloten in dat ruim?' vroeg Summer, ongelovig haar hoofdschuddend.

'Dat denk ik wel,' zei Dirk somber. 'En helaas kunnen we weinig doen om hulp te laten komen.'

'Ons onderwatercommunicatiesysteem is onbruikbaar, en als we aan de oppervlakte een noodoproep doen, is het bereik gering. Misschien hoort een Chinese vissersboot ons.'

'Of dat kabelschip, waar die schurken kennelijk vandaan komen,' voegde hij er hoofdschuddend aan toe.

'Onze inlichtingendienst heeft dat Japanse Rode Leger nogal onderschat,' vond Summer. 'Die kerels zagen er niet uit als ideologische extremisten met een staaf dynamiet in hun gordel.'

'Nee, het is wel duidelijk dat het goed getrainde militairen zijn. En wie ook de leider mag zijn, hij weet wat hij doet en hij heeft genoeg geld.'

'Wat zouden ze met die bommen willen doen?'

'Misschien een aanval op Japan lanceren. Maar er schuilt duidelijk meer achter dat Japanse Rode Leger, dus ik durf geen uitspraak te doen over hun werkelijke bedoelingen.'

'Ik denk dat we nu wel wat anders hebben om over te piekeren. We moeten iets bedenken om de bemanning te redden.'

'Ik heb acht commando's geteld, en er zullen zeker nog een paar kerels op de brug en elders aan boord zijn. Dat is een te grote overmacht om met een paar schroevendraaiers aan te vallen,' zei Dirk, kijkend naar de inhoud van een gereedschapskistje naast zijn stoel.

'We moeten snel een paar bemanningsleden uit het ruim bevrijden, zodat ze ons kunnen helpen. Als we met voldoende mannen zijn, dan kunnen we die aanvallers misschien overmeesteren.'

'Ik vind het geen prettige gedachte om ongewapend tegenover een AK-74 te staan, maar er is een kans als we met genoeg mensen zijn. Dat luik van de opening te krijgen is het grootste probleem. Ik moet een paar minuten ongestoord de kraan op het achterdek gebruiken, maar ik denk niet dat onze vrienden in het zwart daarmee akkoord gaan.'

'Er moet toch een andere ingang naar dat ruim zijn?' vroeg Summer zich hardop af.

'Nee, helaas niet. Ik weet wel zeker dat het net zo'n ruim is als bij de *Deep Endeavor*. Het ruim is ontworpen als vrachtruim, en er is geen verbinding met andere delen onderdeks.'

'Volgens mij heeft Ryan daar eens een elektriciteitskabel binnen gehad, en die ging niet door het dekluik.'

Dirk dacht even diep na, zoekend in zijn geheugen. Toen ging hem een lichtje op.

'Je hebt gelijk. Er is een klein ventilatiegat, net voor de achterspiegel. Het is echt een luchtrooster, voor de afvoer van schadelijke gassen, als er chemicaliën in het ruim worden gestouwd. Maar ik weet vrijwel zeker dan een man zich erdoorheen kan persen. Het probleem voor Morgan en zijn mannen is dat die opening aan de buitenkant afgesloten is.'

'Dan moeten we iets bedenken om dat rooster open te maken,' zei Summer vastberaden.

Samen bespraken ze verschillende mogelijkheden, en ten slotte hadden ze een plan met kans op succes als ze weer aan boord van de *Sea Rover* waren teruggekeerd. Voor het welslagen van dat plan waren timing, behendigheid en een dosis lef nodig. Maar toch vooral een dosis geluk.

27

Dirk en Summer zwegen bedrukt omdat ze in gedachten al de vreselijke beelden zagen van de *Sea Rover*, zinkend met alle bemanningsleden, hun vrienden en collega's, gevangen in dat luchtdichte ruim. Toen doemde het silhouet van de *I-411* plotseling op uit de duisternis voor hen en ze verdreven de akelige beelden uit hun hoofd. Terwijl de minuten verstreken, begonnen ze aan hun taak de laatste twee dodelijke bomhulzen te bergen.

Dirk manoeuvreerde de *Starfish* zoals elke keer weer de hangar in en stopte binnen bereik van de twee bommen. Summer bestuurde de robotarmen, kijkend door de acrylvoorruit, en Dirk keek naar de monitor met de videobeelden van de bewegingen. Hij zag hoe Summer voorzichtig de eerste bom optilde en in de mand plaatste, maar opeens startte hij *Snoopy* en greep naar de besturing van het apparaat. Snel stuurde hij de ROV uit zijn houder, liet het toestel ronddraaien tot de neus tegen de steunen van de *Starfish* drukte en gaf toen vol gas. De kleine ROV bleef op zijn plek, maar de straalaandrijving wierp een dikke wolk modder en sediment op voor de *Starfish*, zodat het zicht helemaal verdween en alles troebel en bruin werd.

'Wat doe je nou?' vroeg Summer, en ze hield de robotarmen meteen stil.

'Dat zul je wel zien,' zei Dirk, al was er helemaal niets te zien. Hij boog zich naar Summer en deed wat met de afstandbediening, om daarna de voortstuwing van de ROV uit te schakelen. Het duurde twee minuten voordat het zeewater weer zo helder werd dat Summer kon doorgaan met het bergen van de laatste huls.

‘Wil je die truc nog een keer uitproberen?’ vroeg ze, nadat de laatste bom in de mand was geplaatst.

‘Waarom niet?’ antwoordde Dirk, en hij schakelde de straalstroom nog een keer in, zodat er weer een wolk voor de camera verscheen.

Zodra het water weer helder was en de twee bommen goed in de mand lagen, stuurde Dirk de *Starfish* weg van de onderzeeboot en begonnen ze aan hun langzame tocht omhoog. Halverwege het zeeoppervlak wisselden ze, over elkaar heen kruipend, van plaats, zodat Summer de besturing van de *Starfish* bediende en Dirk de twee robotarmen.

‘Oké, breng ons maar naar boven,’ commandeerde Dirk. ‘Zodra ze ons aan dek zetten, moet je voor afleiding zorgen.’ Terwijl hij dit zei, bewoog hij de robotarm bij de mand vandaan en strekte de arm recht naar voren, zodat hij als een grote lans voor de *Starfish* uit stak.

Summer vertrouwde blindelings op haar broer, en er was trouwens geen tijd om te protesteren. De lichtende ring in de romp van de *Sea Rover* kwam al snel in zicht. Summer stuurde de *Starfish* naar het midden van de opening en ze kwamen in een wolk schuimend zeewater en luchtbellen aan de oppervlakte. Met een metalig hol geluid werd de haak vastgemaakt en de ROV werd weer ruw naar boven gerukt. Summer keek naar Tongju en een paar commando’s, terwijl de ROV heen en weer schommelde aan de hijskabel. Dirk tuurde ingespannen naar de uitgestrekte robotarm en stelde die bij. Toen ze door de onervaren kraandrijver met een dreun op het dek werden gezet, zag Summer dat Dirk de stuurhendels naar voren duwde. De metalen klauw bonkte over het dek, vlak bij de achtersteven. Ruim een meter naast de klauw was de kleine, afgesloten ventilatieopening van het achterste vrachtruim.

‘De kraandrijver kan ermee door,’ bromde Dirk. ‘We zitten in de buurt.’

‘De show kan beginnen,’ zei Summer met een nerveuze blik.

Met snelle bewegingen trok ze haar NUMA-overall uit, zodat haar slanke lijf alleen gehuld was in een bikini met daarover een T-shirt. Ze tastte onder het shirt, haakte het topje los en liet het op de vloer vallen. Daarna knoopte ze de onderkant van haar T-shirt boven haar navel. Het strakke T-shirt sloot nauw om haar welgevormde, volle borsten en middenrif. Dirk hielp haar het noodluik te openen en keerde daarna meteen terug naar het bedieningspaneel van de robotarmen. Summer kroop zo snel ze kon uit de *Starfish*.

Toen Summer uitstapte, stond Tongju met zijn rug naar de *Starfish* gekeerd druk met de kraandrijver te praten. Ze zag dat hij van haar afgekeerd stond, en stapte meteen naar de dichtstbijzijnde commando, die met een verlekkerde grijns naar haar ronde vormen keek. Maar zijn grijns veranderde in schrik toen Summer zo hard ze kon krijste: 'Blijf met je poten van me af, engerd!' Haar woorden werden gevolgd door een harde klap in zijn gezicht, zodat hij bijna omviel. Als haar bikinibroekje en het strakke T-shirt al niet de aandacht van de mannen trokken, dan was het wel de harde mep die een van hun maten bijna vloerde waardoor alle ogen op haar gericht werden.

Behalve de ogen van Dirk. Hij maakte gebruik van de commotie en strekte de robotarm zo ver mogelijk uit naar het ventilatieluik. Met de klauw greep hij de sluithendel, bewoog die naar de open positie en lichtte het luik even een beetje op om er zeker van te zijn dat het nu open kon. Snel liet hij de hendel weer los en trok de arm terug naar de *Starfish,* om daarna de stroom uit te schakelen. Even later stond hij nonchalant voor het toegangsluik van de *Starfish*, alsof hij daar al een tijd was.

'Wat is hier aan de hand?' siste Tongju, die met zijn Glock-pistool in de aanslag naar Summer kwam.

'Die viezerik probeerde me aan te randen!' gilde Summer, en ze wees met haar duim naar de verblufte commando. Tongju uitte een stroom verwensingen, tot de verbaasde beschuldigde ineenkromp als een verwelkend viooltje. De commandoleider keerde zich om naar Summer en naar Dirk, die nu achter zijn zus stond.

'Jullie twee, terug in die onderzeeboot,' beval hij in het Engels, wijzend met de loop van zijn Glock.

'Nou zeg, mogen we niet eens even de benen strekken?' klaagde Dirk, alsof dat zijn grootste probleem was. Toen ze terug waren in de *Starfish* zagen ze pas dat het Japanse kabelschip langszij de *Sea Rover* deinde. Hoewel het schip maar iets langer was dan het NUMA-vaartuig, had het Japanse schip een veel grotere opbouw en het torende hoog boven de *Sea Rover* uit. De *Baekje* was amper een minuut langszij, toen een grote kraan op het achterschip naar de *Sea Rover* zwaaide. Aan de hijskabel hing een lege pallet, traag bewegend in de wind. Vanuit de *Starfish* zagen ze hoe de pallet naast hen aan dek werd gezet. Een drietal in het zwart geklede commando's rolde enkele containers uit het hulplaboratorium van de *Sea Rover* en bond die vast op de pallet. Ze wisten dat in elke container een biologische bom geborgen was, gewikkeld in een schuimrubberhoes.

In de eerste ochtendschemering hees de kraanmachinist van de *Baekje* de pallet enkele keren heen en weer, tot alle containers met de bommen aan boord van het Japanse schip waren. Daarna werd de lege pallet gebruikt als platform voor de commando's, die in kleine groepjes naar de *Beakje* werden gebracht. Aan dek verscheen een in het zwart geklede schutter, die kort met Tongju sprak. Dirk zag een smalle glimlach op Tongju's gezicht verschijnen, waarna de man naar de *Starfish* wees en een bevel gaf. De hijskabel werd losgemaakt van de pallet en aan de *Starfish* gehaakt.

'Ik geloof dat wij aan de beurt zijn,' zei Dirk, toen de kabel strak werd getrokken.

Nu werd de ROV behoedzaam opgehesen. Dirk strekte snel de robotarm uit en bonkte drie keer met de klauw op het achterdek voordat ze al te hoog in de lucht zweefden. Hij en Summer zagen de *Sea Rover* onder zich kleiner worden toen ze over het water werden getild en op het hoge achterdek van de *Baekje* neergezet. Zodra ze uitstapten, werden ze opgewacht door een paar gewapende kerels, die hen met hun geweerlopen naar de reling dwongen.

'Ik heb genoeg van die begroetingen met geweerlopen,' bromde Dirk.

'Ze voelen zich waarschijnlijk naakt als ze geen wapen in hun handen hebben,' schamperde Summer.

Vanaf hun hoge positie zagen ze hoe ook de laatste commando's op de pallet werden overgebracht. Tongju zat bij het laatste groepje.

'Dirk, zie ik goed dat de *Sea Rover* dieper in het water ligt?' vroeg Summer bezorgd.

'Je hebt gelijk,' beaamde Dirk, aandachtig naar het schip turend. 'Ze hebben de afsluiters kennelijk geopend. En het schip maakt ook slagzij naar stuurboord.'

De pallet waar Tongju op stond zwaaide naar het dek en de commandoleider sprong er soepel af. Meteen ging hij naar zijn twee gevangenen.

'Neem maar afscheid van jullie boot,' zei hij kil.

'Maar de bemanning zit opgesloten in het ruim, jij zwijn!' schreeuwde Summer.

Woedend zette ze een stap naar Tongju, maar de getrainde moordenaar reageerde razendsnel en trapte hard tegen Summers buik, zodat ze achterovertuimelde. Toch waren zijn reflexen niet snel genoeg om de onverwachte uitval van Dirk te pareren, die met een sprong bij

Tongju was en hem een keiharde linkse hoekstoot gaf terwijl de man zijn evenwicht nog moest hervinden. De krakende vuistslag trof Tongju op zijn rechterslaap, zodat hij door zijn ene knie zakte en elk moment het bewustzijn leek te verliezen. De commando's die in de buurt stonden, besprongen Dirk, en een van de mannen ramde een geweerkolf in zijn maag en twee anderen draaiden zijn armen naar achteren.

Tongju herstelde zich langzaam van de klap en ging weer staan. Doelbewust liep hij naar Dirk. Met zijn gezicht dichtbij Dirks kin sprak hij kalm, maar zijn stem droop van het venijn.

'Ik zal met plezier toekijken hoe jij crepeert, net als je scheepsmaten,' zei hij, en beende met bruuske bewegingen weg.

De andere commando's voerden Dirk en Summer langs een zijtrap en door een nauwe gang tot ze in een hut werden geduwd. De deur van de hut werd achter hen dichtgesmeten en afgesloten. Twee mannen bleven op wacht staan.

Dirk en Summer schudden de pijn van de klappen af en wankelden langs de twee dubbele bedden die in de hut geklemd stonden, om hun gezicht tegen de kleine patrijspoort in de scheepswand te drukken.

'Ja, ze ligt veel dieper in het water,' zei Summer met afgrijzen in haar stem.

Door de patrijspoort zagen ze de *Sea Rover* nog steeds langszij de *Baekje*, maar de bovenkant van de romp zakte onmiskenbaar steeds verder naar het zeeoppervlak. Aan dek was geen teken van leven, en het grote onderzoeksvaartuig leek wel een spookschip. Dirk en Summer tuurden naar een beweging bij het achterdek, maar ze zagen niets.

'Ze hebben dat ventilatierooster weer afgesloten, of Morgan kan er niet bij komen,' gromde Dirk.

'Of hij weet niet dat er een opening is,' fluisterde Summer.

Onder hun voeten hoorden ze een aanzwellend rommelend geluid toen de motoren werden gestart en het grote kabelschip langzaam wegvoer van het zinkende NUMA-vaartuig. De dageraad had nog niet gewonnen van de zwarte nacht, en het duurde maar enkele minuten voordat de schim van de *Sea Rover* vervaagde tot een wazige groep twinkelende lichtjes.

Dirk en Summer bleven strak naar het NUMA-schip turen, terwijl de *Baekje* steeds meer vaart maakte en de afstand groter werd. Toen verdwenen de twinkelende lichtjes onder de horizon en zagen ze niets meer van hun schip en hun kameraden.

28

'We hebben geen contact meer met de *Sea Rover*.'

Rudi Gunn keek langzaam op van zijn bureau. Zijn blauwe ogen achter de brillenglazen keken priemend naar de NUMA-medewerker die nerveus voor hem stond.

'Sinds wanneer?' vroeg Gunn.

'Onze communicatieverbinding viel iets meer dan drie uur geleden weg. We kregen wel steeds de GPS-positie door, en we weten dat het schip nog steeds op dezelfde positie was in de Oost-Chinese Zee. Maar dat signaal is twintig minuten geleden verdwenen.'

'Hebben ze een noodsein uitgezonden?'

'Nee, meneer, we hebben geen noodsein opgevangen.' Hoewel de medewerker al tien jaar in dienst was bij NUMA, liet hij duidelijk blijken zich erg ongemakkelijk te voelen als brenger van het slechte nieuws aan zijn superieur.

'En dat marineschip? Dat zou toch escorteren?'

'De marine heeft het fregat al weggestuurd voordat de *Sea Rover* de haven van Osaka verliet, omdat het deel uitmaakt van een oefening met de Taiwanese marine.'

'Dat is helemaal mooi!' riep Gunn geërgerd uit.

'We hebben al satellietbeelden opgevraagd van de nationale veiligheidsdienst. Binnen een uur krijgen we de foto's.'

'Ik wil dat er nu meteen een verkenningsvlucht wordt uitgevoerd,' blafte Gunn. 'Neem contact op met de luchtmacht en de marine. Zoek uit wie daar in de buurt is en laat ze opschieten. Nu meteen!'

'Jawel, meneer,' antwoordde de jongeman, en hij sprong zowat weg uit Gunns werkkamer.

Gunn maakte zich zorgen over de situatie. NUMA-schepen beschikten over de modernste satellietcommunicatie. Zulke schepen verdwijnen niet zonder waarschuwing. En de *Sea Rover* had de meest ervaren en vakkundigste bemanning aan boord van de hele NUMA-vloot. Dirk had kennelijk gelijk, vreesde hij. Er moest een machtige organisatie jacht maken op die biologische bommen aan boord van de *I-411*.

Met een onheilspellend voorgevoel pakte Gunn de telefoon en belde zijn secretaresse.

'Darla, verbind mij met de vice-president.'

Kapitein Robert Morgan was geen type dat snel de moed liet zakken. Hij negeerde zijn aangeschoten dijbeen en gebroken kaakbeen alsof het maar schrammen waren en hernam vlug het gezag over zijn geschrokken bemanning, toen die ruw in het vrachtruim was gedreven. Een paar tellen nadat hij in het ruim belandde, werd het zware stalen luik boven hen dichtgesmeten en binnen was het aardedonker. Angstig gefluister echode tegen de stalen wanden en in het bedompte ruim rook het sterk naar dieselolie.

'Geen paniek!' baste Morgan over het gefluister uit. 'Ryan, waar ben je?'

'Hier,' klonk Ryans stem uit een hoek.

'Er moet een reserve-ROV in dit ruim zijn. Zoek een paar accu's en kijk of je de lichten aan krijgt,' beval Morgan.

Een vaag schijnsel lichtte op achter in het ruim, de kleine lichtbundel van een zaklantaarn in de hand van de hoofdboordwerktuigkundige van de *Sea Rover*.

'Dat gaat lukken, kapitein,' gromde de Ierse stem van McIntosh, de roodharige werktuigkundige.

Ryan en McIntosh vonden de reserve-ROV en even later zagen ze in het vage schijnsel ook een stel accu's. Ryan splitste de elektriciteitskabel van de ROV en verbond de draden met de accu's. Zodra hij de verbindingen had gemaakt, flitsten de felle xenonlampen van de ROV aan en het ruim baadde in een zee van blauwwit licht. Enkele bemanningsleden die dicht bij de ROV stonden knepen hun ogen dicht in het plotseling helverlichte ruim. Nu kon Morgan zijn bemanning en de wetenschappers monsteren, en hij zag dat iedereen in groepjes verspreid in het ruim zat. Op de meeste gezichten van de mannen en vrouwen was verwarring en angst te lezen.

'Mooi werk, Ryan. McIntosh, schijn met die lampen door het ruim.

Is iemand van jullie gewond?' vroeg de kapitein, zijn eigen ernstige verwondingen negerend.

Een snelle inventarisatie maakte duidelijk dat er snijwonden, blauwe plekken en schrammen waren. Maar afgezien van de gewonde hulpmachinist en een geoloog die zijn been brak toen hij in het ruim viel, waren er verder geen ernstig gewonden.

'Wij gaan dit ruim uit,' zei Morgan zelfverzekerd. 'Die schoften willen alleen de munitie die we geborgen hebben uit de Japanse onderzeeboot. Er is een kans dat ze ons bevrijden zodra ze al het materiaal bij hen aan boord hebben.' Morgan twijfelde in stilte aan zijn eigen woorden. 'Maar voor de zekerheid zullen we zelf ook iets bedenken om dat luik te openen. We hebben in elk geval genoeg mankracht voor dat karwei. McIntosh, schijn eens rond, dan zien we wat er gebeuren moet.'

McIntosh en Ryan pakten de draagbare ROV en liepen naar het midden van het vrachtruim. Langzaam beschreven ze een cirkel met de heldere lichtstralen, over de mensen en wat er verder te zien was. Als magazijn voor de *Starfish* leek het ruim wel een uitdragerij voor elektronica. Er hingen kabelhaspels, en in kasten aan de achterwand waren elektronische reserveonderdelen opgeborgen. Rekken met testapparatuur stonden langs een andere wand, en op een houten onderstel lag een vijf meter lange Zodiac-rubberboot. In een hoek stonden zes grote vaten met benzine en twee extra buitenboordmotoren. Ryan scheen wat langer naar de olievaten, en in het licht waren metalen ringen te zien die een trap naar boven vormden.

'Kapitein, er is een ventilatieluik bovenaan die treden. Daarboven moet het achterdek zijn,' zei Ryan. 'Het luik wordt van boven gesloten, maar er is een kans dat het niet vergrendeld is.'

'Iemand van jullie daar,' baste Morgan naar een drietal wetenschappers die ineengedoken dichtbij de olievaten zaten. 'Klim daarop en controleer of dat luik vergrendeld is.'

Een oceanograaf, op blote voeten en in een blauwe pyjama, sprong meteen overeind en klauterde langs de metalen ringen naar boven. Hij verdween in de smalle schacht bovenaan de wand van het ruim. Een paar tellen later kwam hij weer in beeld, met een pijnlijke trek op zijn gezicht omdat de ruwe metalen ringen in zijn voeten sneden.

'Dat luik is stevig afgesloten, kapitein,' meldde hij teleurgesteld.

McIntosh deed een stap naar het midden van het ruim.

'Kapitein, ik denk dat we met een paar balken van dat hout onder de

Zodiac palen kunnen maken,' zei hij, wijzend naar de rubberboot. 'Met zes of acht man moet het vervolgens lukken een hoek van het grote luik omhoog te drukken.'

'Met een paar flinke eetstokken dat luik verplaatsen, bedoel je? Dat is inderdaad een idee. Meteen aan het werk, McIntosh. Jullie daar: help eens mee die Zodiac te verplaatsen,' beval Morgan naar een groepje bij de boot.

Hinkend liep Morgan naar de zijkant van de Zodiac en hij hielp mee het vaartuig van de houten steun naar het dek te verplaatsen. McIntosh en een paar helpers demonteerden de houten stellage en legden de delen naast elkaar, terwijl de scheepstimmerman nadacht hoe hij ze het beste kon gebruiken.

Terwijl ze bezig waren hoorden ze de gedempte stemmen van de commando's aan dek en het ronken en zoemen van de hijskraan aan boord van de *Baekje,* die de munitie uit de *I-411* verplaatste. Op een zeker moment klonk vaag de echo van machinegeweervuur, ergens verder weg op het schip. En kort daarna herkende Morgan aan de geluiden dat de *Starfish* uit het water werd gehesen en aan dek gezet, gevolgd door gegil van een vrouwenstem. Hij wist dat het Summer moest zijn die gilde. De activiteit boven hen werd minder, na wat gebons op het dek. En uiteindelijk verstomde het geluid van de hijskranen en de stemmen. De commando's hadden het schip kennelijk verlaten, en Morgan vroeg zich af wat er met Dirk en Summer was gebeurd. Zijn gedachten werden verstoord door het brommen van de motoren van de *Baekje*, resonerend in het vrachtruim, toen het kabelschip wegvoer van de *Sea Rover.*

'Gaat het lukken, McIntosh?' vroeg Morgan luid, om het naargeestige gevoel van verlatenheid te verdrijven, al kon hij duidelijk zien dat het werk vorderde.

'We hebben al twee stutten in elkaar gezet, en de derde is bijna klaar,' bromde de werktuigkundige. Aan zijn voeten lagen drie ongelijke houten palen, ongeveer drie meter lang. Elke paal was gemaakt van drie stukken hout, met aan de uiteinden ruwe inkepingen die met een hamer en een schroevendraaier waren uitgehakt, zodat een messing en groef ontstond. Van een voorraadrek was metaalplaat gesloopt om de verbindingen steviger te maken, en daaromheen was nog eens tape gewikkeld.

Terwijl McIntosh geknield zocht in de resten hout, klonk opeens een ruisend geluid in de ingewanden van het schip. Het geluid werd snel luider en klonk nu als het kolkende water van een woeste bergbeek. McIntosh ging langzaam staan en keek de kapitein aan. Zijn stem klonk afgemeten en bedrukt.

'Kapitein, ze hebben de afsluiters geopend. Ze laten het schip zinken.'

Verschrikte en gesmoorde kreten klonken overal in het ruim, na de woorden van McIntosh, en het 'Nee!' echode tegen de metalen wanden. Morgan negeerde het.

'Zo te zien moeten we het met deze drie stutten doen,' zei de kapitein bedaard. 'Ik wil zeven man bij elke paal. We gaan ze nu overeind zetten.'

Meteen kwamen de mannen naar voren en grepen de stutten vast, terwijl het zeewater al door de lensgaten naar binnen sijpelde. Een paar minuten later stond het water al tot hun enkels, terwijl de mannen de stutten verticaal tegen de voorste hoek van het dekluik plaatsten, naast de ladder. Bovenaan de ladder stond een man gereed met een grote houten wig, en het was zijn taak die in de kier te wringen als het luik omhoogkwam.

'Klaar? Tillen!' schreeuwde Morgan.

Tegelijk drukten de drie teams de bovenkant van de stutten tegen het dekluik, drie meter boven hun hoofden, en ze duwden uit alle macht. Tot ieders verbazing sprong het luik meteen een eind open, zodat de lichten aan dek even te zien waren, maar het zware geval viel terug.

De eenzame man op de bovenste tree verstarde even voordat hij de houten wig op zijn plaats wilde zetten, maar het was al te laat. Het luik sloeg bijna tegen zijn hoofd terwijl hij toch een poging deed de wig te plaatsen, en bijna werden de vingers van zijn rechterhand geamputeerd. De geschrokken man haalde diep adem en knikte naar Morgan dat hij het een tweede keer zou proberen.

'Oké, mannen, we doen het nog een keer,' commandeerde Morgan, terwijl het zeewater nu al om zijn knieën spoelde en het zout in zijn gewonde dijbeen beet. 'Een... twee... drie!"

Een luid gekraak weergalmde door het ruim toen de bovenste verbinding van een steun afbrak. Het afgeknapte deel viel met een plons in het water. McIntosh waadde erheen en zag dat de uitgehakte messing finaal afgebroken was.

'Niet best, kapitein,' rapporteerde hij. 'Zal tijd kosten dat te repareren.'

'Doe wat je kunt,' commandeerde Morgan. 'We gaan door met twee palen! Duwen!'

De overgebleven mannen duwden uit alle macht de twee palen omhoog, maar hun inspanning was tevergeefs. Er was niet genoeg mankracht om met twee palen het luik op te lichten. Meer handen wilden helpen, maar er was te weinig plaats om de paal. Twee keer deden de mannen een poging, en het lukte uiteindelijk het luik een paar centimeter op te lichten, maar de kier bleef te klein om de wig ertussen te krijgen. Het stijgende zeewater stond al tegen Morgans borst en hij zag aan de gezichten van de bemanning dat de angst om te verdrinken elk moment in blinde paniek kon veranderen.

'Nog één keer proberen, mannen!' zei hij snel, al berekende hij ergens in zijn achterhoofd al heel morbide hoelang het duurt voordat een mens verdrinkt.

Aangespoord door adrenaline ramden de mannen de twee houten stutten weer uit alle macht tegen het zware dekluik. Deze keer hadden ze zoveel kracht dat het luik omhoog bewoog, maar op dat moment klonk er weer een akelig gekraak in het lege ruim. De tweede paal brak in twee stukken en het luik viel met een galmende klap dicht.

Ergens in een donkere hoek riep een stem: 'Nu is het afgelopen met ons.'

Die woorden brachten een van angst bevende kok bij de olievaten in paniek: 'Ik kan niet zwemmen... Ik kan niet zwemmen,' jammerde hij, terwijl het water al tot zijn borst reikte.

In paniek greep hij een van de ijzeren ringen die de trap naar de ventilatieopening leidden en klauterde in doodsangst naar boven. Bovenaan gekomen in de donkere schacht begon hij in blinde paniek met zijn vuisten op het ronde luik te beuken, smekend om naar buiten te mogen. En ondanks zijn verwarring voelde hij opeens dat het luik onder zijn vuisten bewoog en vervolgens openzwaaide. Met bonzend hart en ongelovig kroop hij door de opening en stond een ogenblik later verdwaasd aan dek. Het duurde bijna een volle minuut voordat zijn razende hartslag bedaarde en hij weer nuchter kon nadenken. Hij besefte dat hij nog niet zou sterven en krabbelde terug naar de opening, om een paar treden af te dalen en naar de mannen in het ruim te schreeuwen: 'Het luik is nu wel open! Het is open! Kom hierheen, allemaal!"

Als een legertje rode mieren zwermden de angstige mensen in het ruim naar de ladder, elkaar verdringend om zo snel mogelijk naar boven te vluchten. De meeste bemanningsleden moesten al watertrappen of klampten zich vast aan de inmiddels drijvende Zodiac. De kleine ROV dobberde ook rond, en de lichten wierpen een surrealistisch schijnsel op het half met zeewater volgelopen scheepsruim.

'Vrouwen eerst!' schreeuwde Morgan, een oude traditie in ere houdend.

Ryan, die op zijn tenen dicht bij de ladder stond, met het water tot zijn kin reikend, probeerde de orde in de chaos te herstellen.

'Jullie hebben de kapitein gehoord. Alleen vrouwen gaan naar boven. Wegwezen, jullie!' snauwde hij naar een paar mannelijke biologen die elkaar verdrongen om de ladder op te klimmen. Zodra de vrouwelijke bemanningsleden haastig naar boven waren geklauterd en door de ventilatieopening verdwenen, wist Ryan een rij te vormen van de tientallen die op hun beurt wachtten.

Morgan zag dat het water te snel steeg. Het was onmogelijk dat iedereen op tijd naar boven kon klimmen, en dan moest het schip ook niet versneld zinken.

'Ryan, ga naar boven en kijk of je het grote luik open krijgt!' beval Morgan.

Ryan verspilde geen tijd en volgde een scheepsverpleegster zo snel zijn benen hem wilden dragen. Hij kroop door de opening en rolde aan dek. Geschrokken zag hij in het eerste daglicht wat er gebeurde. Hij zag dat de *Sea Rover* met het achterschip snel zonk. Het zeewater spoelde al over de achtersteven, terwijl de boeg onder een hoek van twintig graden naar boven wees. Overeind krabbelend, zag hij dat een jonge radiotelegrafiste anderen hielp naar een hoger deel van het schip te klimmen.

'Melissa, ga naar de radiohut en verstuur een noodsein!' schreeuwde hij in het voorbijgaan.

Hij klom langs een korte trap naar het achterste luik en zag een lichtpuntje in de verte, waar het kabelschip aan de horizon verdween. Hij sprong op het luik en gunde zich de tijd een zucht van opluchting te slaken. Het stijgende water op het achterdek had het luik nog niet bereikt en de kraan was ook nog niet verzwolgen. In de haast om van boord te gaan hadden de commando's de haak en de hijskabel zelfs niet losgemaakt van het dekluik.

Hij draafde naar de hijskraan en was met één sprong in de cabine, om meteen de dieselmotor te starten. Snel bewoog hij de hendels om de hijsarm omhoog te krijgen. Tergend traag ging de hijsarm naar boven en lichtte het massieve stalen dekluik op. Ryan verspilde geen tijd en draaide de boom slechts een halve meter naar stuurboord voordat hij weer uit de cabine sprong. Het dekluik bleef in de lucht bungelen.

Hij rende naar de opening en zag wel dertig man, vechtend voor hun leven, watertrappen. Het water was al tot vlak onder de rand van de opening gestegen. Nog twee minuten en iedereen zou reddeloos verdrinken. Hij strekte zijn armen uit, greep telkens een man en sjorde hen een voor een omhoog, weg uit het ruim. Met hulp van de mannen aan dek wist Ryan de drenkelingen snel te redden. Hij trok persoonlijk als laatste kapitein Morgan door de opening.

'Goed werk, Tim,' prees de kapitein, wankelend om zijn evenwicht te hervinden.

'Dom van mij dat ik die ventilatieopening niet zelf gecontroleerd heb, kapitein. We hadden iedereen veel sneller uit het ruim kunnen bevrijden als we hadden geweten dat het niet vergrendeld was.'

'Het was wel vergrendeld, of snap je het niet? Dirk heeft de grendel verschoven. Hij klopte op het luik, maar wij vergaten te antwoorden.'

Op Ryans gezicht was te zien dat hij het begreep. 'We mogen hem en Summer wel heel dankbaar zijn, die arme drommels. Maar ik vrees dat we nog niet veilig zijn, want het schip zinkt nu snel.'

'Iedereen moet het schip verlaten. Laten we meteen een paar reddingboten strijken, pronto!' antwoordde Morgan, over het hellende dek in de richting van het voorschip stommelend. 'Ik ga een noodsein uitzenden.'

Alsof ze het gehoord had, verscheen Melissa hijgend op het hellende dek.

'Kapitein,' steunde ze, 'de radiozender is kapotgeschoten. En de satellietverbinding is ook kapot. We kunnen geen noodsein uitzenden.'

'Oké,' zei Morgan, niet eens verbaasd. 'Dan schakelen we de noodbakens in en wachten we tot iemand ons komt oppikken. Laat iedereen nu snel van boord gaan.'

Ryan ging helpen met het gereedmaken van de reddingboten en hij besefte opeens dat de *Starfish* verdwenen was. Hij liep snel naar het laboratorium en zag dat alle bomhouders ook verdwenen waren, dus over de reden voor de aanval hoefde niet meer getwijfeld te worden.

Na de beproeving in het vrachtruim daalde een ongewone kalmte neer over de bemanning toen die het schip verliet. Rustig en ordelijk gingen de mannen en vrouwen naar de reddingboten, blij dat ze een goede kans hadden dit te overleven, ook al zonk hun schip langzaam. Het water steeg snel naar het dek, en twee reddingboten op het achterschip dreven al, nog voordat ze gestreken konden worden uit de davits.

De mensen die hier aan boord zouden stappen, werden snel over andere reddingboten verdeeld, en de boten werden zo snel mogelijk te water gelaten.

Morgan hinkte over het hellende dek, dat nu een hoek van dertig graden met de horizon vormde, tot hij bij zijn reddingssloep kwam, die al volgeladen gereedlag. Morgan stopte en keek voor het laatst om zich heen, als een gokker die alles had ingezet maar nu alles verloor. Het schip kreunde en kraakte naarmate meer zeewater in de compartimenten stroomde en de hele constructie onder steeds groter wordende druk kwam te staan. Er leek een waas van triestheid om het onderzoeksschip te hangen, alsof het besefte dat het te nieuw was om al een prooi van de golven te worden.

Zodra hij overtuigd was dat alle opvarenden veilig in de sloepen zaten, salueerde Morgan stram voor zijn schip en stapte daarna in de reddingboot. Als laatste ging hij van boord. De reddingboot werd snel naar beneden gelaten en voerde weg van het zinkende schip. De zon was juist boven de horizon gekomen en wierp een gouden gloed over de *Sea Rover,* worstelend in haar laatste momenten. Morgans reddingboot was nog maar enkele meters weggevaren toen de boeg plotseling scherp naar boven rees, en even later verdween het turquoise schip sierlijk in de golven, de achtersteven eerst, te midden van kolkend borrelende luchtbellen.

En terwijl het schip uit het zicht verdween, ervoer de getraumatiseerde bemanning een merkwaardige sensatie: stilte.

29

'Er is iets helemaal mis.'

Summer negeerde de opmerking van haar broer en hield de kleine kom met daarin een visprutje onder haar neus. Ze zaten al het grootste deel van de dag opgesloten, tot de zware deur van hun hut opeens ruw werd geopend en een scheepskok met een witte schort voor naar binnen stapte met een dienblad met daarop de visschotel, wat rijst en een pot thee. Een gewapende bewaker keek dreigend toe terwijl het voedsel werd neergezet, waarna de nerveuze kok weer snel en zonder een woord te zeggen vertrok. Summer was uitgehongerd en ze keek gretig naar het eten, terwijl de deur werd dichtgesmeten en vergrendeld.

Ze snoof aandachtig en trok afkeurend haar neus op.

'Met dit voer is ook iets helemaal mis,' zei ze. Met de eetstokjes begon ze wat van de gestoomde rijst te eten. Toen de hongerkramp verminderde, richtte ze haar aandacht weer op Dirk, die door de patrijspoort naar buiten staarde.

'Wat zit je dwars, afgezien van die krappe benedenkooi?' vroeg ze.

'Ik weet het niet zeker, maar ik denk niet dat we naar Japan varen.'

'Hoe weet je dat?' vroeg Summer, weer een hap rijst naar binnen werkend.

'Ik heb de zon en de schaduwen van het schip geobserveerd. Als we naar Japan koersen moeten we naar het noord-noordoosten, maar ik heb de indruk dat we meer naar het noordwesten varen.'

'Dat is nogal een subtiel verschil om met het blote oog waar te nemen.'

'Klopt. Maar toch ben ik er bijna zeker van. Als we inderdaad in Nagasaki afmeren, dan mogen ze me weer naar de zeevaartschool sturen.'

'Dus varen we naar de Gele Zee,' zei Summer, en in gedachten stelde ze zich een kaart van het gebied voor. 'Denk je dat we naar China gaan?'

'Mogelijk. China en Japan zijn niet bepaald bevriend. Misschien heeft het Japanse Rode Leger een basis in China. Dat kan ook verklaren waarom de autoriteiten zo weinig succes hadden met het oppakken van verdachte personen in Japan.'

'Ja, dat zou kunnen. Maar dan moeten ze wel opereren met medeweten of steun van de staat. En ik mag hopen dat de Chinese regering wel twee keer nadenkt voordat die een Amerikaans onderzoeksschip tot zinken brengt.'

'Dat is waar. Maar er is nog een andere mogelijkheid.'

Summer knikte vragend, en wachtte af tot Dirk verder zou spreken.

'De twee schurken die mijn Chrysler beschoten: een patholoog van het lijkenhuis dacht dat het geen Japanners maar Koreanen waren.'

Summer hield op met eten en zette de schaal met de eetstokjes neer.

'Dus we varen naar Korea?' begreep ze fronsend.

'Korea.'

Ed Coyles ogen waren zo langzamerhand afgemat van het lange turen naar de vlakke grauwe zee. En hij kon zijn ogen amper geloven toen zijn aandacht eindelijk werd getrokken door iets in de verte. Hij tuurde naar de horizon en kon amper een klein lichtpuntje aan de hemel zien, met daarachter een dunne condensstreep. Het was precies wat de copiloot van het Lockheed HC-130 Hercules-verkenningsvliegtuig hoopte te zien.

'Charlie, ik zie een vuurpijl, op twee uur,' zei Coyle in zijn microfoon. Onwillekeurig wees hij met zijn gehandschoende hand in de richting waar hij de witte streep had gezien.

'Ja, ik zie hem ook,' antwoordde majoor Charles Wight, nadat hij even in de aangewezen richting had getuurd. Wight, een magere Texaan met een koele uitstraling, liet het vliegtuig iets hellen om de koers in de richting van de vage streep te verleggen en minderde vaart.

Het was zes uur na het vertrek van de luchtmachtbasis Kadena op Okinawa, en de piloten van de reddingsoperatie begonnen zich juist af te vragen of hun missie niet gelijkstond aan het zoeken naar een naald in een hooiberg. Maar nu gingen ze op het puntje van hun stoelen zitten, nieuwsgierig naar wat ze op het water onder hen zouden aantreffen. Aan de horizon verscheen een groepje witte stippen, die geleidelijk groter werden naarmate het vliegtuig dichterbij kwam.

'Het lijkt wel of we daar reddingboten zien,' zei Wight, toen de witte stipjes vorm kregen.

'Zeven stuks,' bevestigde Coyle, zodra hij de kleine bootjes had geteld.

Morgan had de reddingboten met lijnen aan elkaar laten binden, zodat ze niet verspreid zouden raken. Toen de Hercules laag overvloog, wuifde de bemanning van de *Sea Rover* uit alle macht en er werd gejuicht.

'Ik tel zo al zestig koppen,' schatte Coyle, terwijl Wight het vliegtuig een wijde boog liet beschrijven. 'En ze zijn kennelijk in goede conditie.'

'We moeten de para's maar aan boord houden, wel medische noodpakketten droppen en kijken of we ze kunnen laten oppikken.'

De para's waren medisch geschoolde parachutisten en die zaten achter in het vrachtruim klaar om uit de HC-130 te springen als het sein gegeven werd. Maar omdat er geen direct gevaar dreigde voor de bemanning in de reddingboten besloot Wight de para's nog niet te laten springen. Een mecanicien in het ruim van de Hercules liet de grote hydraulisch bediende laadklep onder de staart zakken, en op een teken van Coyle schoof hij enkele noodrantsoenen en medische pakketten naar buiten, die aan kleine parachutes naar beneden zweefden.

Een telegrafist had inmiddels een noodoproep verzonden op de marinefrequentie. Even later werd door schepen in de buurt gereageerd. Het dichtstbij was een containerschip, onderweg van Hongkong naar Osaka. Wight en Coyle bleven nog twee uur rond de reddingboten cirkelen, tot het containerschip gearriveerd was en de schipbreukelingen van de eerste reddingboot aan boord nam. Tevreden dat de schipbreukelingen nu veilig waren, vloog de Hercules nog één keer laag over, groetend met de vleugels. Al konden de piloten het niet horen, de vermoeide opvarenden van de reddingboten juichten hun dank uit over de golven.

'Dat zijn mazzelaars,' merkte Coyle voldaan op.

Wight knikte zwijgend en bracht de Hercules op koers naar de thuisbasis bij Okinawa.

Het grote vrachtschip liet de zware scheepshoorn loeien als begroeting toen het bij de reddingboten vaart minderde. Er werd een sloep gestreken die de schipbreukelingen voorging naar een valreep die bij de achtersteven werd neergelaten, waarna de meesten op eigen kracht naar boven konden klauteren. Morgan en nog enkele andere gewonden werden overgebracht naar de sloep, die vervolgens weer naar het dek werd opgehesen. Na een korte begroeting door de Maleisische kapitein werd Morgan snel naar de ziekenboeg gebracht voor behandeling van zijn verwondingen.

Nadat de scheepsarts de beenwond van Morgan had verbonden en de kapitein in een kooi naast de man met het gebroken been was gelegd, kwam Ryan hem opzoeken.

'Wat zei de dokter, kapitein?'

'Mijn knie is een puinhoop, maar ik overleef het wel.'

'Ze kunnen tegenwoordig alles met kunstmatige gewrichten,' zei Ryan opbeurend.

'Ja, inderdaad. Ik zal het nu zelf wel ervaren. Maar het is algauw beter dan een houten poot, denk ik zo. Hoe is het met de bemanning?'

'Iedereen is opgelucht. Afgezien van Dirk en Summer is de bemanning van de *Sea Rover* compleet, want de koppen zijn geteld. Ik mocht de satelliettelefoon van kapitein Malaka gebruiken en ik heb gebeld met Washington. Ik kreeg Rudi Gunn aan de lijn en heb hem over onze situatie verteld, en over het zinken van de *Sea Rover*. Ik heb hem verteld dat de lading die we geborgen hebben, met Dirk en Summer en de *Starfish* nu waarschijnlijk aan boord van dat Japanse kabelschip is. Hij vroeg me zijn dank aan je over te brengen, omdat je de bemanning gered hebt, en hij verzekerde me dat de hoogste regeringskringen in actie zullen komen om de misdadigers die dit op hun geweten hebben te arresteren.'

Morgan keek strak naar de witte wand, terwijl de ervaringen van de afgelopen uren door zijn gedachten tuimelden. Wie waren de piraten die zijn schip hadden geënterd en tot zinken gebracht? Wat waren ze van plan met die biologische wapens? En hoe was het met Dirk en Summer? Omdat hij de antwoorden niet wist, schudde hij traag zijn hoofd.

'Ik hoop maar dat het nog niet te laat is.'

30

Nadat de *Baekje* anderhalve dag naar het noorden had gevaren, werd de boeg geleidelijk meer naar het oosten gericht. De kust kwam tegen de schemering in zicht en het schip wachtte tot het donker was geworden voordat het langzaam door de lichte nevel een grote haven binnenvoer. Dirk en Summer veronderstelden dat ze inderdaad naar Korea waren gevaren, en ze raadden goed dat dit de grote havenstad Inchon in Zuid-Korea was, omdat ze bij het binnenvaren veel containerschepen en vrachtboten zagen met internationale vlaggen.

Het kabelschip voer traag langs de handelskaden, waar het hele etmaal grote containerschepen gelost en geladen werden. De *Baekje* draaide naar het noorden en passeerde de terminal van een olieraffinaderij, om voorbij een roestige tanker naar een donkere en minder moderne hoek van de haven te varen. Het schip koerste langs een verwaarloosde scheepswerf, vol onttakelde rompen, en minderde vaart bij een zijkanaal dat in noordwestelijke richting liep. Een wachthut met daarvoor een afgemeerde speedboot stond bij de ingang van het kanaal, en op een roestig bord stond in Koreaans schrift te lezen: KANG MARINE SERVICES – VERBODEN TOEGANG.

De kapitein van de *Baekje* manoeuvreerde zijn schip behendig het kanaal in en voer heel langzaam een paar honderd meter verder, tot aan een scherpe bocht. Het kanaal kwam uit in een kleine lagune, die nog kleiner leek door de enorme overdekte dokken bij de verst verwijderde oever. Alsof hij zijn auto in de garage parkeerde, schoof de kapitein de *Baekje* in een van de grote hangars, die wel zeventien meter hoger waren dan de voorsteven. Het kabelschip werd afgemeerd in het felle halogeenlicht van lampen aan het dak, en de grote hydraulische deur gleed geluidloos dicht achter het schip, zodat het helemaal verborgen was voor nieuwsgierige blikken.

Een hijskraan zwaaide meteen naar het dek en enkele bemanningsleden begonnen de kisten met munitie van boord te lossen, onder het toeziend oog van Tongju. Zodra de kisten netjes opgestapeld waren in de vorm van een piramide kwam een vrachtwagen aanrijden, en een ander groepje mannen, gekleed in blauwe laboratoriumjassen, versjouwde de munitie voorzichtig naar het laadruim. Daarna reed de truck weg, en toen de auto aan het einde van het dok naar links draaide, zag Tongju de bekende blauwe bliksemflits onder het opschrift KANG SATELLITE COMMUNICATIONS CORP.

Kim kwam naar Tongju toe, die de auto nakeek bij het passeren van de bewaakte uitgang.

'Meneer Kang zal zeer tevreden zijn als hij hoort dat we alle munitie geborgen hebben,' zei Kim.

'Ja, al zijn twee stuks ervan waardeloos, omdat die twee bestuurders van dat onderzeebootje het laatste stel hulzen kraakten, zodat de lading wegspoelde. Ze beweren dat het per ongeluk gebeurde, omdat het zicht onder water zo slecht was.'

'Dat verlies is niet zo belangrijk. De hele missie was een succes.'

'Dat is waar, maar er wacht ons nog een lastig karwei. Ik breng de gevangenen naar Kang, zodat hij hen kan ondervragen. Ik vertrouw erop dat je ondertussen de voorbereidingen aan boord doet,' zei Tongju, en het klonk niet als een vraag.

'We beginnen meteen met de aanpassing van het schip en met het aan boord brengen van voorraden en brandstof. Ik zal ervoor zorgen dat het schip gereed is om meteen te vertrekken als de lading weer aan boord is.'

'Mooi zo. Hoe eerder we naar zee gaan, des te groter onze kansen op succes.'

'De verrassing werkt in ons voordeel. Dit kán niet mislukken,' zei Kim vol zelfvertrouwen.

Maar Tongju wist wel beter. Hij zoog lang aan zijn sigaret en dacht na over het verrassingselement. Dat kon inderdaad het verschil tussen leven en dood betekenen.

'Laten we maar hopen dat onze misleiding lang genoeg duurt,' zei hij peinzend.

Benedendeks werden Dirk en Summer ruw uit hun hut gecommandeerd, en een bewaker met een stierennek deed handboeien om hun polsen, om het tweetal vervolgens de gang op te duwen. Ze gingen onder bedreiging van geweerlopen van boord, waarna ze door Tongju – met een scheve grijns op zijn gezicht – werden opgewacht.

'Dat was een heerlijke cruise. Alleen heb je ons niet laten zien waar de sjoelbakken staan,' zei Dirk tegen de moordenaar.

'En eerlijk gezegd was het eten niet bepaald topkwaliteit,' voegde Summer eraan toe.

'Dat Amerikaanse gevoel voor humor is niet leuk,' gromde Tongju, en aan zijn kille ogen was te zien dat hij er inderdaad niet om kan lachen.

'Trouwens, wat doet het Japanse Rode Leger eigenlijk in Inchon?' vroeg Dirk botweg.

Tongju trok nauwelijks waarneembaar een wenkbrauw op.

'U let ook op álles, meneer Pitt,' zei hij, en negeerde de twee gevangenen verderop, om zich tot Stierennek te wenden, die zijn AK-74 op het tweetal gericht hield.

'Breng ze naar de speedboot en sluit ze op in het vooronder, mét bewaking,' blafte hij. Hij draaide zich op zijn hielen om en beende naar de brug.

Dirk en Summer moesten over een loopplank naar een drijvende steiger lopen, waar een lange slanke motorboot afgemeerd lag. Het was een 31 meter lange South Pacific-catamaran, blauwgroen geschilderd. Het vaartuig was gebouwd als personenveerboot, maar was omgebouwd tot een snel en zeewaardig luxejacht. Voorzien van dieselmotoren met een vermogen van vierduizend pk kon de luxueuze catamaran een topsnelheid halen van meer dan 35 knopen.

'Dit is méér mijn stijl,' zei Summer, toen ze met de geweerlopen aan boord geduwd werden en even later opgesloten zaten in een kleine maar fraai ingerichte hut. 'Helaas geen ramen. Ik denk dat onze gastheer jouw slimme opmerking over Inchon niet kon waarderen,' voegde ze eraan toe, en ze liet zich met haar nog steeds op de rug geboeide handen in een fauteuil zakken.

'Ik ook altijd met mijn grote mond,' antwoordde Dirk. 'Maar we weten tenminste waar we ergens zijn.'

'Ja, diep in de puree. Maar we zitten hier wel eersteklas,' zei Summer, en keek bewonderend naar de notenhouten betimmering en de kostbare kunstwerken aan de wanden. 'Deze kerels hebben wel veel geld, voor een tweederangs terroristische organisatie.'

'En kennelijk hebben ze vriendjes bij Kang Enterprises.'

'Die rederij?'

'Het is een groot industrieel conglomeraat. We zien al jaren vrachtschepen van dat bedrijf. Ze doen ook in hightech-apparatuur, maar ik ken alleen hun scheepvaartdivisie. Ik ontmoette eens een kerel in een bar die als olieman aan boord van een van hun schepen werkte. Hij vertelde me dat ze een afgesloten reparatiedok hadden in Inchon. Nooit eerder zoiets gezien. Kennelijk is er ook een droogdok, en ze beschikken over de modernste apparatuur. Dat kabelschip had ook het embleem van Kang: die blauwe bliksemschicht op de schoorsteen. Dus moeten we wel in hun dok zijn.'

'Mooi dat al jou rondhangen in kroegen toch enig nut heeft,' merkte Summer op.

'Dat is research, alleen maar research,' grijnsde Dirk.

Summer werd opeens serieus. 'Waarom zou een Zuid-Koreaans bedrijf zich bemoeien met het Japanse Revolutionaire Leger? En wat willen ze van ons?'

Haar laatste woorden werden overstemd door het brullen van de dieselmotoren in de catamaran, toen die achter hun hut gestart werden.

'Dat zullen we denk ik snel te weten komen.'

Tongju sprong aan boord toen de meerlijnen losgemaakt werden en de snelle boot voer stapvoets het dok uit. De enorme hangardeur schoof open, zodat de catamaran het overdekte dok kon verlaten. Toen ze naar buiten voeren, keek Tongju om naar het grote kabelschip dat achter hem optorende.

Een legertje werklieden zwermde als bijen over de *Baekje*. Een zware kraan verwijderde de grote kabelhaspel van het achterdek, en ploegen schilders spoten de dekken in een andere kleur. Elders waren lassers bezig delen van de bovenbouw te verwijderen en op andere plaatsen werden nieuwe compartimenten gemonteerd. De naam van het schip werd verwijderd en een ander team schilderde de schoorsteen goudgeel. Binnen enkele uren zou het gehele schip getransformeerd zijn in een ander vaartuig, en zelfs een geoefend oog zou dat nauwelijks opvallen. Het was alsof het kabelschip *Baekje* nooit bestaan had.

31

De man beende door de kantoorgangen van NUMA's hoofdkwartier alsof hij de eigenaar van het gebouw was, en in feite was dat ook het geval. Admiraal James Sandecker was een gerespecteerd persoon in de zalen, kantoren en laboratoria van NUMA, omdat hij enkele tientallen jaren geleden met een kleine groep wetenschappers en ingenieurs het instituut had opgericht. Hoewel klein van postuur, straalden zijn felle blauwe ogen en rode haar, met een bijpassend sikje, de brandende intensiteit uit waarmee hij altijd actief was.

'Hallo Darla, je ziet er vandaag adembenemend uit,' zei hij hoffelijk tegen de achter een computer typende secretaresse die de veertig allang gepasseerd was. 'Is Rudi in de directievergaderzaal?'

'Fijn u weer te zien, admiraal,' antwoordde de vrouw stralend, en haar blik dwaalde naar de twee agenten van de Secret Service, die moeite hadden de snel bewegende chef bij te houden. 'Jawel, meneer Gunn wacht binnen. U kunt meteen doorlopen.'

Hoewel hij door zijn kameraden bij de NUMA nog altijd als de admiraal werd gezien, kende de rest van de wereld hem als vice-president Sandecker. Ondanks een levenslange aversie tegen het achterbakse politieke wereldje in Washington had Sandecker zich door president Ward laten overhalen de functie van vice-president op zich te nemen, nadat de eerder gekozen kandidaat onverwachts gestorven was tijdens zijn ambtstermijn. Sandecker kende de president als een eerzaam en integer man, die zijn plaatsvervanger niet zou veroordelen tot een bestaan als muurbloem. De doortastende admiraal paste niet in de gietvorm van zijn voorgangers; heel anders dan een lintenknipper en afgevaardigde bij staatsbegrafenissen, had Sandeckter een invloedrijke positie in de regering. Hij had een speerpuntenbeleid op het gebied van hervormingen bij defensie en veiligheid, hij verhoogde de budgetten voor door de overheid gesteunde wetenschappelijke research en liep voorop bij initiatieven op het gebied van milieubescherming en alles wat met de zee te maken had. Door zijn inzet had de regering met succes een wereldwijd verbod op de walvisvangst door alle geïndustrialiseerde landen afgekondigd, en er waren zware boetes en sancties vastgesteld voor vervuilers van de oceaan.

Sandecker kwam snel door de deur van de vergaderzaal, en de aanwezige NUMA-medewerkers onderbraken meteen hun gesprek over het verlies van de *Sea Rover*.

'Bedankt dat u gekomen bent, admiraal,' zei Gunn, en hij sprong meteen overeind om zijn chef naar het hoofdeind van de tafel te leiden.

'Wat is de laatste informatie?' vroeg Sandecker, de gebruikelijke wederzijdse beleefdheden overslaand.

'We hebben de bevestiging dat de *Sea Rover* inderdaad gezonken is in de Oost-Chinese Zee, na een aanval door een kleine groep gewapende mannen die het schip enterden. Als door een wonder kon de bemanning ontsnappen uit een afgesloten vrachtruim, enkele minuten voor het schip in de golven verdween. De bemanning wist de reddingsloepen te bereiken en is later gezien door een verkenningsvliegtuig van de luchtmacht. Een vrachtschip in de buurt werd opgeroepen en heeft de schipbreukelingen aan boord genomen. Dat vrachtschip en de bemanning zijn nu op weg naar Nagasaki. Op twee personen na zijn alle opvarenden aanwezig.'

'Werd de *Sea Rover* met geweld overmeesterd?'

'Een commandoteam van onbekende nationaliteit is 's nachts aan boord geklommen en heeft het schip zonder strijd overmeesterd.'

'Dat is toch het schip van Bob Morgan?'

'Ja. Die ouwe zeebonk wilde kennelijk toch knokken en heeft daarbij een schotwond in zijn been opgelopen. Ik heb Ryan, zijn tweede man, gesproken en die vertelde me dat Morgan waarschijnlijk weer helemaal herstelt. Volgens Ryan beweerden die piraten dat ze bij het Japanse Rode Leger horen. Ze verdwenen weer van boord naar een kabelschip dat onder Japanse vlag vaart.'

'Merkwaardig type schip om een aanval mee te doen,' peinsde Sandecker hardop. 'En ik neem aan dat ze de biologische bommen die uit de *I-411* geborgen waren ook meenamen?'

'Ryan bevestigde dat. Ze hadden de berging bijna afgerond toen de *Sea Rover* geënterd werd, en toen de bemanning uit dat ruim ontsnapte was de *Starfish* verdwenen. Ryan denkt dat het toestel met een kraan aan boord van dat kabelschip is gehesen, mogelijk met de twee vermiste bestuurders erin.'

'Ik zal het ministerie van Buitenlandse Zaken bellen en meteen aan de Japanse autoriteiten laten vragen dat schip op te brengen.' Sandecker haalde een enorme sigaar uit de Dominicaanse Republiek uit zijn borstzak en stak de groene rookwaar op, een grote wolk tabaksrook naar het plafond uitblazend. 'Het moet niet al te moeilijk zijn een kabelschip aan de ketting te leggen als het een haven binnenstoomt.'

'Ik heb de veiligheidsdienst al gewaarschuwd, en er wordt aan gewerkt. Daar denken ze dat het Japanse Rode Leger niet de kennis en technische middelen heeft om met die wapens een serieuze bedreiging te vormen, maar er wordt nu ook gezocht naar banden met Al-Qaeda en enkele andere terroristische organisaties.'

'Dat lijkt me heel goed mogelijk,' merkte Sandecker droog op, en hij rolde de sigaar tussen zijn duim en wijsvinger. 'Ik zal dit vanmiddag met de president bespreken. Iemand zal zwaar boeten voor het vernietigen van een Amerikaans regeringsvaartuig.' Zijn felle ogen schoten vuur bij de laatste woorden.

De andere aanwezigen in de vergaderzaal knikten instemmend. Al was het een grote organisatie, er heerste toch een sterk gevoel van saamhorigheid en iedereen leefde mee omdat de terroristische daad gericht was tegen collega's aan de andere kant van de wereld.

'Wij denken er ook zo over, admiraal,' zei Gunn zacht.

'Trouwens, de twee bemanningsleden die vermist werden?' vroeg Sandecker.

Gunn haalde diep adem. 'Summer en Dirk Pitt. Vermoedelijk ontvoerd aan boord van de *Starfish*.'

Sandecker verstijfde van schrik. 'Ach, hemel, zij toch niet? Is hun vader al op de hoogte?'

'Ja. Hij is met Al Giordino bij de Filippijnen, waar ze proberen een onderzeese milieuramp te voorkomen. Ik heb hem via de satelliettelefoon gesproken en hij begrijpt dat we alles doen wat in onze macht ligt.'

Sandecker leunde achterover in zijn lederen stoel en staarde naar de blauwe rookwolk die boven zijn hoofd zweefde. God heb genade met de dwaas die de kinderen van die man iets aandoet, dacht hij.

Zevenduizend mijl verder stoof de blauwe catamaran over de westelijke kustwateren van Korea, met de motoren op vol vermogen. Summer en Dirk werden door elkaar geschud in hun luxueuze gevangeniscel, terwijl het snelle motorjacht door de golven kliefde met een vaart van bijna veertig knopen. Een paar Koreaanse vissers in een wrakke sampan vloekten hartgrondig toen de catamaran gevaarlijk dichtbij langsraasde en de hekgolf over de boorden van de kleine vissersboot klotste.

Na twee uur snel varen keerde de catamaran naar de oever en minderde vaart tussen de talloze kleine eilandjes bij de monding van de Han-rivier. De man aan het roer koerste nog een uur stroomopwaarts tot het half verborgen toegangskanaal in zicht kwam, dat kronkelend naar de baai voor Kangs Kyodongdo-eiland leidde. De stuurman passeerde de nauwe ingang, waarvan hij wist dat die met videocamera's bewaakt werd, en aan de andere kant van de baai manoeuvreerde hij langszij de drijvende steiger aan de voet van de steile wand van het landgoed. De blauwe catamaran werd afgemeerd langs Kangs glanzend witte Benetti-jacht.

Dirk en Summer bleven opgesloten in de hut toen Tongju van boord stapte en met de lift naar de top van het klif ging, naar het landhuis. Kang zat in zijn met kersenhout betimmerde werkkamer, in gezelschap van Kwan, en bestudeerde de financiële rapporten van een fabriek van radiocomponenten die hij via een vijandige overname wilde bemachtigen. Hij keek langzaam op toen Tongju met een buiging binnenkwam.

'Kapitein Lee van de *Baekje* heeft gemeld dat je missie succesvol was,' zei Kang met een strak gezicht en zonder een blijk van tevredenheid.

Tongju knikte even. 'We hebben de munitie aan boord geladen, nadat die eerder geborgen was door dat Amerikaanse schip. Tien stuks waren intact en zijn nog bruikbaar,' zei Tongju, wijselijk verzwijgend dat Dirk de twee andere gesaboteerd had.

'Dat is meer dan voldoende om verder te gaan met de operatie,' antwoordde Kang.

'De wapenspecialisten aan boord van de *Baekje* waren opgetogen. De munitie is na aankomst in Inchon meteen overgebracht naar het biologisch researchlab. De chef van het lab heeft me verzekerd dat de noodzakelijke verfijning en afstelling binnen achtenveertig uur gereed zijn.'

'En ik neem aan dat de veranderingen aan de *Baekje* dan ook klaar zijn?'

Tongju knikte bevestigend. 'Het schip is op tijd gereed om uit te varen.'

'Het tijdschema is uiterst belangrijk,' vervolgde Kang. 'De missie moet uitgevoerd worden voordat er in het parlement gestemd wordt.'

'Als er geen vertraging is met die munitie, zijn we zeker klaar,' stelde Tongju hem gerust. 'De arbeiders op de werf hadden al veel werk gedaan toen wij daar vertrokken.'

'We kunnen geen enkele misrekening tolereren,' zei Kang koel.

Tongju knipperde even met zijn ogen, niet zeker wat zijn baas bedoelde. Hij herstelde zich en sprak verder.

'Ik heb de twee gevangenen van het Amerikaanse schip meegenomen – de bemanning van die kleine onderzeeboot. Een van hen is verantwoordelijk voor de dood van onze twee agenten in Amerika. Ik dacht dat u hem wel persoonlijk wilde ontvangen.' Tongju legde sinister de nadruk op *persoonlijk*.

'Ach ja, de twee vermiste opvarenden van dat NUMA-schip.'

'*Twee* vermiste opvarenden?'

Kwan deed een stap naar voren en drukte een print van een internetsite in Tongju's handen.

'Dat staat in alle kranten,' zei Kwan. 'Onderzoeksschip gezonken in Oost-Chinese Zee, bemanning gered, twee opvarenden vermist.' Hij las de krantenkop voor uit de *Chosun Ilbo*, de grootste krant van Korea.

Tongju werd bleek, maar hij vertrok geen spier. 'Dat is onmogelijk. We hebben dat schip tot zinken gebracht en de hele bemanning zat hermetisch opgesloten in een vrachtruim. Ze konden onmogelijk allemaal ontsnappen.'

'En toch zijn ze wel ontsnapt,' zei Kang. 'Een passerend vrachtschip heeft de bemanning aan boord genomen en naar Japan gebracht. 'Heb je niet gekeken tot het schip onder de golven verdween?'

Tongju schudde zijn hoofd. 'We wilden zo snel mogelijk terugkeren met de geborgen munitie,' zei hij bedeesd.

'In de media wordt beweerd dat er brand aan boord was uitgebroken. Kennelijk willen de Amerikanen niet nog een terroristisch incident bekendmaken,' zei Kwan.

'En de ware reden voor hun aanwezigheid in de Oost-Chinese Zee onthullen,' voegde Kang eraan toe. 'Misschien dat de schaarse berichtgeving in de media hun animo voor een onderzoek naar het incident verkleint.'

'Ik weet wel zeker dat onze valse identiteit niet doorzien werd. Mijn aanvalsteam bestond uit mannen van verschillend ras, en aan boord van het Amerikaanse schip werd alleen Engels en Japans gesproken,' antwoordde Tongju.

'Mogelijk is het wel gunstig dat jij er niet in slaagde die bemanning uit te schakelen,' merkte Kang op. 'Daardoor worden de Japanners nog meer in verlegenheid gebracht en zal de Amerikaanse inlichtingendienst zich vooral op Japan richten. Uiteraard zullen ze wel naar de *Baekje* zoeken, dus hoe eerder dat schip weer naar zee vertrekt des te beter.'

'Ik zal de vorderingen op de werf voortdurend melden,' zei Tongju. 'En die twee Amerikanen?'

Kang bladerde door zijn in leer gebonden agenda. 'Ik vertrek naar Seoel. Vanavond heb ik een onderhoud met de minister van Hereniging. Morgenochtend kom ik weer terug. Hou die twee tot morgen in leven.'

'Ik zal hun een laatste avondmaal serveren,' antwoordde Tongju, zonder humor.

Kang negeerde de opmerking en stak zijn neus weer in de stapels financiële paperassen. Tongju begreep de hint, keerde zich om en verdween geluidloos uit de werkkamer.

32

Op een kilometer afstand van het overdekte dok waar de *Baekje* haar cosmetische verbouwing onderging, reden twee mannen in een smoezelige pick-up langzaam over het terrein van de rommelige scheepswerf. Lege pallets en roestige diepladers stonden op het terrein bij een raamloos gebouw, dat gesierd werd met een verbleekt naambord bij de hoofdingang. Op het bord stond te lezen: KANG SHIPPING COMPANY. Gekleed in versleten overalls en met vettig gevlekte baseballpetjes op hun hoofd maakten de twee kerels deel uit van het zwaar bewapende maar onopvallende beveiligingsteam dat in totaal vierentwintig man telde en de geheime locatie gedurende het hele etmaal bewaakte. Achter het haveloze aanzien van het gebouw ging een hightech-centrum schuil, met daarin de modernste computerapparatuur. De begane grond en de verdiepingen werden gebruikt voor het vervaardigen van apparatuur die gebruikt werd in Kangs bedrijf voor satellietcommunicatie. Een klein team van hoogbegaafde ingenieurs werkte aan het toevoegen van verborgen afluister- en spionageapparatuur aan normale telecommunicatiesatellieten, die verkocht werden naar het buitenland en vervolgens gelanceerd door andere regeringen of commerciële bedrijven. Verborgen in de kelders was een klein maar zwaarbewaakt microbiologisch laboratorium, en alleen een handvol medewerkers van Kang wist van het bestaan van dit lab. De kleine staf wetenschappers die in het laboratorium werkte was grotendeels uit Noord-Korea hierheen gesmokkeld. Omdat hun familie nog in de noordelijke provincies woonde en ze intensief geïndoctrineerd waren met patriottische ideeën hadden de microbiologen en immunologen nauwelijks een andere keus dan hun werk met gevaarlijke biologische stoffen te accepteren.

De dodelijke bommen uit de *I-411* waren onopgemerkt overgebracht naar het laboratorium, waar een munitie-expert de biologen geholpen had bij het scheiden van het poederige pokkenvirus uit de compartimenten van de zestig jaar oude hulzen. De virussen waren door de Japanners gevriesdroogd, zodat de ziekteverwekkende eigenschappen slapend bleven tijdens opslag en bewerking. De bommen met het pokkenvirus waren ontworpen om hun dodelijke werking te behouden gedurende de reis met de onderzeeboot, en het virus moest dan geactiveerd worden door contact met water. Zestig jaar lang hadden de porseleinen hulzen elke schadelijke inwerking van de zee kunnen weerstaan. De oude lading was nog even gevaarlijk als toen de projectielen gemaakt werden.

De biologen deden monsters van het roomkleurige poeder in een steriele bak, en door er gecontroleerd een gesteriliseerde vloeistof op waterbasis aan toe te voegen werden de virussen voorzichtig geactiveerd. Door een microscoop was te zien hoe de slapende, blokvormige micro-organismen uit hun lange sluimering gewekt werden en als botsautootjes heftig tegen elkaar begonnen te stoten, zodra ze hun dodelijke status weer terugkregen. Ondanks de lange periode van stilstand bleek slechts een klein percentage van de virussen niet meer levensvatbaar.

Het laboratorium werd geleid door Sarghov, een duurbetaalde microbioloog uit de Oekraïne. Als voormalig wetenschapper bij Biopreparat, het civiele instituut in de oude Sovjet-Unie waar het militaire programma voor biologische wapens werd ontwikkeld, had Sarghov zijn kennis van biowapens vergaard en zijn vakmanschap verkocht aan de hoogste bieder. Hoewel hij nooit de wens had gehad zijn vaderland te verlaten, was zijn blazoen als veelbelovende wetenschapper in het instituut bezoedeld toen hij in bed betrapt werd met de vrouw van een lid van het Politburo. Vrezend voor zijn leven, was hij naar Bulgarije gevlucht, waar hij aan boord stapte van een vrachtschip van Kang, varend op de Zwarte Zee. Dankzij een flink bedrag aan smeergeld voor de scheepskapitein was hij met hogergeplaatsten in het bedrijf in contact gekomen, en daar werden zijn wetenschappelijke kwaliteiten al spoedig herkend en ingezet voor illegale activiteiten.

Met een ruim budget kon Sarghov in stilte een hightech DNA-onderzoekslaboratorium opzetten, dat voorzien was van de modernste apparatuur om het genetisch materiaal van micro-organismen te splitsen, te isoleren of te recombineren. Binnen de muren van Sarghovs geheime laboratorium was een waaier van gevaarlijke bacteriële en virale stoffen verzameld, de zaden waarmee hij zijn tuin des doods cultiveerde. Maar hij voelde zich toch machteloos. Zijn voorraden waren eerst gewone ziekteverwekkers, zoals het hepatitis B-virus, of de tuberculosebacil. Hoewel stoffen die op zichzelf al fataal konden zijn, was het onbeduidend vergeleken bij de dodelijke Ebola-, pokken- en Marburg-virussen waarmee hij gewerkt had in zijn periode bij het Russisch instituut in Obolensk. Sarghovs koortsachtige pogingen om met de middelen die hij had een absoluut desastreuze ziekteverwekker te scheppen, waren mislukt. Hij voelde zich als een bokser van wie één hand op de rug is vastgebonden. Wat hij echt nodig had, was een waarlijk moorddadige ziekteverwekker, een van de A-lijst.

Zijn bijdrage aan de kwaadaardige wetenschap kwam uit een onverwachte bron. Een Noord-Koreaanse agent in Tokio was geïnfiltreerd in een archiefvernietigingdienst van de Japanse overheid en had daar een aantal geheime Japanse documenten onderschept. De chefs van de agent in Pyongyang die verwacht hadden een schat aan actuele Japanse staatsgeheimen te vinden, waren kwaad toen duidelijk werd dat het oude documenten waren uit de Tweede Wereldoorlog. Er waren ook rapporten over de experimenten van het keizerlijke leger met biologische wapens, documenten die vernietigd moesten worden om te voorkomen dat de huidige regering in verlegenheid werd gebracht. Maar een scherpe spionageanalist stuitte op de betrokkenheid van het keizerlijke leger bij de laatste missies van de *I-403* en de *I-411*, en zo kon Sarghov niet lang daarna zijn eigen voorraad aanleggen van het virus *Variola major*.

In de Frankensteinwereld van genetische manipulatie vinden biologen het een uitdaging om geheel nieuwe organismen te ontwerpen en te scheppen. Maar het manipuleren van bestaande micro-organismen door bewuste mutaties en ze dan in bruikbare hoeveelheden vermenigvuldigen is een kunst die al sinds de jaren zeventig wordt toegepast. In het laboratorium ontwikkelde gewassen die resistent blijken voor ziekten en droogte zijn een positief resultaat van deze biotechnologie, evenals de meer omstreden experimenten met veredelde diersoorten. Maar de duistere kant van genetische manipulatie is altijd dat er mogelijk nieuwe soorten virussen of bacteriën gemaakt worden met onvoorzienbare en mogelijk catastrofale gevolgen.

Sarghov was niet het type wetenschapper dat tevreden kon zijn met het produceren van een voorraad pokkenvirus. Hij had veel grootsere plannen. Met hulp van een Finse assistent verkreeg Sarghov een monster van het hiv 1-virus, de meest voorkomende veroorzaker van aids. Zich verdiepend in de opbouw van dat virus, slaagde Sarghov erin een synthetische variant te maken van het afschuwelijke aidsvirus. En in combinatie met het tot leven gewekte pokkenvirus probeerde de wetenschapper een nieuwe, gemuteerde bacterie te ontwikkelen waarin het gevaarlijke hiv 1-virus was opgenomen. Aangedreven door het synthetische element waardoor het recombineren gestimuleerd werd, konden de gemuteerde virussen al spoedig gevormd en vermenigvuldigd worden. Het resultaat waren nieuwe micro-organismen die de eigenschappen van beide ziekteverwekkers in zich verenigden. Microbiologen noemen dat proces wel 'chimera'. En Sarghovs chimera combineerde de besmettelijkheid van het pokkenvirus met de vernietigende werking op het immuunsysteem van het hiv 1-virus in een dodelijk supervirus.

Het reproduceren van de gemuteerde ziekteverwekker in grote hoeveelheden was een tijdrovend proces, en omdat Sarghov zich aan het strakke tijdschema van Kang moest houden, maakte hij zoveel voorraad als mogelijk, om de virussen vervolgens te vriesdrogen, zoals de Japanners dat zestig jaar eerder ook al deden. Het gekristalliseerde supervirus werd gemengd met de grotere hoeveelheid gevriesdroogd pokkenvirus uit de vliegtuigbommen, om zo een uiterst giftig mengsel te vormen. De hele voorraad werd nog verder bewerkt met stoffen die het proces nog zouden versnellen.

Het nu gemakkelijk te hanteren mengsel werd verpakt in een aantal buisvormige lichtgewichtcontainers, lijkend op de kartonnen hulzen van rollen keukenpapier, en uit het laboratorium getransporteerd. Het ingepakte virale materiaal werd naar boven gebracht, waar de nuttige lading voor satellieten werd geassembleerd, en een team technici schoof de hulzen in grotere roestvrijstalen cilinders die in een tank werden gemonteerd. Het hele proces werd uitgevoerd onder felle schijnwerpers tot vijf grote cilinders gereed waren en verpakt werden in grote kratten. Een vorkheftruck kwam aanrijden en laadde de kratten in de witte Kang-truck waarmee de munitie eerder was aangevoerd, om nu weer terug te rijden naar het overdekte dok. Nu was de biologische munitie veranderd in een veel effectiever wapen.

Sarghov grinnikte tevreden, omdat hij besefte dat een grote beloning naar hem onderweg was. Zijn afgematte team wetenschappelijke medewerkers had het doel bereikt, nadat ze eerst vastgesteld hadden dat het oude pokkenvirus nog levensvatbaar was en ze het daarna hadden omgevormd tot een veel krachtiger en moorddadiger wapen. Binnen twee etmalen hadden de biologen van Sarghov het zestig jaar oude virus veranderd in een geheel nieuw wapen zoals de wereld nog nooit gekend had.

33

'Hoezo is het de vraag of dat schip wel bestaat?' zei Gunn verstoord.

De sectiechef internationale terroristische operaties van de FBI, een gedrongen man met de naam Tyler, opende een dossiermap op zijn bureau en bladerde door de inhoud terwijl hij sprak.

'We hebben geen informatie over de aanwezigheid van een kabelschip met de naam *Baekje*. De Japanse politie heeft het scheepvaartverkeer in elke haven van het land geobserveerd en elk schip dat ongeveer aan het door NUMA doorgegeven beschrijving voldoet werd ook feitelijk doorzocht. Maar tot nu toe zonder enig resultaat.'

'Hebben jullie ook havens buiten Japan gecontroleerd?'

'Er is een internationaal opsporingsbericht verstuurd naar Interpol, en ik heb begrepen dat de CIA ook gevraagd is om informatie, dit op verzoek van de vice-president. Helaas is er op dit moment geen enkel positief bericht. Er zijn miljoenen plekken waar dat schip zich kan schuilhouden, Rudi. Of het is inmiddels al gesloopt.'

'En de satellietbeelden van de plek waar de *Sea Rover* gezonken is?'

'Daarmee hebben we ook pech. Wegens de recent opgelaaide politieke onrust in Iran heeft het National Reconnaissance Office kort geleden enkele hoge-resolutiecamera's gericht op het Midden-Oosten. De Oost-Chinese Zee is een van de vele streken die alleen periodiek worden bestreken met de niet-geostationaire satellieten. Daardoor kan de *Baekje* wel vijfhonderd zeemijl verplaatst zijn tussen twee omwentelingen van zo'n fotosatelliet. Ik wacht nog op archiefbeelden van de laatste dagen, maar ik kreeg al te horen dat we geen hoge verwachtingen moeten hebben.'

Gunns woede bekoelde toen hij besefte dat de kalende man met het gesteven witte overhemd een ervaren deskundige was die zijn uiterste best deed met de middelen waarover hij beschikte. 'Enig inzicht in de achtergrond van dat kabelschip?' vroeg hij.

'Hiram Yaeger gaf ons waardevolle informatie om mee te beginnen. Yaeger is de man die het schip herkende als de *Baekje*, in de NUMA-databank met wereldwijd geregistreerde schepen. Kennelijk zijn er minder dan veertig bekende kabelschepen met de grootte en indeling van het schip dat door de NUMA-bemanning gezien werd. We hebben de lijst beperkt tot twaalf schepen waarvan bekend is dat ze in het Aziatisch deel van de Grote Oceaan varen, en de *Baekje* bleek als vermist opgegeven.' De FBI-medewerker zweeg en bladerde in de map, tot hij een wit vel papier pakte, met bovenaan wazige vlekken zoals op een faxbericht te zien zijn.

'Hier hebben we de gegevens. Kabellegschip *Baekje*, lengte 445 voet, 9500 ton. Gebouwd in 1998 op de Hyundai Mipo-scheepswerf, bij Ulsan, Zuid-Korea. Eigendom van en in de vaart gebracht door Kang Shipping Enterprises, Inchon, Zuid-Korea, van 1998 tot 2000. Sinds 2000 is het schip geleased aan de Nippon Telegraph and Telephone Corporation, Tokio, Japan, voor het leggen van kabels in de Japanse Zee.'

Hij legde het papier neer en keek Gunn strak aan.

'Het leasecontract met NTT is zes maanden geleden afgelopen, en op dat moment lag de *Baekje* opgelegd langs een kade in Yokohama. Twee maanden geleden hebben vertegenwoordigers van NTT opnieuw onderhandeld over een leaseperiode van een jaar, en het schip in gebruik genomen met een eigen bemanning. Uit havenregisters blijkt dat het schip gedurende vijf weken onvindbaar was, en daarna kort opdook in Yokohama, ongeveer drie weken geleden. Vermoedelijk is het schip gezien in Osaka, waar het kennelijk de *Sea Rover* volgde naar de Oost-Chinese Zee.'

'Werd het schip overgedragen aan NTT?'

'Nee. De directie van NTT was onthutst dat hun namen op een herzien leasecontract voor het schip stonden, nadat het leggen van de glasvezelkabels was voltooid. De zogenaamde vertegenwoordigers van NTT, die het schip leasden, waren in feite fraudeurs die de agenten van Kang Shipping beduvelden. De mensen van Kang regelden al het papierwerk, en alles leek in orde, al vond een van hen het erg vreemd dat NTT met een eigen bemanning kwam, omdat ze dat nooit eerder hadden gedaan. Kennelijk is Kang bezig een claim in te dienen bij de verzekering omdat het schip verdwenen is.'

'Het lijkt me dat er toch meer gegevens moeten zijn. Is er iets bekend over banden tussen het Japanse Rode Leger en NTT?'

'Tot nu toe niet, maar we zoeken er wel naar. De directie van NTT werkt graag mee, want ze willen hun naam zuiveren van verdachte zaken. Dat directieleden met deze fraude te maken hebben is onwaarschijnlijk, daarom zoekt de Japanse recherche gericht of een groep ondergeschikten van het bedrijf hier mogelijk bij betrokken is.'

Gunn schudde moedeloos zijn hoofd. 'Dus we hebben een schip van 120 meter dat in rook is opgegaan, een Amerikaans regeringsschip dat opzettelijk tot zinken werd gebracht en geen lijst met verdachten. Twee van mijn medewerkers zijn ontvoerd, misschien wel vermoord, en we weten niet eens waar we moeten zoeken.'

'Wij zijn ook gefrustreerd, Rudi, maar uiteindelijk grijpen we de daders wel. Dit soort zaken vergt nu eenmaal veel tijd.'

Tijd, dacht Gunn. Hoeveel tijd zouden Dirk en Summer nog hebben, als ze nog leefden?

De warme douche was heerlijk. Summer liet het dampende water meer dan twintig minuten over haar lichaam stromen voordat ze eindelijk de kranen dichtdraaide en een handdoek pakte. Het was bijna vier dagen geleden dat ze zich voor het laatst gewassen had, berekende ze in gedachten toen ze de gebeurtenissen van de laatste dagen de revue liet passeren. Ze stapte uit de met marmer betegelde douche en droogde zich af met een rulle handdoek. Ze wikkelde de handdoek om haar lichaam en stak de losse hoek onder haar oksel. Voor haar stond een enorm marmeren blad met dubbele wasbakken en goudglanzende accessoires, onder een spiegel met schuin geslepen randen die tot het hoge plafond reikte. Ze moest toegeven dat iemand van deze nooit lachende bandieten wel smaak had.

Na een ongemakkelijke nacht aan boord van de motorboot, waar Summer en Dirk om beurten op het dubbele bed sliepen, met hun handen nog op de rug geboeid, had een drietal gewapende bewakers hen de volgende ochtend van boord gehaald. Kijkend naar het grote landhuis bovenop de hoge rotswand merkte Dirk op: 'Doet je denken aan de Berghof, nietwaar?' Het stenen gebouw met heerszuchtig uitzicht over de Han-rivier leek wel wat op het vakantiehuis van Hitler in de Beierse Alpen. En die indruk werd nog versterkt door de aanwezigheid van in het zwart geklede bewakers.

Ze stapten in de lift die omgeven werd door rotsgesteente en zoefden omhoog tot een etage onder de hoofdverdieping. Daar werden ze naar twee gastenkamers geleid. In gebrekkig Engels blafte een bewaker: 'Klaarmaken voor diner met meneer Kang. Twee uur.'

Terwijl Summer een douche nam, onderzocht Dirk de aangrenzende, luxueus ingerichte kamer op mogelijkheden om te ontsnappen. De raamloze kamers waren uitgehouwen in de rotswand en alleen toegankelijk via de gang, waar twee gewapende bewakers voor de geopende deuren stonden. Als ze een ontsnappingspoging wilden doen, dan leek dat hier niet mogelijk, dacht Dirk.

Terwijl Summer haar haren droogde, raakte ze, even genietend, onder de indruk van de luxueuze omgeving. Ze snoof aan de flesjes met exotisch parfum en lotion, uitgestald op het marmeren blad en koos aloë vera-bodylotion en een lelieparfum. Een rek met zijden kleding stond in een hoek, verleidelijk voor vrouwelijke gasten. Ze liet haar vingers langs de fel gekleurde collectie setjes en rokken glijden, en koos een vlammend rode jurk uit met een bijpassend kort jasje dat haar maat leek. Ze trok de kleding aan en bekeek zichzelf in de spiegel om het resultaat te bewonderen. Een beetje strak bij haar boezem, maar zo lijk ik toch op een Chinese pop, al ben ik dan lang en roodharig, dacht ze, met een glimlach naar haar spiegelbeeld. Ze vond een collectie schoenen onderin het rek en zocht tot ze een paar zwarte schoenen met lage hakken vond die haar pasten. Ze vloekte toen een teennagel afbrak bij het aantrekken van de krappe schoen. Meteen zocht ze in een lade tussen de borstels en kammen tot ze een nagelvijl had gevonden. Geen goedkope kartonnen vijl, maar een metalen vijl met een porseleinen handvat. Afwezig stak ze de vijl in een zijzak toen ze haar teennagel had bijgevijld. Een seconde later werd op de deur gebonsd, het sein dat het ongestoord genieten van de luxe voorbij was.

Ze werd met een geweerloop naar de gang gedreven en zag daar Dirk staan, nonchalant, ondanks de twee vuurwapens die op zijn rug waren gericht. Hij zag zijn zus in de prachtige zijden jurk en floot veelbetekenend.

'Ik vrees dat we hier alleen een paar ratten hebben die je koets vanavond kunnen trekken, Sneeuwwitje,' grapte hij, met zijn duim naar de twee bewakers achter hem wijzend.

'Ik zie dat jij toch liever voor een monteur doorgaat,' reageerde Summer, toen ze zag dat hij nog steeds dezelfde vettige en gevlekte NUMA-overall droeg die hij al aanhad toen ze ontvoerd werden.

'De kleding in de garderobe hier is veel te klein voor mij,' zei hij, en trok de pijpen van zijn overall op tot halverwege zijn kuiten.

De vier bewakers raakten geïrriteerd door het gesprek en dwongen de twee naar de lift, om naar de hogergelegen etage te gaan. De deuren openden naar Kangs indrukwekkende eetzaal, met het weidse panorama achter de grote vensters. Kang zat aan het hoofdeind van de eettafel en bekeek zwijgend een in leer gebonden map, terwijl Tongju kaarsrecht achter zijn linkerschouder stond. De Koreaanse magnaat was perfect gekleed als directeur van een groot industrieel bedrijf, met zijn marineblauwe maatpak en bijpassende donkerbruine stropdas. Zijn staalharde grijze ogen keken even naar de lift, om meteen weer naar de documenten voor hem te kijken, en zijn gezicht bleef een nors en kil masker.

Dirk en Summer werden naar de tafel geleid en keken even naar het schilderachtige rivierlandschap achter de grote ramen, om vervolgens hun blik op de gastheer die hen gevangen hield te richten. Allebei onthielden ze dat de baai beneden toegankelijk was via een smal en bochtig kanaal dat leidde naar de brede rivier in de verte. Toen Summer voor de eettafel stond, voelde ze een rilling langs haar ruggengraat omdat Tongju haar wellustig aankeek, terwijl Kang haar kil aanstaarde. Haar kleine plezier dat ze nu schoon en mooi gekleed was verdween meteen nu ze de bijna tastbare boosaardigheid ervoer. Ze voelde zich opeens onnozel in haar fraaie zijden jurk en klemde haar handen onwillekeurig ineen voor haar middel. Maar haar angst verminderde toen ze naar Dirk keek.

Als haar broer al bang was, dan liet hij dat niet blijken. Dirk stond rechtop, met zijn kin uitdagend naar voren, maar tegelijkertijd lag er een verveelde trek op zijn gezicht. Hij scheen het leuk te vinden dat hij letterlijk op Tongju kon neerkijken, die bijna een kop kleiner was. De moordenaar leek het niet te merken en sprak tegen zijn chef.

'Dit zijn de bestuurders van de kleine onderzeeboot van dat NUMA-schip,' zei hij met een minachtende ondertoon.

'Dae-jong Kang,' zei Dirk luid en Tongju negerend. 'Algemeen directeur van Kang Enterprises.'

Kang knikte even en wenkte dat Dirk en Summer konden gaan zitten. De bewakers deinsden achteruit naar de zijwand en bleven de twee gevangenen scherp observeren, terwijl Tongju op een stoel tegenover Dirk ging zitten.

'Meneer Pitt is verantwoordelijk voor de dood van twee van onze mensen in Amerika,' zei Tongju, en hij keek Dirk strak aan.

Dirk knikte tevreden. Het was zoals hij veronderstelde: er was een duidelijk verband tussen de bergingsoperaties van de Japanse onderzeeboten en de moordaanslag op Vashon Island.

'Wat is de wereld toch klein,' antwoordde Kang.

'Te klein voor een massamoordenaar zoals u,' siste Summer, met opkomende woede.

Kang negeerde de opmerking. 'Spijtig. De mannen in Seattle waren topagenten van Tongju.'

'Het was eerder een tragisch ongeluk,' zei Dirk. 'U moet nog leren medewerkers in dienst te nemen die een beetje kunnen autorijden,' voegde hij eraan toe met een koude blik op Tongju, die even ijzig terugkeek.

'Inderdaad een gelukkige bijkomstigheid, aangezien we anders uw gewaardeerde assistentie bij het bergen uit de *I-411* hadden gemist,' zei Kang. 'Ik ben heel nieuwsgierig wat u naar die onderzeeboten bracht.'

'Toeval, grotendeels. Ik ontdekte dat een Japanse onderzeeboot enkele granaten met cyanide had afgevuurd op de kust van Oregon, en ik vroeg me af of iemand ook dergelijke projectielen had gevonden en gebruikt bij de Aleoeten. Pas toen ik naar de *I-403* dook en de resten van die biologische bommen ontdekte, werd duidelijk dat er meer aan de hand was.'

'Doodzonde dat die bommen beschadigd raakten toen het schip zonk,' zei Kang. 'Ze waren veel gemakkelijker te bergen dan de exemplaren in de *I-411*.'

'Maar u hebt wel een onbeschadigd projectiel geborgen en bij de Aleoeten laten exploderen.'

Kang leek even verbaasd toen hij de opmerking van Dirk hoorde. 'Uiteraard,' beaamde hij. 'Heel interessant hoe de Japanners een chemische en een biologische component gebruikten in één wapen. Onze test maakte duidelijk dat de biologische werking gehinderd werd door de dubbele werking, maar de chemische component bleek krachtiger dan verwacht.'

'Krachtig genoeg om twee Amerikaanse kustwachters te doden,' merkte Summer op.

Kang haalde zijn schouders op. 'Waarom hebt u zoveel belangstelling voor twee doden in de Aleoeten? Was u erbij?'

Summer schudde zwijgend haar hoofd, maar Dirk nam het woord.

'Ik bestuurde de helikopter die door uw zogenaamde vistrawler werd neergeschoten.'

Kang en Tongju keken elkaar argwanend aan. 'U bent wel een veerkrachtige man, meneer Pitt,' merkte Kang op.

Voordat Dirk kon antwoorden zwaaide een zijdeur open en twee mannen in witte kelnerjasjes kwamen geluidloos naar de tafel met grote zilveren dienbladen op hun schouders. Een kleurige schotel zeebanket werd voor iedereen geserveerd, gevolgd door een glas Veuve Cliquot-champagne. Dirk en Summer hadden al dagen geen behoorlijke maaltijd gezien, en ze begonnen meteen te eten, terwijl de aftastende conversatie werd voortgezet.

'Uw regering... is nogal onaangenaam verrast door de gebeurtenissen in Japan, neem ik aan?' probeerde Kang.

'Uw dekmantel van het Japanse Rode Leger voor die schimmige activiteiten was sluw bedacht, maar dat werd ontdekt door mijn regering. Die twee onnozele huurmoordenaars konden gemakkelijk getraceerd worden tot in Korea,' loog Dirk met een grijns naar Tongju. 'Ik verwacht dat de politie elk moment op de deur komt bonzen, Kang.'

Even verscheen er een frons op Kangs gezicht, maar hij herstelde zich snel. 'Leuk geprobeerd, maar de waarheid is dat die twee mannen geen idee hadden wie hun opdrachtgever was. Nee, ik denk dat wel duidelijk is dat u niets weet van onze bedoelingen.'

'De langdurige vijandschap van Korea jegens Japan ten gevolge van de vele jaren van wrede onderdrukking, is anders algemeen bekend,' hield Dirk vol. 'En het is geen verrassing als verkeerde types die in het bezit van deze wapens komen, die gebruiken tegen hun historische vijand, en dat is in uw geval Japan.'

Een smalle glimlach verscheen op Kangs lippen, en hij leunde na de woorden van Dirk tevreden achterover.

'Dat was mooi gebluft, meneer Pitt. Het feit dat uw NUMA-schip niet bewapend en niet geëscorteerd werd tijdens de bergingsoperatie maakt voor mij wel duidelijk dat uw regering weinig waarde hecht aan uw ontdekking van de *I-403*. En uw veronderstelling dat de biologische wapens werkelijk gebruikt zullen worden is ook fout.'

'Maar... wat wilt u dan met die wapens?' stamelde Summer.

'Misschien gebruiken in uw eigen land,' zei Kang tergend, en hij zag de kleur wegtrekken uit Summers gezicht. 'Misschien ook niet. Dus niet hier en niet daar.'

'In de Verenigde Staten is voldoende pokkenvaccin beschikbaar om de hele bevolking in te enten,' wierp Dirk tegen. 'Tienduizenden medewerkers in de gezondheidszorg zijn trouwens al ingeënt. Dus verspreiding van het pokkenvirus zal hoogstens enige paniek veroorzaken, in het ergste geval. Maar het risico dat er een epidemie ontstaat is heel klein.'

'Inderdaad, verspreiden van *Variola major*, ofwel pokken, zou weinig schade veroorzaken. Maar uw vaccinaties zijn nutteloos tegen een chimera.'

'Een chimera? Dat is toch een Grieks fabeldier? Een monster, gevormd uit een leeuw, een geit en een slang?'

'Juist. Een ander monster, zoals u het noemt, zou een mengsel zijn van verschillende schadelijke stoffen die in één enkel organisme samengevoegd worden, waarbij de dodelijke eigenschappen van elke stof actief blijven. Dat is een biologisch wapen waartegen uw vaccinaties zinloos zijn.'

'Maar waarom, in godsnaam?' riep Summer uit.

Kang beëindigde kalm zijn maaltijd en legde zijn servet op tafel. Hij vouwde het servet netjes op voordat hij verder sprak.

'Kijk eens, mijn vaderland is innerlijk verdeeld, sinds de inval van Amerika in de jaren vijftig. En jullie Amerikanen willen niet begrijpen dat alle Koreanen dromen van de dag dat ons schiereiland herenigd zal worden. De voortdurende inmenging van buitenstaanders verhindert het verwezenlijken van die droom. Zoals de aanwezigheid van buitenlandse troepen op ons grondgebied ook een hindernis is tot de dag van de hereniging aanbreekt.'

'De Amerikaanse militaire aanwezigheid in Zuid-Korea is een garantie dat die hereniging niet gerealiseerd wordt onder dwang van Noord-Koreaanse bajonetten,' wierp Dirk tegen.

'Zuid-Korea heeft niet langer het lef te vechten, en de militaire macht van Noord-Korea biedt leiderschap en een stabiliserende factor. Dat is nodig om de orde te handhaven tijdens de hereniging.'

'Ik kan dit niet geloven,' mompelde Summer tegen Dirk. 'We lunchen hier met iemand die een kruising is tussen Typhoid Mary en Josef Stalin.'

Kang begreep de opmerking niet en sprak verder. 'De jeugd van Zuid-Korea heeft genoeg van de Amerikaanse militaire bezetting en verkrachting van Koreaanse burgers. En de jeugd is niet bang voor hereniging, en jongeren zullen helpen het pad te banen voor een snelle oplossing van het probleem.'

'Met andere woorden: als het Amerikaanse leger vertrokken is, dan marcheert Noord-Korea naar het zuiden en de hereniging wordt afgedwongen?'

'Als er geen Amerikaanse troepen zijn, dan kan volgens militaire deskundigen tachtig procent van het Zuid-Koreaanse schiereiland binnen drie etmalen ingenomen worden. Er zullen slachtoffers vallen, maar het land zal herenigd worden onder gezag van de Arbeiderspartij voordat de Verenigde Staten, Japan of een andere buitenlandse mogendheid de kans krijgt te reageren.'

Dirk en Summer zwegen verbluft. Hun vrees voor een terroristisch complot waarbij het Japanse pokkenvirus gebruikt werd was terecht, maar ze hadden niet gedacht aan wat er nu op het spel stond: het onder de voet lopen van de Republiek Korea, gepaard met de mogelijke dood van miljoenen Amerikanen.

'Ik denk dat u de vastberadenheid van de Verenigde Staten onderschat, zeker als het een terroristische aanval betreft. Onze president heeft laten zien dat hij niet aarzelt om dat snel en effectief te vergelden,' zei Dirk.

'Dat is mogelijk. Maar wíé moet hij dan straffen? Alles wijst toch op een oorzaak in Japan...'

'Het Japanse Rode Leger,' onderbrak Dirk hem.

'Ja, het Japanse Rode Leger. Kijk eens, er is gewoon geen andere mogelijkheid. Uw militaire staf, de inlichtingendienst en de politie zullen zich allemaal op Japan richten, terwijl wij intussen via een parlementaire motie zullen eisen dat alle Amerikaanse militairen binnen dertig dagen moeten verdwijnen van Zuid-Koreaans grondgebied. De hysterische media in uw land zullen alle aandacht richten op de slachtoffers van de epidemie en een zondebok willen vinden in Japan, zodat het vertrek van de militairen uit Korea maar een onbelangrijk nieuwsbericht is, en pas naar buiten komt als dat in feite al gebeurd is.'

'De inlichtingendienst zal die façade van het Japanse Rode Leger doorzien en het spoor volgen naar uw communistische kameraden in het noorden.'

'Misschien. Maar hoelang gaat dat duren? Hoeveel tijd had uw regering nodig om in 2001 de aanslag met anthrax in uw eigen hoofdstad te doorgronden? Als dat uiteindelijk gebeurt, dan zijn de emoties al gekalmeerd. Dan is het niet meer dan een rimpeling.'

'Miljoenen mensen vermoorden? En dat noemt u een rimpeling?' kwam Summer tussenbeide. 'U bent gek.'

'Hoeveel van mijn landgenoten zijn in de jaren vijftig door Amerikanen vermoord?' reageerde Kang, met een woedende blik in zijn ogen.

‘Er zijn ook heel veel Amerikaanse jongens in Korea gesneuveld,’ wierp Summer tegen, en ze staarde Kang strak aan.

Dirk keek over de tafel naar Tongju, die zijn donkere ogen steeds op Summer gericht hield. De man was er niet aan gewend dat door bezoekers, en zeker niet door een vrouw, zo fel tegen Kang werd gesproken. Hoewel zijn gezicht onverstoorbaar bleef, was de ergernis in zijn blik te lezen.

‘Vergeet u uw eigen zakelijke belangen niet?’ zei Dirk tegen Kang, om het gesprek een andere richting te geven. ‘Uw winst zal niet bepaald toenemen als de almachtige Arbeiderspartij opeens de teugels in handen krijgt.’

Kang glimlachte flauwtjes. ‘Jullie Amerikanen blijven hartstochtelijke kapitalisten. Ik heb al geregeld dat de helft van mijn bedrijven aan een Frans conglomeraat wordt verkocht, en de betaling is in Zwitserse franken. En zodra mijn vaderland herenigd is, wie zou er beter dan ik de staatscontrole van alle Zuid-Koreaanse bedrijven kunnen managen?’ zei hij zelfbewust.

‘Mooi geregeld,’ antwoordde Dirk. ‘Alleen jammer dat niemand geïnteresseerd is in inferieure producten afkomstig van een totalitair regime.’

‘Dan vergeet u China, meneer Pitt. Een enorme markt, en bovendien een uitstekend kanaal om goederen op de wereldmarkt te brengen. Er zal uiteraard enige hapering zijn tijdens de machtsoverdracht, maar de omzet zal zich snel herstellen. Er is altijd vraag naar goedkope kwaliteitsproducten.’

‘O, zeker,’ reageerde Dirk sarcastisch. ‘Noem mij maar eens een kwaliteitsproduct dat ooit in een communistisch land gemaakt werd. Kijk eens, Kang, dit is een aflopende zaak. Er is geen plaats meer voor geschifte despoten die hun landgenoten uitbuiten om er zelf beter van te worden, uit machtswellust of grootheidswaan. U en uw kameraden in het noorden zullen wel iets voor elkaar krijgen, maar uiteindelijk worden jullie allemaal platgewalst door een idee dat jullie niet kennen: wij noemen het “vrijheid”.’

Kang verstijfde even en er verscheen een geërgerde uitdrukking op zijn gezicht. ‘Bedankt voor de les maatschappijleer. Dit was een verhelderend gesprek. Vaarwel, juffrouw Pitt, vaarwel, meneer Pitt,’ zei hij koel.

Op een wenk van Kang sprongen de bewakers bij de muur meteen naar voren en ze trokken Dirk en Summer overeind. Dirk overwoog even een mes van tafel te grissen en de bewakers aan te vallen. Maar hij besloot dat niet te doen, omdat Tongju een Glock-pistool op zijn borst richtte.

'Breng ze naar de riviergrot,' beval Kang.

'Bedankt voor de hartelijke gastvrijheid,' mompelde Dirk naar Kang. 'Ik verheug me al op een tegenbezoek.'

Kang zei niets, hij knikte alleen naar de bewakers, die het tweetal ruw naar de lift duwden. Dirk en Summer keken elkaar veelbetekenend aan. De tijd begon te dringen. Als ze uit de greep van Kang wilden ontsnappen, dan moesten ze snel in actie komen.

Het eerste probleem was Tongju met zijn Glock 22. Elk verzet was zinloos zolang de man het wapen op hen gericht hield, want ze twijfelden niet dat hij zonder aarzelen zou schieten. Tongju volgde de vier bewakers die Dirk en Summer naar de lift begeleidden, en hij hield zijn wapen steeds in de aanslag. Zodra de liftdeuren openschoven, werden ze door vier handen tegen de achterwand van de cabine geduwd. Tongju gaf een kort bevel in het Koreaans, maar hij bleef tot opluchting van Dirk achter in de eetzaal, met een van de bewakers. Op Tongju's gezicht lag een tevreden en tegelijk dreigende grijns toen de liftdeuren weer dichtgleden.

Het was benauwd in de liftcabine met vijf personen, maar dat was in hun voordeel. Dirk keek naar Summer en knikte nauwelijks waarneembaar. Summer antwoordde met een snelle knipoog. Ze greep meteen naar haar maag en kreunde, naar voren leunend alsof ze moest braken. De bewaker voor haar, een gedrongen man met een kaalgeschoren hoofd, hapte toe en boog zich naar Summer. Maar als een kat die per ongeluk op een hete kachel stapt, rekte Summer zich snel uit, en ze ramde met alle kracht haar knie in het kruis van de man. De ogen van de bewaker puilden bijna uit de kassen toen hij geraakt werd door de knie en hij schreeuwde van pijn.

Summers actie was alles wat Dirk nodig had om de tweede bewaker uit te schakelen. Omdat de drie bewakers hun aandacht op Summer richtten, gaf Dirk een keiharde hoekstoot op de kaak van de man, zodat hij bijna uit zijn schoenen werd getild. Dirk zag op enkele centimeters afstand dat de ogen van de bewaker naar achteren rolden en de man zakte bewusteloos op de vloer.

Bewaker nummer drie deed een kleine stap achteruit toen het gevecht begon, en hij probeerde de loop van zijn geweer op Dirk te richten. Summer reageerde door de schouders te grijpen van de man die ze een knietje had gegeven en ze duwde zijn gebogen lichaam naar de staande bewaker. De nog kreunende kale bewaker belandde zwaar tegen zijn collega, die daardoor zijn evenwicht verloor. Dat gaf Dirk genoeg tijd om over de ineengezakte bewaker te stappen en een linkse directe op de slaap van de man met het geweer te plaatsen. De verdwaasde bewaker probeerde zich te verdedigen met een karatetrap, maar Dirks rechtervuist was sneller en maakte puree van het strottenhoofd van zijn tegenstander. Het gezicht van de bewaker kleurde blauw, hij hapte naar lucht en greep met beide handen naar zijn keel terwijl hij op zijn knieën zakte. Dirk greep het geweer van de bewaker en sloeg met de kolf keihard in het gezicht van de bewaker die met Summer worstelde. De klap deed de man tegen de achterwand van de lift slaan, en hij zakte buiten kennis op de vloer.

'Mooi werk, Smokin' Joe,' prees Summer.

'Laten we maar niet op de bel voor de tweede ronde wachten,' hijgde Dirk, terwijl de lift vaart minderde. Hij controleerde de veiligheidspal van het wapen en zette zich schrap om uit de lift te springen zodra de deuren open zouden gaan. Maar hij kon nergens heen.

De deuren schoven open en drie AK-74's werden meteen naar binnen gestoken, de loop van elk wapen prikkend in hun gezichten. Een beveiligingsman achter een rij monitors had het tumult in de liftcabine via een gesloten videocircuit gezien en onmiddellijk alarm geslagen.

'*Saw!*' schreeuwden de bewakers in het Koreaans, en het was glashelder wat ze bedoelden. Dirk en Summer verstarden en ze vroegen zich af hoe licht de trekkers van de wapens die op hen gericht waren over zouden gaan. Dirk liet het geweer langzaam naar de vloer zakken en merkte dat achter hem iets bewoog. Maar het was al te laat. Hij keek om en zag de derde bewaker uit de lift wankelen, terwijl hij met de kolf van zijn geweer naar Dirks hoofd uithaalde. Dirk probeerde nog weg te duiken, maar de kolf was al te dicht bij zijn schedel en er volgde een krakende klap.

Even zag Dirk verblindende lichtflitsen en sterretjes, en door een waas ving hij een glimp op van Summers voeten. Maar toen vervaagde alles in een diepe duisternis, alsof een zwart gordijn werd dichtgetrokken, en zakte hij krachteloos in elkaar.

34

Een stekende pijn die van de top van zijn schedel naar zijn tenen schoot, was het eerste signaal naar zijn hersenen dat hij nog leefde. Terwijl het bewustzijn langzaam terugkeerde, probeerde Dirk te inventariseren welke delen van zijn lichaam abnormaal aanvoelden. Pijnsignalen uit zijn polsen, armen en schouders drongen tot hem door, maar allesoverheersend was de martelende pijn in zijn hoofd. En verwarrender voor zijn zintuigen was het gevoel dat zijn voeten en benen in een emmer water stonden. De nevel trok geleidelijk op, en toen hij zijn ogen opende, werd langzaam duidelijk dat hij zich in een natte, donkere en naargeestige grot bevond.

'Welkom terug in het land der levenden,' echode de stem van Summer in de sombere grot.

'Heb je het kenteken genoteerd van de vrachtwagen die mij aanreed?' vroeg Dirk zwakjes.

'Ja, en ik weet bijna zeker dat de chauffeur onverzekerd was.'

'Waar zijn we in godsnaam?' vroeg Dirk, toen zijn geest weer besef van tijd en plaats kreeg.

'In een grot, vlakbij de drijvende steiger van Kang. Het water bij je navel is van de Han-rivier.'

De emmer waarin Dirk meende te staan, was in werkelijkheid een grot die langzaam vol rivierwater liep. Nu hij zijn gezichtsvermogen weer had, zag hij dat Summer met handboeien wijdbeens was vastgebonden aan twee grote ankers. Het waren eerder zware gewichten dan echte scheepsankers: vierkante blokken beton, één meter hoog en breed. De witte blokken waren in de loop der jaren bedekt met een fletsgroene laag algen, en aan de bovenkant zat een roestige ijzeren ring. Dirk zag dat er wel tien van deze blokken op een rij in de grot stonden. Hij en Summer stonden naast elkaar, met hun armen wijd uitgestrekt en de polsen met handboeien aan twee blokken geketend.

Dirk liet zijn blik door de schemerige grot dwalen. In het afnemende daglicht dat door de ingang naar binnen viel, zag hij wat hij zocht: op de rotswand was een horizontale lijn te zien tot hoe hoog de vloed rees. En die lijn zat vervelend genoeg wel zestig centimeter boven hun hoofden.

'Dood door langzame verdrinking,' constateerde hij.

'Onze vriend Tongju Fu Manchu was nogal vastbesloten,' zei Summer grimmig. 'Hij verhinderde zelfs dat een van de bewakers jou doodschoot, zodat we hier samen kunnen verzuipen.'

'Ik moet niet vergeten hem daarvoor een bedankkaartje te sturen.' Dirk keek naar beneden en zag dat het water nu ter hoogte van zijn maag stond.

'Het water stijgt behoorlijk snel.'

'We zijn dicht bij de monding van de Han, dus is er hier veel invloed van het getij.' Summer keek bezorgd naar haar broer. 'Ik denk dat het waterniveau het laatste uur al meer dan dertig centimeter gestegen is.'

Toen hij de wanhopige blik in de ogen van zijn zus zag, schakelde Dirk zijn gedachten in een hogere versnelling om een ontsnappingspoging te bedenken. 'Dan hebben we hoogstens nog anderhalf uur,' berekende hij.

'Er schiet me plotseling iets te binnen,' zei Summer fronsend. 'In mijn zijzak heb ik een nagelvijl. Misschien is het zinloos, maar we kunnen er iets mee proberen.'

'Goed idee, geef maar hier,' antwoordde Dirk.

'Deze ijzeren ring lijkt me nogal versleten,' zei ze, trekkend met haar linkerpols. 'Als ik een hand vrij kan maken...'

'Misschien kan ik je helpen.' Dirk bewoog zijn benen naar Summer, met zijn romp steun zoekend op de betonblokken. Hij tilde een been op, tot zijn schoenzool de uitstekende ijzeren ring raakte. Hij duwde uit alle macht tegen de bovenkant van de ijzeren ring.

Er gebeurde niets.

Hij verplaatste zijn voet, zodat zijn hak de ring raakte, en duwde weer met al zijn kracht. Deze keer boog de ring een eindje naar Summer. Door telkens met zijn volle gewicht op de ring te leunen, boog het roestige ijzer langzaam, tot het onder een hoek van negentig graden stond.

'Oké, nu heb ik je hulp nodig om die ring weer recht te buigen. Ik tel tot drie,' zei hij.

Hij haakte zijn voet achter de ring, telde tot drie en trok uit alle macht. Summer duwde met haar geboeide hand en langzaam boog de ring terug naar de oorspronkelijke positie.

'Nou, dat ging goed,' zei Dirk, en liet zijn been even rusten. 'We doen het nog een keer.'

Twintig minuten lang bewogen ze de ring heen en weer, en naarmate het metaal vermoeid raakte, begon de ring steeds gemakkelijker te bewegen. Met een laatste harde trap tegen het metaal brak de ring van het beton af, zodat Summers arm bevrijd was. Ze graaide meteen in de kleine zijzak van haar zijden jasje en haalde de nagelvijl met het porseleinen handvat tevoorschijn.

'Ik heb de vijl. Zal ik de handboei doorvijlen, of die meerring?' vroeg ze.

'Probeer de ring. Die is wel dikker, maar het metaal is zachter dan de roestvrijstalen handboeien.'

Summer gebruikte de nagelvijl als een ijzerzaag en begon de ring door te vijlen. In het modderige rivierwater en in het halfduister op de tast werken zou voor de meeste mensen een bijna onmogelijke taak zijn, maar Summer had het voordeel dat ze een ervaren duiker was. Jarenlang oude scheepswrakken onderzoeken onder moeilijke omstandigheden en met slecht zicht hadden haar tastzin zodanig geoefend dat ze met haar handen bijna beter dan met haar ogen een wrak kon verkennen.

Het was hoopgevend dat de vijl snel door de buitenste roestige laag sneed. Maar haar optimisme verdween toen het blad op harder metaal stuitte en het vijlen heel langzaam vorderde. Het stijgende water stond nu ter hoogte van haar borst, en dat gaf haar een adrenalinestoot. Summer bewoog de vijl zo snel ze kon heen en weer, en millimeter na millimeter werd de zaagsnee dieper. Ze onderbrak het vijlen telkens even en bewoog dan met beide handen de ring heen en weer om het metaal te verzwakken. Steeds afwisselend zagend en buigend lukte het eindelijk de ring af te breken en Summer was vrij.

'Het is gelukt!' riep ze uit.

'Mag ik je vijl even lenen?' vroeg Dirk kalm, maar Summer was al bij hem en ze begon de ring waarmee zijn rechterhand vastgeketend zat door de vijlen. Terwijl ze koortsachtig doorwerkte, besefte ze dat het haar ongeveer een halfuur had gekost om de eerste ring door te zagen, en het water was nu al tot hun schouders gestegen. Het water steeg sneller dan verwacht en zou zeker binnen een uur tot boven Dirks hoofd rijzen. Ondanks haar pijnlijke vingers bleef ze de vijl zo snel mogelijk heen en weer bewegen over de ijzeren ring.

Dirk wachtte geduldig terwijl Summer werkte, en hij begon het oude deuntje 'While Strolling Through the Park One Day' te fluiten.

'Daarmee help je me niet,' hijgde Summer, maar ze moest toch glimlachen. 'Dat melodietje blijft nu vervelend in mijn hoofd hangen.'

Dirk floot niet meer, maar inderdaad hoorde Summer het liedje telkens weer in haar hoofd herhalen. Verbaasd merkte ze dat het bij haar handbewegingen als een mantra werkte.

While strolling through the park one day...

Met elke lettergreep bewoog ze de vijl ritmisch heen en weer.

... in the merry merry month of May.
I was taken by surprise by a pair of roguish eyes.
In a moment my poor heart was stole away.

Het water was nu tot boven haar kin gekropen en ze moest telkens even naar lucht happen en dan onder water verdwijnen om op de juiste plek te vijlen. Dirk kreeg steeds meer moeite om zijn gezicht boven water te houden, terwijl hij steeds aan de ring duwde en trok om het ijzer te buigen. Plotseling klonk onder water een dof, metalig geluid en eindelijk brak de ring onder hun gezamenlijke inspanning.

'Drie ringen los, nog één te gaan,' hijgde Summer, en ze zoog haar longen vol nadat ze secondenlang onder water was geweest.

'Laat mij even, dan kun jij op adem komen,' zei Dirk, en pakte de vijl met zijn vrije hand. Nu zijn rechterhand bevrijd was, kon hij wat meer bewegen, maar hij moest wel onder water om de laatste ring door te vijlen. Hij haalde diep adem en dook onder water om snel de ring door te vijlen waarmee zijn linkerpols nog vastgeketend zat. Na dertig seconden verscheen hij aan de oppervlakte, zoog verse lucht in en dook weer weg. Summer strekte haar verkrampte vingers en zwom naar de linkerkant, wachtend tot Dirk weer bovenkwam. Als bezeten werkten ze door, elkaar telkens afwisselend met de vijl, om het ijzer zo snel mogelijk door te zagen.

De minuten verstreken en het water in de grot kroop genadeloos hoger en hoger. Elke keer als Dirk bovenkwam om lucht te happen, voelde hij dat hij zich verder moest uitrekken om zijn neus en mond boven het wateroppervlak te krijgen. De handboei om zijn linkerpols drong in zijn vlees, telkens als hij uit alle macht rukte om zich te bevrijden.

'Spaar je krachten om hier weg te komen,' zei hij tegen Summer, toen de onverbiddelijke waarheid duidelijk werd dat de tijd opraakte. Summer zei niets, maar nam de vijl weer aan en dook snel onder water. Dirk dreef half, met zijn hoofd naar achteren gebogen, en zijn gezicht was nog amper boven water. Hij haalde een paar keer diep adem en voelde het water over zijn gezicht spoelen, voordat hij een laatste keer zijn longen volzoog en onder water dook. Hij griste de vijl uit Summers hand en begon als een razende aan de ijzeren ring te vijlen. Hij kon voelen dat ze nog maar een derde van de ring hadden doorgezaagd. Het ging te langzaam.

De seconden leken wel uren toen Dirk een laatste wanhopige poging deed om zich te bevrijden. Hij voelde zijn hart bonken als een bass drum, zwoegend om zuurstof in zijn bloed te pompen. In het troebele water voelde hij dat Summer niet meer naast hem was. Misschien had ze zijn raad opgevolgd en probeerde ze te ontsnappen uit de grot. Of kon ze niet verdragen dat hij al bijna verdronken was.

Hij stopte even met vijlen en probeerde met zijn volle gewicht de ring te verbuigen. Maar hij kon weinig kracht zetten en de ring was onbeweeglijk. Hij begon weer met woeste bewegingen van het smalle blad te vijlen. Zijn oren bonsden met elke hartslag. Hoelang hield hij zijn adem al in? Een minuut, twee minuten? Hij wist het niet.

Hij voelde zich draaierig worden en zag visioenen van lichte stippen. Dirk blies zijn adem uit en moest zich beheersen om geen water naar binnen te halen. Zijn hart bonkte nog harder en hij moest een gevecht leveren tegen de opkomende paniek. Een lichte stroom leek hem weg te duwen van de ijzeren ring, maar zijn handspieren klemden de vijl stevig vast. Een witte sluier trok voor zijn ogen en een stem in de verte vertelde dat hij los moest laten. Hij vocht tegen de stem, zijn gonzende oren namen nog een doffe plof waar en een vreemde tinteling trok door zijn arm en lichaam voordat hij wegzonk in een donker en leeg niets.

35

Summer wist dat het nog minstens twintig minuten zou duren voordat de ijzeren ring was doorgevijld en dat ze een andere manier moest bedenken om haar broer te bevrijden. Ze liet Dirk achter en dook naar de bodem van de grot, zoekend en tastend naar iets wat ze kon gebruiken om de boei te verbreken. Maar op de vlakke zandige bodem was niets te vinden, alleen de rij ankergewichten naast elkaar. Ze zwom verder, met één hand langs de betonblokken tastend, en voelde een groot stuk beton dat kennelijk afgebroken was toen twee gewichten te dicht naast elkaar waren geplaatst. Ze gleed verder en kwam bij het laatste betonblok, en daar voelde ze iets plats en zachts, als doorweekt leer in haar hand. Eronder zat een harder voorwerp, gebogen en smal, en ze herkende het als een laars. Er stak een stok in de laars, en ze pakte die vast, maar liet geschrokken weer los, omdat het geen stok was maar een menselijk scheenbeen, een deel van een skelet met een voet nog in de laars. Een ander slachtoffer van Kangs meedogenloosheid, iemand die lang geleden ook vastgeketend was aan een betonblok. Summer deinsde achteruit, keerde zich om en zwom terug naar Dirk, maar botste met haar hoofd tegen het afgebroken stuk beton. Het brok was ongeveer vierkant en woog wel veertig kilo. Ze tastte met haar handen en aarzelde. Dit kon het antwoord zijn, bedacht ze, en het was het beste wat ze nu kon doen.

Met een paar snelle slagen zwom ze naar boven om lucht te happen en dook meteen weer onder water om het zware brok beton met beide armen van de bodem te tillen en tegen haar borst te klemmen. Aan land zou het een worsteling zijn om het zware gewicht te torsen, maar onder water was het gemakkelijker. Met snelle bewegingen keerde ze langs de rij ankerblokken terug naar haar broer, vechtend om het zware blok in evenwicht te houden. Meer op de tast dan kijkend kwam ze bij Dirk en ze duwde hem weg van het blok waar zijn pols aan vastgeketend was. Ze merkte bezorgd dat zijn lichaam krachteloos meegaf, heel anders dan zijn normaal zo gespierde, harde lijf.

Summer probeerde in een zo gunstig mogelijke positie te komen, deed een stap en schoot naar voren, zichzelf met het brok beton op de ijzeren ring stortend. Als in slow motion bewoog Summer zich door het water voordat de zwaartekracht de overhand kreeg. Maar haar timing was perfect. In een fractie van een seconde veranderde de voorwaartse beweging in een zinkende, en het brok beton sloeg tegen de ijzeren ring. Gedempt door het water, klonk een metalig geluid en Summer begreep dat ze haar doel geraakt had. Ze liet het stuk beton los. De roestige ring, genoeg verzwakt door het vijlen, bezweek onder het gewicht van het brok beton en knapte af.

Meteen greep Summer de arm van Dirk en tastte ze naar de pols, die nu los was. Met een explosie van kracht duwde ze haar broer naar de oppervlakte, haalde zelf diep adem en sleepte zijn krachteloze lichaam naar een rotsrand, juist boven het wateroppervlak. Ze knielde naast hem en begon hem te reanimeren, tot zijn lichaam opeens schokte en hij zijn hoofd opzij bewoog. Dirk spuwde kreunend een golf water uit en zoog zijn longen vol lucht. Moeizaam overeind komend, leunde hij op zijn ellebogen, keek naar Summer en steunde: 'Ik heb het gevoel dat ik de halve rivier heb opgedronken. Help me herinneren dat ik volgende keer alleen mineraalwater moet drinken.'

De woorden kwamen gorgelend uit zijn mond en meteen daarna braakte hij weer een golf water uit, om dan rechtop te gaan zitten, wrijvend over zijn linkerpols. Hij keek zijn zus aan en zag opgelucht dat ze ongedeerd was en vol goede moed.

'Bedankt dat je met uit het water trok. Hoe kreeg je die ring los?'

'Ik vond een brok beton en dat heb ik tegen die ring gesmeten. Gelukkig heb ik je hand niet verbrijzeld.'

'Ja, ook daarvoor zeer veel dank,' mompelde hij hoofdschuddend.

Nadat ze wat op adem waren gekomen, bleven ze een uur lang rusten, om langzaam weer op krachten te komen. Dirk spuugde het water uit dat in zijn longen was gedrongen, vlak voordat Summer de ijzeren greep had verbroken en waardoor hij bijna verdronken was. Het weinige daglicht dat eerder door de monding tot in de grot doordrong was helemaal verdwenen en ze zaten in het aardedonker.

'Weet jij waar de uitgang is?' vroeg Dirk, toen hij zich fit genoeg voelde om in beweging te komen.

'De opening van de grot is nog geen vijftig meter ver,' zei Summer. 'En een eindje naar het oosten is de steiger van Kang.'

'Hoe zijn we hier eigenlijk gekomen?' vroeg Dirk.

'Met een roeiboot. Ik was vergeten dat jij tijdens dat schilderachtige vaartochtje in slaap was gevallen.'

'Jammer dat ik het gemist heb,' antwoordde Dirk, en hij wreef over zijn hoofd. 'Dan moeten we dus een boot van Kang lenen, als we hier weg willen. Er lag een kleine speedboot afgemeerd achter zijn drijvende paleis toen we daar arriveerden. Misschien ligt die boot er nog.'

'Als we die boot losmaken en onopgemerkt van de steiger naar de baai laten drijven voordat we de motor starten, dan hebben we een voorsprong.' Summer rilde terwijl ze sprak, want ze was sterk afgekoeld door het koude rivierwater.

'Dan moeten we weer terug in het water, vrees ik. Jij weet de weg naar de uitgang, dus ga maar voor.'

Summer scheurde de zoom van haar zijden jurk in tot aan haar heup, zodat ze meer bewegingsvrijheid had bij het zwemmen, en liet zich weer in het koele, troebele water zakken. Dirk volgde haar en ze zwommen op de tast door de bochtige nauwe grot naar een fletse grijze plek die vaag lichter afstak tegen de duisternis. Het geluid van stemmen deed hen even pauzeren toen ze bij de ingang van de grot kwamen. Ze zwommen voorbij een scherpe bocht en voor hen verscheen de ovale opening van de grot, met de nachtelijke hemel vol twinkelende sterren en de weerspiegeling van de lichten bij Kangs steiger dansend op het wateroppervlak. Dirk en Summer zwommen geluidloos uit de grot naar een rotspunt enkele meters verder. De met algen begroeide rotsen boden een geschikte plek om de steiger en de omgeving te observeren.

Minutenlang hingen ze stilletjes aan de rotsen en tuurden naar de afgemeerde boten en de kustlijn, speurend naar beweging. Er waren drie boten afgemeerd aan de drijvende steiger die evenwijdig aan de kust liep. En zoals Dirk zich herinnerde, was een kleine groene speedboot afgemeerd tussen het grote Italiaanse jacht van Kang en de snelle catamaran waarmee ze hierheen waren gebracht. Op geen van de drie achter elkaar liggende boten was een teken van leven te zien. Dirk wist dat er een kleine wachtbemanning aan boord van het grote jacht moest zijn.

In de verte zagen ze een eenzame bewaker langzaam langs de oever lopen. Toen de man onder een felle lamp passeerde, zag Dirk duidelijk dat hij een geweer over zijn schouder droeg. Zonder haast liep de bewaker over de steiger en langs de drie boten, en hij bleef minutenlang bij het grote jacht staan. Toen hem dat verveelde, liep hij langzaam terug over de steiger en via het stenen pad op de oever naar een wachthuisje bij de ingang van de liftschacht onderaan de rotswand.

'Dat is onze man,' fluisterde Dirk. 'Zolang hij in dat wachthuisje blijft, kan hij achter de grote boten de speedboot niet zien.'

'Dan moeten we die boot nu kapen voordat hij aan zijn volgende ronde begint.'

Dirk knikte en ze lieten de rotsen los om zonder geluid naar de steiger te zwemmen. Hij hield het wachthuisje in de gaten en probeerde in gedachten te schatten hoeveel tijd het zou kosten om de motor te starten door met de bedrading kortsluiting te maken, mocht de contactsleutel niet aanwezig zijn.

Ze zwommen op veilige afstand van de steiger, tot ze zich recht voor de speedboot bevonden, en kwamen toen behoedzaam steeds dichterbij. Met de handboeien nog steeds om hun polsen voelden de zwemslagen onhandig aan, maar ze hielden hun handen zorgvuldig onder water als ze weer een slag deden.

Ze bleven uit het zicht van het wachthuisje, tot ze bij de achtersteven van de boot waren, en daar hadden ze weer uitzicht op de oever. De bewaker zat nog in zijn huisje, en ze konden zien dat de man een tijdschrift las.

Met handgebaren maakte Dirk duidelijk dat Summer de achterste landvast moest losmaken, en dat hij naar de boeg zou zwemmen om de voorste lijn los te maken. Zwemmend langs de romp voelde hij de dreigende aanwezigheid van Kangs grote jacht boven hem tot hij bij de voorsteven kwam. Hij rekte zich uit om de meerlijn te grijpen en zichzelf op de steiger te hijsen, toen hij opeens een scherpe klik hoorde, recht boven hem. Dirk verstijfde, nog in het water. Een gele vonk was even zichtbaar en in de gloed zag hij het gezicht van een bewaker die een sigaret opstak, amper drie meter verder op het achterdek van Kangs jacht.

Dirk verroerde zich niet. Hij hield zich met één hand vast aan de meerlijn en zorgde ervoor dat hij geen geluid maakte in het kabbelende water. Hij wachtte geduldig terwijl de bewaker telkens een trekje van zijn sigaret nam, zodat de gloeiende punt regelmatig oplichtte. Dirk hield zijn adem in en hoopte maar dat Summer bij de achtersteven geen geluid zou maken en hen zou verraden. De bewaker rookte tot hij uiteindelijk zijn peuk over de reling in het water gooide. De smeulende peuk belandde amper een meter naast Dirks hoofd en doofde meteen.

Wachtend tot hij het geluid van gedempte voetstappen hoorde, dook Dirk onder water en zwom naar de achterkant van de speedboot. Bij de schroef van de boot kwam hij weer boven en zag dat Summer met een ongeduldige blik op haar gezicht op hem wachtte. Dirk schudde zijn hoofd en hees zichzelf op aan de achtersteven om naar het dashboard te kijken. In het schemerdonker kon hij nog net onderscheiden dat er geen contactsleutel in het slot stak. Hij liet zich terugzakken in het water en keek naar Summer. Hij pakte de losse meerlijn over en ze was verbaasd dat hij onder water dook om even later weer met lege handen boven te komen. Ze had verwacht dat hij de boot weer vast zou leggen, in plaats van te wenken dat ze mee moest zwemmen, weg van de steiger. Summer volgde hem en ze zwommen weg van de boot. Toen ze veilig buiten gehoorsafstand waren, hielden ze stil om uit te rusten.

'Wat had dat te betekenen?' vroeg Summer lichtelijk geïrriteerd.

Dirk fluisterde dat een bewaker op het achterdek van Kangs jacht de wacht hield. 'Zonder een contactsleuteltje hebben we geen kans. Die boten liggen zó dicht bij elkaar dat hij me zou opmerken als ik met de bedrading rommel. En de kans bestaat dat er ook een of meer bewakers op de catamaran zijn. Ik denk dat we de roeiboot moeten nemen.'

De kleine roeiboot die de handlangers van Kang hadden gebruikt om Dirk en Summer naar de grot te brengen, was op de oever getrokken, een eindje naast de steiger.

'Dat is wel heel dicht bij dat wachthuisje,' zei Summer.

Dirk keek naar de oever en hij zag de bewaker nog steeds in zijn huisje zitten, ongeveer twintig meter naast de roeiboot. 'Als we geen geluid maken, moet het lukken,' zei hij zelfverzekerd.

Ze zwommen met een wijde boog om de afgemeerde boten heen en benaderden de rotsige oever van de oostkant. Zodra hun voeten de bodem raakten, gebaarde Dirk dat Summer moest wachten terwijl hij naar de oever waadde.

Heel voorzichtig kroop hij als een slang op zijn buik naar de boot, die tussen twee rotsen ongeveer zeven meter ver op de kant was getrokken. Hij gebruikte de houten roeiboot als een schild tussen zichzelf en het wachthuisje en tuurde in de boot. Een opgerold eind touw op het voorste bankje trok zijn aandacht. Een uiteinde van het touw was vastgemaakt aan een kikker op de voorsteven. Dirk reikte over de rand van de boot en maakte het touw los. Hij trok de rol naar zich toe en kroop over de kiezels weer terug naar de achtersteven van de boot, die naar het water was gericht. Met één hand tastte hij over de achtersteven en vond een boutgat waar een buitenboordmotor bevestigd kon worden. Hij stak het touw door het gat en maakte het stevig vast.

Zo vlug mogelijk kroop hij terug naar het water en rolde de lijn helemaal af, tot de volle lengte van vijftien meter. Summer kwam naar hem toe zwemmen en ze hurkten dicht bij elkaar in het water, dat hier ruim een meter diep was, zodat alleen hun hoofden boven water uitstaken.

'We trekken die boot hierheen, alsof we een vis aan de haak hebben,' fluisterde Dirk. 'Als er iemand komt, kunnen we wegduiken achter de rotsen bij de grot.' Hij drukte de lijn in Summers handen en zette zich schrap in het water om langzaam aan het touw te trekken. Summer verstevigde haar greep en hing nu ook aan de strakgespannen lijn.

De kleine boot kwam los en maakte knarsende geluiden op de kiezels, omdat de romp over de bodem schuurde. Ze stopten meteen met trekken en keken gespannen naar het wachthuisje. De bewaker was nog steeds verdiept in zijn tijdschrift en had het knarsende geluid niet gehoord. Ze trokken de lijn weer strak en haalden de roeiboot telkens een stukje dichterbij. Ze stopten steeds even om te controleren of ze geen aandacht trokken met hun gesjor. Summer hield haar adem in toen de roeiboot bij de waterkant kwam, en ze slaakte een zucht van opluchting toen het schuitje in het water lag en er geen schrapende geluiden meer klonken.

'Laten we nog een eindje verder trekken,' fluisterde Dirk, en hij sloeg het touw over zijn schouder, om vervolgens weg te zwemmen van de oever. Toen ze ongeveer honderd meter uit de kust waren, gooide hij het touw in de boot en trok zich op. Even later greep hij Summers hand en trok haar ook aan boord.

'Niet bepaald een snelle loodsboot, maar ik denk dat we er wel mee wegkomen,' zei Dirk, kijkend naar de binnenkant van de kleine boot. Hij zag een paar roeiriemen onder de bank en deed de dollen in de gaten. Daarna liet hij de roeiriemen geluidloos in het water zakken. Met zijn gezicht naar de achtersteven van het bootje en op de achtergrond het verlichte terrein van Kang trok hij krachtig aan de riemen, zodat de boot snel naar het midden van de baai gleed.

'Het is ongeveer één mijl naar de rivier,' schatte Summer. 'Misschien treffen we daar een Zuid-Koreaanse loods of een kustwachtboot.'

'Ik heb liever een passerende vrachtboot.'

'Ja, als die maar niet de blauwe bliksemschicht van Kang Enterprises op de schoorsteen heeft,' antwoordde Summer.

Kijkend naar de oever zag Dirk opeens beweging in de verte, en hij spande zich in om het beter te zien. Hij trok een grimas. 'Ik vrees dat het geen vrachtschip is dat ons als eerste een lift aanbiedt,' zei hij, en klemde zijn knokkels nog vaster om de roeiriemen.

De bewaker van de steiger had genoeg gelezen in zijn tijdschrift en hij besloot weer een ronde te maken langs de afgemeerde boten. Een collega die wacht had aan boord van Kangs grote jacht was afkomstig uit een andere provincie, en het was altijd leuk die man een beetje te pesten met het gebrek aan mooie vrouwen in zijn geboortestreek.

Naar de steiger lopend viel het hem eerst niet op dat de roeiboot verdwenen was, maar hij struikelde bijna voordat hij de steiger betrad. Hij keek naar de grond en zag het diepe spoor dat de kiel van de roeiboot in het zand had getrokken, en even later drong tot hen door dat die roeiboot niet meer op zijn plek lag.

De geschrokken bewaker meldde dat via zijn portofoon meteen aan de centrale post en een ogenblik later kwamen twee zwaarbewapende bewakers uit de schaduw aanrennen. Na een korte maar verhitte woordenwisseling werden zaklantaarns aangeknipt en de gele stralenbundels bewogen snel heen en weer over het water en de rotsen, zoekend naar de verdwenen roeiboot. Maar het was de bewaker op het achterdek van Kangs jacht die de twee vluchtelingen het eerst opmerkte. Hij richtte een sterk zoeklicht op het water van de baai en had de kleine boot even later in de felle lichtbundel gevangen.

'Dit is geen goed moment om in de schijnwerpers te staan,' mopperde Summer, toen de stralen van de felle lamp op hen gericht werden. Meteen klonk een ratelende geweersalvo, en het fluitende geluid van de kogels die in hun richting werden afgeschoten maar geen doel troffen.

'Ga liggen, Summer!' commandeerde Dirk, en hij trok nog harder aan de riemen. 'We zijn zo ver dat ze ons niet in het vizier krijgen, maar we kunnen wel geraakt worden als ze een beetje geluk hebben.'

De kleine roeiboot was halverwege de baai en Dirk en Summer waren een gemakkelijk doelwit voor een schutter die met de snelle speedboot van Kang binnen een minuut bij hen kon zijn. Dirk hoopte en bad in stilte dat niemand de achterste meerlijn van de speedboot zou opmerken voordat de achtervolging werd ingezet.

Op de oever was een van de bewakers al in de speedboot gesprongen en hij startte de motor. Tongju, gealarmeerd door het geweervuur, stoof uit zijn hut in de catamaran en blafte vragen naar de bewakers.

'Neem de speedboot. En schiet ze dood, als dat nodig is,' beval hij.

De twee andere bewakers sprongen ook in de speedboot en de voorste man maakte de meerlijn bij de boeg los. In de haast merkte niemand dat de achterste meerlijn in het water viel, naast de buitenboordmotor. De bestuurder zag alleen dat de boot niet langer afgemeerd was, en zodra de speedboot vrij was van de steiger schakelde hij in z'n vooruit en gaf meteen vol gas.

De groene boot schoot even naar voren, maar een seconde later bleef het vaartuig mysterieus weer stilliggen. De motor raasde jankend, terwijl de boot op dezelfde plek bleef. De bestuurder trok de gashendel terug, niet begrijpend waarom de boot niet meer bewoog.

'Idioot!' krijste Tongju vanaf het dek van de catamaran, en hij toonde meer emotie dan ooit tevoren. 'De achterste meerlijn is in de schroef gedraaid. Laat iemand dat touw lossnijden!'

Dirks voorzorgsmaatregel had succes. Duikend onder de speedboot had hij de achterste meerlijn strak om de schroef en de as gewikkeld, zodat die niet vrij kon draaien. Omdat de bewaker in de speedboot meteen vol gas had gegeven, was de lijn nog strakker om de as getrokken, zodat de aandrijfas helemaal geblokkeerd raakte. Een geoefende duiker zou zeker twintig minuten werk hebben om de kluwen strak opgewikkeld touw rond de as en de schroef los te snijden.

Tongju begreep dat de speedboot onbruikbaar was en hij stormde naar de hut van de stuurman van de catamaran.

'Start de motoren, we moeten nu meteen varen!' commandeerde hij.

De slaperige man, gekleed in een roodzijden pyjama, knikte gehoorzaam en haastte zich naar de stuurhut.

Driekwart mijl verder kreunde Dirk terwijl hij aan de roeiriemen trok. Zijn hart bonsde heftig en de spieren in zijn armen en schouders gloeiden omdat hij uit alle macht probeerde nog sneller te roeien. Zijn lichaam maakte duidelijk dat hij vaart moest minderen, maar mentaal wist hij dat hij met al zijn kracht moest blijven roeien. Ze hadden kostbare minuten gewonnen door de speedboot te saboteren, maar de mannen van Kang hadden nog twee boten tot hun beschikking.

In de verte hoorde hij het gedempte brommen van de startende motoren in de catamaran. Terwijl Dirk met regelmatige, krachtige slagen roeide, loodste Summer hen door de toegang naar de baai. Het terrein en de schepen van Kang verdwenen opeens uit het zicht toen ze door het bochtige kanaal voeren.

'We hebben misschien vijf minuten voorsprong,' hijgde Dirk tussen twee slagen door. 'Heb je nog zin om te zwemmen?'

'Ik zal met deze dingen niet als een zwemkampioen door het water glijden,' zei Summer, en ze hield de twee handboeien die aan haar polsen hingen omhoog. 'Maar nog meer gastvrijheid van Kang wil ik ook niet.' Ze wist dat het niet nodig was te vragen of Dirk wel kon zwemmen. Ondanks zijn uitputting kon hij zich als een vis in het water bewegen. Ze waren opgegroeid in Hawaï, en daar zwommen ze altijd in de branding. Dirk was een ervaren marathonzwemmer en zwom voor zijn plezier graag vijf mijl in de oceaan.

'Als we de rivier bereiken, dan hebben we een kans,' zei hij.

In het smalle kanaal was het donker, omdat de lichten van Kangs terrein afgeschermd werden door de rotsen. De stilte van de nacht werd alleen verstoord door het ronken van de dieselmotoren in de catamaran, en ze konden horen dat die nu meer toeren maakten. Alsof hij een machine was, trok Dirk aan de riemen, steeds de uiteinden in het water houdend voor lange, efficiënte slagen. Summer gaf aanwijzingen om de boot door het smalle, bochtige kanaal te loodsen, en af en toe moedigde ze hem aan.

'We komen bij de tweede bocht, ga iets meer naar rechts. Na dertig meter zijn we er,' zei ze.

Dirk bleef gelijkmatig roeien, en bij elke derde slag gebruikte hij de linkerriem wat minder, zodat de boot een flauwe bocht beschreef. De ronkende motoren van de catamaran achter hen klonken steeds luider, omdat de snelle boot nu over het water van de baai stoof. Al deden zijn armen pijn, Dirk leek sterker te worden nu hun tegenstander naderde en hij roeide de kleine boot nog sneller over het vlakke water.

De duisternis werd minder diep toen ze de laatste bocht achter zich lieten en de brede Han-rivier opvoeren. Aan de horizon waren lichtjes te zien van de verspreide dorpen op de glooiende oevers. De vage lichtjes waren de enige aanwijzing hoe breed de rivier was: bijna vijf mijl naar de overkant. In dit late uur was er bijna geen verkeer op de oevers. Enkele mijlen stroomafwaarts lagen een paar vrachtschepen voor anker in de nacht, om bij het aanbreken van de dageraad verder te varen naar Seoel. Een helverlichte baggermolen bewoog langzaam stroomopwaarts ter hoogte van Dirk en Summer, maar het schip was nog altijd vier mijl verwijderd. Verder landinwaarts koerste een klein schip met kleurige navigatielichten traag naar het midden van de rivier.

'Ik zie helaas nergens watertaxi's,' zei Summer, speurend langs de donkere horizon.

Dirk roeide naar het midden van de rivier en hij voelde dat de stroom meewerkte. Het afgaand tij versterkte de stroming in de Hanrivier, die uitmondde in de troebele Gele Zee. Even liet hij de riemen rusten om zich te oriënteren. De baggermolen was een aantrekkelijk doel, maar dan moest hij tegen de stroom in roeien om dichterbij te komen, en dat leek bijna onmogelijk. Stroomafwaarts turend, zag hij een aantal gele lichten op de andere oever in de heiige, vochtige lucht.

'We moeten proberen bij dat dorp te komen,' zei hij, wijzend met een roeiriem in de richting van de lichtjes, ongeveer twee mijl stroomafwaarts. 'Als we recht naar de overkant zwemmen, dan moeten we daar ongeveer aan land komen.'

'Ik vind alles best, als het maar zo kort mogelijk zwemmen is' zei Summer.

Ze wisten geen van beiden dat de Koreaanse demarcatielijn hier door de rivierdelta van de Han liep. De twinkelende lichtjes aan de overkant waren niet van een dorp, maar van een versterkte Noord-Koreaanse patrouillebasis.

Verder nadenken over wat het beste plan was werd verstoord door het opdoemen van de catamaran, die uit het toegangskanaal voer. Aan weerszijden van de stuurhut zwaaiden twee zoeklichten snel heen en weer over het water. Het zou hoogstens enkele seconden duren voordat een lichtbundel op de witte roeiboot viel.

'Tijd om van boord te gaan,' zei Dirk, en hij zwenkte de boot, zodat de boeg stroomafwaarts wees. Summer liet zich snel over de zijkant in het water zakken en Dirk wierp een paar reddingsvesten overboord voordat ook hij in het water sprong.

'We moeten schuin tegen de stroom in zwemmen, zodat de afstand tussen ons en de roeiboot zo groot mogelijk wordt,' zei hij.

'Oké. We komen na dertig tellen boven water om lucht te happen.'

Het ratelen van machinegeweervuur klonk opeens door de nacht en enkele meters voor hen sloegen de kogels in het water. Een van de zoeklichten was op de roeiboot gericht en een bewaker aan boord van de snel naderende catamaran opende meteen het vuur.

Tegelijk doken Dirk en Summer een meter onder water en zwommen haaks op de stroom. De sterke stroming maakte dat ze bijna op dezelfde plek bleven, terwijl ze worstelden naar het midden van de rivier. Het was hopeloos om stroomopwaarts te komen, maar de afstand tot de wegdrijvende roeiboot werd wel steeds groter.

Het ronken van de dieselmotoren resoneerde onder water en ze voelden dat de snelle boot dichter bij de roeiboot kwam. Dirk telde elke borstslag en hij hoopte maar dat hij Summer in het donker niet kwijtraakte. In het donker zwemmend, was de enige indicatie van richting de trek van de stroom. Toen hij tot dertig had geteld, kwam hij zonder een rimpeling aan de oppervlakte.

Amper drie meter naast hem dook Summer op uit het water; Dirk hoorde haar hijgende ademhaling. Ze keken elkaar even aan, tuurden toen naar de roeiboot, en na snel diep ademhalen doken ze weer onder water, om nog eens tot dertig slagen te tellen.

De snelle blik op de roeiboot was geruststellend voor Dirk. Kangs catamaran was het bootje met ratelend geweervuur genaderd en kwam nu dichterbij om de aangerichte schade te bekijken. Niemand aan boord van de catamaran had over de rivier gekeken, omdat de mannen veronderstelden dat Dirk en Summer nog in de roeiboot zaten. In die korte tijd was er al een afstand van bijna honderd meter tussen de zwemmers en de boot ontstaan.

Terwijl de catamaran de roeiboot naderde, beval Tongju zijn mannen niet meer te vuren. Er was geen spoor van de twee vluchtelingen te bekennen, en Tongju veronderstelde dat ze dood op de bodem van de met kogels doorzeefde roeiboot lagen. Maar toen de catamaran langszij kwam en met een zoeklicht scheen, vloekte hij hartgrondig omdat er niemand in de kleine boot was.

'Zoek in de omgeving en langs de oever,' commandeerde hij kortaf. De catamaran cirkelde rond de roeiboot en de zoeklichten dwaalden over het water. Iedereen tuurde ingespannen naar de duisternis. Opeens schreeuwde een schutter: 'Daar! In het water... twee objecten!' Hij wees met zijn arm naar bakboord.

Tongju knikte. Deze keer is het afgelopen met die twee, dacht hij voldaan.

36

Na de vierde keer een eind onder water zwemmen kwamen Dirk en Summer tegelijk boven en ze rustten even uit. Vechtend tegen de stroom waren ze bijna vierhonderd meter van de roeiboot verwijderd.

'We kunnen nu wel aan de oppervlakte zwemmen,' zei Dirk, tussen twee keer diep inademen in. 'Dan zien we meteen wat onze vrienden doen.'

Summer volgde het voorbeeld van haar broer en zwom verder op haar rug. Ze konden de catamaran in de verte zien. De boot van Kang dreef dicht bij de roeiboot, en met schijnwerpers werd de omgeving afgezocht. Opeens klonk er geschreeuw op de catamaran en de boot raasde een eindje stroomafwaarts. Weer ratelde geweervuur, maar dat hield op en de boot bleef weer stilliggen.

Tongju was met de catamaran naar de twee drijvende voorwerpen gevaren, maar hij zag misprijzend dat de schutters alleen de reddingsvesten die Dirk in het water had gegooid aan flarden hadden geschoten. De boot bleef minutenlang in cirkels rond de zwemvesten varen, wachtend of de twee vluchtelingen weer boven water zouden komen. Dirk en Summer zwommen intussen verder naar het midden van de rivier en ze zagen dat de catamaran in steeds ruimere cirkels rond de roeiboot en de zwemvesten ging varen.

'Het zal niet lang duren voordat ze bij ons in de buurt komen,' klaagde Summer.

Dirk tuurde naar de waterige horizon. Ze waren tot ongeveer een mijl van de rivieroever gevorderd, maar dat was nog slechts een kwart van de totale breedte. Ze konden terugkeren en proberen de oever te bereiken, maar dan zouden ze de catamaran zeker kruisen. Of ze konden hun oorspronkelijke plan volgen en verder zwemmen naar de lichten op de oever aan de overkant. De vermoeidheid begon haar tol te eisen, nog verergerd door het lange verblijf in het koude water. Nog drie mijl zwemmen was een beproeving, die nog zwaarder werd omdat ze herhaaldelijk moesten duiken om de boot van Kang te ontwijken. Of ze dit kat-en-muisspel met Tongju en zijn schutters konden overleven, leek op z'n best onzeker.

Maar er was nog een derde mogelijkheid. Het kleine schip met de kleurige lichten dat ze al eerder hadden gezien, kwam dichterbij en zou hen op een paar honderd meter kruisen. In de duisternis was het voor Dirk moeilijk de vorm ervan te herkennen, maar het leek hem een soort houten zeilboot te zijn. Een klein rood zeil, dat onder een zalinglicht vierkant leek, was aan de voorste mast gehesen, maar de boot leek niet veel sneller te varen dan de stroom.

Dirk schatte de koers van de boot in en hij zwom nog honderd meter naar het midden van de rivier, om daar stil te houden. Summer zwom hem voorbij, omdat ze niet meteen besefte dat haar broer stil bleef liggen.

'Wat is er? We moeten doorzwemmen,' fluisterde ze, zodra ze naar hem teruggekeerd was.

Dirk knikte naar de catamaran stroomafwaarts. Het slanke vaartuig beschreef een wijde boog op de rivier. In gedachten berekende hij de cirkel die de catamaran zou beschrijven als er geen verandering in de koers kwam.

'Ze zullen ons kunnen zien als ze weer bovenstrooms van ons varen,' zei hij kalm.

Summer zag dat hij gelijk had. De felle stralenbundels van de zoeklichten zouden bij de volgende ronde op hen schijnen. En ze zouden minutenlang onder water moeten blijven, om niet gezien te worden.

Dirk keek snel stroomopwaarts. 'Zusje, ik denk dat het tijd wordt voor Plan B.'

'Plan B?' herhaalde ze verbaasd.

'Ja, Plan B. Steek je duim omhoog, want we gaan liften.'

De grote houten zeilboot voer traag over de rivier. Door het zeil aan de voorste mast en een kleine hulpmotor had het vaartuig 3 knopen meer snelheid dan de stroom. Toen het schip dichterbij kwam, zag Dirk dat het een Chinese jonk was met drie masten en een lengte van ongeveer vijfentwintig meter. Anders dan de meeste zeilboten in dit deel van de wereld leek deze jonk goed onderhouden en in een perfecte staat. Een rij veelkleurige Chinese lantaarns hing vrolijk van de boeg tot aan de achtersteven, wat het geheel een feestelijke aanblik gaf. De jonk was geheel gebouwd van teakhout, en de geverniste opbouw glansde in het schijnsel van de zwaaiende lantaarns. Ergens benedendeks schetterde muziek uit luidsprekers, en Dirk herkende een stuk van Gershwin. Ondanks de feestelijke sfeer was er niemand aan dek te zien.

'Ahoy! We liggen in het water! Help ons!'

Dirks gedempte kreet om hulp bleef onbeantwoord terwijl de jonk naderde. Hij herhaalde zijn oproep, voorzichtig om niet de aandacht te trekken van de catamaran, die nu weer een halve boog stroomafwaarts had beschreven en dichterbij kwam. Dirk zwom naar de jonk en meende een schimmige beweging op het achterdek te zien, maar er werd niet gereageerd op zijn roep om hulp. Hij riep een derde keer, zonder op te merken dat het toerental van de hulpmotor in de jonk wat werd verhoogd.

De glanzende teakhouten romp gleed al bijna langs Dirk en Summer, en een sierlijke draak van houtsnijwerk bij de boeg keek hen op amper drie meter afstand boosaardig aan. Als een fantoomschip in de nacht voer de jonk onverstoorbaar verder, zonder dat iemand acht sloeg op de roepende stem in het water. Toen de achtersteven met de stuurstand voorbij waren, verloor Dirk de hoop op redding en hij vroeg zich kwaad af of de roerganger in slaap gevallen was, of dronken, of allebei.

Turend naar de catamaran die langzaam dichterbij kwam, werd Dirk opgeschrikt doordat vlak naast zijn hoofd een spetterend geluid klonk. Het was een oranje opblaasring, die, vastgebonden aan een eind touw, achter de jonk aan sleepte.

'Pak beet en hou je stevig vast!' zei hij tegen Summer, en pas toen ze de ring vast had greep hij er ook naar. Zodra de lijn strak stond, werden ze onder water getrokken, maar even later werden ze voortgesleept, als gevallen waterskiërs die vergeten waren de sleeplijn los te laten. Dirk begon zich langzaam langs de lijn naar voren te trekken, tot hij bij de achtersteven was en recht omhoogklom in het touw. Uit het donker werden een paar handen uitgestoken, grijpend naar zijn revers, en werd hij met een ruk over de reling aan dek getrokken.

'Bedankt,' hijgde Dirk, zonder de lange gestalte in de schaduw aan te kijken. 'Mijn zus hangt nog aan dat touw,' zei hij, en begon meteen de sleeplijn binnen te halen. De lange man kwam achter Dirk staan en hielp mee de lijn in te halen. Samen trokken ze Summer aan boord, die even later ook over de reling klom en uitgeput en doorweekt op het dek plofte.

Aan de andere kant van het dek klonk opeens schel gekef en een seconde later rende een kleine zwartbruine dashond naar Summer en likte haar gezicht.

'Wel een beetje donkere nacht voor een zwemtocht, nietwaar?' zei de lange man in het Engels.

'U bent Amerikaan?' reageerde Dirk verbaasd.

'Aangezien ik in het Land van Lincoln geboren ben, jazeker,' was het antwoord.

Dirk keek nu aandachtig naar de man naast hem. Hij was even lang als Dirk, maar zeker tien kilo zwaarder. Het witte, ongekamde haar en een even witte baardje maakten duidelijk dat de man zeker veertig jaar ouder was dan Dirk. En de blauwgroene ogen, met een schalkse twinkeling in het licht van de lantaarns, raakten Dirk meteen. Het was alsof hij naar een oudere versie van zijn eigen vader keek, besefte hij.

'Wij zijn in groot gevaar,' waarschuwde Summer, overeind krabbelend. Ze pakte de kleine hond op en aaide over zijn oren. Het dier begon heftig te kwispelen. 'Ons researchschip is tot zinken gebracht door die schurken, en ze willen ons vermoorden,' verduidelijkte Summer, met een hoofdknik naar de catamaran die langzaam naderde.

'Ik hoorde machinegeweervuur,' zei de man.

'Ze willen nog een dodelijke aanval beginnen. We moeten de politie waarschuwen,' smeekte Summer.

'Er staan duizenden levens op het spel,' voegde Dirk er somber aan toe.

De man met het witte haar keek het doorweekte tweetal vorsend aan. Summer, kletsnat, maar toch elegant in haar zijden jurk, leek een merkwaardig gezelschap voor Dirk, die gehavend en gewond in zijn smerige blauwe overall naast haar stond. Geen van beiden deed een poging de handboeien die aan hun polsen bungelden uit het zicht te houden.

Een vage grijns verscheen om de lippen van de man. 'Ik zal jullie maar geloven. We kunnen jullie beter benedendeks verborgen houden tot die catamaran voorbij is. Jullie kunnen wel in Mausers hut blijven.'

'Mauser? Hoeveel mensen zijn er aan boord?' vroeg Dirk.

'Alleen ik, en de knaap die je zuster kust,' zei de man. Dirk keek om en zag dat de dashond enthousiast het water van Summers gezicht likte.

De eigenaar van de jonk leidde hen snel door een deur, een paar treden af en naar een smaakvol ingerichte ruime hut.

'Er zijn handdoeken bij het bad, en droge kleren in de kast. En hier, dit zal je verwarmen.' Hij pakte een fles van een tafeltje en schonk twee glazen in met een heldere vloeistof. Dirk sloeg het drankje meteen achterover en hij proefde een bittere smaak in de sterk alcoholische drank.

'Soju,' verduidelijkte de man. 'Een lokaal gestookte rijstdrank. Ik laat jullie even alleen, want ik wil langs die catamaran varen.'

'Bedankt dat u ons wilt helpen,' zei Summer geroerd. 'En trouwens, ik ben Summer Pitt, en dit is mijn broer Dirk.'

'Aangenaam, mijn naam is Clive Cussler.'

Cussler keerde terug naar het stuurwiel van de jonk en schakelde de motor in z'n vooruit. Hij gaf een beetje gas en stuurde de jonk wat meer naar het midden van de rivier. Het duurde maar enkele minuten voordat de catamaran langszij kwam varen en de jonk met felle zoeklichten bescheen. Cussler zette snel een kegelvormige boerenstrohoed op en bleef gebogen achter het stuurwiel staan.

In het felle licht zag hij enkele mannen die hun automatische wapens op hem richtten. De catamaran kwam steeds dichter langszij varen en een onzichtbare man op de brug stelde via de luidsprekers een vraag. Cussler reageerde met hoofdschudden. Weer klonk een luid versterkte vraag en de zoeklichten dwaalden over de jonk. Weer schudde Cussler zijn hoofd en vroeg zich af of de natte kluwen touw en de natte voetstappen op het dek gezien zouden worden. Minutenlang bleef de catamaran pal naast de jonk varen, alsof de bemanning wachtte op een goed moment om te enteren. Maar toen begonnen de motoren opeens luid te ronken en de catamaran voer snel weg, om dichter bij de oever verder te zoeken.

Cussler stuurde de jonk door de monding van de Han-rivier, tot het water overging in de Gele Zee. Toen de jonk in open zee kwam en er geen gevaar dreigde van schepen in de buurt, drukte Cussler op een aantal knoppen voor het stuurwiel. Hydraulische lieren begonnen te zoemen, lijnen werden aangetrokken en langs de masten werden de ra's opgehesen met daaraan de traditionele hoekige, rode zeilen. Cussler maakte met de hand de vallen vast en schakelde de dieselmotor uit.

De oude jonk reed nu over de golven, voortgedreven door de sierlijke kracht van de zeilen.

'U hebt een prachtige boot,' zei Dirk, die gekleed in een polo en jeans weer aan dek kwam. Summer volgde hem, gekleed in een te grote overall en daaronder een stoer overhemd.

'Het standaard Chinese koopvaardijschip bestaat al tweeduizend jaar,' antwoordde Cussler. 'Deze jonk werd in 1907 gebouwd in Shanghai, voor een rijke theekoopman. Ze is helemaal van Takien Tong-teak gebouwd, uitermate stevig en verrassend zeewaardig.'

'Waar hebt u deze jonk gevonden?' vroeg Summer.

'Een vriend van mij trof hem slecht onderhouden aan op een Maleisische scheepswerf en besloot haar te restaureren. Dat karwei duurde zes jaar. Toen hij geen zin meer had in zeilen heb ik hem geruild voor een paar antieke auto's. Ik wil er de oceaan mee bezeilen. Ik ben begonnen in Japan en op weg naar Wellington.'

'Zeilt u helemaal alleen?'

'Ze is uitgerust met een sterke dieselmotor en hydraulische installaties om de zeilen te hijsen, en alles is gekoppeld aan een elektronische automatische piloot. Het is heel makkelijk om met deze boot te varen, en eigenlijk doet ze alles zelf.'

'Hebt u een satelliettelefoon aan boord?' vroeg Dirk.

'Helaas niet. Ik heb wel een marifoonverbinding met de vaste wal. Ik wil niet gestoord worden door telefoontjes of e-mail tijdens deze tocht.'

'Dat kan ik begrijpen. Waar gaat u nu heen, en trouwens, waar zijn we nu precies?'

Cussler pakte een zeekaart en hield die bij het vage licht van het instrumentenpaneel. 'We naderen de Gele Zee, ongeveer veertig mijl ten noordwesten van Seoel. Ik neem aan dat u niet tot Wellington aan boord wil blijven?' grijnsde Cussler, en gleed met zijn vinger naar de andere kant van de zeekaart. 'Wat dacht u van Inchon?' zei hij, met een tik op de kaart. 'Ik kan jullie daar over acht uur aan wal zetten. Ik meen dat daar een Amerikaanse luchtmachtbasis is.'

'Dat zou geweldig zijn. Als we maar ergens een telefoon kunnen vinden en met iemand in het hoofdkwartier van NUMA kunnen bellen.'

'NUMA,' herhaalde Cussler peinzend. 'Jullie waren toch niet aan boord van het NUMA-schip dat ten zuidwesten van Japan gezonken is?'

'De *Sea Rover*. Ja, dat waren we wel. Hoe weet u daarvan?' vroeg Summer.

'Dat was op CNN. Ik zag een interview met de kapitein. Hij vertelde hoe zijn bemanning gered werd door een Japans vrachtschip, na een explosie in de machinekamer.'

Dirk en Summer keken elkaar ongelovig aan.

'Dus kapitein Morgan en zijn bemanning hebben het overleefd?' vroeg Summer.

'Zo heette die man. Volgens mij zei hij dat de hele bemanning gered werd.'

Summer vertelde over de aanval op het schip, dat ze ontvoerd waren door handlangers van Kang en niet wisten wat het lot van de andere opvarenden was.

'Ik denk dat heel wat mensen naar jullie zoeken,' zei Cussler. 'Maar voorlopig zijn jullie veilig. In de kombuis vind je sandwiches en bier. Ga eerst wat eten en dan uitrusten. Ik maak jullie wakker als we bij Inchon zijn.'

'Bedankt. Dat doen we meteen,' zei Summer, en ze ging naar beneden.

Dirk bleef nog even bij de reling staan en keek naar het eerste daglicht bij de oostelijke horizon. Terwijl hij de gebeurtenissen van de laatste drie dagen overdacht, trok er vastberadenheid door zijn vermoeide lichaam. Door een wonder had de bemanning het zinken van de *Sea Rover* overleefd. Maar Kang had bloed aan zijn handen, en het mogelijke aantal slachtoffers was dramatisch veel groter. Als Kang de waarheid had verteld, dan liepen miljoenen mensen gevaar.

Deze krankzinnige moest tegengehouden worden, begreep Dirk, en snel ook.

DEEL DRIE

LANCERING OP ZEE

Lanceerplatform *Odyssey* en het luchtschip *Icarus*

37

16 juni 2007
Long Beach, Californië

Hoewel het een koele, vochtige ochtend in Zuid-Californië was, voelde Danny Stamp al zweetdruppels ontstaan onder zijn oksels. De ervaren ingenieur was zo nerveus als een tiener die weet dat hij na het schoolbal voor het eerst bij zijn vriendinnetje blijft slapen. Maar iedereen die Stamp kende zou beamen dat de ingenieur zich altijd zo voelde als zijn oogappel op reis ging.

Die oogappel was geen kindje in de luiers, maar een bijna zeventig meter lange Zenit 3SL-raket, aangedreven door vloeibare brandstof, en het gevaarte werd op dat moment behoedzaam naar het lanceerplatform getransporteerd. De al wat kalende directeur van het lanceerplatform keek ingespannen over de reling van een groot schip, terwijl de 90 miljoen dollar kostende raket waarvoor hij verantwoordelijk was langzaam onder zijn voeten in beeld kwam. De grote witte cilinder gleed traag vooruit op zijn horizontale onderstel dat aan een reusachtige duizendpoot deed denken, en Stamps aandacht werd getrokken door de grote blauwe letters op de romp van de raket: SEA LAUNCH.

Het internationale commerciële consortium Sea Launch was opgericht in de jaren negentig, om in opdracht van telecombedrijven met behulp van raketten satellieten te lanceren. Boeing, de Amerikaanse vliegtuigbouwer, was als belangrijkste deelnemer in staat de lanceringen uit te voeren en de nuttige lading van de opdrachtgever in de raket te plaatsen. Nadat de zwaarden omgesmeed waren tot ploegscharen hadden enkele Russische bedrijven zich bij het consortium gevoegd en die leverden de draagraketten, ofwel de 'lanceermiddelen', zoals ze liever werden genoemd. De Zenits, voormalig militaire raketten die eens kernkoppen vervoerden, waren de beproefde lanceermiddelen om de commerciële satellieten in een baan om de aarde te brengen. Maar het was de Noorse firma Kvaerner die een heel belangrijke bijdrage leverde aan de hele onderneming. Uitgaand van een afgedankt boorplatform uit de Noordzee had het bedrijf in Oslo een drijvend lanceerplatform ontwikkeld dat voorzien was van eigen voorstuwing, zodat het op vrijwel elke plek in zee een lancering kon uitvoeren.

Hoewel dat een interessant verkoopargument lijkt, is het in de praktijk alleen goed mogelijk dicht bij de evenaar een raket te lanceren. Voor geostationaire satellieten, die op een vaste plek aan de hemel blijven staan, is er geen kortere weg naar de ruimte dan vanaf de evenaar. En als er minder raketbrandstof nodig is, dan kan er meer aan nuttige lading omhoog worden gebracht. De eigenaren van de satellieten proberen de opbrengst van hun miljoeneninvestering zo groot mogelijk te maken, en ze kunnen daartoe de kunstmanen groter maken, of ze voorzien van meer brandstof voor een langere levensduur. Het in de draagraketten plaatsen van de satellieten in Long Beach, om ze vervolgens over zee naar de lanceerpositie bij de evenaar te brengen, was begonnen als een interessant idee, en is inmiddels uitgegroeid tot een riskante maar meestal zeer winstgevende onderneming.

Een Motorola-portofoon die aan Stamps broekriem vastzat begon opeens te kraken. 'Uitrollen gereed. Klaar voor vasthaken van takel,' klonk een onzichtbare stem. Stamp wachtte even en tuurde naar de Zenit-raket, die als de angel van een wesp uit het achterschip stak. De technici van Sea Launch assembleerden de raket en plaatsten de nuttige lading erin diep in de ruimen van het speciaal uitgeruste vaartuig met de naam *Sea Launch Commander*. Het vaartuig werd officieel een 'Assemblage- en Commandoschip' genoemd, en was 220 meter lang. In zalen op het bovendek waren ontelbare computers opgesteld, en er was een centrale commandopost, van waaruit de hele lancering op zee geleid werd. Benedendeks was een enorm assemblageruim, waar de onderdelen van de Zenit-raket gereedlagen. Daar schroefde een leger monteurs en ingenieurs de segmenten van de Russische raket horizontaal aan elkaar, waarbij ze gebruikmaakten van de rails die zich over bijna de hele lengte van het vaartuig uitstrekten. Als de raketdelen aan elkaar bevestigd waren, kon de satelliet in de neuskegel geplaatst worden, en daarna werd het geheel met een slakkengang uit de achterkant van de *Sea Launch Commander* gerold.

'Ga door met aanhaken. Overbrengen wanneer gereed,' zei Stamp in de portofoon. Hij keek op naar de grote hijsinstallatie naast het hoge lanceerplatform. Een paar M-vormige spanten rezen op onder een hoek en daaraan hingen dikke staalkabels. Het drijvende platform met de naam *Odyssey* was recht achter de *Sea Launch Commander* in positie gebracht en de takels hingen recht boven de horizontale raket. Langzaam werden de kabels gevierd en door groepjes monteurs met veiligheidshelmen op hun hoofden vastgemaakt aan de hijsogen van de raket.

'*Sea Launch Commander*, hier de *Odyssey*,' klonk een luide stem uit Stamps portofoon. 'Gereed voor hijsen van lanceertoestel.'

Stamp knikte naar een gedrongen man naast hem. De man had een baard, heette Christiano en was de gezagvoerder van de *Sea Launch Commander*. Christiano sprak in zijn eigen portofoon.

'Hier de *Commander*. Jullie kunnen beginnen met hijsen. Veel succes, *Odyssey*.'

Een paar seconden later werden de hijskabels strakgetrokken en werd de horizontale raket langzaam van het onderstel gehesen. Stamp hield zijn adem in toen de Zenit hoog in de lucht hing, boven de dekken van de *Commander*. De nog niet met brandstof gevulde raket woog maar een fractie van zijn startgewicht, dus dit karwei leek wel het optillen van een enorm maar leeg bierblikje. Maar toch vond Stamp het enerverend als hij de grote raket zo in de lucht zag bungelen.

Na het tergend langzaam ophijsen naar de bovenkant van het lanceerplatform activeerden de kraandrijvers een lier en de raket werd horizontaal in de hangar op het bovendek van de *Odyssey* geplaatst. Zodra de punt van het ruimtevaartuig door de hangardeuren was, zakte het gevaarte op een onderstel met wielen. Als het drijvende platform op de plek van de lancering was gearriveerd, kon de raket naar buiten gerold worden en verticaal gezet voor de lancering.

'Lanceertoestel is gezekerd. Mooi werk, heren. Het bier is vanavond voor mijn rekening. *Odyssey:* over en uit.'

Stamp ontspande zichtbaar en een brede grijns verscheen op zijn gezicht. 'Dat ging gesmeerd,' zei hij tegen Christiano, alsof hij nooit getwijfeld had aan de goede afloop.

'Het ziet ernaar uit dat we de geplande lanceerdatum over toch nog zeventien dagen halen,' antwoordde Christiano, kijkend naar het lege onderstel dat weer terugschoof in het enorme ruim van het schip. 'De weersverwachting op lange termijn is nog altijd gunstig. Na de laatste controles en het tanken van brandstof kan de *Odyssey* over vier dagen vertrekken, en wij volgen twee dagen daarna met de *Commander*, als alle reserveonderdelen en proviand aan boord zijn. We kunnen ze gemakkelijk inhalen, voordat we de lanceerpositie bereiken.'

'Dat is mooi,' zei Stamp opgelucht, 'want in het contract met de klant staat een pittige boeteclausule als we te laat lanceren.'

'Niemand kon voorspellen dat de staking van die dokwerkers de levering van de onderdelen voor de Zenit-raket met vijftien dagen zou vertragen,' zei Christiano hoofdschuddend.

'De mannen van het raketteam hebben geweldig hard gewerkt om de achterstand weer in te lopen. Ik wil niet weten hoeveel overuren er uitbetaald moeten worden, maar het is wel zeker dat ze een record hebben gebroken met deze assemblage. En dat terwijl onze paranoïde opdrachtgever de nuttige lading voor iedereen afgeschermd hield.'

'Wat is er eigenlijk zo geheimzinnig aan een televisiesatelliet?' vroeg Christiano.

'Geen idee,' antwoordde Stamp schouderophalend. 'Typisch Aziatische achterdocht, denk ik. En deze hele operatie begrijp ik trouwens niet, want ze hebben een relatief erg lichte satelliet, dus hadden ze die gemakkelijk kunnen lanceren met een Chinese Lange Mars-raket. Dat zou een paar miljoen dollar minder kosten dan wij in rekening brengen.'

'Angst voor de Chinezen is niet zo ongebruikelijk in het Verre Oosten.'

'Dat is waar, maar die angst wordt meestal snel vergeten als het om dollars en centen gaat. Misschien is het alleen een gril van de hoofddirecteur van het telecommunicatiebedrijf. Hij is kennelijk zeer eigenzinnig.'

'Dat bedrijf is toch zijn eigendom?' vroeg Christiano, in zijn herinnering zoekend.

'Ja. Dae-jong Kang is een rijk en machtig man.'

Kang leunde achterover in de gepolsterde lederen fauteuil in zijn kersenhouten werkkamer en luisterde aandachtig naar de technische uitleg van twee ingenieurs uit zijn fabriek in Inchon. Tongju zat zwijgend achter in de kamer, en zijn donkere ogen waren strak op de twee bezoekers gericht. Een van de ingenieurs, een magere, onverzorgde man met een sterk terugwijkende haarlijn en een bril sprak met zijn schorre stem tegen Kang.

'Zoals u weet, is de Koreasat 2-satelliet ongeveer drie weken geleden afgeleverd bij het bedrijf dat de lancering organiseert, en daar is de satelliet aangebracht in de neuskegel van de Zenit-raket. Het complete lanceertoestel is daarna aan boord van het zelfvarende platform gebracht en men maakt zich gereed voor vertrek naar de evenaar.'

'Waren er geen problemen met de bewaking?' vroeg Kang, terwijl hij een kille blik op Tongju wierp.

De ingenieur schudde zijn hoofd. 'We hadden het hele etmaal onze eigen bewakingsdienst bij de satelliet. Het personeel van Sea Launch heeft geen argwaan. Uiterlijk wijst alles erop dat de satelliet ontworpen is voor televisie-uitzendingen. Nu de satelliet in de neuskegel is geplaatst, dreigt er weinig gevaar voor ontdekking.' De ingenieur nam een slokje van zijn volle beker koffie en hij morste wat op de mouw van zijn geruite jasje. De bruine vlek paste bij de koffievlekken op zijn stropdas.

'En de sproeier... Is het zeker dat die werkt?' wilde Kang weten.

'Ja. Zoals u weet, hebben we enkele aanpassingen gedaan na de test met het model bij de Aleoeten. Het is niet langer mogelijk twee stoffen apart te verspreiden, omdat er toch geen gebruik van het cyanidemengsel wordt gemaakt. En het systeem is aangepast met afneembare houders, zodat we de bioactieve stoffen pas enkele uren voor de lancering kunnen toevoegen. En uiteraard heeft dit systeem een veel groter volume. Het testmodel bij de Aleoeten had een inhoud van bijna vijf kilo biochemische stof, maar deze satelliet kan 325 kilo van de chimera bevatten, na activering met water. Voordat de satelliet in de neuskegel werd geplaatst, hebben we een laatste test gedaan onder wetenschappelijke omstandigheden. De testresultaten waren uitstekend. We zijn ervan overtuigd dat de verspreiding over het doelgebied perfect werkt.'

'Ik accepteer geen gebreken aan onze apparatuur,' zei Kang vastbesloten.

'De lancering is het meest kritieke stadium van deze operatie,' vervolgde de schorre ingenieur. 'Lee-Wook, hebben we de noodzakelijke commando- en controlegegevens voor een zelfstandige lancering?'

De tweede ingenieur, een jongere man met vettig haar en een platte neus, was duidelijk geïntimideerd door de aanwezigheid van Kang.

'Er zijn twee fasen in het lanceerproces,' antwoordde Lee-Wook een beetje stotterend. 'De eerste fase is het positioneren en stabiliseren van het drijvend lanceerplatform, en daarna het oprichten, voltanken en gereedmaken van de raket voor de start. We beschikken nu over de instructies van Sea Launch voor dat gedeelte,' zei hij, zonder erbij te zeggen dat er smeergeld voor was betaald. 'Ons team heeft die instructies grondig bestudeerd. En we hebben ook de medewerking van twee Oekraïense raketspecialisten, die vroeger bij Yuzhnoye, de fabrikant van de Zenit, hebben gewerkt. Zij helpen met de berekening van de koers en het laden van de brandstof. Ze zullen ook aanwezig zijn bij de technische uitvoering.'

'Ja, ja, ik weet hoeveel het mij gekost heeft om die heren hier te krijgen,' zei Kang misprijzend. 'Ik denk dat de Russen het westen nog wel een lesje kunnen leren als het gaat om kapitalistische uitbuiting.'

Lee-Wook negeerde de opmerking en sprak verder, nu zonder te stotteren. 'De tweede kritieke fase is de feitelijke lancering en de vluchtleiding. Tijdens een normale lancering op zee wordt dat vanaf het Sea Launch-schip gedaan. Maar voor deze lancering zal dat gedaan worden vanaf de *Baekje*. We hebben dat schip uitgerust met de nodige communicatieapparatuur en computers om de lancering en de vluchtleiding te beheersen.' De stem van Lee-Wok klonk bijna fluisterend. 'Ons laatste werk was het installeren van de software die de Zenit bewaakt, volgt en bestuurt. De lancering vanaf het drijvend platform gebeurt vrijwel automatisch, dus de software speelt daarin een kritieke rol. In totaal zijn er zeven miljoen regels programmeertaal die de lancering en de vlucht moeten sturen.'

'Hebben wij de noodzakelijke software opnieuw geschreven voor onze missie?'

'Dat zou vele maanden programmeerwerk en testen vereisen. We hadden het geluk dat alle softwareprogramma's ook in de database van het commandoschip aanwezig zijn. En omdat wij de opdrachtgever voor de lancering zijn, hadden we de laatste drie weken, toen de Koreasat 2-satelliet geïnstalleerd werd bijna onbelemmerd toegang aan boord. Onze systeemprogrammeurs konden tamelijk eenvoudig inbreken in de hoofdcomputer en de softwarecode ophalen. Onder de neus van hun computerspecialisten hebben we kopieën gedownload en in vier dagen van het Sea Launch-schip via een satellietverbinding doorgestuurd naar ons laboratorium in Inchon.'

'Maar mij werd gezegd dat de *Baekje*, die nu trouwens *Koguryo* heet, een dag geleden uit de haven is vertrokken.'

'We hebben al een deel van de programma's overgezet op de computers aan boord, en de rest wordt overgeseind via een satellietverbinding terwijl het schip vaart.'

'En hebben jullie de optimale baan berekend, zodat de stof maximaal verspreid wordt?' vroeg Kang.

'In theorie kunnen we op vierduizend kilometer afstand van het doelgebied starten, maar dan is de accuratesse tamelijk klein. Er is geen geleidingssysteem voor de lading, dus moeten we vertrouwen op de wind, de snelheid en de lanceerpositie om de doelzone te bereiken. Uitgaande van de heersende windrichting daar hebben de Oekraïense ingenieurs berekend dat het lanceerplatform ongeveer vierhonderd kilometer van het doel verwijderd moet zijn voor een zo nauwkeurig mogelijk resultaat. En rekening houdend met atmosferische omstandigheden tijdens de lancering mogen we verwachten dat de lading in een gebied met een straal van vijf kilometer op aarde komt.'

'Maar het sproeisysteem zal al veel eerder geactiveerd worden,' merkte de eerste ingenieur op.

'Dat is correct. Op een hoogte van zesduizend meter zal dat ingeschakeld worden. Dat gebeurt kort nadat de neuskegel van de raket is afgeworpen. Daarna beweegt de lading zich acht kilometer horizontaal voor elke kilometer hoogteverlies. Een dampspoor van de actieve stof wordt daardoor verspreid over een gebied dat 48 kilometer lang is.'

'Ik zou liever niet zo dicht bij het Amerikaanse vasteland willen lanceren,' zei Kang fronsend. 'Maar als het voor de trefzekerheid moet, dan laten we het zo. Wordt de vlucht van de raket bepaald door de hoeveelheid brandstof?'

'Inderdaad. De Zenit 3SL-raket is een drietrapsraket, en ontworpen om zware ladingen in een hoge baan te brengen. Maar onze maximaal gewenste hoogte is minder dan vijftig kilometer, dus vullen we de tweede en derde trap niet met brandstof. De eerste trap wordt gedeeltelijk volgetankt. We kunnen de raketmotor elk moment stoppen, en dat wordt ingeprogrammeerd als de raket iets langer dan een minuut onderweg is. Het gedeelte met de lading wordt afgestoten van de stuwtrap en de ommanteling van de lading wordt geopend. De namaaksatelliet zal het sproeisysteem automatisch activeren en de stof verspreiden, tot hij terugvalt op aarde.'

'Is het zeker dat de Amerikaanse antiraketsystemen geen risico vormen?'

'Dat afweersysteem staat nog in de kinderschoenen. Het is ontworpen om intercontinentale raketten te onderscheppen die op duizenden kilometers afstand gelanceerd worden. Ze hebben te weinig tijd om te reageren. En zelfs als dat wel gebeurt, dan arriveren de onderscheppingsraketten pas als de neuskegel al afgeworpen is. In het ergste geval vernielen ze de stuwtrappen van de Zenit. Nee, meneer, het is onmogelijk de lading onschadelijk te maken als ze eenmaal gelanceerd is.'

'Ik verwacht dat het aftellen voor de lancering begint als de leiders van de G8-landen in het doelgebied zijn,' zei Kang botweg.

'Als de weersomstandigheden het toelaten, zal de lancering gebeuren tijdens de assemblee voor de topontmoeting in Los Angeles,' antwoordde de ingenieur nerveus.

'Ik heb begrepen dat jullie alles vanuit Inchon kunnen volgen?'

'Het telecommunicatielab heeft voortdurend contact met de *Koguryo,* en we kunnen de lancering via livebeelden volgen. En uiteraard geven we adviezen aan de bemanning tijdens de voorbereiding voor de lancering. Ik neem aan dat u bij ons komt kijken?'

Kang knikte. 'Als mijn agenda het toelaat. Jullie hebben uitstekend werk geleverd. Maak van deze missie een succes, want daarmee bewijzen jullie grote eer aan het Centrale Volkscomité.'

Kang knikte weer, ten teken dat het gesprek afgelopen was. De twee ingenieurs wisselden een blik en na een buiging schuifelden ze geruisloos de kamer uit. Tongju kwam overeind van zijn stoel en ging voor het grote mahoniehouten bureau staan.

'Is je aanvalsteam paraat?' vroeg Kang aan zijn handlanger.

'Ja, zij zijn in Inchon aan boord gebleven. Met uw instemming heb ik geregeld dat een vliegtuig van de zaak mij naar een verlaten Japans vliegveld op het eiland Ogasawara zal brengen, en daar ga ik aan boord voor de operatie.'

'Mooi. Ik verwacht dat jij de leiding hebt bij de aanval.' Kang zweeg even. 'We hebben een lange weg achter de rug met het uitvoeren van dat misleidingsplan, dus mogen we geen risico lopen dat het mislukt,' hervatte hij streng. 'Ik houd jou persoonlijk verantwoordelijk voor de geheimhouding van onze actie.'

'Die twee Amerikanen... Ze zijn zeker verdronken in de rivier,' antwoordde Tongju op gedempte toon, omdat hij begreep waar Kang aan dacht.

'Ze weten weinig, en ze kunnen niets bewijzen als ze toch nog leven. Belangrijk is dat de misleiding blijft bestaan, ook als de missie achter de rug is. De Japanners moeten afgeschilderd worden als schuldige partij, zonder dat daaraan getwijfeld wordt.'

'Als de raket eenmaal gelanceerd is, kan alleen aan boord van de *Koguryo* bewijsmateriaal gevonden worden.'

‘Precies. En daarom moet jij dat schip vernietigen, direct na de lancering.’ Kang zei het nonchalant, alsof hij om een servetje vroeg.

Tongju trok zijn wenkbrauwen op. ‘Maar mijn aanvalsteam zal aan boord zijn, evenals veel satellietdeskundigen die bij u in dienst zijn,’ zei hij.

‘Dat is spijtig, maar jouw team kan vervangen worden. En ik heb al geregeld dat mijn beste satellietingenieurs in Inchon blijven tijdens de operatie. Het is helaas niet anders, Tongju,’ zei Kang, en er klonk iets van meeleven in zijn stem.

‘Het zal gebeuren.’

‘Neem deze positiebepaling mee,’ zei Kang, en hij schoof een envelop over het bureau. ‘Een van mijn vrachtschepen, onderweg naar Chili, zal op die plek wachten. Zodra de lancering een feit is, geef je de kapitein van de *Koguryo* opdracht tot op zichtafstand van dat vrachtschip te varen, en daar moet het schip zinken. Neem de kapitein en als je wilt twee, drie man mee naar het vrachtschip. Onder geen beding mag de *Koguryo* benaderd worden met de bemanning aan boord.’

Tongju knikte zwijgend. Hij accepteerde de opdracht om een massamoord te plegen zonder vragen te stellen.

‘Veel succes,’ zei Kang, en hij kwam overeind om Tongju naar de deur te leiden. ‘Ons vaderland rekent op je inzet.’

Nadat Tongju was verdwenen, keerde Kang terug naar zijn bureau en staarde langdurig naar het plafond. Het raderwerk was in beweging gebracht. Hij kon niets anders doen dan wachten op het resultaat. Toen pakte hij een map met financiële rapporten en begon nauwgezet de winstverwachting voor het volgende kwartaal te berekenen.

38

De G8-topconferentie is een forum dat in 1975 werd gevormd door de vroegere Franse president Giscard d'Estaing. De bedoeling was een conferentie bijeen te roepen van de leiders van de belangrijkste industrielanden, om over de actuele wereldeconomie te spreken, en de traditie wil dat alleen regeringsleiders daarbij aanwezig zijn. Er worden geen adviseurs of topambtenaren toegelaten: alleen de wereldleiders komen eens per jaar bij elkaar in een informele sfeer. Hoewel deze conferenties soms weinig meer opleveren dan een mooie groepsfoto van de deelnemers, is de agenda in de loop der jaren uitgebreid met wereldwijde onderwerpen als gezondheid, milieu en de strijd tegen het terrorisme.

Omdat de president van de Verenigde Staten recent een aantal wettelijke maatregelen had uitgevaardigd met betrekking tot de klimaatverandering, wilde hij maar al te graag tijdens de G8, waar hij als gastheer zou optreden, zijn initiatieven promoten om het milieu te beschermen. En president Ward koos als plaats voor de conferentie de schilderachtige en rustige omgeving van het Yosemite National Park. Hij wist dat de afgelegen locatie voor de gebruikelijke demonstranten uit de steden te ver weg zou zijn. Maar met een voor hem ongebruikelijke buiging naar de wereldwijde belangstelling voor Hollywood had hij ingestemd met een receptie op de dag voorafgaand aan de topontmoeting in een luxueus hotel in Beverly Hills, en daar zouden de populairste filmsterren en belangrijkste filmproducers bij aanwezig zijn. Het was niet verrassend dat de uitnodiging door elke regeringsleider – die van Japan, Italië, Frankrijk, Duitsland, Rusland, Canada en het Verenigd Koninkrijk – werd aanvaard, zodat alle leden van de G8 present zouden zijn.

Maar de president en zijn veiligheidsadviseurs konden onmogelijk weten dat de G8-receptie in Beverly Hills het doelwit was van de dodelijke lading in de raket die Kang wilde lanceren.

Slecht weer, onvoorziene mechanische problemen, en wel duizend andere dingen konden het tijdschema in de war sturen, wist Kang. Maar het doel was bepaald. Pleeg een succesvolle aanslag terwijl de leiders van de vrije wereld bij elkaar zijn en de schok zou van onschatbare waarde zijn. Zelfs wanneer de G8-wereldleiders ongedeerd bleven, dan zou de paniek na de aanval de wereld doen schudden.

Na de lancering in de Grote Oceaan een boog beschrijvend langs de hemel, zou de verstuiver door een tijdklok geactiveerd worden wanneer de dodelijke lading de kust bereikte. Beginnend bij het strand van Santa Monica zou de dood en verderf zaaiende giftige stof over een brede strook neerdalen ten noorden van Los Angeles, op de villa's van Beverly Hills, op de filmstudio's van Hollywood, en verder over de woonwijken van Glendale en Pasadena. Pas bij de Rose Bowl zouden de containers helemaal leeg zijn en de neuskegel van de raket zou ergens te pletter slaan in de San Gabriel Mountains.

De lichte nevel die neerdaalde naar de grond zou eerst onschadelijk lijken voor de mensen op straat. Maar in het volgende etmaal bleven de virussen actief en hoogst besmettelijk, zelfs in lage dosering. Door het intensieve verkeer in Los Angeles kon het virus zich snel verspreiden en slachtoffers maken, zonder onderscheid tussen mannen, vrouwen en kinderen. Eenmaal in het lichaam gedrongen, zou het virus de aanval op het celweefsel beginnen, als een geluidloze tijdbom. De eerste twee weken waren er tijdens de incubatieperiode geen symptomen van infectie. Maar dan zou de vreselijke plaag opeens toeslaan.

Eerst zou het lijken of een kleine groep mensen naar de huisarts wankelde, met klachten over koorts en pijnlijke ledematen. Maar die aantallen patiënten zouden razendsnel toenemen en de EHBO-afdelingen van alle ziekenhuizen in de omgeving van Los Angeles overspoelen. En omdat de ziekte al meer dan dertig jaar uitgeroeid was, zouden de artsen en het medisch personeel maar langzaam de ware aard van de besmetting herkennen. Als de diagnose pokken eindelijk vaststond en de omvang van de epidemie duidelijk werd, dan zou er pas echt paniek uitbreken. De media zouden de hysterie aanwakkeren naarmate meer ziektegevallen bekend werden. Ziekenhuizen zouden belaagd worden door duizenden mensen, als elke pessimist met hoofdpijn of een beetje koorts een arts wilde spreken. Maar dat zou pas het topje van een ijsberg blijken voor de medici. Wanneer opeens duizenden nieuwe besmettingen met het pokkenvirus opdoken, dan was het onmogelijk om de eerste remedie toe te passen: quarantaine. Zonder de mogelijkheid ziektegevallen te isoleren, moest de epidemie zich wel razendsnel uitbreiden.

De wetenschappers van Kang hadden aan de lage kant geschat dat twintig procent van de mensen die blootgesteld werden aan de besmettelijke damp inderdaad geïnfecteerd zou worden. Met achttien miljoen inwoners zouden in Los Angeles en omgeving ongeveer tweehonderdduizend mensen aan het neerdalende virus worden blootgesteld, en daarvan zouden er veertigduizend werkelijk besmet worden. De echte uitbraak zou twee weken later volgen, als de mensen die het eerst geïnfecteerd waren de besmettelijke ziekte alweer doorgegeven hadden. Medische modellen toonden aan dat de epidemie zich met een factor tien zou uitbreiden, en na een maand zouden bijna een half miljoen mensen in Zuid-Californië lijden aan de dodelijke ziekte.

De angst zou zich nog sneller verspreiden dan de feitelijke besmetting met het pokkenvirus, en dat werd nog versterkt als de president en andere regeringsleiders van de G8 de fatale ziekte hadden. Naarmate de epidemie zich verder verspreidde, zou de federale regering machteloos staan tegenover de roep om hulp van burgers, gezondheidswerkers en de media. De autoriteiten zouden het volk bezweren dat alles onder controle was, en dat er voldoende vaccin beschikbaar was om de hele bevolking in te enten. De vaccins zouden overal beschikbaar komen om de epidemie te bedwingen, maar voor degenen die al besmet waren met het virus was dat te laat. En voor velen die wel ingeënt werden zou dat ook geen soelaas bieden.

Want tot afgrijzen van de artsen en ambtenaren zou de kwaadaardigheid van het chimeravirus dan pas echt duidelijk worden. Door de gecombineerde kracht zou de ziekteverwekker vrijwel immuun blijken voor de entstof die beschikbaar was. En naarmate de sterfgevallen in aantal toenamen, zouden de wetenschappers en laboranten hun uiterste best doen om een effectief vaccin voor massaproductie te ontwikkelen, maar dat zou maanden duren. Intussen trok de epidemie als een vloedgolf over het hele land. Toeristen en reizigers uit Los Angeles namen het virus onbewust mee, zodat nieuwe uitbraken in duizenden andere steden het gevolg zouden zijn. Als het vaccineren geen resultaat had, dan zouden de autoriteiten hun toevlucht nemen tot een laatste redmiddel: massale quarantaine. Openbare bijeenkomsten en vergaderingen zouden verboden worden, in een vertwijfelde poging het virus een halt toe te roepen. De luchthavens zouden gesloten worden, de metro reed niet meer en de bussen bleven in de remise. Bedrijven werden gedwongen hun personeel naar huis te sturen en gemeentelijke diensten werden beperkt, om te voorkomen dat het gehele personeelsbestand zou bezwijken. Popconcerten, baseballwedstrijden en zelfs kerkdiensten, alles werd verboden uit angst voor verdere verspreiding van de ziekte. En wie zich op straat waagde om voedsel of medicijnen te verkrijgen zou dat alleen doen met een masker voor en rubberhandschoenen aan.

De economische gevolgen zouden verwoestend zijn voor het hele land. Bedrijven moesten gedwongen op korte termijn sluiten. De met verlof gestuurde of ontslagen werknemers zouden de werkloosheidscijfers opdrijven tot het dubbele van de aantallen tijdens de Grote Depressie. De regering dreigde failliet te gaan door gebrek aan belastinginkomsten en de vraag naar voedsel, medicijnen en andere hulp zou exploderen. In enkele weken kon het nationaal product instorten tot het niveau van een derdewereldland.

Een volgende crisis zou uitbreken in het waarborgen van de nationale veiligheid. Het uiterst besmettelijke virus zou ook het leger treffen, waardoor duizenden soldaten en matrozen in de dichtbevolkte kazernes geveld werden. Hele legerdivisies, luchtmachteskaders en oorlogsbodems zouden uitgeschakeld worden, en de militaire macht veranderen in een papieren tijger. Voor het eerst sinds twee eeuwen zou het land serieus gevaar lopen de eigen defensie niet meer te kunnen garanderen.

Bij de burgerbevolking zou de capaciteit van de gezondheidscentra en lijkenhuizen vreselijk tekortschieten. Het aantal zieken en stervenden zou snel een kritieke grens bereiken, en ondanks volcontinudienst zouden de crematoria de overweldigende aanvoer van doden niet meer kunnen verwerken. Als in een tafereel uit de tijd dat Cortéz de stad Mexico veroverde, zouden de lijken zich opstapelen. Er moesten dan haastig noodcrematoria gebouwd worden, om de doden massaal te verbranden, zoals de brandstapels uit oude tijden.

In de huizen en appartementen werden de burgers gedwongen te leven als opgesloten gevangenen, bang om in contact te komen met buren, vrienden of zelfs naaste verwanten, uit vrees besmet te worden. De bewoners van het platteland waren nog het beste af, maar in de grotere steden zouden weinig families gespaard blijven voor de plaag. Wie ziek werd moest snel afgezonderd worden, terwijl familieleden de lakens, handdoeken, kleding en andere zaken van de patiënt verbrandden die mogelijk besmet waren met het virus.

Het gevaarlijke virus zou een dodelijke tol eisen onder alle leeftijden en rassen. Maar het zwaarst getroffen werden de werkende volwassenen, gedwongen als ze waren zich bloot te stellen aan besmetting als ze op zoek gingen naar voedsel voor hun gezin. En als miljoenen volwassenen bezweken aan de epidemie, dan waren er immense aantallen weeskinderen overal in het land. Als een vreselijke herhaling van wat in West-Europa gebeurde na de Eerste Wereldoorlog zou een complete generatie verloren zijn, weggevaagd binnen enkele maanden. Alleen een quarantainemaatregel zoals bij de SARS-uitbraak, kon dan verhinderen dat de epidemie ook in andere landen de bevolking zou decimeren.

Voor degenen die besmet waren, zou de ziekte een snelle maar vreselijke doodstrijd veroorzaken. Na de twee weken incubatietijd verschijnt een branderige uitslag, volgend op de eerste verschijnselen van koorts, beginnend in de mond en zich uitbreidend over gezicht en lichaam. De zieke is in dit stadium uiterst besmettelijk, en door lichamelijk contact of zelfs via kleding of beddengoed kan de besmetting verder verspreid worden. In drie tot vier dagen verandert de pijnlijke uitslag in harde bulten. De akelige zweren gaan gepaard met het gevoel dat de huid verschroeid wordt met een brander, om dan geleidelijk uit te drogen tot korsten op de huid. Nog twee tot drie weken vecht de patiënt tegen de misvormende kwaal, tot alle korsten afgevallen zijn. En al die tijd moet de zieke deze strijd alleen voeren, want er is geen remedie tegen pokken als het virus eenmaal actief is in het lichaam.

Wie de ziekte overleeft, houdt in het beste geval alleen de littekens op de huid over als voortdurende herinnering aan de beproeving. Minder gelukkigen zijn de rest van hun leven blind. Een derde deel van de geïnfecteerde personen verliest de strijd en sterft een pijnlijke dood, als de longen en nieren het langzaam begeven onder de aanvallen van het virus.

Maar daarmee is de verschrikking niet voorbij. Want verborgen achter de uitbraak van het pokkenvirus loert ook het hiv-syndroom. En hiv is trager en minder goed te herkennen, maar even dodelijk. De hiv-factoren maken het chimeravirus niet alleen resistent tegen het pokkenvaccin, maar ze volgen ook een verwoestend pad in de zieken die in leven zijn gebleven. Voortwoekerend in een lichaam met een al verzwakt immuunsysteem kan het virus de cellen aanvallen en muteren in een barbaarse aanval. De meeste slachtoffers van hiv hebben een levensverwachting van tien jaar, maar door de chimerabesmetting is die periode beperkt tot twee, hoogstens drie jaar. Als door een satanische hand gestuurd zou er dan weer een golf van dood en verderf over het land trekken, en dan de stakkers treffen die de eerdere besmetting met pokken hadden overleefd. En als de pandemie een sterftecijfer van dertig procent had, dan zou de sterfte onder degenen die met hiv besmet waren tot negentig procent oplopen. De zwaar beproefde en murw geslagen natie zou aantallen doden zien zoals nooit eerder in de geschiedenis.

Als de chimera overal in het land actief was, zouden er miljoenen doden liggen in de Verenigde Staten, en nog ontelbaar meer slachtoffers in andere landen overal ter wereld. Geen enkele familie zou gespaard blijven voor de fatale aanraking en niemand kon vrij van angst zijn voor de dodelijke schaduw op de drempel. En tijdens deze verschrikkingen zouden maar weinigen zich bekommeren om de politieke turbulentie in de wereld. En aan de andere kant van de wereld zou er in het verwoeste land weinig meer te horen zijn dan een zwak protest als de oude bondgenoot Zuid-Korea door de totalitaire noordelijke buren werd overmeesterd.

39

De Chinese jonk leek merkwaardig antiek tussen de moderne kustvaarders en containerschepen in de haven van Inchon. Cussler loodste halverwege de ochtend zijn zeilboot met de hoge achtersteven behoedzaam door het drukke scheepvaartkeer en koerste naar een kleine jachthaven tussen twee grote loswallen. Aftandse sampans en dure plezierjachten lagen hier naast elkaar, en Cussler stuurde naar een passantensteiger waar hij de jonk afmeerde. Hij klopte kort op de gastenhut om zijn passagiers te wekken en zette daarna een grote kan koffie in de kombuis terwijl iemand van de jachthaven de brandstoftank van de jonk bijvulde.

Summer kwam wankelend aan dek in de zonneschijn, met de dashond in haar armen. Dirk volgde een paar passen achter haar en probeerde een geeuw te onderdrukken. Cussler gaf beiden een beker koffie en verdween onderdeks om even later weer boven te komen met een ijzerzaag in zijn hand.

'Het lijkt me beter die handboeien los te zagen voordat jullie aan wal gaan,' grinnikte hij.

'Ik zal dolblij zijn als ik deze stomme armbanden kwijt ben,' beaamde Summer, over haar polsen wrijvend.

Dirk keek naar de boten naast hen en wendde zich naar Cussler. 'Heeft iemand ons hierheen gevolgd?'

'Nee, ik weet vrijwel zeker dat we hier alleen aangekomen zijn. Ik heb daar scherp op gelet, en voor de zekerheid een zigzagkoers gevolgd. Niemand leek ons te willen achtervolgen. Ik wed dat die kerels nog steeds op de rivier heen en weer varen, op zoek naar jullie,' lachte hij.

'Ik hoop het maar,' zei Summer en ze huiverde even, om daarna de hond te aaien.

Dirk pakte de ijzerzaag en begon de handboei om Summers pols door te zagen. 'U hebt ons leven gered. Kunnen we iets terugdoen?' vroeg hij, terwijl hij het zaagblad regelmatig heen en weer bewoog.

'Ach, jullie zijn mij niets schuldig,' antwoordde Cussler hartelijk. 'Als jullie verder maar geen problemen krijgen. En laat de regering maar afrekenen met die schurken.'

'Zeker weten,' zei Dirk. Nadat hij de twee handboeien van Summer snel had doorgezaagd, rustte hij even uit. Cussler en Summer wisselden elkaar af om Dirk van de metalen boeien om zijn polsen te bevrijden. Toen de laatste handboei doorgezaagd was, dronk Cussler zijn koffie op.

'Er is een telefoon in het restaurant van de jachthaven, en die kunnen jullie gebruiken om de Amerikaanse ambassade te bellen. Hier, neem wat Koreaanse won mee. Dan kun je bellen en kimchi bestellen,' zei Cussler, en gaf een paar kleurige bankbiljetten aan Summer.

'Bedankt, meneer Cussler. En goede reis,' zei Dirk, en hij drukte de man de hand. Summer boog zich over naar de oude zeebonk en kuste hem op de wang. 'Uw gastvrijheid is hartverwarmend,' zei ze, waarna ze de hond een klopje gaf.

'Wees voorzichtig, jongelui. Tot ziens.'

Dirk en Summer stonden op de kade en wuifden toen de jonk langzaam wegvoer. Ze moesten allebei lachen toen Mauser hen vanaf het voordek vaarwel blafte. Ze beklommen de versleten betonnen treden en stapten even later een vaal geel gebouw binnen, waarin het kantoor van de jachthaven, een winkeltje en een restaurant ondergebracht waren. De wanden waren behangen met de gebruikelijke visnetten, zoals in duizenden visrestaurants overal ter wereld, maar hier leek het wel of de netten er nog nat van het zeewater waren opgehangen.

Dirk vond achter in het restaurant een wandtelefoon, en na verschillende vergeefse pogingen kreeg hij contact met het hoofdkantoor van NUMA in Washington. De NUMA-telefonist begreep het snel en verbond Dirk door met de privéaansluiting van Rudi Gunn aan de oostkust. Gunn was juist in slaap gevallen, maar hij nam bijna meteen de telefoon op en zat met een ruk rechtop in bed toen hij de stem van Dirk herkende. Na enkele minuten geanimeerd praten legde Dirk de hoorn terug.

'En?' vroeg Summer.

Dirk keek met een avontuurlijke blik naar het groezelige restaurant. 'Ik denk dat het tijd is om hier de kimchi te proeven terwijl we wachten op een lift,' zei hij, over zijn hongerige maag wrijvend.

Dirk en Summer hadden allebei flinke trek en ze begonnen aan een Koreaans ontbijt van hete soep, rijst, tofu met gedroogd zeewier en kimchi, de onvermijdelijke schotel gefermenteerde groenten, zo scherp gekruid dat er bijna rook uit hun oren kwam. Toen ze klaar waren met eten, beenden twee beveiligingsbeambten van de Amerikaanse luchtmachtbasis het restaurant in. Summer wenkte de mannen en de oudste van het tweetal maakte zich bekend.

'Ik ben sergeant Bimson, van de 51st Fighter Wing Security Forces. En dit is sergeant Rodgers.' Hij knikte naar zijn collega. 'Wij hebben instructies u zo snel mogelijk naar de luchtmachtbasis Osan te brengen.'

'Dat willen we heel graag,' zei Summer, en kwam meteen overeind. Ze volgden de twee mannen naar een dienstauto die buiten geparkeerd stond.

Hoewel Seoel dichterbij was dan de luchtmachtbasis Osan, wilde Gunn geen risico nemen en daarom had hij opdracht gegeven het tweetal naar de militaire basis te brengen. De sergeants reden weg uit Inchon en volgden de kronkelende wegen door de bergen en langs bevloeide rijstvelden tot ze bij de grote basis Osan kwamen. Het moderne militaire vliegveld was de basis van een groot aantal gevechtsklare F-16-straaljagers en A-10 Thunderbolt II-vliegtuigen, paraat voor de verdediging van Zuid-Korea.

Ze passeerden de hoofdingang en reden verder naar het hospitaal van de basis, waar een snelpratende kolonel Dirk en Summer begroette en hen naar een kamer leidde voor medisch onderzoek. Na een korte inspectie en behandeling van Dirks verwondingen kregen ze toestemming zich op te frissen en schone kleren aan te trekken. Summer lachte toen ze de weinig flatteuze militaire plunje aantrok.

'Wat zijn onze reisplannen?' vroeg Dirk aan de kolonel.

'Een C-141 van Air Mobility Command vertrekt over een paar uur naar de luchtmachtbasis McChord, en ik heb twee stoelen voor jullie gereserveerd. De mensen van NUMA hebben al geregeld dat een regeringstoestel jullie verder brengt van McChord naar Washington. Intussen kunnen jullie hier wat uitrusten en daarna breng ik jullie naar de officiersmess, waar je een warme maaltijd geserveerd krijgt vóór de twintig uur durende vlucht naar huis.'

'Kolonel, als we tóch de tijd hebben, zou ik graag contact hebben met een chef van de commando's, bij voorkeur van de marine. En ik wil ook graag telefoneren met Washington.'

De luchtmachtofficier keek nogal verontwaardigd toen Dirk het woord 'marine' noemde. 'Er is hier maar één kleine marinebasis, eigenlijk een bevoorradingspost in Chinhae, bij Pusan. Ik zal een van onze *special operations*-kapiteins sturen. Hij zal jullie wel kunnen helpen.'

Twee uur later klommen Dirk en Summer aan boord van een grijze Lockheed C-141B Starlifter, samen met een groep GI's die naar huis reisden. Toen ze hun plaatsen hadden gevonden in het raamloze vliegtuig zag Dirk een oogmasker en een paar oordopjes op de stoel voor hem. Hij maakte meteen gebruik van de hulpmiddelen om in slaap te komen en zei tegen Summer: 'Maak me alsjeblieft pas wakker als we weer boven land vliegen. En bij voorkeur een land waar ze geen zeewier serveren bij het ontbijt.'

Dirk zette het oogmasker op en rekte zich uit, om bijna meteen in slaap te vallen.

40

De brand was heel klein, zouden de meeste brandstichters oordelen, en na twintig minuten onder controle. Maar de schade die erdoor veroorzaakt werd, was heel doelbewust gekozen.

Het was twee uur 's nachts toen het brandalarm begon te rinkelen aan boord van de *Sea Launch Commander* en Christiano ruw uit zijn slaap wekte in de kapiteinshut. In een oogwenk was hij op de brug en controleerde meteen de brandpreventiesystemen. Op een display met de indeling van het grote schip brandde slechts één rood waarschuwingslampje, dat aangaf dat er ergens op een benedendek brand was.

'Brand in de schakelkast op het binnendek, pal voor het raketlanceringcontrolecentrum,' rapporteerde een donkerharig bemanningslid die wacht had. 'Automatische sprinklerinstallatie geactiveerd.'

'Schakel de elektriciteit uit, behalve de noodsystemen in dat deel van het schip,' beval Christiano. 'En vraag de brandweer van de havendienst om assistentie.'

'Jawel, kapitein. Twee mannen gaan al naar de brandhaard, en ik wacht op hun rapport.'

Omdat de *Commander* in de haven lag, was er 's nachts slechts een kleine bemanning aan boord, en weinig mannen hadden een brandweertraining gevolgd. Christiano wist dat een om zich heen grijpende brand het hele schip kon vernietigen als er niet snel ervaren hulp kwam. De kapitein keek door de ramen van de brug naar buiten en verwachtte half dat hij rook en vlammen zou zien, maar dat was niet het geval. De enige aanwijzing dat er ergens brand was, kwam van de indringende brandlucht van schroeiende elektriciteitsdraden die in zijn neus drong, en in de verte de loeiende sirene van een naderende brandweerwagen, op weg naar de kade. Zijn aandacht werd getrokken door de portofoon aan de broekriem van de wachtman, toen een zware stem zich meldde.

'Hier Briggs,' kraakte de portofoon. 'Brand in de schakelkast, maar nog niet overgeslagen. De computerruimte is niet beschadigd, en het FM-200-gassysteem is geactiveerd om ontbranding daar te voorkomen. Zo te zien is de sprinkler niet actief in de schakelkast, maar als we hier een paar brandblussers krijgen dan kunnen we het vuur wel bedwingen.'

Christiano greep de portofoon. 'Doe wat je kunt, Briggs. Versterking is al onderweg.'

Briggs en een collega, die ook brandwacht was, troffen dichte rook aan in de kleine ruimte, die niet veel groter was dan een garderobekast. Hier bevonden zich de verbindingen tussen de scheepsgeneratoren en de honderden computerterminals waarmee het functioneren van de nuttige lading in de raket en de lancering werden bewaakt. Briggs keek in de rokerige schakelkast en spoot twee brandblussers leeg. Daarna deinsde hij achteruit en wachtte of de rook minder dicht werd. Een zurige, blauwe rookwolk golfde uit de ruimte en giftige stoffen werden gefilterd door het masker dat Briggs droeg. Zijn collega reikte een derde brandblusser aan, en deze keer drong Briggs de kleine ruimte in en spoot schuim op de vlammen die hij nog zag opflakkeren achter de rookwolken. Zodra de brandblusser leeg was, sprong hij snel achteruit, om op adem te komen voordat hij weer naar binnen keek. Het was aardedonker in de ruimte en het schijnsel van zijn zaklantaarn weerkaatste op de dikke rook. Tevreden dat de vlammen gedoofd waren en het gevaar geweken, liep hij een paar passen weg en meldde zich via zijn portofoon op de brug.

'Vuur gedoofd. Dit was Briggs, over en uit.'

De vlammen waren gedoofd, maar de schade was al aangericht. Het zou nog twee uur duren voordat de gesmolten massa kabels, draden en connectors niet meer smeulden en de commandant van de havenbrandweer het schip veilig verklaarde. De indringende stank van verbrand plastic hing als een wolk over het hele schip en dat zou de eerste dagen zo blijven. Danny Stamp arriveerde kort nadat de brandweermannen vertrokken waren, omdat Christiano hem meteen had opgeroepen. Stamp zat met de kapitein in het controlecentrum voor de lancering en schudde zijn hoofd toen hij van de chef computerbeheer van de *Sea Launch Commander* hoorde welke schade was aangericht.

'Een slechtere plek voor die brandhaard was er niet,' zei de computerman, en zijn gezicht liep rood aan van ergernis. 'Alle computers voor de lancering zijn via die schakelruimte verbonden, en ook de meeste computers voor het volgen van de vlucht. We zullen alle bedrading moeten vernieuwen. Dit is een nachtmerrie,' zei hij hoofdschuddend.

'En hoe staat het met de apparatuur zelf?' vroeg Stamp.

'Nou, als u dat goed nieuws wilt noemen: er is geen schade aan de apparatuur zelf. Ik was erg bang voor bluswater, maar gelukkig hebben jullie mensen de brand met schuim geblust voordat de brandslangen werden uitgerold.'

'Dus om alles weer werkend te krijgen, moet alleen de bedrading vernieuwd worden. Hoelang gaat dat duren?'

'Ach hemel, we moeten eerst alles weghalen en dan helemaal opnieuw alle verbindingen maken. Dat zal zeker drie, vier weken duren, mits de omstandigheden gunstig zijn.'

'Wij moeten de lancering stipt op tijd uitvoeren, en als dat niet gebeurt, krijgen we een hoge boete,' antwoordde Stamp, en hij keek de computerman strak aan. 'Je krijgt acht dagen de tijd.'

De man knikte langzaam en kwam toen overeind om weg te gaan. 'Ik denk dat ik een paar mensen uit bed ga bellen,' bromde hij, en verdween door de deur.

'Denk je dat het hem lukt?' vroeg Christiano toen de deur weer dicht was.

'Als het theoretisch mogelijk is, dan krijgt hij het wel voor elkaar.'

'En de *Odyssey*? Moeten we die in de haven laten tot de *Commander* gerepareerd is?'

'Nee,' antwoordde Stamp, nadat hij even over de vraag had nagedacht. 'De Zenit is al aan boord van de *Odyssey* en klaar, dus die kan volgens plan vertrekken. We kunnen met de *Commander* de evenaar bereiken in de helft van de tijd die het platform nodig heeft. En het is niet erg als de *Odyssey* daar een paar dagen op ons moet wachten. Dan heeft de bemanning ook meer tijd om de lancering voor te bereiden.'

Christiano knikte en peinsde zwijgend.

'Ik zal onze opdrachtgever laten weten wat de verandering in de planning is,' vervolgde Stamp. 'Ik weet nu al dat ik een Kabuki-dans moet uitvoeren om hem kalm te houden. Is het al bekend wat de oorzaak van de brand is?'

'De technisch specialist van de brandweer zal daar morgenochtend meteen naar kijken. Alles wijst op kortsluiting, mogelijk door een defecte verbinding tussen twee kabels.'

Stamp knikte zwijgend. Wat stond hen nog meer te wachten, vroeg hij zich af.

De specialist van de brandweer stapte om precies acht uur in de ochtend aan boord van de *Sea Launch Commander*. Na een kort onderzoek van de geblakerde schakelkast ging hij vragen stellen aan de brandwachten en andere bemanningsleden die dienst hadden toen de brand was uitgebroken. Hij keerde weer terug naar de brandhaard, nam foto's van de geblakerde ruimte en maakte aantekeningen. Na bijna een uur lang nauwkeurig de verkoolde kabels en gesmolten contactdozen te hebben bestudeerd, stelde hij tevreden vast dat er geen aanwijzingen waren dat de brand opzettelijk gesticht was.

Het zou grondig onderzoek vergen om daar het bewijs voor te leveren. Maar onder zijn met roet besmeurde laarzen lagen de verschroeide resten van een kartonnen pakje sinaasappelsap. En chemische analyse van die resten zou aantonen dat een zelfgemaakte brandbom bestaande uit een mengsel van benzine en stukken piepschuim met elkaar vermengd waren in het karton. Deze kleine brandbom was daar enkele dagen eerder door een handlanger van Kang geplaatst en het vuur was ontstoken door een tijdklok, zodat de vlammen al snel overgeslagen waren naar de plastic isolatie van de elektriciteitskabels. En omdat de sprinklerinstallatie zo gesaboteerd was dat het op een storing leek, kon de schade ontstaan zoals de bedoeling was. Genoeg schade om de *Sea Launch Commander* een aantal dagen op te houden voor vertrek, maar niet zoveel dat het vermoeden zou rijzen dat de brand met opzet was gesticht.

De specialist stapte over de onherkenbare resten van het kartonnen sappakje en hij bleef voor de schakelkast staan om zijn oordeel op te schrijven. 'Kortsluiting, als gevolg van slechte verbinding of onjuiste aarding', schreef hij in een notitieboekje en borg de pen daarna op in zijn borstzak. Hij verliet het schip, en een groep monteurs kwam hem op de loopplank tegemoet om aan boord te gaan.

41

Een miezerige, grauwe motregen viel neer op de luchtmachtbasis McChord, ten zuiden van Tacoma, toen de C-141 landde na de transatlantische vlucht. De banden van het grote straalvliegtuig piepten even op de natte landingsbaan, waarna het toestel uitrolde om korte tijd later bij de transitterminal tot stilstand te komen. Daar werden de motoren uitgeschakeld en de grote laaddeur aan de achterkant zakte tot op het platform.

Dirk had bijna de hele vlucht geslapen en hij stapte uit met een fris en ook hongerig gevoel. Summer volgde hem wat versuft, omdat ze nauwelijks had kunnen slapen in het lawaaierige vliegtuig. Een luitenant bij de terminal zag hen en bracht het tweetal naar de officiersmess, waar ze snel een hamburger aten voor ze overstapten op de tweede vlucht. Dirk zag een telefooncel en hij draaide haastig een lokaal nummer.

'Dirk! Alles goed met je?' klonk Sarahs stem.

'Ja hoor, helemaal de oude,' stelde hij haar gerust.

'Kapitein Burch vertelde me dat je aan boord van het NUMA-schip was toen het zonk in de Chinese Zee. Ik was vreselijk ongerust over jou.'

Dirk voelde zich gevleid en vertelde haar in enkele zinnen wat er gebeurd was sinds zijn vertrek naar Japan.

'Mijn hemel, dezelfde lieden die arsenicum verspreidden bij de Aleoeten willen dus een veel grotere aanslag plegen?'

'Daar lijkt het wel op. We hopen meer informatie te krijgen als we in Washington zijn.'

'Nou, hou iedereen daar goed op de hoogte. We hebben een speciaal team voor het geval er iets gebeurt met chemische of biologische wapens.'

'Jij bent de eerste die ik dan bel. Trouwens, hoe gaat het met je been?'

'Prima, al moet ik nog steeds met die ellendige krukken lopen. Wanneer zet je je handtekening op het gips?'

Dirk merkte opeens dat Summer hem probeerde te wenken naar een klein straalvliegtuig dat gereedstond.

'Als ik met je ga dineren.'

'Morgen vertrek ik naar Los Angeles voor een conferentie die een week duurt. Het gaat over gif in het milieu,' zei ze teleurgesteld. 'Dus dat kan pas volgende week.'

'Dan hebben we een afspraakje.'

Dirk had amper tijd om naar de Gulfstream V-zakenjet te draven, waarvan de twee straalmotoren al warmdraaiden op het platform. Hij klom aan boord en zag misprijzend dat Summer het middelpunt van alle aandacht was. Ze werd omringd door een groepje kolonels en generaals van het Pentagon, die ook aan boord waren voor de vlucht naar de luchtmachtbasis Andrews.

Om zes uur in de ochtend suisde de zakenjet over Jefferson Memorial en landde even later op de luchtmachtbasis ten zuidoosten van de hoofdstad. Een NUMA-busje stond gereed en bracht Dirk en Summer snel voor de ochtendspits naar het hoofdkantoor, waar Rudi Gunn hen in zijn werkkamer verwelkomde.

'Goddank hebben jullie dit overleefd,' zei Gunn met een zucht. 'We hebben Japan tot in alle uithoeken doorzocht om jullie en dat kabelschip te vinden.'

'Dat is mooi werk, maar wel in het verkeerde land,' zei Summer schamper.

'Er zijn hier een paar mensen die graag naar jullie verhaal over alle beproevingen willen luisteren,' vervolgde Gunn, zonder Dirk en Summer de tijd te gunnen even bij te komen. 'Laten we meteen naar de kamer van de admiraal gaan.'

Ze volgden Gunn, die hen voorging naar een grote werkkamer met uitzicht over de Potomac-rivier. Hoewel admiraal Sundecker geen directeur van NUMA meer was, weigerde Gunn dat feit te accepteren. De deur van de werkkamer stond open en ze liepen naar binnen.

Twee heren zaten op een sofa, in gesprek over de beveiliging van zeehavens, terwijl Webster, van het ministerie van Binnenlandse Veiligheid, in een fauteuil tegenover hen in een dossiermap zat te lezen.

'Dirk, Summer, je herinnert je Jim Webster van Binnenlandse Veiligheid nog wel. En dit zijn Peterson en Burroughs, allebei *special agent* van de afdeling terrorismebestrijding van de FBI.' Hij gebaarde naar de twee heren op de sofa. 'Zij hebben al gesproken met Bob Morgan, en ze zijn zeer geïnteresseerd wat er met jullie gebeurde nadat de *Sea Rover* tot zinken was gebracht.'

Dirk en Summer namen in twee comfortabele fauteuils plaats en begonnen alles uitvoerig te vertellen: van hun opsluiting aan boord van de *Baekje* tot de redding door de Chinese jonk. Summer zag verbaasd op de antieke scheepsklok aan de wand dat er drie uren waren verstreken toen ze klaar waren met hun relaas. De FBI-man leek steeds wat bleker in zijn gezicht te worden toen ze hun belevenissen vertelden.

'Ik kan dit gewoon niet geloven,' bracht hij uit. 'Alle aanwijzingen die we vonden wezen in de richting van een Japanse samenzwering. En ons onderzoek was ook helemaal op Japan gericht,' zei hij hoofdschuddend.

'Het is een slim bedacht misleidingplan,' beaamde Dirk. 'Kang is een machtig man, en hij beschikt over veel kapitaal. Waar hij toe in staat is, moet zeker niet onderschat worden.'

'Bent u er zeker van dat hij een aanval met biologische wapens op de Verenigde Staten wil uitvoeren?' vroeg Peterson.

'Daar zinspeelde Kang inderdaad op, en ik denk niet dat het bluf is. Dat incident bij de Aleoeten was kennelijk een test om hun techniek voor het verspreiden van dat biowapen uit te proberen. Maar nu hebben ze de dodelijke eigenschappen van hun pokkenvirus nog veel krachtiger gemaakt.'

'Dit past wel bij verhalen die ik heb gehoord dat de Russen in de jaren negentig mogelijk een resistente variant van het pokkenvirus hebben ontwikkeld,' voegde Gunn eraan toe.

'Maar dit is een chimera. Dat is een dodelijke combinatie van verschillende virussen die elkaar versterken,' zei Summer.

'Als dat virus inderdaad resistent is, dan kan een epidemie miljoenen mensen het leven kosten,' zei Peterson hoofdschuddend. Er viel even een stilte in de ruime werkkamer, toen iedereen nadacht over de vreselijke gevolgen.

'De aanval bij de Aleoeten bewijst dat ze over de middelen beschikken om dat virus te verspreiden. Dus de vraag is nu wat het doelwit van een volgende aanval is,' zei Gunn.

'Als we die maar kunnen verhinderen voordat ze aanvallen, dan doet dat er niet toe. We moeten dat paleis van Kang bestormen, en zijn scheepswerf, en al zijn louche bedrijven. En dat moet nu meteen gebeuren,' zei Summer, en ze sloeg met haar hand op haar dijbeen om haar woorden kracht bij te zetten.

'Ze heeft gelijk,' zei Dirk. 'Voor zover wij weten zijn die wapens nog aan boord van dat schip bij de scheepswerf in Inchon. En daar kan het verhaal ook afgelopen zijn.'

'Eerst moeten we meer bewijzen verzamelen,' zei de binnenlandse veiligheidsman effen. 'De Koreaanse autoriteiten moeten overtuigd zijn van de risico's voordat we daar gezamenlijk en met geweld een onderzoek doen.'

Gunn schraapte bedachtzaam zijn keel. 'Misschien hebben we spoedig die bewijzen,' zei hij, en alle ogen keken hem aan. 'Dirk en Summer waren zo vooruitziend om contact met de Special Forces van de marine op te nemen voordat ze Korea verlieten, en ze hebben informatie doorgegeven over dat overdekte dok van Kang bij Inchon.'

'We kunnen ze geen opdracht geven om in actie te komen, maar dankzij een telefoontje van Rudi wilden ze wel goed luisteren naar wat wij te vertellen hadden,' grinnikte Summer, en ze keek even naar Gunn.

'We zijn alweer verder,' antwoordde Gunn. 'Nadat jij en Dirk uit Osan vertrokken, hebben we een formeel verzoek ingediend om onder water een verkenning te doen. Vice-president Sandecker heeft op eigen gezag al om goedkeuring gevraagd, in de hoop dat we overtuigend bewijs vinden. Maar helaas is het vanwege de ophef over onze militaire aanwezigheid in Korea nu een moeilijke tijd om in andermans achtertuin te neuzen.'

'Ze hoeven alleen een foto te nemen van de *Baekje* in dat overdekte dok, en dan hebben we het bewijs,' zei Dirk.

'Dat zou ons verhaal inderdaad een stuk geloofwaardiger maken,' beaamde Webster. 'Wanneer komen we in actie?'

Gunn keek op zijn horloge en berekende in gedachten het tijdverschil tussen Washington en Seoel. 'Het team komt over ongeveer twee uur in actie. We moeten tegen de avond meer weten.'

Webster verzamelde zwijgend zijn paperassen en ging staan. 'Ik kom na het diner terug, voor een verslag,' kondigde hij aan, en hij liep naar de deur. Toen hij op de gang was, hoorden de anderen dat hij telkens één woord herhaalde: 'Korea.'

42

Kapitein-luitenant-ter-zee Bruce McCasland keek naar de nachtelijke Koreaanse hemel en hij trok een grimas. Dikke regenwolken dreven laag over Inchon en verduisterden de eerst heldere hemel. Met die bewolking kwam de weerschijn, het oplichten van de duizenden lichtjes van straatlantaarns, woningen en reclameborden, tegen de onderkant van de wolken. Het verstrooide licht maakte het middernachtelijke uur op een wazige manier helder. Voor iemand die afhankelijk is van onopgemerkt opereren was de duisternis van de nacht gunstig en de komst van wolken nadelig. Misschien gaat het regenen, dacht hij hoopvol. In dat geval zouden zijn mannen meer dekking hebben. Maar de donkere wolken gleden voorbij en hielden hun vocht koppig vast.

De Navy SEAL uit Bend, Oregon, dook weer ineen in de gammele sampan en keek naar de drie mannen die laag naast hem in de boot lagen. Evenals McCasland waren de mannen gekleed in zwarte duikerpakken, met zwemvliezen en snorkels, en ze droegen een rugzak. Omdat ze een verkenningsmissie uitvoerden, waren de SEAL's alleen lichtbewapend met een compact Heckler & Koch MP5K 9mm-machinepistool. Aan hun duikerpakken waren miniatuurcamera's en een nachtkijker bevestigd.

De verweerde boot gleed langs de handelskaden van Inchon, en een blauwige sliert uitlaatgassen dreef achter de sputterende buitenboordmotor. Voor de oppervlakkige toeschouwer leek deze sampan op de duizenden andere boten die gebruikt werden door kooplieden en voor transport langs de kust van Korea. Maar onder het versleten uiterlijk ging een polyester aanvalsvaartuig schuil. Voorzien van een krachtige scheepsmotor in het ruim was deze sampan speciaal gebouwd om kleine teams duikers en mariniers snel ter plaatse te brengen of op te halen.

De sampan volgde een bochtige koers naar de rustige noordkant van de haven en naderde tot op tweehonderd meter de ingang van het kanaal dat naar Kang Marine Services leidde. Precies op tijd sputterde en kuchte de buitenboordmotor van de zeven meter lange boot een paar keer, om dan stil te vallen. Twee SEAL's, vermomd als oude vissers, begonnen in het Koreaans heftig naar elkaar te schelden. Terwijl de ene man aan het startkoord van de buitenboordmotor rukte, greep de andere met veel omhaal een roeiriem en probeerde het vaartuig naar de oever te peddelen.

McCasland tuurde over het gangboord met zijn nachtkijker naar een wachtpost bij de ingang van het kanaal. Twee mannen keken terug van de wachtpost, maar ze maakten geen aanstalten in de zwarte speedboot te stappen die dichtbij lag afgemeerd. Tevreden dat deze bewakers te lui waren om verder iets te doen, gaf McCasland op gedempte toon instructies aan zijn mannen. 'In het water, nu meteen!'

Met een sierlijke beweging, als van een Perzische kat in een sprong, gleden de drie mariniers geluidloos over de zijkant van de sampan, en bijna zonder bellen te veroorzaken verdwenen ze onder water. McCasland verschoof zijn snorkel en stak zijn duim op naar de twee 'vissers'. Daarna volgde hij de twee kikvorsmannen in het water. Omdat hij het aan boord warm had gekregen in het dikke isolatiepak voelde het koele rivierwater verfrissend aan. Hij dook tot zeven meter diepte en zwom horizontaal verder, turend naar het troebele, donkere water voor hem. Er was overdag amper een paar decimeter zicht in het vervuilde havenbekken, en zonder zaklantaarn was er 's nachts onder water helemaal niets te zien. McCasland werd niet gehinderd door de omstandigheden en hij sprak in de microfoon van het draadloze communicatiesysteem dat aan zijn snorkel was bevestigd.

'Geluid en navigatietest,' baste hij.

'Hier Bravo. Nav positief. Uit,' reageerde een stem.

'Hier Charlie. Nav positief. Uit,' echode een tweede stem.

'Delta hier. Nav positief. Uit,' herhaalde de derde duiker.

'Begrepen, stand-by,' zei McCasland.

Aan de oppervlakte boven de duikers hadden de twee mariniers in de sampan het vaartuig naar de oever geroeid tot bij een verlaten kade, maar in het zicht van Kangs bewakingspersoneel. Ze deden alsof ze probeerden de buitenboordmotor te repareren en rinkelden met het gereedschap en vloekten telkens hartgrondig. Intussen gingen de mannen in het water door met hun missie.

Onder water schakelde McCasland zijn 'Mugger' in, een waterdichte miniatuur GPS-ontvanger, die via satellietinformatie de exacte positie weergaf. McCasland zwom met een paar slagen omhoog tot drie meter diepte, zodat de GPS de signalen kon ontvangen om de uitgangspositie te berekenen. Een groen display lichtte op en een stippellijn werd zichtbaar tussen allerlei obstakels. Met behulp van satellietfoto's en de beschrijving die Dirk en Summer hadden gegeven, was een aantal vaste punten in de Mugger geprogrammeerd, zodat ze onder water een route konden volgen naar het overdekte dok. De vier duikers hadden allemaal een GPS-ontvanger, en daarop konden ze ook de positie van de andere mannen zien als een knipperend lichtje op het kleine scherm. Zwemmend in het aardedonker konden ze zo op enkele meters afstand van elkaar naar hun doel gaan.

'Oké, we gaan,' zei McCasland en hij dook weer.

Met krachtige slagen van zijn zwemvliezen werkte McCasland zich door het inktzwarte water en bleven zijn ogen strak gericht op het elektronische kompas en de dieptemeter, zodat hij steeds op zeven meter diepte bleef. Ze kwamen bij de ingang van het kanaal en passeerden bijna recht onder de deinende speedboot van de bewakers die boven hen afgemeerd was. Achter McCasland volgden de drie andere mariniers in driehoeksformatie op enkele meters afstand.

Overdag of 's nachts, de duikers konden nauwelijks opgemerkt worden omdat hun adem weer werd opgevangen. Anders dan de normale duikapparatuur met perslucht, die een spoor van bellen veroorzaakt, gebruikte de marine het VIPER-systeem van Carleton Technologies voor de luchttoevoer. Ondergebracht in een smalle rugzak stuurt de VIPER zuurstof naar de duiker, en de ademlucht circuleert in een gesloten systeem, waarbij het schadelijke koolzuur weggefilterd wordt en slechts een minimale hoeveelheid bellen wordt gevormd. Met het moderne systeem kan een duiker desnoods tot vier uur onder water blijven, en omdat er geen luchtbellen naar de oppervlakte stijgen, blijft zijn aanwezigheid onopgemerkt.

De vier Navy SEAL's volgden het elektronische spoor van hun Mugger en zwommen door het smalle toegangskanaal tot ze bij de ingang van het overdekte dok kwamen. De meeste sportduikers zouden moe zijn na een halve kilometer onder water zwemmen, maar voor de getrainde mariniers was het even inspannend als een straat oversteken.

Hun hartslag was maar weinig versneld toen ze hergroepeerden voor de grote deuren van het dok. McCasland zwom in een cirkel tot hij op de tast een pijler vond waar de ingang op steunde. Hij volgde de pijler omhoog en kwam bij de onderste rand van de schuifdeur die een meter in het water stak. Gerustgesteld dat dit de juiste plek was, daalde hij weer af naar de andere duikers.

'Begin met de eerste verkenning. Hier hergroeperen om drie-nul. Uit.'

Vanaf dit punt moest elke duiker een andere route volgen in het overdekte dok. Dirk en Summer hadden een gedetailleerde plattegrond getekend, puttend uit hun herinnering, en voor elke duiker was een herkenningspunt bepaald. McCasland had de gevaarlijkste en langste route. Hij moest tot aan de landzijde van het dok zwemmen, om de voorkant van het gebouw te onderzoeken. Twee andere duikers zouden in het dok de omgeving verkennen en de *Baekje* filmen, terwijl de vierde man als uitkijk bij de toegangsdeur achterbleef.

De felle lampen in de hangar maakten het water dicht bij de oppervlakte schemerig, en de betonnen steunpilaren wierpen lange schaduwen. McCasland zag dat hij op een diepte van vijf meter nog juist het silhouet van de pilaren kon herkennen. Hij hield de Mugger bij zijn borst en zwom sneller, nu hij wat meer zicht had, naar de andere kant van het dok. Nadat hij een tiental pilaren was gepasseerd, rees er opeens een betonnen muur voor hem op, en hij begreep dat hij aan het einde van het dok was. Even rustend tegen een pilaar schakelde hij de digitale camcorder in en maakte zich gereed om naar de oppervlakte te stijgen, vechtend tegen het opkomende gevoel dat deze missie een mislukking werd. Hij had het vreemde gevoel dat er geen groot schip in dit dok lag, al kon hij dat niet zien.

Geluidloos kwam hij bij het einde van het lange dok aan de oppervlakte, en zijn ogen bevestigden wat hij al vermoedde. Het enorme dok was leeg. En lag geen tientallen meters lang kabelschip afgemeerd langs de kade. Er lag geen enkel vaartuig in het water. McCasland filmde de omgeving met zijn camera en zag in een hoek op de wal alleen een afgedankt sleepbootje liggen. Daar in de buurt was een groepje dokwerkers dat nachtdienst had aan het tikkertje spelen met een vorkheftruck, het enige teken van leven in de enorme hal.

Zodra McCasland alles gefilmd had, dook hij weer onder water en zwom terug naar de grote toegangsdeur. Hij keek op het scherm van zijn Mugger en zag dat de andere duikers al buiten op hem wachtten.

'Missie volbracht,' zei hij kortaf en zwom naar de baai.

De vier mariniers zwommen terug door het kanaal naar de sampan bij de oever en ze kropen geluidloos aan boord. De vermomde vissers wisten opeens de buitenboordmotor weer te starten, en met getier en gevloek voer het scheepje even later langs de baai van Kang om in de donkere nacht te verdwijnen.

Eenmaal uit het zicht ging McCasland rechtop zitten, hij deed zijn duikmasker af en ademde de bedompte havenlucht diep in, terwijl hij naar de twinkelende lichtjes op de oever keek. Hoofdschuddend bleef hij zwijgend zitten, en even later stortte een hevige stortbui neer op de teleurgestelde commando.

43

Webster, Peterson en Burroughs keerden klokslag zes uur terug naar het hoofdkantoor van NUMA, en ze troffen een bedrukte sfeer aan in de werkkamer van Gunn. Het resultaat van de verkenningsoperatie door de mariniers was zojuist ontvangen, en Gunn, Dirk en Summer spraken somber over het rapport.

'Teleurstellend nieuws, vrees ik,' zei Gunn. 'Dat kabelschip lag niet in het dok.'

'Maar hoe kan dat schip ongezien komen en gaan?' vroeg Webster zich af. 'We hebben Interpol en de douane ingeseind overal naar dat schip uit te kijken.'

'Misschien staan die ambtenaren wel op de loonlijst bij Kang,' opperde Summer.

Webster wuifde de opmerking weg. 'Weten wij heel zeker dat het verkenningsteam zich niet vergist heeft?'

'Er was kennelijk geen enkel schip in dat afgesloten dok. Een videofilm van de verkenning wordt nu via de satelliet hierheen gestuurd. Dus kunnen we de opname zelf bekijken op de monitor van de admiraal,' antwoordde Gunn.

Voor de tweede keer die dag ging hij het gezelschap voor naar de voormalige werkkamer van de admiraal. Toen hij de hoekkamer naderde, was hij verbaasd een bekende lach te horen, en een wazige wolk tabaksrook dreef door de deuropening.

Gunn stapte over de drempel en zag verrast dat Al Giordino op een sofa zat. Met zijn warrige donkere krullen zat de pasbenoemde directeur van de NUMA-afdeling onderwatertechnologie achterovergeleund en met zijn benen languit op de salontafel. Tussen zijn lippen hield hij een sigarenpeuk geklemd. Hij was gekleed in een versleten NUMA-overall en zag eruit alsof hij zojuist van boord was gestapt.

'Rudi, jongen, laat je de mensen zo laat nog opdraven?' vroeg Giordino voordat hij een rookwolk naar het plafond blies.

'Iemand moet op de winkel passen terwijl jij op een tropisch strand ligt.'

Dirk en Summer grinnikten toen ze de kamer binnenstapten en Giordino zagen: hij was als een favoriete oom voor het tweetal. Ze zagen hun vader niet meteen, omdat die aan de andere kant van de grote werkkamer stond en naar de lichtjes bij de Potomac staarde. Als je hem met zijn lange gestalte zo zag staan, leek hij nog maar weinig van zijn jeugdige gestalte verloren te hebben. Alleen de grijzende slapen en wat kraaienpootjes om zijn ogen verraadden zijn leeftijd. Het wat verweerde, gebruinde gezicht van Dirk Pitt, de legendarische directeur speciale projecten en tegenwoordig de hoogste baas van NUMA, plooide in een brede grijns toen hij zijn kinderen zag.

'Dirk, Summer,' zei hij, en zijn groene ogen straalden warm toen hij zijn armen om hun schouders sloeg.

'Pa, we dachten dat jij en Al nog op de Filippijnen waren,' zei Summer, nadat ze haar vader omhelsd en gekust had.

'Je meent het?' merkte Giordino op. 'Jouw ouwe vader wilde desnoods de oceaan over zwemmen om hier te komen, zodra hij hoorde dat jullie vermist waren.'

Pitt senior glimlachte. 'Ik was gewoon jaloers dat jullie zonder mij een vakantiereis door Noordoost-Azië maakten.'

'We hebben wel een lijst met plaatsen waar je beter niet naartoe kunt,' lachte Dirk.

Pitt was duidelijk meer ontspannen nu hij zijn twee kinderen weer terugzag. De veteraan van de zee gedroeg zich meestal gereserveerd in de wereld die in zijn ogen de laatste tijd zo veranderd was. Toen hij enkele jaren eerder opeens geconfronteerd werd met zijn twee volwassen kinderen, van wie hij eerst niet eens wist dat ze bestonden, was zijn persoonlijk leven helemaal overhoop gehaald. Maar ze waren al spoedig een deel van zijn leven, en ze deden mee met zijn werkzaamheden onder water, zoals ze ook tijd doorbrachten bij hem en zijn tweede vrouw. De plotselinge dosis verantwoordelijkheid voor twee kinderen had hem tot nadenken gebracht en hij was eindelijk getrouwd met zijn vriendin, Loren Smith, afgevaardigde van Colorado in het Congres. Er volgden nog meer veranderingen: toen admiraal Sandecker onverwacht vice-president werd, belandde Pitt even onverwacht op de hoogste positie binnen NUMA. In zijn periode als directeur speciale projecten had hij talloze avonturen en uitdagingen meegemaakt en alle uithoeken van de wereld bereisd. Dat had wel een tol geëist, zowel geestelijk als lichamelijk, en nu was hij blij dat hij het wat kalmer aan kon doen. Als hoofddirecteur van NUMA vond hij de administratieve en politieke werkzaamheden niet altijd interessant, maar hij zorgde er wel voor dat hij nog altijd veel tijd doorbracht met het echte werk: samen met Al testte hij nieuwe apparatuur, zocht hij naar zeegebieden die mogelijk voor een beschermde status in aanmerking kwamen, en maakte hij nog altijd diepzeeduiken. Inwendig brandde de vlam van nieuwsgierigheid naar het onbekende of het oplossen van oude mysteries nog altijd, en dat veranderde evenmin als zijn aangeboren streven naar rechtvaardigheid. De ontvoering van zijn beide kinderen en het zinken van de *Sea Rover* veroorzaakten bij hem een woede die zijn oude vastberadenheid deed herleven om recht te doen in de wereld.

'Pa, hoe is de situatie nu met dat giftige Japanse vrachtschip bij de Filippijnen?' vroeg Dirk. 'Ik heb begrepen dat lekkende chemische munitie de oorzaak is dat het koraal daar afsterft.'

'Dat klopt. Het gaat om een mengsel van mosterdgas en lewisiet. Het zijn biochemische gevaren, een overblijfsel uit de Tweede Wereldoorlog. We hebben het lekken overigens gestopt. Niemand wilde een kostbare berging van die munitie betalen, en daarom hebben we een goedkopere oplossing gevonden: we hebben het spul begraven.'

'We hadden geluk dat juist daar een zandbank lag,' verduidelijkte Giordino. 'We hebben een pomp geïnstalleerd, het ruim volgespoten met zand en de luiken dichtgemaakt. Zolang niemand daar gaat graven, zal er geen gif meer vrijkomen en het beschadigde koraalrif herstelt zichzelf in enkele jaren.'

Een secretaresse stak haar hoofd om de deur en zei tegen Gunn: 'Meneer, de video van het Pentagon kan nu bekeken worden.' Ze verdween weer snel naar de gang.

Gunn greep het moment aan om de heren van Binnenlandse Veiligheid en de FBI voor te stellen aan Pitt en Giordino, en hij leidde het gezelschap naar een grote TFT-monitor die achter een paneel verborgen was. Hij tikte snel enkele commando's in en op het scherm verscheen het beeld van een enorm, overdekt scheepsdok. De camera bewoog langzaam over het hele complex en het was duidelijk dat er geen schepen in het dok afgemeerd lagen. Na minder dan een minuut was de video afgelopen en het scherm werd zwart.

'Dat is de werf van Kang, geen twijfel mogelijk. Maar geen spoor van de *Baekje*,' zei Dirk.

'In het rapport van de mariniers staat dat er alleen een kleine sleepboot en een speedboot gezien werden op de terreinen van Kang,' zei Gunn. 'Kennelijk is de *Baekje* dus weggevaren.'

Webster schraapte zijn keel. 'Ik heb bevestiging van Interpol en de Koreaanse nationale recherche dat al het scheepvaartverkeer bij Inchon gedurende het hele etmaal nauwkeurig geobserveerd wordt sinds de bemanning van de *Sea Rover* gered is en die oproep gedaan werd. Geen enkel schip dat aan de beschrijving van de *Baekje* voldoet, is gezien bij het binnenvaren of vertrek naar zee.'

'Dan heeft iemand zitten slapen,' zei Giordino schamper.

Webster keek verontwaardigd na deze opmerking. 'Theoretisch mogelijk, maar niet bepaald waarschijnlijk. Ondanks het drukke scheepvaartverkeer is het havenbekken bij Inchon niet erg groot. Iemand moet gezien hebben dat zo'n groot schip wegvaart.'

'Mogelijk is die boot onmiddellijk nadat Dirk en Summer van boord gingen weer heimelijk vertrokken. Dus voordat Interpol gewaarschuwd werd,' peinsde Gunn.

'Er is nog een andere mogelijkheid,' opperde Pitt. 'Het schip kan gecamoufleerd zijn, of omgebouwd, zodat het op een ander type schip lijkt. En dan kan het gewoon overdag vertrokken zijn, omdat het op een normaal vrachtschip lijkt.'

'Of op *Love Boat*,' grapte Giordino.

'Hoe dan ook, zonder dat schip hebben we te weinig bewijs om met de hulp van de Koreaanse autoriteiten iets tegen Kang te ondernemen,' concludeerde Webster.

'En Dirk en Summer dan?' reageerde Pitt, die zich steeds meer ging irriteren. 'Dacht je soms dat ze aan boord van de *Queen Mary* naar Korea zijn gevaren?'

'Het bewijs tegen Kang moet keihard zijn,' zei Webster gespannen. 'Er is op dit moment een ernstig politiek probleem in Zuid-Korea. Onze mensen op het ministerie van Buitenlandse Zaken staan met knikkende knieën, en zelfs in het Pentagon zijn ze helemaal nerveus. Het vooruitzicht dat we onze militaire aanwezigheid in Korea kwijtraken is reëel, en niemand wil op dit kritieke moment de zaken verergeren.'

'Dus u durft Zuid-Korea niet te vragen een onderzoek in te stellen naar Kang?' vroeg Pitt.

'Dat komt van de hoogste leiding. Wij moeten dit laten rusten tot na de stemming in het Koreaanse parlement over onze militaire aanwezigheid.'

'Wat heeft de admiraal hierover te zeggen?' vroeg Pitt aan Gunn.

Gunn schudde langzaam zijn hoofd. 'De admiraal, eh... vice-president Sandecker heeft me gezegd dat de president het oordeel van Buitenlandse Zaken volgt, wat betreft een reactie op het zinken van de *Sea Rover*. En ondanks de ervaringen van Dirk en Summer met Kang gebeurt er nu dus niets, zoals Jim al zei. Iedereen moet zich koest houden tot de stemming in het parlement geweest is. Maar uit inlichtingenrapporten is wel duidelijk dat er geheime transacties zijn tussen Kang en de president van Zuid-Korea, en dat gaat veel verder dan een normale vriendschap. Onze president is bang dat hij steun in het Koreaanse parlement verliest als hij opdracht geeft tot een onderzoek dat mogelijk nogal vervelende gevolgen heeft.'

'Maar begrijpt hij wel hoe enorm de risico's zijn met de wapens die Kang in zijn bezit heeft?' vroeg Summer ongelovig.

Gunn knikte. 'De president heeft laten weten dat hij direct na de stemming een diepgaand onderzoek zal instellen naar de betrokkenheid van Kang bij het zinken van de *Sea Rover* en zijn mogelijke connecties met Noord-Korea. En hij gaat nu al akkoord met verhoogde waakzaamheid van de veiligheidsdienst, vooral wat betreft de vliegtuigen en schepen die uit Japan en Zuid-Korea komen.'

De jonge Pitt begon geërgerd door de kamer te ijsberen. 'Dat is te weinig en het is al te laat,' zei hij nadrukkelijk. 'De terugtrekking van Amerikaanse troepen uit Zuid-Korea is onderdeel van Kangs strategie, en daarbij gebruikt hij die zogenaamde dreiging uit Japan als afleidingsmanoeuvre. Begrijpen jullie het nóg niet? Als hij een aanval op de Verenigde Staten wil doen, dan gebeurt dat vóór de stemming in het parlement.'

'En dat is over tien dagen,' voegde Gunn eraan toe.

'Dus moeten we anticiperen op de volgende zet van Kang,' zei Pitt kalm. 'We weten dat hij een scheepvaartlijn exploiteert, en dus heeft hij veel kennis van de Amerikaanse zeehavens. Het is waarschijnlijk dat hij die wapens met een normaal vrachtschip hierheen brengt, waarschijnlijk naar de westkust.'

'Dat is veel gemakkelijker dan smokkelen met een vliegtuig,' beaamde Giordino. 'Waarschijnlijk stuurt hij die wapens hierheen met een schip dat onder Japanse vlag vaart.'

'Of met de raadselachtig verdwenen *Baekje*,' vulde Dirk aan.

'Yaeger heeft een lijst met biologische componenten en de mogelijke verpakking ervan waar naar gezocht moet worden,' zei Gunn. 'Ik zal erop toezien dat de douane goede instructies krijgt voor de inspecties in de havens.'

'Dat kan wel eens te laat zijn,' antwoordde Pitt. 'Ze kunnen die chemicaliën verspreiden zodra ze in de haven zijn, en een heel gebied besmetten nog voordat ze afgemeerd liggen. Denk bijvoorbeeld aan de baai van San Francisco.'

'Of voordat ze binnenvaren, als de wind gunstig staat. Bij de Aleoeten werd het gif kennelijk verspreid vanaf een boot die voor het eiland Yunaska lag, dus is het zeker mogelijk dat ze een aanval doen zonder in de haven te komen.'

'De kustwacht heeft als taak de veiligheid in de havens te garanderen, onder gezag van Binnenlandse Zaken. En tegenwoordig worden alle schepen geïnspecteerd kort voordat ze een haven binnenvaren,' merkte Webster op.

'Maar gaan ze ook aan boord voor een inspectie van vrachtschepen die op weg naar een haven zijn?' vroeg Dirk.

'Ik denk dat de kustwacht niet voldoende mankracht heeft om dat ook te doen. Er wordt wel intensiever gepatrouilleerd op zee, maar het aantal beschikbare vaartuigen is beperkt. En de hele westkust grondig bewaken gaat de capaciteit te boven.'

'En de marine?' vroeg Summer. 'We kunnen toch een aantal marineschepen van de Pacific-vloot daarheen sturen? Als de nationale veiligheid op het spel staat, dan is het toch logisch om elke beschikbare marineboot te gebruiken voor een blokkade?'

'Dat is een goede vraag, maar het antwoord is lastiger,' antwoordde Gunn. 'Het is een grijs gebied voor de marine. Ze hebben nooit veel zin om een ondersteunende rol voor de kustwacht te spelen. En waarschijnlijk laten ze een verzoek liggen tot we de minister van Defensie of het Witte Huis zover krijgen een directe opdracht te geven. Ik zal het aankaarten bij de vice-president, maar eerlijk gezegd zal het zeker een week duren voordat er echt iets gebeurt. En dan kan het al te laat zijn.'

'Er is nog een mogelijkheid,' zei Pitt. Hij haalde uit een bureaulade een dagrapport met de posities van de NUMA-schepen. 'Eens kijken, de *Pacific Explorer* is juist gearriveerd in Vancouver, de *Blue Gill* doet maritiem onderzoek bij Drake's Bay, ten noorden van San Francisco, en de *Deep Endeavor* test een minionderzeeboot bij San Diego. Het is geen oorlogsvloot, maar ik kan wel drie van mijn researchschepen binnen twee dagen naar de grootste havens aan de westkust dirigeren.'

'Dat zou zeker een flinke ondersteuning zijn, en ik weet wel zeker dat de kustwacht daar blij mee is,' zei Webster.

'Noem het maar een tijdelijke lening,' zei Pitt. 'Tot Rudi geregeld heeft dat de onkosten vergoed worden.'

'Ik weet zeker dat we tijdens de verhoogde staat van paraatheid wel compensatie kunnen regelen voor die steun,' zei Gunn, en hij grijnsde veelbetekenend naar Webster.

'Dat is dan geregeld. De NUMA-schepen beginnen meteen met het speuren naar bommen langs de westkust. Dan is er nog één ding,' zei Pitt ernstig tegen Webster. 'Kang heeft al een van mijn schepen tot zinken gebracht, en dat mag niet nog eens gebeuren. Ik wil dat een bewapend marineschip voortdurend in de buurt van mijn schepen is.'

'Akkoord. De interventieteams zullen gewaarschuwd worden en desnoods gewapend ingrijpen.'

'Mooi. Ons team hier zal dat met de kustwacht coördineren. Rudi, jij moet je losrukken uit dit hoofdkantoor, want ik wil dat je naar San Francisco vliegt om de *Blue Gill* bij de schepen van de kustwacht te voegen, en daarna moet je regelen dat de *Pacific Explorer* hetzelfde doet in de omgeving van Vancouver en Seattle. Dirk en Summer, ik wil graag dat jullie in San Diego aan boord van de *Deep Endeavor* stappen, en assisteren bij de bewaking van Zuid-Californië,' instrueerde Pitt.

'En ik, chef?' vroeg Giordino met gespeelde verontwaardiging. 'Krijg ik geen pasje als boteninspecteur?'

'O nee,' antwoordde Pitt met een scheve glimlach. 'Ik heb iets veel hogers voor jou in petto.'

44

Er was geen fanfare toen een paar aftandse sleepboten het Sea Launch-platform *Odyssey* langzaam wegtrokken van de kade. De belangstelling voor een nieuwe lancering was in de loop van de jaren afgenomen, en alleen een handjevol familie en vrienden, en wat kantoorpersoneel, keken toe om de bemanning uit te zwaaien. En de kleinere bemanning aan boord van het platform bracht ook minder uitzwaaiers dan gewoonlijk op de been. Slechts tweeënveertig bemanningsleden waren op het grote platform aanwezig, ongeveer twintig minder dan gewoonlijk, omdat Stamp als verantwoordelijk ingenieur voor de lancering veel monteurs had ingezet bij de reparaties na de brand op het ondersteunende schip. Kapitein Christiano keek gespannen vanaf de brug op de *Sea Launch Commander* hoe het platform met de raket aan boord langzaam wegvoer van de kade, en als afscheid liet hij de scheepshoorn langdurig loeien. Enkele verdiepingen onder hem was een legertje elektriciens en computertechnici koortsachtig dag en nacht bezig de schade in de schakelkast te herstellen, in de verwachting dat het commandoschip over drie of vier dagen ook naar zee kon vertrekken.

De afscheidsgroet van Christiano met de scheepshoorn werd beantwoord met een korte stoot op de scheepshoorn van de *Odyssey*, en die leek wel uit de wolken te komen. Het hoofddek van de *Odyssey* torende bijna dertig meter uit boven het water. Het grote drijvende platform was afhankelijk van sleepboten om goed uit de haven te vertrekken. Hoewel het enorme vaartuig op eigen kracht heel nauwkeurig kon manoeuvreren, was het zicht vanaf de brug op andere schepen en obstakels in de haven beperkt, en daarom werden sleepboten gebruikt voor het veilig varen in een drukke omgeving.

Het massieve gevaarte bewoog langzaam voorbij de havenpieren en leek op een reusachtige tarantula die over het kalme water kroop. Het omgebouwde boorplatform uit de Noordzee rustte aan beide zijden op vijf dikke kolommen. De onderkant van die kolommen sneed door de golven en stond op twee enorme pontons, allebei meer dan honderddertig meter lang. Aan de achterkant van elke ponton was een tweetal vierbladige scheepsschroeven bevestigd, die het plompe gevaarte een snelheid van bijna twaalf knopen gaven. Met zijn dertigduizend ton was de *Odyssey* de grootste catamaran die op eigen kracht kon varen, en dat was een indrukwekkend schouwspel. Het platform gleed langs de havenpieren van Long Beach Harbour, en twee mijl buitengaats hielden de sleepboten stil.

'Gereedmaken voor het inhalen van de sleeptrossen,' commandeerde de gezagvoerder van de *Odyssey*, een nuchtere, ervaren tankerkapitein met de naam Hennessey.

De sleepboten gooiden de trossen los, en die werden snel ingehaald door de bemanning van de *Odyssey*. De vier drieduizend pk sterke dieselmotoren van het platform werden gestart en terwijl de sleepboten wegvoeren, begon de *Odyssey* op eigen kracht te varen. Hoog boven de twee pontons bewoog de bemanning op de bovenbouw zich langzaam heen en weer, als in een wolkenkrabber tijdens een zware storm. De krachtige Zenit-raket, stevig verankerd op het onderstel, was ongevoelig voor de deining. De ervaren bemanning ging rustig aan het werk en was al spoedig in de ontspannen routine tijdens de trage reis naar de plaats van de lancering, terwijl de beige kust van Californië langzaam uit het zicht verdween.

Hennessey duwde de telegraaf langzaam naar voren, tot het platform een snelheid van negen knopen bereikte, en daarna zette hij een koers uit naar het zuidwesten. Vijftienhonderd mijl verder, ten zuiden van Hawaï, was de positie voor de lancering. Niemand vermoedde dat het platform die bestemming nooit zou bereiken.

Vijftienhonderd mijl verder naar het westen voer de *Koguryo* over de oceaan, als een hazewindhond die een konijn opjaagt. Alleen een korte stop bij de Ogasawara-eilanden, om Tongju aan boord te nemen, was een onderbreking sinds het vertrek uit Inchon. Nadat het schip een stormfront ten westen van Midway had doorstaan, was het in kalme zee met een flinke wind mee in oostelijke richting verder gestoomd, waardoor bijna de topsnelheid werd bereikt. Omdat de zware apparatuur om kabels te leggen en de enorme haspels van boord waren gehaald, had de *Koguryo* drie meter minder diepgang dan gewoonlijk. De vier dieselmotoren duwden het lichtere schip voort met een snelheid van 21 knopen, en elk etmaal werd over de oceaan bijna zeshonderd mijl afgelegd.

Aan boord maakte een groot team van ingenieurs en monteurs zich gereed voor de naderende lancering van de Zenit-raket. Een controlecentrum dat bijna identiek was aan dat in de *Sea Launch Commander* was op een benedendek van de *Koguryo* ingericht en daar werd voortdurend gewerkt. De laatste versie van de lanceersoftware was ontvangen uit het laboratorium in Inchon en de computerprogrammeurs laadden een aantal testscenario's in voor het lanceerteam. Elke dag voerde het lanceerteam een aantal simulaties uit, zodat na een week op zee de lancering helemaal vlekkeloos zou verlopen. Omdat de technici alleen te horen hadden gekregen dat ze de lancering van Kangs satelliet moesten uitvoeren vanaf het drijvende platform, wist niemand welke vernietigende operatie ze nu voorbereidden, en iedereen verheugde zich op de lancering van de raket.

Tongju gebruikte de tijd op zee om zijn tactiek voor de aanval op de *Odyssey* te verfijnen. Hij en zijn commandoteam bestudeerden de plattegrond van het lanceerplatform, ze bepaalden de aanvalsposities en hoe ze zich verder zouden verplaatsen, tot het plan van minuut tot minuut vaststond. De commando's prentten de situatie in hun geheugen, ze maakten hun wapens schoon en bleven verder zoveel mogelijk uit het zicht van de andere bemanningsleden, terwijl het schip steeds dichter bij het doel kwam. Na de avondmaaltijd met zijn aanvalsteam nodigde Tongju zijn tweede man, Kim, uit in zijn hut. Onder vier ogen vertelde Tongju dat hij van Kang opdracht had gekregen de *Koguryo* tot zinken te brengen.

'Ik heb kapitein Lee de positie gegeven van het rendez-vous met het vrachtschip. Maar ik heb hem niets verteld over het plan zijn schip te laten zinken, alleen dat we het lanceerteam voor de veiligheid overbrengen naar het andere schip.'

'Vertrouwt u niet op zijn gehoorzaamheid aan Kang?' vroeg Kim, onbewogen onder het vooruitzicht dat tweehonderd andere opvarenden zouden verdrinken.

'Nee, dat is niet verstandig. Geen enkele kapitein wil zijn eigen schip laten zinken en de bemanning in de steek laten. We zullen dus zonder hem verdwijnen.'

'Hoe moet het schip vernietigd worden?'

Tongju tastte onder zijn kooi en haalde een zakje te voorschijn dat hij aan Kim gaf.

'Semtex-explosieven, met draadloze ontstekers. Ik wil de lading laten exploderen als het schip vaart.'

Hij liep naar een schets van de *Koguryo*, die met een punaise aan de wand was bevestigd.

'Door onder de waterlijn een aantal gaten in de voorste delen van de romp en de boeg te maken. Dan zal door de voorwaartse beweging van het schip veel water naar binnen stromen. Het schip zal naar de diepte duiken als een onderzeeboot voordat de bemanning de kans krijgt te reageren.'

'Er is een kans dat sommigen ontsnappen met de reddingsloepen,' merkte Kim op.

Tongju schudde zijn hoofd en grijnsde kwaadaardig. 'Ik heb tweecomponentenlijm in alle davits van de reddingboten gesmeerd. Alleen met veel moeite kan een sloep gestreken worden.'

'En wij?' vroeg Kim, met een onzekere ondertoon in zijn stem.

'Jij en twee anderen zullen met mij vertrekken in de boot die we voor de aanval gebruiken. Ik zal Lee overtuigen dat we eerder van boord gaan om die vrachtboot te verkennen, zodra dat schip binnen radarbereik is. En als de *Koguryo* weer op volle snelheid vaart, brengen we de springladingen tot ontploffing.'

Kim slaakte een zucht en knikte langzaam. 'Het is niet zo makkelijk om mijn aanvalsteam achter te laten,' zei hij zacht.

'Het zijn allemaal prima kerels, maar ze zijn wel te vervangen. Ik laat aan jou over welke twee mannen je uitkiest om met ons mee te gaan. Maar eerst moeten we die explosieven aanbrengen. Ga met Hyun, de bomexpert, naar het voorschip en breng de ladingen aan in de compartimenten E, F en G. En zorg dat niemand van de bemanning jullie ziet.'

Kim klemde het zakje met semtex stevig tegen zich aan en hij knikte weer. 'Dat gaat lukken,' zei hij, en verdween uit de hut.

Tongju staarde minutenlang naar het diagram van het schip. De hele operatie was een hachelijke missie, vol risico en verborgen gevaren. Maar dat was precies wat hij graag wilde.

45

Op een ramkoers met het kwaad ploegde de *Odyssey* met een matige snelheid weg van Long Beach, en het grote gevaarte legde elk uur een schuimend spoor van tien mijl af. De *Odyssey* passeerde het eiland San Clemente en koerste ten westen langs San Diego, om kort na middernacht de territoriale wateren van de Verenigde Staten te verlaten. Vissersboten en plezierjachten verdwenen geleidelijk achter de horizon, naarmate het platform verder de verlaten oceaan ten westen van Baja California opvoer. Tegen het einde van de derde dag op zee, ongeveer zevenhonderd mijl verwijderd van het dichtstbijzijnde vasteland, deelde de *Odyssey* het water alleen met een kleine stip aan de noordoostelijke horizon.

Kapitein Hennessey zag met enige belangstelling dat de stip in de verte langzaam groter werd en een zuidelijke koers volgde. Toen de stip op vijf mijl afstand was, richtte hij zijn verrekijker en zag een groot blauw schip met een gele schoorsteen. In de avondschemering meende Hennessey eerder een researchschip te herkennen dan een gewoon vrachtschip. Hij zag met groeiende ergernis dat het andere schip een exacte ramkoers naar de *Odyssey* volgde. Hennessey bleef het volgende uur naast het stuurwiel staan en zag het andere schip tot op minder dan een mijl aan stuurboord passeren, om dan kennelijk vaart te minderen en de boeg achter hem naar het zuidwesten te richten.

'Hij mindert vaart om ons kielzog te kruisen,' zei Hennessey tegen de roerganger en liet zijn verrekijker weer zakken. 'Hij heeft de hele oceaan voor zich, en toch moet hij onze koers zo nodig kruisen,' bromde hij hoofdschuddend.

Het kwam niet in hem op dat dit iets anders was dan een toevallige ontmoeting. En evenmin vermoedde hij dat een bemanningslid, een van Kangs mannen aan boord, die bij het lanceerteam werkte, de exacte positie van het schip met een simpele GPS-ontvanger bepaalde en via een draagbare zender doorseinde. Nadat de *Koguryo* de oceaan was overgestoken, had men een etmaal eerder de radioverbinding ingeschakeld en zo kaarsrecht koers gezet naar de *Odyssey*, als een postduif naar zijn duiventil.

Toen de lichten van het onbekende schip aan bakboord van de *Odyssey* in de avond verdwenen, dacht Hennessey er niet meer aan en hij richtte zich op de duisternis voor hem. Het was nog bijna tien dagen varen naar de evenaar en niemand wist welke obstakels hun pad konden kruisen.

Het ervaren aanvalsteam kwam snel, in het holst van de nacht en als een complete verrassing. Nadat de *Koguryo* het grootste deel van de avond de *Odyssey* had gevolgd, werden de motoren opeens gestopt en het grote platform verdween voor hen naar de horizon. In het stuurhuis van de *Odyssey* ontspanden zich de roerganger en de officier die wacht had toen de lichten van het andere schip verdwenen. De automatische piloot was ingeschakeld en hun enige taak was het radarscherm en de weersverwachting in de gaten te houden. Maar op de verlaten zee was er in het holst van de nacht weinig reden voor bezorgdheid. De aandacht van beide mannen verslapte en ze liepen wat doelloos heen en weer op de brug. Ze discussieerden eindeloos over de voetbalcompetitie, zonder op de monitors te letten. Als ze wel naar het radarscherm hadden gekeken, dan zouden ze gewaarschuwd zijn voor wat hen te wachten stond.

De *Koguryo* lag niet stil voor een reparatie of een koersverandering, maar alleen om de snelle sloep te water te laten. De open boot, met een lengte van tien meter, was een ruime en gerieflijke sloep voor Tongju, Kim en een tiental andere kerels, die in zwarte commandokleding waren gestoken. De mannen zaten met hun geweren op schoot op de leren kussens. Hoewel de sloep niet onopgemerkt kon varen, was het wel een snel vaartuig op open water en groot genoeg om de aanvallers naar het platform te brengen.

De snelle motorsloep raasde in de duisternis over de golven, onder een onbewolkte sterrenhemel die zich van horizon tot horizon uitstrekte. De sloep naderde het logge platform dat oprees tegen de nachtelijke hemel als een gevel aan Times Square. Toen de roerganger van de sloep in de schaduw van het grote platform kwam, stuurde hij de boot midden tussen de twee pontons van de *Odyssey*. Zonder vaart te minderen stoof de sloep tussen de pontons door, langs de verticale pilaren en net onder de zware dwarsspanten, die drie meter boven water horizontaal liepen. De sloep minderde vaart tot de snelheid gelijk was aan die van de *Odyssey* en langzaam bewoog het scheepje zich naar een kolom aan stuurboord, waar een met zoutige korsten bedekte stalen ladder naar boven leidde. Toen de sloep daar vlakbij was, sprong een van de mannen met een landvast van de boeg naar de ladder en bond het losse eind vast. Een voor een sprongen de andere commando's van boord en begonnen aan de lange klim omhoog. Zodra de mannen boven waren, pauzeerde het team even om op adem te komen en zich te hergroeperen, tot Tongju met een hoofdknik het sein gaf verder te gaan. Het slot van de stalen deur boven aan de ladder was door een bemanningslid van Kang al ontgrendeld en de commando's verspreidden zich snel over het dek.

Tongju had foto's en plattegronden van de *Odyssey* bestudeerd, maar hij was toch onder de indruk van het enorme lanceerplatform, dat even lang was als een voetbalveld. Aan de verst verwijderde zijde verrees de lanceertoren, en er was een groot open dek voor de toegang tot de rakethangar. Langs de stuurboordzijde stonden de grote voorraadtanks, om de raket kort voor de lancering vol brandstof te tanken. Aan weerszijden van de rakethangar waren twee kleine onderkomens voor de bemanning, met plaats voor achtenzestig man, een kombuis en een ziekenboeg. Dat was het eerste doelwit.

De aanvallers zouden tegelijk in actie komen: vijf man bij de hangar, drie bij de brug en de overigen bij de bemanningsverblijven. De meeste opvarenden van de *Odyssey* hadden weinig te doen voordat het platform op de lanceerplek was. Ze brachten de tijd door met lezen, kaarten of films kijken. En om drie uur in de nacht waren nog maar enkele mannen wakker, vooral de mannen die wacht hadden of de installaties moesten controleren. Toen de commando's met militaire precisie de bemanningsverblijven bestormden, waren de technici en monteurs zó verrast dat ze amper reageerden. Met felle zaklampen en wakker gepord door de loop van AK-74-machinegeweren kwamen de bemanningsleden snel uit bed. Twee mannen die in de kombuis kaartspeelden, dachten eerst dat het een soort grap was, tot een van hen met een geweerkolf tegen de grond werd geslagen. Een geschrokken scheepskok liet een stapel pannen vallen en door dat gerinkel werden meer mannen gewekt dan door de gewapende overvallers.

In de hangar was hetzelfde tafereel te zien. Het kleine commandoteam doorzocht de ruimte met airconditioning waar de Zenit-raket op zijn onderstel lag, en zonder handgemeen werden de aanwezigen bij elkaar gedreven. Op de brug boven de hangar konden de twee zeelieden die wacht hadden hun ogen niet geloven toen Tongju binnenstapte en zijn Glock kalm op het oor van de roerganger richtte. Binnen tien minuten was het hele platform overmeesterd door Tongju en zijn mannen, zonder dat er één schot gelost was.

De commando's zagen verbaasd dat de meeste bemanningsleden Filippino's waren, terwijl het lanceerteam bestond uit Amerikanen, Russen en Oekraïense ingenieurs. De geschrokken bemanning werd naar de kombuis gebracht, waar ze onder schot werd gehouden, afgezien van de twaalf handlangers van Kang, die de besturing van het platform nu overnamen. Zelfs kapitein Hennessey was gevangen genomen. Ook hij werd geboeid door een van Kims mannen en evenals zijn ondergeschikten naar de kombuis gedreven.

Op de brug rapporteerde Tongju via de marifoon naar de *Koguryo* dat het platform zonder verzet was overmeesterd. Hij bekeek een uitgerolde zeekaart en commandeerde een handlanger van Kang, die nu aan het roer stond. 'Verleg de koers naar vijftien graden, dus noordnoordoost. We varen naar een nieuwe lanceerpositie.'

Bij het aanbreken van de dageraad manoeuvreerde de *Koguryo* langszij de *Odyssey* en minderde vaart om naast het platform te blijven op de anderhalve meter hoge golven. Kapitein Lee voer tot op zeven meter naast de *Odyssey,* en de *Koguryo* voer recht naast de stuurboordzijde van het platform. Bij het stuurwiel van de *Odyssey* controleerde de nerveuze roerganger of de autopilot goed ingeschakeld was toen het voormalige kabelschip zo dicht langszij kwam.

Op het dek boven de hangar keek Tongju naar de bewegingen van een grote hijskraan die zijn arm naar stuurboord zwenkte. Een zwaar hijsblok met een haak zwaaide wild heen en weer tot het werd neergelaten op het achterdek van de *Koguryo*. Via de marifoon werd een commando gegeven en de kraan begon een zware metalen container, zo groot als een zitbank, op te hijsen voor transport naar het platform. In de container zaten de speciale houders met de gevriesdroogde chimera-bioculturen, gereed om in de sproei-installatie van de neuskegel aangebracht te worden.

Terwijl het dodelijke virus aan boord van het platform werd gebracht, voer de snelle sloep van de *Koguryo* enkele keren heen en weer om de lanceer- en satellietspecialisten over te zetten. De mannen gingen meteen naar de hangar om het gedeelte met de satelliet in de neuskegel van de Zenit te demonteren. Een aantal bewakers werd ook overgevaren naar het platform om de commando's van Tongju af te lossen.

Tongju zelf ging naar de brug en tuurde door de ramen naar de golven, bijna zeventig meter lager. Het platform deinde maar weinig, omdat de grote pontons zich onder de waterlijn bevonden. Tongju zag dat de *Koguryo* zich langzaam van de *Odyssey* verwijderde, omdat er niets meer overgebracht moest worden.

'Snelheid opvoeren tot maximaal,' zei hij tegen de roerganger.

De nerveuze Filippino verschoof de bedieningshandels van de motoren en zag hoe de naald van de digitale snelheidsmeter langzaam omhoogkroop.

'Twaalf knopen, meneer. Maximale kruissnelheid,' zei de zeeman, schichtig heen en weer kijkend.

Tongju knikte tevreden en pakte toen een marifoonhoorn om kapitein Lee op de *Koguryo* op te roepen.

'We zijn op schema. Rapporteer aan Inchon dat we het lanceerplatform in handen hebben en dat over ongeveer dertig uur het aftellen voor de lancering begint. Uit.'

De roerganger keek strak voor zich uit, om de starende blik van Tongju te vermijden. Maar de angstige gedachten die hij had over Tongju's bedoelingen waren onbeduidend, vergeleken bij wat de leider van het commandoteam werkelijk van plan was.

46

Het kostte de rakettechnici iets minder dan vierentwintig uur om de neuskegel te veranderen in een wapen met een massale vernietigingskracht. Als chirurgen die een transplantatie uitvoeren, verwijderde het team een aantal panelen van de buitenkant en ze werkten verder in het inwendige van de namaaksatelliet. Onderdelen die leken op satelliettransponders werden gedemonteerd en vervangen door kleine elektrische pompen voor het sproeisysteem. Kabels en slangen werden verbonden met de zogenaamde zonnepanelen, die uitgevouwen zouden worden tijdens de vlucht om het tot leven gewekte virus als een fijne mist boven Californië te verspreiden.

De technici waren gekleed in beschermende pakken en ze deden een laatste test met het sproeisysteem, om zeker te zijn dat alles goed werkte tijdens de korte vlucht van de raket. Het laatste stadium van de hele operatie was bereikt: het aanbrengen van de voorraad chimeravirus in de neuskegel. De hulzen met het gevriesdroogde virus werden nauwkeurig in de satelliet gemonteerd en verbonden met watertanks. Als dat systeem werd geactiveerd, ontstond een mengsel van de poederige stof met gezuiverd water, dat vervolgens door de sproeiers in de dampkring werd verspreid.

Zodra de dodelijke cocktail aan boord was, werd de beplating weer op de neuskegel aangebracht. Kleine springladingen werden aan de binnenkant aangebracht, zodat op het juiste moment tijdens de vlucht de panelen werden weggeblazen. Toen ook het laatste deel van de beplating weer op de neuskegel was vastgezet, feliciteerden de afgematte technici elkaar met het resultaat, om daarna wankelend van vermoeidheid naar de bemanningsverblijven te gaan. Ze konden nog enkele kostbare uren slapen voordat het aftellen zou beginnen.

Zonder openlijk alarm te slaan met een kleur van het codesysteem voor verhoogde paraatheid, gaf het ministerie voor Binnenlandse Veiligheid in stilte opdracht de waakzaamheid in havens en op vliegvelden te vergroten. Schepen en vliegtuigen afkomstig uit Aziatische landen werden systematisch of volgens steekproeven doorzocht, en er werd speciaal gelet op de aanwezigheid van biologische en chemische stoffen aan boord. Op aandringen van vice-president Sandecker enterde de kustwacht met bewapende inspecteurs alle Japanse en Koreaanse schepen die op weg waren naar een Amerikaanse haven. Alle beschikbare kustwachtschepen werden langs de westkust gestationeerd, vooral in de buurt van de steden Seattle, San Francisco en Los Angeles.

In San Francisco coördineerde Rudi Gunn de samenwerking tussen NUMA en de lokale commandant van de kustwacht. Zodra het researchschip *Blue Gill* uit Monterey arriveerde, gaf Gunn opdracht piketwacht te varen op tien mijl afstand van de Golden Gate-brug. Daarna reisde hij snel naar Seattle, waar hij leiding gaf aan de NUMA-hulp bij het controleren van de schepen, en hij kreeg de steun van de Canadese kustwacht in Vancouver om ook schepen op weg naar British Columbia te inspecteren.

Dirk en Summer vlogen naar San Diego, waar het als altijd heerlijk zomers weer was. Een korte taxirit bracht hen van de internationale luchthaven Lindbergh Field naar Shelter Island, en binnen enkele minuten hadden ze de *Deep Endeavor* gevonden. Het schip lag afgemeerd aan een grote loskade. Dirk zag een feloranje minionderzeeboot met een eigenaardige vorm op het achterdek.

'Wel wel, als dat de Prisoners of Zenda niet zijn!' riep Jack Dahlgren vanaf de brug, toen hij het tweetal aan boord zag stappen. Dirks goede vriend kwam hen meteen tegemoet voor een begroeting bovenaan de loopplank.

'Ik hoorde dat jullie een toeristisch uitstapje hebben gemaakt naar Korea,' lachte Dahlgren terwijl hij Dirk de hand schudde en Summer omhelsde.

'Ja, maar de leuke attracties hebben we toch niet kunnen vinden,' grinnikte Summer.

'Wacht even, die excursie naar de gedemilitariseerde zone was best spannend,' zei Dirk met gespeelde ernst. Hij wendde zich tot Dahlgren en vroeg: 'Zijn jullie klaar voor een beetje patrouillewerk?'

'Jawel. Een uur geleden is een team van de kustwacht bij ons aan boord gekomen, dus we kunnen elk moment vertrekken.'

'Mooi, laten we dat meteen doen.'

Dahlgren ging met Dirk en Summer naar de brug, waar ze werden begroet door Leo Delgado en kapitein Burch. Daarna werden ze voorgesteld aan Aimes, commandant in uniform van de kustwacht.

'Wat is de onderscheppingsprocedure, luitenant?' vroeg Dirk, die de onderscheidingstekens op het uniform had gezien.

'Zeg maar Bill,' zei Aimes. Hij was een serieuze man, met kort, krullend blond haar, en al was het meteen duidelijk dat hij zijn taak ernstig opvatte, hij had ook een hekel aan overbodige formaliteiten. 'We assisteren de schepen van de regionale kustwacht, vooral als er veel vrachtverkeer is. En we kunnen ook aparte opsporingstaken toegewezen krijgen. We hebben de bevoegdheid elk inkomend commercieel vaartuig tot twaalf mijl uit de kust te enteren. Als formeel verantwoordelijke zal ik het enteren en doorzoeken van schepen met mijn team doen, daarbij geholpen door bemanningsleden van dit schip. Zij krijgen daarvoor een korte training.'

'Hoe groot is de kans dat we inderdaad wapens of bommen vinden die ergens aan boord van een groot containerschip verstopt zijn?' vroeg Summer.

'Die kans is groter dan je denkt,' antwoordde Aimes. 'We werken zoals bekend nauw samen met de douane, onder toezicht van het ministerie van Binnenlandse Veiligheid. Onze douaneambtenaren zijn overal ter wereld in vreemde havens gestationeerd, en zij kunnen containers inspecteren en verzegelen voordat die ingeladen worden. En na aankomst in een Amerikaanse haven wordt gecontroleerd of de verzegeling niet verbroken is of dat ermee gerommeld werd, voordat de goederen worden vrijgegeven. De kustwacht heeft het voordeel dat de schepen gecontroleerd kunnen worden nog voordat ze in de haven zijn.'

'Maar er zijn toch veel andere plaatsen aan boord waar een bom verstopt kan worden?' merkte Dahlgren op.

'Dat is inderdaad een lastig probleem, maar daarvoor hebben we speurhonden,' antwoordde Aimes, en hij knikte naar de andere kant van de brug. Dirk zag nu pas dat een paar labradors, vastgelegd aan een riem, op het dek lagen te slapen. Summer liep al naar de dieren en begon ze speels te krabben.

'Die honden zijn getraind op de geur van allerlei chemicaliën die gebruikt worden om explosieven te maken. En een groot voordeel is dat ze snel een heel schip kunnen doorzoeken. Als een biologische bom aan boord van een containerschip is gesmokkeld, dan is er een grote kans dat die labradors iets van de springstoffen zullen ruiken.'

'En dat is precies wat wij willen,' zei Dirk. 'Dus wij gaan bij San Diego patrouilleren?'

'Nee,' zei Aimes en hij schudde zijn hoofd. 'Er is maar heel weinig vrachtverkeer bij San Diego, en de boten van de kustwacht kunnen dat zelf wel aan. Wij gaan surveilleren ten zuidwesten van de haven van Los Angeles, als ondersteuning van de kustwacht uit Long Beach. Zodra we in dat zeegebied zijn, kunnen we de posities en inspecties coördineren via de *Icarus*.'

'*Icarus*?' herhaalde Dahlgren vragend.

'Dat is ons alziend oog aan de hemel voor dit project,' zei Dirk met een veelbetekenende glimlach.

De *Deep Endeavor* koerste naar open zee, langs Coronado Island en een tegemoetkomend vliegdekschip dat op weg was naar de haven. Dirk en Summer liepen naar het achterdek en keken aandachtig naar het merkwaardige kleine onderwatertoestel dat deed denken aan een uitvergroot insect. Het apparaat was kogelvormig en op allerlei plekken waren op uitsteeksels kleine propellers voor de besturing gemonteerd, alsof er tafelventilatoren op de romp waren geplakt. En aan de voorkant bevond zich een drie meter lang boormechanisme, naar voren stekend als de hoorn van een eenhoorn. Het hele toestel was oranjerood geschilderd en deed denken aan een monsterlijk groot insect uit een horrorfilm uit de jaren vijftig.

'Wat is dat voor vehikel?' vroeg Summer aan Dahlgren.

'Heeft je vader nooit iets verteld over de *Badger*? Het is een prototype, en hij is de bedenker. Daarom zijn we hier in San Diego. Onze ingenieurs hebben samen met het Scripps Institute gewerkt aan de ontwikkeling van dit apparaat. Het is gemaakt om op de zeebodem monsters te verzamelen van sedimenten en organismen in de omgeving van vulkanische openingen, en die zijn vaak te vinden op drieduizend meter diepte.'

'Waarvoor dienen al die schroeven?' vroeg Dirk.

'Om vlug op de bodem te komen. In plaats van te wachten tot het toestel door de zwaartekracht naar beneden zakt, heeft het een waterstofcel aan boord, zodat het actief naar beneden duikt. Zo is het mogelijk af te dalen, een monster te nemen, en dan snel aan de oppervlakte te komen zonder dat je de hele dag moet duimen draaien. En daardoor kunnen geologen meer monsters verzamelen in korte tijd.'

'En de heren van Scripps vertrouwen je als bestuurder van dat apparaat?' vroeg Summer lachend.

'Ze hebben me niet gevraagd hoeveel boetes ik voor te hard rijden heb gekregen, en ik voelde me niet geroepen dat zelf te zeggen,' antwoordde Dahlgren met gespeelde onnozelheid.

'Ze beseffen dus niet dat ze hun nieuwe Harley-Davidson aan een testpiloot hebben uitgeleend?' grijnsde Dirk.

De *Deep Endeavor* stoomde drie uur langs de Californische kust en wendde de steven kort voor het donker werd naar zee. Dirk stond op de brug en bekeek de voortgang van het schip op een gekleurde zeekaart die op een monitor geprojecteerd werd. Naarmate de kustlijn achter hen verdween, zag hij dat het eiland San Clemente langzaam voorbijschoof, ten westen van de koers. Hij keek nog even aandachtig naar de kaart en wendde zich toen naar Aimes, die naar het radarscherm keek.

'Ik dacht dat we niet verder dan twaalf mijl uit de kust zouden patrouilleren? Maar nu zijn we al voorbij San Clemente, en dat ligt meer dan vijftig mijl uit de kust.'

'Normaal gesproken houden we ons aan de twaalfmijlszone, gerekend vanaf het vasteland. Maar die Channel Islands zijn in feite een deel van Californië, dus kunnen we ze juridisch gezien als uitgangspunt nemen. Voor deze speciale missie hebben we formeel toestemming gekregen dat ook te doen. We hebben een startpositie bepaald op tien mijl ten westen van Santa Catalina, en van daaruit gaan we patrouilleren.'

Twee uur later voeren ze voorbij het grote eiland, en de motoren draaiden langzamer toen ze bij het startpunt kwamen. Met een trage gang begon de *Deep Endeavor* te patrouilleren in een wijde boog van noord naar zuid, en daarbij werd de radar gebruikt als haar ogen. Plezierjachten en vissersboten waren de enige stipjes op het scherm, plus een kotter van de kustwacht die meer naar het noorden patrouilleerde.

'We zijn nu een eind ten zuiden van de scheepvaartroute naar Los Angeles, en we zullen niet veel nachtelijk verkeer aantreffen in dit gebied,' zei Aimes. 'Als de *Icarus* morgen aan het werk gaat, zullen we het druk krijgen, dus ik stel voor dat we de wachten indelen en beurtelings gaan slapen.'

Dirk begreep de hint, en hij liep naar buiten om wat frisse zeelucht in te ademen. De nacht was windstil en klam, en de zee was spiegelglad. Terwijl hij buiten in het donker stond, dacht hij weer aan zijn ontmoeting met Kang en de dreiging die van de zakenman uitging. Nog een week, dan zou de stemming in het Zuid-Koreaanse parlement achter de rug zijn en kon de jacht op Kang geopend worden. Meer hadden ze niet nodig: alleen een week zonder incidenten. Dirk staarde over de zee, en een kille windvlaag streek even langs zijn gezicht. Alles leek vredig en kalm.

47

Omstreeks negen uur in de avond had de *Odyssey* zo'n driehonderd mijl afgelegd en naderde de lanceerpositie die in Inchon berekend was. Tongju probeerde wat slaap in te halen, in de hut van kapitein Hennessey, maar hij werd ruw gewekt door heftig gebons op de deur. Een gewapende commando kwam de hut binnen en maakte een buiging, terwijl Tongju al rechtop zat en zijn laarzen aantrok.

'Excuseer dat ik stoor,' zei de commando verontschuldigend. 'Maar kapitein Lee vraagt of u meteen naar de *Koguryo* terug wilt gaan. Er is een meningsverschil met de Russische lanceeringenieurs.'

Terwijl hij naar het stuurhuis liep, knikte Tongju en schudde de slaperigheid van zich af. Daar zag hij dat het platform nog steeds met een snelheid van twaalf knopen naar het noordoosten voer. Via een portofoon riep hij de sloep van de *Koguryo* op, daalde de lange, metalen ladder langs de pijler af en sprong in de kleine boot die al gereedlag. Na een korte vaartocht was hij bij het grote schip, waar kapitein Lee hem al opwachtte.

'Kom mee naar het controlecentrum voor de lancering. Het zijn die vervloekte Oekraïners weer,' mopperde Lee. 'Ze kunnen het niet eens worden over de beste positie voor de lancering. Ik denk dat ze elkaar nog vermoorden.'

De twee mannen daalden een trap af en liepen door een gang naar het grote controlecentrum. Zodra Lee de deur opende, hoorden ze luid schelden en tieren. Midden in de ruimte stond een groepje technici in een kring om de twee Oekraïense raketspecialisten, die tegenover elkaar stonden en heftig gebaarden. De kring week uiteen toen Tongju en Lee dichterbij kwamen, maar de Oekraïners ruzieden door. Tongju bekeek het tafereel woedend en greep een kantoorstoel. Hij hief de stoel op boven zijn hoofd en smeet hem naar de twee scheldende ingenieurs. Het meubel sloeg krakend tegen hun hoofden en tuimelde op de grond. De verblufte Oekraïners waren opeens stil, en zich herstellend van de klap keken ze naar het tweetal.

'Wat is hier aan de hand?' brieste Tongju.

Een van de Oekraïners, een man met een sikje en slordig bruin haar, schraapte zijn keel voor hij sprak.

'Het weer. De rug van hogedruk die over de oostelijke oceaan trekt, met name voor de kust van Noord-Amerika, ligt nu stil vanwege een naderende depressie uit het zuiden.'

'En wat betekent dat?'

'De oostelijke wind die normaliter op grote hoogte staat, is nu omgekeerd, dus krijgen we juist harde tegenwind. En dat heeft grote gevolgen voor de berekende raketvlucht.' Hij zocht in een stapel paperassen en haalde een vel ruitjespapier tevoorschijn, met daarop met potlood geschreven berekeningen voor de geplande vlucht.

'Ons plan voor de missie was de Zenit-raket voor de helft met brandstof te laden, en dan zou de boogvlucht 350 kilometer lang zijn, tot ongeveer vijftig kilometer boven het doelgebied waar de lading geactiveerd wordt. Dus was onze geplande lanceerpositie op 300 kilometer ten westen van Los Angeles, onder normale weersomstandigheden. Maar door de weersverandering zijn er nu twee scenario's: we moeten wachten tot het lagedrukgebied voorbij is, of we moeten het lanceerplatform dichter bij het doelgebied brengen.'

'Er is nog een derde optie,' bromde de andere Oekraïner kwaad. 'We kunnen ook meer brandstof in de Zenit tanken om het doel vanaf de oorspronkelijke lanceerpositie te bereiken.' Terwijl hij dit zei, schudde zijn tegenstander zwijgend zijn hoofd.

'Wat is het risico?' vroeg Tongju aan de twijfelaar.

'Sergei heeft wel gelijk dat we meer brandstof kunnen laden om het doel vanaf de oorspronkelijke lanceerplek te bereiken, maar ik heb grote twijfels over de accuratesse die we dan hebben. We kennen de windcondities niet voor het hele traject. En omdat het weer nu al van slag is, kunnen de windrichting en de windkracht daar heel anders zijn dan we hier meten. De raket kan dan een eind afwijken naar het noorden of het zuiden. Of we schieten tientallen kilometers voorbij het doelgebied, maar het is evengoed mogelijk dat de raket al veel eerder naar beneden komt. Er zijn gewoon te veel onzekere factoren in het vluchtplan.'

'Het is maar een klein risico, en niet gebaseerd op feiten,' wierp Sergei tegen.

'Hoelang duurt het voordat het normale weerpatroon weer terug is in dit gebied?' vroeg Tongju.

'Het lagedrukfront begint al zwakker te worden. We verwachten dat het over anderhalve dag verdwijnt en dat over 72 uur een hogedrukgebied overheerst.'

Tongju dacht even na en nam toen zonder nog te overleggen een besluit.

'Wij moeten ons aan het tijdschema houden. We kunnen niet afwachten of het weer verandert, en we kunnen ook niet het risico nemen dat de raket afdwaalt. Daarom zullen we het platform dichter bij het doel brengen en zo snel mogelijk met het aftellen voor de lancering beginnen. Hoever moeten we varen om de atmosferische onzekerheden te minimaliseren?'

'Om de invloed van tegenwind zo klein mogelijk te maken moeten we de vlucht korter maken. En rekening houdend met de laatste windmetingen moet de lancering hier plaatsvinden.' De Oekraïner met het sikje wees op de kaart van het Noord-Amerikaanse kustgebied. 'Honderdvijf kilometer uit de kust.'

Tongju keek lange tijd zwijgens naar de aangewezen plek en hij schatte hoeveel tijd het zou kosten om daar te komen. De nieuwe positie was gevaarlijk dicht bij de kustlijn en er waren ook enkele eilanden in de buurt. Maar het was mogelijk die plek te bereiken en de lancering binnen Kangs tijdschema uit te voeren. Iedereen keek naar Tongju, wachtend op zijn beslissing. Uiteindelijk keerde hij zich naar Lee en knikte. 'Verander onmiddellijk van koers. We brengen beide vaartuigen naar de nieuwe positie voor het licht wordt, en het aftellen voor de lancering begint bij zonsopgang.'

48

‘Je neemt me zeker in de maling. Een luchtballon?’

Giordino krabde aan zijn kin en keek hoofdschuddend naar Pitt. ‘Heb je mij helemaal hierheen laten komen voor een tochtje met een ballon?’

‘Zo’n toestel noemen we liever een luchtschip,’ verbeterde Pitt zijn vriend met gespeelde verontwaardiging.

‘Voor mijn part noem je het een luchtsigaar.’

Giordino vroeg zich al af wat Pitt in zijn schild voerde toen het tweetal na een nachtvlucht uit Washington op de luchthaven van Los Angeles arriveerde. In plaats van naar het zuiden te rijden, naar de haven en het regionaal commandocentrum van de kustwacht, reed Pitt de huurauto naar het noorden. Giordino viel prompt in slaap toen de baas van NUMA het stedelijke gebied achter hen liet. Toen hij een tijdje later wakker werd, reden ze langs velden vol frambozen, en hij wreef zijn ogen uit toen de auto het terrein van de kleine Oxnard Airport opreed. Pitt parkeerde de auto dicht bij een zeppelin, die afgemeerd was aan een verticale mast, gemonteerd op een truck.

Giordino keek naar de zeppelin en zei schamper: ‘Ik dacht dat de Super Bowl pas over een paar maanden gehouden wordt.’

Het zeventig meter lange Airship Management Services Sentinel 1000 was veel groter dan de kleine zeppelins die voor reclamedoeleinden boven voetbalstadions en golftoernooien zweven. Deze Sentinel 1000 was een groter model dan de populaire Skyship 600 van dezelfde bouwer, en ontworpen om bijna drie ton nuttige lading te vervoeren in het met tienduizend kubieke meter gas gevulde omhulsel.

Anders dan de zeppelins met een metalen frame, zoals die gebouwd werden in de jaren twintig en dertig, was de Sentinel 1000 niet gevuld met het licht ontvlambare waterstofgas, maar met het veilige helium, en het luchtschip had ook geen star frame.

'Dat lijkt wel het kleine neefje van de *Hindenburg*,' kreunde Giordino, meewarig naar het zilverkleurige toestel kijkend.

'Nou, je kijkt anders wel naar het modernste ontwerp op het gebied van patrouilleren en surveillance,' zei Pitt. 'Dat luchtschip is uitgerust met een optisch systeem dat met LASH wordt aangeduid. NUMA test die apparatuur voor mogelijk gebruik bij koraalriffen en bestudering van het getij. En het systeem is al met succes gebruikt voor het waarnemen van migrerende walvissen.'

'Wat is een LASH-systeem?'

'Dat is een afkorting van Littoral Airborne Sensor-Hyperspectral. Het is een optisch systeem met grafische beelden, waarbij lichtbreking wordt gebruikt om objecten te herkennen en te volgen, ook al kunnen ze niet met het blote oog gezien worden. De binnenlandse veiligheidsdienst overweegt het systeem te gebruiken voor de grensbewaking, en de marine wil het inzetten voor de bestrijding van onderzeeboten.'

'Als we een testvlucht over Malibu Beach maken, dan wil ik wel mee.'

Toen Pitt en Giordino naar het luchtschip liepen, klom er een mecanicien met een NUMA-badge uit de gondel.

'Meneer Pitt? We hebben de marifoon geïnstalleerd die de kustwacht stuurde, zodat u een beveiligde radioverbinding hebt met de schepen. De *Icarus* is gebalanceerd op een landingsevenwicht van 100 kilo positief als er nog 5 procent brandstofvoorraad in de tanks is, dus maak die tanks niet helemaal leeg. Dit luchtschip is ook voorzien van een waterballastsysteem en een experimentele methode om brandstof snel te lozen, indien u in een noodgeval snel moet stijgen.'

'Hoelang kunnen we in de lucht blijven?' vroeg Giordino, kijkend naar een paar propellers die aan weerszijden uit de achterkant van de gondel staken.

'Acht tot tien uur, als jullie rustig vliegen. Veel plezier, want het vliegt heerlijk,' zei de mecanicien met een lichte buiging.

Pitt en Giordino klommen via de gondeldeur naar binnen en kwamen in een gerieflijke salon, die plaats bood aan acht passagiers. Ze werkten zich door een kleine opening in de cockpit. Pitt ging achter het stuur zitten en Giordino liet zich zakken op de stoel van de copiloot. Het gedempte ronken van twee Porsche 930 luchtgekoelde turbomotoren weerklonk aan de achterkant van de gondel. De motoren draaiden stationair terwijl Pitt aan de verkeerstoren toestemming vroeg om te vertrekken. Hij wendde zich tot Giordino.

'Klaar voor de start, Wilbur?'

'Ik ben klaar, als jij dat ook bent, Orville.'

Vertrekken met dit luchtschip was niet een simpele handeling van de piloot, maar een manoeuvre waar een grote groep grondpersoneel een duidelijke taak bij had. Buiten de gondel namen de teamleden, allen gekleed in felrode shirts, hun posities in rond het luchtschip. Twee touwen aan de neus werden strakgetrokken door drie mannen aan weerszijden van het toestel, en vier anderen grepen de reling rond de gondel vast. Recht voor het grote cockpitraam, dat bijna tot zijn voeten reikte, zag Pitt de leider van het team onderaan de mobiele mast. Op een teken van Pitt gaf de teamleider een wenk aan een man die onderaan bij de mast stond dat het luchtschip losgemaakt kon worden. Tegelijk trokken de mannen bij de gondel het gewichtloze luchtschip enkele meters naar voren, weg van de mast, zodat het niet gehinderd door obstakels veilig kon opstijgen.

Pitt stak zijn duim op naar de teamleider en hij boog zich naar voren om de twee gashendels op het bedieningspaneel te verschuiven. Het grondpersoneel liet de gondel los en de mannen weken meteen achteruit. Pitt trok de stuurknuppel recht voor hem voorzichtig naar achteren. Daardoor veranderde de stand van de twee propellers in de beweegbare kokers. Zodra Pitt aan de stuurknuppel trok, kreeg het luchtschip meer lift door de malende propellers. Het luchtschip begon onmiddellijk te stijgen en het bewoog tevens langzaam vooruit. Het grote gevaarte verhief zich boven de grond en de neus wees schuin naar boven. Giordino wuifde uit een geopend zijraam naar het grondpersoneel, dat snel kleiner werd naarmate het toestel hoogte won.

Giordino had gevraagd laag over Malibu te vliegen, maar Pitt stuurde het luchtschip nadat ze het vliegveld Oxnard hadden verlaten meteen naar zee. Hij liet de zeppelin op een hoogte van 2500 voet horizontaal verder vliegen. De oceaan was diepblauw onder hen en de twee piloten konden de noordelijke eilanden Santa Cruz, Santa Rosa en San Miguel gemakkelijk herkennen onder de heldere hemel. Terwijl ze naar het oosten zweefden, zag Pitt dauwdruppels van de huid vallen, omdat het toestel opwarmde in de ochtendzon. Hij keek naar de heliumdrukmeter en zag de wijzer iets oplopen, omdat het gas uitzet op grotere hoogte en als het warmer wordt. Een automatisch ventielsysteem zou het teveel aan gas laten ontsnappen als de druk te hoog werd, maar Pitt liet het niet zover komen, zodat er niet onnodig helium werd geloosd.

De bediening van de Sentinel 1000 voelde zwaar aan in zijn handen, en hij bedacht dat dit meer leek op het besturen van een groot wedstrijdjacht dan van een gewoon vliegtuig.

De grote roeren en trimvlakken verstellen vereiste enige spierkracht, en dan leek er eerst niets te gebeuren, tot de neus opeens begon te bewegen. De koers steeds corrigerend, keek hij naar de lijnen die los van de neus hingen en heen en weer zwaaiden. Onder hen kwam een schip in zicht en Pitt zag dat het een charterschip voor zeehengelaars was. De pleziervissers wuifden enthousiast naar het voorbijronkende luchtschip, dat zoals altijd een gevoelige snaar raakte bij de toeschouwers. Het had te maken met nostalgie en de romantiek van de luchtvaart, bedacht Pitt, toen vliegen nog iets nieuws was. Met zijn handen aan de stuurknuppel voelde hij die nostalgie ook. Terwijl ze met een kalme gang boven zee vlogen, dacht hij aan de jaren dertig, toen mammoetluchtschepen als de *Graf Zeppelin* en de *Hindenburg* het luchtruim deelden met de *Akron* en de *Macon*, de grote luchtschepen van de Amerikaanse marine. Evenals de luxueuze oceaanstomers uit die jaren boden de zeppelins een waardige majesteitelijkheid die in het moderne reizen niet meer bestond.

Toen ze dertig mijl uit de kust waren, stuurde Pitt het luchtschip naar het zuiden en beschreef een wijde boog ter hoogte van Los Angeles. Giordino schakelde het optische LASH-systeem in, verbonden met een laptop, zodat hij naderende schepen op 35 mijl afstand al kon opmerken. De vrachtvaarders en containerschepen die naar de havens van Los Angeles en Long Beach stoomden, kwamen uit exotische thuishavens als Mumbai en Jakarta, maar de meeste schepen waren toch afkomstig uit China, Japan en Taiwan. Meer dan drieduizend schepen komen jaarlijks in deze havens aan, zodat een aanhoudende stroom op weg is naar de kust, als mieren naar een picknick. Giordino keek naar de laptop en zei tegen Pitt dat twee schepen in de verte op vrachtvaarders leken. Pitt tuurde naar de horizon en zag het voorste schip opdoemen.

'Laten we maar eens een kijkje nemen,' zei Pitt, en hij richtte de neus van het luchtschip op het naderende schip. Hij haalde een schakelaar over op de pas geïnstalleerde marifoon van de kustwacht en sprak in de microfoon.

'Kustwachtkotter *Halibut*, hier luchtschip *Icarus*. We zijn op locatie en gereed om twee naderende schepen te inspecteren, ongeveer vijfenveertig mijl oost van Long Beach. Over.'

'Begrepen, *Icarus*,' klonk een zware stem. 'Fijn dat jullie vanuit de lucht meekijken. We hebben drie schepen ingezet en die zijn al bezig met inspecties. We wachten op jullie rapport over die schepen, als ze dichterbij zijn. Uit.'

'Ogen in de lucht,' bromde Giordino. 'Ik denk meer aan mijn maag,' zei hij, zich plotseling afvragend of er wel lunchpakketten aan boord waren.

De hele nacht koerste de *Odyssey* naar het westen, steeds dichter naar de Californische kust, waar het vaartuig enkele dagen eerder vandaan vertrokken was. Nadat hij het meningsverschil over de lancering had beslist, keerde Tongu terug naar het platform en sliep een paar uur in de kapiteinshut, om een uur voor de dageraad weer op te staan. In het eerste daglicht keek hij vanaf de brug hoe het platform het kielzog van de *Koguryo* volgde, en in de verte zag hij een tamelijk groot eiland aan stuurboord. Dat was het rotsachtige San Nicolas Island, dor en winderig, en het meest ver in zee liggende eiland van de Channel-archipel. San Nicolas werd door de marine gebruikt als oefenlocatie voor amfibische operaties. Ze voeren nog een uur lang naar het westen, tot de radio kraakte en de stem van kapitein Lee klonk.

'We naderen de locatie die de Oekraïense ingenieurs hebben gekozen. Gereedmaken om de motoren te stoppen, en wij nemen een positie ten zuidoosten van jullie in. We zijn klaar om met aftellen te beginnen als we het sein krijgen.'

'Akkoord,' zei Tongju. 'We draaien in positie en dan wordt het platform geballast.'

Tongju keerde zich om en knikte naar een van Kangs bemanningsleden die de *Odyssey* bestuurde. Zelfverzekerd duwde de roerganger de gashendels terug en activeerde de aandrijving om het platform in positie te brengen. Met de gegevens van de GPS werden computergestuurde straalbuizen bediend, zodat de *Odyssey* exact op dezelfde positie bleef.

'Positiecontrole is actief,' meldde de roerganger kortaf, alsof hij een militair commando gaf. 'Beginnen met vullen ballasttanks.' Hij drukte enkele knoppen in op het verlichte bedieningspaneel.

Zeventig meter onder de brug werd een aantal kleppen in de pontons automatisch geopend, en via elektrische pompen stroomde zeewater snel in de holle pontons. Van het volpompen was op het platformdek niets te merken, omdat het door de computercontrole heel geleidelijk gebeurde. Op de brug bekeek Tongju een driedimensionale tekening van de *Odyssey* op een monitor, en de pontons en de pijlers kleurden langzaam lichtblauw om het niveau van het zeewater aan te geven. Alsof ze in een traag dalende lift zaten, zagen de mannen op de brug dat het platform langzaam naar de golven zakte. Zestig minuten verstreken voordat het platform vijftien meter gedaald was, en de onderkant van de twee grote pontons bevond zich nu op een stabiele diepte van drieëntwintig meter onder het zeeoppervlak. Tongju had gemerkt dat het platform niet meer traag deinde. De *Odyssey* was nu een rotsvast platform, vanwaar de miljoenen dollars kostende raket gelanceerd kon worden.

Een zoemer kondigde aan dat de juiste diepte bereikt was, en het stijgende blauw op de monitor raakte een horizontale rode lijn. De roerganger drukte weer op enkele knoppen en deed een stap achteruit.

'Ballasten gereed. Platform stabiel voor lancering,' meldde hij.

'Ontruim de brug,' antwoordde Tongju, en hij knikte naar een Filippijnse zeeman die bij het radarscherm stond. Een bewaker bij de deur werd gewenkt en leidde de zeeman zonder een woord weg van de brug. Tongju stapte in een kleine liftcabine aan de achterzijde van de brug en daalde af naar het hangardek. Een tiental technici zwermde rond de grote horizontale raket en controleerde de rij computerschermen die met kabels aan de romp verbonden waren. Tongju liep naar Ling, een man met dik haar en een ronde bril, die de leiding had over het lanceerteam. Voordat Tongju iets kon zeggen, barstte Ling nerveus los.

'We hebben de laatste tests gedaan, en de resultaten zijn positief. De raket is helemaal in orde, en alle elektromechanische systemen werken prima.'

'Mooi. Het platform is nu in positie en geballast voor de lancering. Kan de raket naar de lanceertoren worden gebracht?'

Ling knikte enthousiast. 'We wachten op het teken om daarmee te beginnen. We zijn klaar voor transport en het oprichten van de raket.'

'Er is geen reden nog te treuzelen. Begin meteen. En waarschuw mij zodra jullie het lanceerplatform kunnen verlaten.'

‘Ja, uiteraard,’ zei Ling, en hij haastte zich om een groepje technici korte instructies te geven. Als verschrikte konijnen stoven de technici naar hun posten. Tongju keek hoe de grote hangardeuren werden geopend, waarachter op het dek rails te zien waren die tot aan de lanceertoren aan de andere kant van het platform liepen. In de hangar begonnen elektromotoren weergalmend te zoemen. Tongju ging achter een controlepaneel staan en keek over Lings schouder, terwijl die zijn handen bewoog boven het paneel. Toen een rij lampjes groen oplichtte, gaf Ling een wenk aan een andere technicus, die de mobiele kraan in werking zette.

De zeventig meter lange raket lag horizontaal en rolde langzaam naar de geopende hangardeuren. Het onderstel was voorzien van heel veel wielen, en het gevaarte bewoog als een trage duizendpoot. Met de grote raketmotoren aan de voorkant kroop de raket naar buiten, de witte verf glanzend in de ochtendzon. Tongju liep naast het grote onderstel mee en hij bewonderde de enorme raket met zijn indrukwekkende doorsnee. Op enkele honderden meters afstand naast het platform lag de *Koguryo,* en op het bovendek stond een rij bemanningsleden en technici om een glimp op te vangen van de grote raket die nu in beweging was.

De mechanische rups stopte op het open dek, toen de onderkant van de lanceertoren was bereikt. Het bovenste deel van de raket was nog niet helemaal uit de hangar, maar in het dak verschoof een paneel, zodat de raket omhoog kon kantelen. Het onderstel werd aan de voorkant vastgekoppeld aan een scharnier op het dek, en met hydraulische pompen werd de andere kant van het onderstel langzaam opgevijzeld. De top van de raket bewoog door de opening in het dak van de hangar, tot de hele raket verticaal naast de lanceertoren stond. De raket werd aan de lanceertoren gezekerd en daarna werden slangen voor de brandstof en koeling aangekoppeld en gecontroleerd. Op de lanceertoren klikten monteurs stekkers vast van computerkabels, zodat de vluchtleiders op de *Koguryo* via monitors de elektronische sensors in de raket konden volgen. Zodra de Zenit recht overeind stond, zakte het onderstel langzaam terug naar het dek, en de raket stond nu alleen naast de lanceertoren. De hydraulische pompen zoemden tot het onderstel weer horizontaal lag en in de hangar rolde, beschermd tegen het geweld van de naderende lancering.

Ling sprak gejaagd in de marifoon naar het controlecentrum op de *Koguryo* voordat hij naar Tongju stapte.

'Enkele kleine afwijkingen, maar verder werken alle systemen uitstekend.'

Tongju keek op naar de torenhoge raket, met in de neuskegel de lading dodelijk virus, gereed om miljoenen onschuldige mensen te besmetten. Dat lijden en sterven betekende niets voor hem, want al tientallen jaren eerder was hij elk gevoel van medeleven kwijtgeraakt. De macht die hij voor zich zag was het enige dat telde: een macht groter dan hij ooit eerder had gekend, en hij genoot van dit moment. Zijn blik dwaalde langzaam langs de raket naar beneden, tot hij Ling weer aankeek. De technicus keek hem vragend aan. Tongju liet Ling nog even in onzekerheid wachten en verbrak toen de stilte met vaste stem.

'Heel goed,' zei hij. 'Begin met aftellen.'

49

De bemanning van de *Deep Endeavor* merkte al spoedig dat het assisteren bij de controles een saaie taak was. Na twee dagen surveilleren was alleen het verzoek gekomen om een klein vrachtschip uit de Filippijnen te enteren, met een lading tropisch hardhout aan boord. Het aantal vrachtschepen uit het zuidwesten op weg naar Los Angeles was gering en kon worden gecontroleerd door de kustwachtkotter *Narwhal*, die in de buurt gestationeerd was. De NUMA-bemanning wilde liever aan het werk dan doelloos rondjes varen, wachtend op actie. De mannen hoopten stilletjes dat er meer schepen in hun gebied zouden opdoemen.

In de kombuis nam Dirk een slok van zijn koffie, terwijl hij met Summer een rapport doorbladerde over de sterfte van het koraal bij het Grote Barrière Rif, toen een matroos verscheen en zei dat ze op de brug werden verwacht.

'We hebben een telefoontje van de *Narwhal*,' zei Delgado. 'Ze zijn bezig met de controle van een containerschip, en ons werd gevraagd de identiteit vast te stellen van een schip dat ten westen van Catalina nadert. Dat schip moeten we misschien enteren.'

'Is de herkomst al met onze uitkijk in de lucht te bepalen?' vroeg Dirk.

'Jouw vader en Al zijn vanochtend met de *Icarus* opgestegen. Ze vliegen nu vanuit het noorden en zullen binnen enkele uren over ons gebied komen.'

Summer tuurde door het raam van de brug naar het noorden en zag de *Narwhal* naast een groot containerschip, dat zwaar geladen was.

Verder naar het westen zag ze een rood stipje aan de horizon. De roerganger van de *Deep Endeavor* verlegde de koers al in die richting.

'Is dat die boot?' vroeg Summer, in de verte wijzend.

'Ja,' antwoordde Delgado. 'De *Narwhal* heeft via de radio bevel gegeven te stoppen, dus we kunnen gemakkelijk langszij komen. Het schip rapporteert dat het de *Maru Santo* is, uit Osaka.'

Een uur later kwam de *Deep Endeavor* langszij de *Maru Santo*, een kleine roestige vrachtvaarder. Het team van Aimes, Summer, Dahlgren, nog drie mannen van NUMA en de speurhonden stapten in een motorsloep en ze voeren naar de met roestvlekken overdekte valreep die langs de zijkant omlaag was gelaten. Summer was al goede maatjes met de speurhonden en ze had een van de retrievers aan de riem. Terwijl Aimes en Dahlgren naar de kapitein van de vrachtvaarder gingen om de scheepspapieren te controleren, begonnen de anderen met het doorzoeken van het schip. Achter de honden aan zochten de mannen overal in het ruim, ze controleerden de verzegeling van de containers en bekeken de losse kratten met een lading sportschoenen en kleding, gemaakt in Taiwan. De stoere Maleisische matrozen keken verveeld of geamuseerd toe, terwijl de speurhonden snuffelend door de bemanningsverblijven liepen.

Dirk stond op de brug van de *Deep Endeavor* en keek naar het Japanse vrachtschip. Een paar opvarenden stonden aan dek en staarden terug naar het NUMA-schip. Dirk wuifde vriendelijk naar de twee mannen in versleten kleren, die rustig een sigaret rookten bij de reling.

'Dit schip is geen bedreiging,' constateerde Dirk, en hij wendde zich naar kapitein Burch.

'Hoe weet jij dat zo zeker?'

'De bemanning is te relaxed. De mannen op dat schip van Kang waren kille kerels, niet het soort gemoedelijke zeelieden zoals op deze schuit. En anders zouden er ook wel een paar van die paranoïde beveiligers rondlopen,' verduidelijkte Dirk, en in gedachten zag hij Tongju en zijn mannen weer voor zich.

'Dat moet je tegen Aimes zeggen, als hij weer terug is. Maar het is toch een goede oefening voor de mannen. En bovendien, ik ben op de brug even verlost van Dahlgren,' lachte de kapitein.

'We moeten die boot wel vinden. En de zee is groot,' bromde Dirk.

Kapitein Burch richtte zijn verrekijker en speurde langs de horizon. Hij zag een paar stipjes in het zuiden en keek daarna naar het noorden. De *Narwhal* begon weg te varen van het grote containerschip. Burch liet de verrekijker zakken, maar opeens werd zijn aandacht door iets getrokken. Hij keek weer door de kijker en stelde die scherp, voordat hij breed glimlachte.

'Ik denk dat de zee wat minder groot is, nu onze geliefde chefs de omgeving vanaf het balkon bekijken.'

Zevenhonderd meter boven de kalme deining van de Grote Oceaan vloog de *Icarus* sierlijk door de lucht, met een snelheid van zestig kilometer per uur. Terwijl Pitt senior het toestel bestuurde, draaide Giordino aan enkele knoppen onder een kleurenmonitor. Een Wescam-televisiecamera was aan de zijkant van de gondel gemonteerd, als aanvulling op het LASH-systeem, en daarmee kon ingezoomd worden op objecten die honderden meters verwijderd waren van de cameralens. Pitt keek van opzij naar de monitor, waarop op dat moment het achterdek van een bootje was te zien, met twee languit zonnebadende vrouwen in bikini.

'Ik hoop maar dat je vriendin niet weet dat jij zo'n voyeur bent,' lachte Pitt.

'Ik test alleen de resolutie,' antwoordde Giordino ernstig, maar hij zoomde ongegeneerd in en uit op de billen van de twee vrouwen.

'Daar geloof ik niets van. Maar laat eens zien wat we in beeld krijgen bij een serieus doel,' zei Pitt, en draaide het luchtschip meer westelijk naar een schip dat enkele mijlen verder in de richting van open zee koerste. Pitt liet de *Icarus* een paar honderd voet dalen en hij gaf wat meer gas, zodat ze het schip sneller konden inhalen. De afstand was nog bijna een kilometer, en Giordino richtte de camera op de achtersteven van de zwarte romp. Hij kon de naam gemakkelijk onderscheiden: '*Jasmine Star*... Madras'. Hij bewoog de lens naar boven, langs de rijen containers, en dan naar de mast met een driftig wapperende Indiase vlag.

'Dit ding werkt geweldig,' zei Al trots.

Pitt keek naar het scherm van de LASH, dat toonde dat de zee vóór de Indiase vrachtboot verlaten was. 'Daar is voorlopig niets in aantocht. Laten we verder naar het zuiden gaan, want daar is zo te zien meer activiteit,' zei hij. Aan de linkerkant van het beeldscherm waren enkele schepen te zien.

Het luchtschip koerste naar het zuiden en passeerde al spoedig boven de *Narwhal* en het containerschip dat gecontroleerd was. Daarna vlogen ze over een gedeelte van Catalina Island. Zodra ze weer boven zee waren, wees Giordino naar een turquoise schip in de verte.

'Kijk, daar is de *Deep Endeavor*. Kennelijk doen ze nu ook echt mee,' zei hij, het stilliggende rode vrachtschip ernaast opmerkend.

Pitt stuurde de zeppelin naar het NUMA-schip en zocht tijdens het naderen contact via de marifoon.

'*Icarus* aan *Deep Endeavor*. Zit daar nog een beetje vis?'

'Nee, nog geen garnaal,' antwoordde Burch. 'En genieten de heren een beetje van de rondvlucht?'

'Heerlijk, alleen kraakt Al zo hard met zijn toast kaviaar dat ik de film aan boord niet goed kan volgen. We zullen kijken of we wat werk voor jullie kunnen vinden.'

'Begrepen. Zeer bedankt.'

Giordino regelde het LASH-systeem bij, zoekend naar een doel.

'Zo te zien hebben we ongeveer 22 mijl naar het noordwesten een naderend schip, en 18 mijl ten westen van ons een paar statische objecten,' zei hij, wijzend naar enkele grijswitte plekjes die afstaken tegen de blauwe achtergrond.

Pitt keek even naar de laptop en wierp een snelle blik op zijn horloge. 'Dat schip in het noordwesten komt later wel. Laten we eerst eens gaan kijken wat daar geparkeerd staat.' Hij stuurde de zeppelin naar het westen, in de richting van twee grote vlekken op het scherm die merkwaardig genoeg op dezelfde plek bleven.

50

De lancering van een raket vanaf het Sea Launch-platform gebeurt gewoonlijk na een 72 uur durende periode van aftellen. Tijdens de drie dagen voorbereidingen worden tientallen tests gedaan, om zeker te zijn dat alle mechanische apparatuur en computersystemen aan boord bestand zijn tegen het geweld van de lancering. Vijftien uur voor de lancering verlaten de ingenieurs en de meeste technici het platform, als het laatste stadium van het aftellen begint. Het commandoschip vaart weg van het platform, naar een veilig gebied op vier mijl afstand.

Vijf uur voor de start gaan de laatste bemanningsleden met een helikopter van boord, en de procedures tijdens het aftellen worden geregeld vanaf het commandoschip. Drie uur voor vertrek begint het automatisch tanken van brandstof in de raket: kerosine en zuivere zuurstof wordt via slangen uit de grote voorraadtanks naar de raket gepompt. Als de tanks vol zijn, is het wachten op de beslissing van de lanceertechnici om de motoren te starten.

Omdat Lings team van lanceertechnici niet over zoveel tijd kon beschikken, werden de procedures en het aftellen beperkt tot het absolute minimum. Niet-noodzakelijke tests werden geschrapt, lanceerbeveiligingen werden uitgeschakeld en de tijd van brandstof tanken werd bekort, in overeenstemming met het ingekorte vluchtplan. De technici berekenden dat ze acht uur na het ballasten en stabiliseren van de *Odyssey* in staat waren de Zenit te lanceren.

Tongju stond op het platform naast de lanceertoren en keek naar de grote digitale klok die aan de daklijst van de hangar was gemonteerd. In rode oplichtende cijfers zag hij 03:32:17, en de tijd liep telkens een seconde terug. Nog drie uur en tweeëndertig minuten voor de start. Alleen een groot technisch probleem kon de lancering nog tegenhouden. Tongju meende dat het een kwestie van voltanken was en dan de motoren ontsteken.

Maar voordat er op de startknop gedrukt kon worden, moest de controle over het lanceerproces naar de *Koguryo* worden overgebracht. Ling en zijn technici maakten een radioverbinding met het geautomatiseerde lanceersysteem, waarna die verbinding door de technici aan boord van de *Koguryo* werd getest. Daarna moest ook de besturing van de *Odyssey* overgedragen worden. Een draadloos besturingsysteem maakte het mogelijk het grote platform op afstand te bedienen, ook als daar niemand meer aan boord was. Als radiografisch bestuurd speelgoed kon het platform, met een druk op de knop aan boord van de *Koguryo*, rijzen en dalen of bewegen. Zodra de besturing van het platform was overgedragen, liep Ling naar Tongju, die aan dek stond.

'Mijn werk hier is klaar. Alle systemen kunnen nu bediend worden vanaf de *Koguryo*. Ik moet met mijn team naar het schip, om daar de procedures voor het aftellen af te werken.'

Tongju keek naar de digitale klok. 'Mijn complimenten. Je bent voor op het schema. Ik zal de sloep van de *Koguryo* laten komen, dan kunnen jullie het platform meteen verlaten.'

'Gaat u niet met ons mee?' vroeg Ling.

'Ik moet eerst de gevangenen controleren, daarna komt mijn commandoteam. Ik wil als laatste van boord gaan vóór de lancering,' zei Tongju. 'Afgezien van de mannen die helemaal niet van boord gaan,' voegde hij er met een sinistere glimlach aan toe.

'Volgens de kaart is hier helemaal geen olieplatform.'

Giordino keek van het grote hoekige object voor hen naar de zeekaart die hij had uitgevouwen op zijn schoot. 'Er staan in het hele gebied nergens platforms op de kaart. Ik kan me niet voorstellen dat Greenpeace blij is als hier stiekem naar olie geboord wordt.'

'En ze worden misschien wel boos als je erbij zegt dat er een raket op dat platform staat,' antwoordde Pitt.

Giordino keek door de voorruit van de zeppelin naar het platform vóór hen. 'Nu je het zegt.'

Pitt stuurde de zeppelin in een wijde boog om het platform en het bevoorradingsschip ernaast, en hij zorgde ervoor ver uit de buurt van de ruimte boven de raket te blijven.

'Sea Launch?' vroeg Giordino.

'Dat moet wel. Maar ik wist niet dat ze ook varen met een raket die rechtop staat.'

'Volgens mij ligt het platform stil,' zei Giordino, die opmerkte dat er geen kielzog achter het bevoorradingsschip was. 'Denk je dat ze die raket hier gaan lanceren?'

'Onmogelijk. Die raketten worden alleen bij de evenaar gelanceerd. Dat platform moet veel zuidelijker zijn, ter hoogte van Vandenberg, als ze echt willen lanceren. Het zal wel een soort test zijn, maar laten we het vragen.'

Pitt drukte op een knop van de marifoon en riep het platform op.

'Luchtschip *Icarus* voor Sea Launch-platform. Over.'

Het bleef stil, en Pitt herhaalde zijn oproep. Na weer een lange pauze klonk een stem met een zwaar accent.

'Hier Sea Launch-platform *Odyssey*. Over.'

'*Odyssey*, waarom liggen jullie stil? Hebben jullie assistentie nodig? Over.'

Weer een lange stilte. 'Nee.'

'Ik herhaal: wat is de reden dat jullie stilliggen? Over.'

Weer een pauze. 'Wie stelt die vragen?'

'Nou, ze zijn bepaald niet toeschietelijk,' zei Giordino tegen Pitt.

Pitt schudde zijn hoofd en sprak weer in de microfoon. 'Dit is luchtschip *Icarus*, van de Kustwacht en de grensbewaking. Geef alstublieft een rapport van uw status. Over.'

'Hier de *Odyssey*. Wij voeren systeemtests uit. Blijf alstublieft uit de buurt. Over en uit.'

'Wat een hork,' zei Giordino. 'Wil je hier in de buurt blijven? We moeten verder naar het noorden als we dat naderende schip willen onderscheppen.' Giordino wees op het radarscherm.

'Ik denk dat we hier weinig kunnen doen. Oké, we gaan verder en tikkertje spelen met de volgende boot. Maar laat de jongens beneden de situatie hier wel controleren,' zei Pitt, en keerde het luchtschip naar het noorden.

Giordino pakte de radio terwijl Pitt een onderscheppingskoers bepaalde naar het naderende vrachtschip. 'De *Deep Endeavor* en de *Narwhal* werken in dit gebied. De *Deep Endeavor* is nog bezig met het doorzoeken van een Japans vrachtschip, maar de *Narwhal* is nu beschikbaar. Maar ze melden dat het platform buiten de twaalfmijlszone is.'

'We vragen niet of ze het platform willen enteren, alleen om een visuele verkenning te doen en de positie te verifiëren bij de leiding van Sea Launch.'

Giordino sprak weer in de microfoon en keek even later naar Pitt. 'De *Narwhal* gaat erheen en een kijkje nemen.'

'Prima,' antwoordde Pitt, die naar het platform keek dat achter hen in de verte verdween. Maar hij had niet het gevoel dat dit prima was. Eerder een knagend gevoel dat hij iets over het hoofd had gezien toen ze langs het platform vlogen.

Kim stond naast Tongju op de brug van de *Odyssey* en beide mannen keken het wegzwevende luchtschip na.

'Ze bleven hier niet lang hangen. Denkt u dat ze argwaan hebben?' vroeg Kim.

'Ik weet het niet,' antwoordde Tongju, en zijn blik dwaalde van het luchtschip naar de klok aan de wand. 'Over twee uur is de lancering. We kunnen nu geen gedoe gebruiken. Keer terug naar de *Koguryo* en assisteer kapitein Lee. Als er pogingen worden gedaan ons te hinderen, dan moet je meteen ingrijpen. Is dat begrepen?'

Kim keek zijn commandant recht aan en knikte. 'Ik begrijp het helemaal.'

51

Dirk en kapitein Burch luisterden aan boord van de *Deep Endeavor* naar de radioberichten van de kustwacht, en ze hoorden hoe Giordino aan de *Narwhal* vroeg een kijkje te nemen bij het platform en het bevoorradingsschip. Even later riep de *Narwhal* het NUMA-schip op.

'*Deep Endeavor*, we zijn klaar met de inspectie van containerschip *Andaman Star* en we varen naar dat offshore platform voor een visuele inspectie. Er is verder geen inkomend verkeer in ons gebied, dus als jullie willen kunnen jullie ook meekomen. Over.'

'Zullen we gaan kijken?' vroeg kapitein Burch aan Dirk.

'Waarom niet? Hier is het erg rustig, dus we kunnen daarheen zodra we klaar zijn.'

Burch keek naar het Japanse vrachtschip en hij zag dat Aimes en zijn mannen zich verzamelden bij de reling, een teken dat ze bijna klaar waren met de inspectie.

'Akkoord, *Narwhal*,' meldde Burch aan het schip van de kustwacht. 'We komen achter jullie aan als we hier klaar zijn, over vijf tot tien minuten. Uit.'

'Ik vraag me af wat de nieuwsgierigheid van mijn pa wekte,' peinsde Dirk hardop, en net als Burch tuurde hij in de verte naar het drijvende platform.

Drie mijl verder ronkten de twee dieselmotoren van de *Narwhal* en het schip scheerde met een topsnelheid van 25 knopen over de golven. De dertig meter lange boot was een van de nieuwere patrouilleschepen van de Barracuda-klasse, bedoeld voor gebruik in de omgeving van kleinere havens. En omdat de taak vooral inspectie en reddingswerk op zee was, had de tienkoppige bemanning een tamelijk lichte bewapening met twee 12,7mm-mitrailleurs op het voordek.

Luitenant Bruce Carr Smith zette zich schrap in de kleine stuurhut toen de witte boot met de oranje bies op een golftop omhoogschoot om het volgende moment met de boeg op het water te klappen, waardoor het buiswater hoog opspatte.

'Luitenant, ik heb radiocontact gehad met het hoofdkwartier. Ze zullen navraag doen bij het kantoor van Sea Launch, zodat we weten wat er op dat platform gebeurt,' rapporteerde de roodharige marconist van de *Narwhal* uit de radiohoek.

Smith knikte alleen en zei tegen de jonge roerganger die de *Narwhal* bestuurde: 'Recht zo die gaat.'

De twee stipjes aan de horizon werden geleidelijk groter, tot de duidelijke vormen van een boorplatform en een bevoorradingsschip zichtbaar werden. Het schip lag niet meer naast het platform en Smith zag dat het wegvoer van het stilliggende platform. Smith keek over zijn schouder en zag dat de *Deep Endeavor* klaar was met de inspectie van het vrachtschip. Het turquoise vaartuig voer weg van het vrachtschip en kwam achter de *Narwhal* aan.

'Kapitein, wilt u dat ik naar het platform vaar, of naar dat schip?' vroeg de roerganger toen ze dichterbij kwamen.

'Eerst maar naar het platform, dan kijken we later wel bij het schip,' besloot Smith.

De kleine patrouilleboot minderde vaart en kwam naast het platform, dat nu veertien meter diepgang had omdat de ballasttanks vol waren.

Smith keek met ontzag naar de indrukwekkende Zenit-raket die naast de lanceertoren op het achterdek stond. Hij tuurde door zijn verrekijker naar het dek, maar zag geen teken van leven. Toen zag hij de aftellende klok met de oplichtende cijfers 01:32:00.

'Wat heeft dat te betekenen?' mompelde Smith toen hij zag dat de klok aftelde. Hij greep de marifoon en riep de *Odyssey* op.

'Sea Launch-platform, hier de *Narwhal* van de kustwacht. Over.'

Na een korte pauze herhaalde hij de oproep. Maar het bleef stil.

'Sea Launch, afdeling voorlichting, wat kan ik voor u doen?' zei een zachte vrouwenstem in de telefoon.

'U spreekt met de kustwacht, elfde district, afdeling Los Angeles.

Wij willen van u horen wat de missie en status is van de Sea Launch-vaartuigen *Odyssey* en *Sea Launch Commander*, alstublieft.'

'Een ogenblikje.' De voorlichter aarzelde even en zocht in de paperassen op haar bureau. 'Hier heb ik het. Het lanceerplatform *Odyssey* is op weg naar de aangewezen lanceerpositie in de westelijke Grote Oceaan, dicht bij de evenaar. De laatst gerapporteerde positie om acht uur vanochtend was 18 graden noorderbreedte en 132 graden westerlengte. Dat is ongeveer 1700 mijl oostzuidoost van Honolulu, Hawaï. Het bevoorradingsschip *Sea Launch Commander* is nu in de haven van Long Beach, voor kleine reparatiewerkzaamheden. Naar verwachting vertrekt het schip morgenochtend naar zee, om zich bij de evenaar bij de *Odyssey* te voegen, voor de lancering van de Koreasat 2, over acht dagen.'

'Dus geen van beide vaartuigen ligt nu voor de kust van Zuid-Californië?'

'Nee, natuurlijk niet. Hoezo?'

'Dank u wel voor de informatie, mevrouw.'

'Graag gedaan,' antwoordde de vrouw voor ze de hoorn neerlegde. Ze vroeg zich verbaasd af waarom de kustwacht meende dat het platform ergens voor de kust van Californië lag.

Smith wilde niet wachten op een antwoord van het hoofdkantoor in Los Angeles en bracht zijn patrouilleboot dichter naast het platform. De gezagvoerder ergerde zich dat er geen antwoord kwam van de *Odyssey*, ondanks zijn herhaalde radio-oproepen. Hij richtte zijn aandacht op het bevoorradingsschip, dat inmiddels een paar honderd meter verwijderd was van het platform. Ook de herhaaldelijke oproepen via de marifoon naar dat schip bleven onbeantwoord.

'Kapitein, ze voert een Japanse vlag,' merkte de roerganger op, toen de *Narwhal* dichterbij kwam.

'Dat is geen excuus om een radio-oproep te negeren. We gaan langszij en dan zal ik ze praaien met ons omroepsysteem,' beval Smith.

Toen de *Narwhal* uit de schaduw van het grote platform kwam, brak er opeens een pandemonium los. Het hoofdkwartier van de kustwacht meldde via de radio dat de *Odyssey* op minstens duizend zeemijl afstand van Californië was en dat het bevoorradingsschip in het dok van Long Beach gerepareerd werd. Aan boord van de *Koguryo* schoven enkele mannen een paneel in de romp opzij en een rij grote cilinders werd zichtbaar, wijzend naar zee. Al kon hij zijn ogen niet geloven,

Smith reageerde instinctief en blafte zijn bevelen nog voor hij goed en wel besefte wat hij commandeerde.

'Vol naar bakboord! Volle kracht! Voorbereiden voor ontwijken!'

Maar het was al te laat. De roerganger was nog juist in staat de *Narwhal* weg te draaien van de *Koguryo*, toen bij het benedendek van het grotere schip opeens een witte rookpluim omhoogkolkte. De rookwolken werden groter en er volgde een felle steekvlam. Dwars door de rook schoot uit zijn lanceerbuis een Chinese CSS-N-4 Sardine-raket tegen gronddoelen, die zich met hoge snelheid van het schip verwijderde. Als gehypnotiseerd keek Smith vanuit de stuurhut toe en hij had het merkwaardige gevoel dat een pijl op zijn voorhoofd werd afgeschoten toen hij de raket over het water zag naderen. De neuskegel van de raket leek te grijnzen, in de fractie van een seconde voordat het projectiel de stuurhut trof.

De Chinese raket had een explosieve lading van 165 kilo, dat voldoende was om een slagschip tot zinken te brengen. De kustwachtboot had geen kans, op deze korte afstand. Het bijna zeven meter lange projectiel knalde in de *Narwhal* en explodeerde in een enorme vuurbal, waardoor het kustwachtschip en haar bemanning uiteengeslagen werden in gloeiende brokstukken die over een groot gebied verspreid in het water vielen. Een kleine zwarte paddestoelwolk vormde het macabere grafteken boven de smeulende wrakstukken die sissend in de golven verdwenen. De geblakerde witte romp, het enige nog herkenbare deel van de *Narwhal*, dobberde nog op de golven, te midden van de brandende brokstukken, die langzaam wegzonken. De smeulende romp bleef nog bijna vijftien minuten boven water, maar toen verdwenen de laatste resten van de *Narwhal* sissend en stomend onder de oppervlakte.

52

'Mijn hemel! Ze hebben een raket afgevuurd op de *Narwhal*!' riep kapitein Burch uit, toen hij het schip van de kustwacht zag verdwijnen in een wolk rook en vuur, drie kilometer voor de *Deep Endeavor*. Delgado probeerde meteen de *Narwhal* via de marifoon te bereiken, en de anderen tuurden door de ramen van de brug. Summer pakte een sterke verrekijker, maar er was weinig te zien van de vernielde *Narwhal*, die schuil ging achter de dikke rooksluier. Ze keek langdurig naar het platform en het bevoorradingsschip.

'Er komt geen antwoord,' zei Delgado zacht, na herhaalde pogingen contact te krijgen met het kustwachtschip.

'Er kunnen nog overlevenden in het water zijn,' stamelde Aimes, verbijsterd door de rampzalige beschieting van de boot en de bemanning die hij zo goed kende.

'Ik kan het risico niet nemen dichterbij te komen,' zei kapitein Burch bezorgd. 'Wij zijn onbewapend, en misschien schieten ze de volgende raket wel af naar ons.' Burch keerde zich om en gaf de roerganger bevel de motoren te stoppen en op deze positie te blijven.

Delgado sprak met Aimes. 'De kapitein heeft gelijk. We moeten hulp vragen, maar we mogen de bemanning niet in gevaar brengen. We weten niet eens met wie we te maken hebben.'

'Het zijn mannen van Kang,' zei Summer, en ze gaf de verrekijker aan haar broer.

'Weet je dat zeker?' vroeg Aimes.

Ze knikte zwijgend en huiverde terwijl Dirk naar de schepen in de verte tuurde.

'Summer heeft gelijk,' zei hij langzaam. 'Dat bevoorradingsschip is hetzelfde schip dat de *Sea Rover* liet zinken. En ik zie weer een Japanse vlag. Ze hebben het schip verbouwd en overgeschilderd, maar ik verwed mijn volgende maandloon erom dat dit hetzelfde schip is.'

'Maar waarom is dat schip in de buurt van het lanceerplatform?' vroeg Aimes met een niet-begrijpend gezicht.

'Er kan maar één reden zijn. Ze bereiden een aanval voor met die Sea Launch-raket.'

Een diepe stilte volgde toen de ernst van de situatie duidelijk werd. Aimes verbrak als eerste de stilte.

'Maar de *Narwhal*... We moeten kijken of er nog iemand leeft.'

'Aimes, jij moet assistentie vragen, nu meteen,' zei Dirk afgemeten. 'Ik ga kijken of er overlevenden zijn.'

Delgado keek fronsend naar Dirk. 'Maar we kunnen de *Deep Endeavor* niet dichterbij brengen. Dat is te riskant,' waarschuwde hij.

'Dat ben ik ook niet van plan,' antwoordde Dirk, en zonder nadere uitleg verdween hij van de brug.

Tongju staarde zwijgend vanaf de brug op de *Odyssey* naar de smeulende wrakstukken van de *Narwhal*. Er was geen andere keus voor de *Koguryo* geweest dan het kustwachtschip aanvallen. Die opdracht had hij aan Kim gegeven. Maar ze waren zo ver uit de kust dat het platform niet opgemerkt hoefde te worden. Nu begreep hij dat er door de ontmoeting met de zeppelin argwaan was ontstaan. In stilte vervloekte hij de Oekraïense ingenieurs die het platform veel dichter naar de kust wilden verplaatsen, zonder eraan te denken dat hij zelf de beslissing had genomen.

Tongju beende gespannen heen en weer op de brug en keek naar de aftelklok: 01:10:00, dus nog een uur en tien minuten voor de lancering. Een stem vanaf de *Koguryo* kraakte uit de radio en onderbrak zijn gedachten.

'Hier Lee. We hebben het vijandelijke schip vernietigd, zoals opgedragen. Er is nog een ander schip, op tweeduizend meter afstand. Wilt u dat we het ook vernietigen?'

'Is het een marineschip?' vroeg Tongju, in de verte turend naar het andere vaartuig.

'Nee. Waarschijnlijk een researchschip.'

'Niet vernietigen. Spaar je munitie, die hebben we later misschien hard nodig.'

‘Zoals u wilt. Ling meldt dat het lanceerteam nu aan boord van de *Koguryo* is. Bent u klaar om het platform te verlaten?’

‘Ja. Stuur de sloep naar het platform, mijn mensen zijn hier bijna klaar voor vertrek. Uit.’

Tongju legde de hoorn van de marifoon neer en wendde zich naar een commando die achter op de brug stond.

‘Breng het personeel van Sea Launch in kleine groepjes naar de hangar en sluit ze op in het magazijn. Daarna moet het commandoteam zich verzamelen voor transport naar de *Koguryo*.’

‘Bent u niet bang dat ze de lancering in die hangar overleven?’

‘Waarschijnlijk stikken ze in de uitlaatgassen van de raket. Het kan met niet schelen of ze leven of niet. Als ze de lancering maar niet belemmeren.’

De commando knikte en verdween. Tongju liep langzaam naar het instrumentenpaneel en bekeek de rijen meters en knoppen. Hij vond de schakelaars waarmee de automatische bediening werd overgeschakeld op handbediening en pakte zijn grote zakmes. Met kracht ramde hij het mes onder het paneel en wrikte het open. Hij greep de dradenbundels onder het paneel en sneed met zijn gekartelde mes de draden door, zodat de schakelaars nutteloos werden. Daarna verzamelde hij de toetsenborden van de navigatie- en controlecomputers en smeet ze door een open raam in zee. Een drietal laptops volgde en verdween met een plons in de golven. Voor de zekerheid trok hij zijn Glockpistool en vuurde op de monitors en flatscreens overal op de brug. Ling had opdracht gekregen de computers in het controlecentrum onklaar te maken, en nu Tongju alle apparatuur op de brug vernield had, was er geen mogelijkheid meer de lancering af te breken. Het was minder dan een uur voor de raket gelanceerd werd, en de controle over de raket en het platform was nu in handen van de mannen op de *Koguryo*. En dat zou zo blijven.

‘Ik ga met je mee,’ zei Summer. ‘Je weet dat ik elke minionderzeeboot kan besturen.’

‘Er zijn maar twee stoelen, en Jack is de enige die ervaring heeft met dat apparaat. Dus het is beter als ik met hem ga,’ antwoordde Dirk, en hij knikte naar Dahlgren, die bezig was het toestel gereed te maken. Dirk greep de hand van zijn zus en keek diep in haar parelgrijze ogen.

‘Neem contact op met pa en vertel wat er gebeurd is. Zeg hem dat we dringend assistentie nodig hebben.’

Hij omhelsde zijn zus even en voegde er zacht aan toe: 'Zorg ervoor dat Burch de *Endeavor* in een veilige positie houdt, zelfs als ons iets overkomt.'

'Wees voorzichtig,' zei Summer, toen Dirk snel in het onderwatertoestel stapte en het luik achter zich vergrendelde. Dirk wurmde zich in de stoel naast Dahlgren en zag dat de minionderzeeboot klaar was om te vertrekken.

'Dertig knopen?' vroeg Dirk sceptisch.

'Volgens de gebruiksaanwijzing wel,' antwoordde Jack Dahlgren. Hij draaide zich om en stak zijn duim op, ten teken dat ze klaar waren. Op het achterdek van de *Deep Endeavor* knikte de kraanmachinist en hees het helderrode onderwatertoestel behendig omhoog, om het even later snel in zee te laten zakken. De twee mannen zagen nog een glimp van Summer, zwaaiend bij de reling, voordat ze onder het groene water verdwenen. De boeg van het NUMA-schip wees naar het platform, zodat het onderwatertoestel afgeschermd was door de romp van de *Deep Endeavor* en ze onopgemerkt aan hun missie konden beginnen. Een duiker haakte de hijskabel los en klopte op de romp, om aan te geven dat ze vrij waren.

'We zullen eens kijken hoe hard ze kan,' zei Dirk, en schakelde de zes straalbuizen in door de gashendels helemaal naar voren te duwen.

De sigaarvormige kleine onderzeeboot schoot naar voren, met jankende elektromotoren en het geluid van gorgelend water. Dirk verstelde de trimvlakken tot ze op een diepte van zeven meter waren en volgde vervolgens de kompaskoers naar het wrak van de *Narwhal*.

Het toestel schommelde en bewoog op en neer, omdat het traag reageerde op de besturing, maar de snelheid was inderdaad hoog. Zelfs zonder op de snelheidsmeter te kijken begreep Dirk dat ze met een vaart door het water schoten.

'Ik zei toch dat dit een snel zeepaardje is?' grinnikte Dahlgren, kijkend naar de verstreken tijd op het instrumentenpaneel. Hij werd meteen weer serieus en voegde eraan toe: 'We zijn over zestig seconden op de positie van de *Narwhal*.'

Dirk nam even later gas terug en liet de motoren in vrijloop draaien, terwijl de snelheid van de *Badger* afnam. Ze dreven langzaam naar de oppervlakte en Dahlgren regelde de ballasttanks, zodat ze laag in het water bleven om zo min mogelijk op te vallen. Met zijn ervaren hand bleef het toestel net aan de oppervlakte en het stak amper dertig centimeter boven water uit.

Enkele meters voor hen zagen ze de vernielde romp van de *Narwhal*, met de achtersteven onder een vreemde hoek schuin omhoogstekend. Dirk en Dahlgren konden het tafereel maar kort bekijken, want de achtersteven kwam even nog verder omhoog voordat het wrak geluidloos onder de golven verdween. Er dobberden wat brokstukken verspreid op het water, niet groter dan een deurmat. Dirk stuurde de *Badger* in een kleine cirkel rond de wrakstukken, maar er was nergens een teken van leven. Dahlgren rapporteerde via de marifoon naar Aimes aan boord van de *Deep Endeavor* dat alle opvarenden kennelijk omgekomen waren door de explosie.

'Kapitein Burch vraagt of we meteen terugkeren naar de *Deep Endeavor*,' zei Dahlgren.

Dirk deed alsof hij het niet gehoord had en stuurde dichter naar het platform. Vanaf hun lage gezichtspunt konden ze weinig zien; alleen het bovenste deel van de Zenit en de bovenkant van de hangar. Maar opeens liet hij de *Badger* stoppen en wees langs de raket.

'Kijk daar eens!'

Dahlgren tuurde langs de raket en zag alleen het dak van de hangar en het lege helikopterplatform. Hij kneep zijn ogen tot spleetjes en probeerde meer te ontwaren. Toen zag hij de grote digitale lanceerklok: 00:52:00. Nog tweeënvijftig minuten.

'Die raket wordt binnen een uur gelanceerd!' riep hij uit, kijkend naar de aftellende seconden.

'Dat zullen we verhinderen,' zei Dirk, en er klonk woede in zijn stem.

'Dan moeten we daar snel aan boord gaan. Maar ik weet helemaal niets van raketten en lanceerplatforms. Jij wel?'

'Kan nooit veel meer zijn dan een beetje ruimtevaartechniek,' antwoordde Dirk met een grimas, en hij gaf vol gas, zodat de *Badger* naar het platform schoot.

53

De roodmetalen minionderzeeboot kwam bij de achterkant van het platform weer boven water, bijna recht onder de lanceertoren en de Zenit-raket. Dirk en Dahlgren keken omhoog naar de grote panelen die bij de motoren van de raket onder het platform uitstaken. Deze vlamschermen waren bedoeld om de gloeiend hete uitlaatgassen af te buigen en te dempen, door de vurige stralen via het platform naar de oceaan te richten. Duizenden liters water werden enkele seconden vóór de lancering over het platform gesproeid, om tijdens de trage start van de raket de delen van het platform die aan de verzengende vuurstraal werden blootgesteld af te koelen.

'Hier moet je niet parkeren, als die vuurpijl wordt afgestoken,' zei Dahlgren, en hij probeerde zich voor te stellen wat voor inferno het hier zou zijn als de raket werd gelanceerd.

'Dat hoef je geen twee keer te zeggen,' antwoordde Dirk.

Hun aandacht werd getrokken door de zware kolommen die het platform ondersteunden en ze keken of er een weg naar boven was. Dahlgren zag als eerste de sloep van de *Koguryo*, afgemeerd aan de andere kant van het platform.

'Ik geloof dat ik een trap zie, daar langs die pijler waar dat bootje ligt,' zei hij.

Dirk oriënteerde zich en liet de *Badger* snel duiken om onder water langs de pijlers naar de voorkant van het platform te varen. Ze kwamen vlak achter de witte sloep weer aan de oppervlakte en keken spiedend naar het kleine vaartuig.

'Ik geloof dat er niemand aan boord is,' zei Dirk. 'Wil jij afmeren?'

Dahlgren had het luik al geopend en klom naar buiten. Dirk leegde de ballasttanks van de *Badger*, zodat ze maximaal drijfvermogen hadden, en behoedzaam manoeuvreerde hij de kleine duikboot tot tegen de achtersteven van de sloep. Dahlgren sprong op de sloep en dan op het platform, met een landvast in zijn hand geklemd. Dirk schakelde de motoren van de *Badger* uit en klom ook het platform op, terwijl Dahlgren de meerlijn vastmaakte.

'Deze kant op voor het penthouse,' zei Dahlgren, wijzend naar de ladder. De twee mannen beklommen de metalen treden zo snel ze konden en probeerden daarbij zo min mogelijk geluid te maken. Bovenaan de ladder pauzeerden ze even om op adem te komen en daarna stapten ze op het platform.

Ze stonden op de voorste hoek van het platform en zagen twee enorme, sigaarvormige brandstoftanks, met daaraan slangen en buizen. De grote witte tanks bevatten het brandbare dieet van de Zenit, bestaande uit kerosine en vloeibare zuurstof. Achter de tanks, aan het eind van het platform, zagen ze de Zenit oprijzen als een eenzame monoliet op het verlaten dek. Ze bleven even als gehypnotiseerd staan, onder de indruk van de machtige raket, zonder zelfs maar te denken aan de dodelijke lading aan boord. Dirk keek naar de hangar naast hen, met daarboven het helikopterplatform aan de voorkant.

'Ik ben er zeker van dat de brug boven die hangar is. Daar moeten we naartoe.'

Dahlgren keek onderzoekend naar de hangar. 'Zo te zien moeten we door de hangar om er te komen.'

Zonder nog een woord te zeggen, renden beide mannen over het dek, onverschillig of ze gezien werden, naar de vijf verdiepingen hoge hangar. Ze kwamen bij de geopende deuren en Dirk keek behoedzaam naar binnen. De lange smalle hangar leek een reusachtige grot, nu er geen Zenit-raket in lag. Met Dahlgren op zijn hielen glipte Dirk naar binnen en sloop achter een grote generator langs die naast de wand was gemonteerd. Opeens weergalmden er stemmen in de holle ruimte en de twee mannen bleven met een ruk staan.

Halverwege de lange hangar vloog een deur open en de stemmen zwegen weer. Drie ongelukkig kijkende mannen in Sea Launch-overalls wankelden de hangar in, gevolgd door twee gewapende commando's. Dirk herkende de zwarte commandokleding en de AK-74-machinegeweren die hij eerder had gezien bij de aanval op de *Deep Endeavor*. Hij en Dahlgren keken hoe de drie mannen naar een magazijnruimte bij de achterkant van de hangar werden geleid. Nog twee commando's hielden daar de wacht en ze hielpen mee de gevangenen in het magazijn te drijven. De deur werd achter hen dichtgesmeten en afgesloten.

'Als we bij die Sea Launch-mannen kunnen komen, dan kunnen zij vertellen hoe we de lancering moeten afbreken,' fluisterde Dirk.

'Ja. We moeten wel die twee cipiers uitschakelen, als die andere kerels verdwenen zijn,' antwoordde Dahlgren, wijzend naar de twee bewakers voor het magazijn.

Ze slopen naar een positie dichterbij het raketonderstel en keken afwachtend toe, terwijl de eerste twee commando's even met de bewakers spraken. De commando's verdwenen door een zijdeur. Dirk en Dahlgren slopen gebukt tussen de testapparatuur en gereedschapskisten door, steeds dichter naar het magazijn. Onderweg kwamen ze langs een rek met gereedschap, gemarkeerd met HYDRAULICS. Dirk aarzelde even en pakte toen een houten blokhamer. Dahlgren griste een zware tang mee als wapen. Ze kropen verder langs het onderstel en doken op dertig meter afstand van het magazijn achter een rolsteiger weg.

'Wat nu, chef?' fluisterde Dahlgren, toen hij zag dat er alleen een open ruimte voor hen was.

Dirk hurkte achter een wiel van de rolsteiger en keek naar de twee bewakers. De gewapende commando's waren druk met elkaar in gesprek en ze letten nauwelijks op de hangar. Hij keek aandachtig naar de rolsteiger die ze als dekking gebruikten: het was een werkplatform met motoraandrijving, en de steiger kon op en neer scharen om bij de bovenkant van de liggende raket te komen. Dirk klopte met zijn hand op het wiel naast hem en grijnsde veelbetekenend naar Dahlgren.

'Jack,' fluisterde hij, 'ik denk dat jij de voordeur neemt, en ik de achterdeur.'

Een paar seconden later sloop Dirk verder door de hangar, alleen bewegend als de bewakers met hun rug naar hem gekeerd stonden. Na enkele korte sprints bereikte hij zonder opgemerkt te worden de achterkant van de hangar. Zolang de bewakers bij de voorkant van het magazijn bleven staan, kon hij van achteren ongezien dichterbij komen.

Dahlgren kreeg een meer gewaagde taak bij de aanval. Hij klom op de rolsteiger en pakte het bedieningspaneel, dat met een kabel verbonden was. Hij ging plat op de steiger liggen. Aan één kant lag een stuk canvas en hij trok dat over zich heen. Hij gluurde van onder het dekzeil naar de bewakers en drukte toen ze een andere kant opkeken op de STIJGEN-knop op het bedieningspaneel. Met heel zacht gezoem steeg het werkplatform dertig centimeter. De bewakers waren buiten gehoorbereik en merkten niets. Dahlgren wachtte tot de bewakers weer een andere kant opkeken en drukte de STIJGEN-knop nu krachtig in. Het werkplatform rees met zacht brommende elektromotor als een lift omhoog. Dahlgren lette scherp op de bewakers en hij zag dat ze de beweging niet opgemerkt hadden.

'En nu komt het leuke deel,' mompelde hij voor zich uit.

Hij drukte op de VOORUIT-knop, en het vierwielige gevaarte kwam meteen in beweging. Dahlgren stuurde recht naar de toegang van het magazijn en dook weg onder het canvas dekzeil.

De grote scharende rolsteiger kroop als een robot door de hangar, tot een van de bewakers de beweging opeens zag. Onder het dekzeil hoorde Dahlgren snel praten in een Aziatische taal, maar er volgde geen geweervuur. Luid klonk de kreet *'Saw!'* door de hangar, even later herhaald door de verbaasde bewakers, in een poging het platform tot stoppen te krijgen. Dahlgren negeerde de kreten en liet het gevaarte verder rollen. Van onder het dekzeil zag hij de daklijn van het magazijn naderen en hij wist dat hij nu dicht bij de bewakers was. Hij wachtte tot de rolsteiger bijna een meter voor het magazijn was en drukte op de STOP-knop. De verblufte bewakers zwegen toen het gevaarte tot stilstand kwam.

De spanning was bijna tastbaar, en Dahlgren liet die voortduren. Onder hem staarden de nerveuze bewakers naar het mysterieuze gevaarte en ze hielden hun vingers krampachtig om de trekkers van hun machinegeweren. In hun ogen was de rijdende steiger onbemand door de hangar gerold en ze zagen alleen het stuk dekzeil en een rol touw. Misschien was het een technische storing waardoor het ding was gaan rijden. Voorzichtig deden ze een stap dichterbij. Onder het canvas dekzeil hield Dahlgren zijn adem in en drukte toen op een knop.

Als een mechanische geestverschijning begon het platform opeens te zakken, en de twee bewakers sprongen achteruit toen ze het scharende deel zagen bewegen. Op twee meter hoogte hield het platform opeens stil. De werkvloer was nog twintig centimeter boven de hoofden van de bewakers, die probeerden te ontdekken wie of wat het ding bestuurde. Een van de mannen deed een stap dichterbij en porde met zijn geweerloop in het canvas, terwijl de andere bewaker achterdochtig om zich heen keek.

Dahlgren besefte dat hij maar één kans had de bewaker uit te schakelen, en hij strekte zijn arm om toe te slaan. Door het kreukelige canvas voelde hij de porrende bewaker dichterbij komen, tot de geweerloop zijn dijbeen raakte. De geschrokken bewaker aarzelde even voor hij zijn wapen terugtrok om te kunnen vuren. Maar meer tijd had Dahlgren niet nodig, en hij zwaaide de zware tang met een krachtige beweging naar het hoofd van de bewaker. Het metaal trof de kaak van de man met een krakende klap, wonderlijk genoeg zonder het bot te verbrijzelen. Maar de klap was wel zó hevig dat de man meteen bewusteloos raakte en zonder een schot te lossen in elkaar zakte.

Door de maaiende beweging van Dahlgren was het canvas weggegleden en keek hij recht in de ogen van de tweede bewaker. Dahlgren had de bebloede tang nog in zijn hand, terwijl de bewaker zonder aarzelen zijn AK-74 richtte om te vuren. Maar op hetzelfde moment vloog er iets door de lucht en werd het achterhoofd van de bewaker keihard getroffen, precies op het moment dat hij een salvo kogels afvuurde. De man tuimelde door de klap achterover, zodat de kogelregen zonder doel te raken over Dahlgrens hoge positie vloog. De bewaker viel op de grond en Dahlgren zag Dirks lange gestalte op zeven meter afstand. Op zijn gezicht lag een vastberaden trek. In een vertwijfelde poging het leven van zijn vriend te redden, had Dirk de zware hamer tollend door de lucht gesmeten en was het gereedschap als een croquetbal tegen het hoofd van de bewaker geknald.

De bewaker was door de klap alleen even verdwaasd en krabbelde duizelig overeind tot hij op zijn knieën zat. Hij probeerde zijn automatisch geweer te richten. Dahlgren sprong van de rolsteiger en haalde uit om weer met de zware tang toe te slaan, maar op dat moment knetterde geweervuur. Dahlgren verstarde toen enkele centimeters naast zijn hoofd een rij kogelgaten in een steun van de steiger sloeg. Het rinkelende geluid van patroonhulzen op de vloer weergalmde met de echo's van het geweervuur.

'Ik raad jullie allebei aan niet te bewegen, meneer Pitt,' klonk de dreigende stem van Tongju, die met een machinegeweer in de deuropening stond.

54

Dirk en Dahlgren werden onder schot gehouden, terwijl Tongju en zijn commandoteam de andere bemanningsleden van de Sea Launch naar het magazijn begeleidden. Toen kapitein Christiano als laatste binnenkwam, keerde een van de mannen zich naar Tongju.

'Die twee ook?' vroeg hij, met een hoofdknik naar de NUMA-gevangenen.

Tongju schudde met iets van plezier zijn hoofd. De bewaker sloot de zware deur en bracht een ketting met hangslot aan. De dertig medewerkers van Sea Launch zaten in een benauwde, raamloze bergruimte en het was onmogelijk daaruit te ontsnappen.

Zodra de deur afgesloten was, liep Tongju naar de wand van de hangar waar Dirk en Dahlgren naar de geweerlopen keken die op hun ribben waren gericht. Tongju keek Dirk aan met een mengeling van ontzag en minachting.

'U hebt een vervelend sterke neiging te overleven, en die wordt alleen overtroffen door uw inbrekersgedrag.'

'Ach, ik ben nu eenmaal een deugniet,' antwoordde Dirk.

'Aangezien u zoveel interesse hebt in ons werk, wilt u misschien wel op de voorste rij zitten tijdens de lancering?' zei Tongju, en hij knikte naar een groepje van drie bewakers.

Voor Dirk kon antwoorden, porden de bewakers met geweerlopen in de rug van de gevangenen en werden ze zo gedwongen naar de geopende hangardeuren te lopen. Een van de bewakers griste de rol touw van de rolsteiger mee. Tongju bleef even achter en gaf opdracht dat de rest van het commandoteam naar de sloep moest gaan, en daarna volgde hij de anderen. Onder het lopen keken Dirk en Dahlgren elkaar aan, zoekend naar een ontsnappingsplan, maar de kansen waren klein. Dirk wist dat Tongju niet zou aarzelen hen te doden, en de man zou er nog van genieten ook.

Tongju kwam bij hen lopen toen ze door de geopende hangardeuren naar het felle zonlicht aan dek liepen.

'U weet uiteraard dat er nu militaire eenheden onderweg zijn naar het platform,' zei Dirk tegen Tongju, in stilte hopend dat het werkelijk waar was. 'De lancering wordt verhinderd en u en uw mannen worden gevangengenomen, of misschien wel gedood.'

Tongju keek naar de lanceerklok en wendde zich met een grijns naar Dirk, zodat zijn gelige tanden glinsterden in het zonlicht.

'Ze zullen te laat komen, en zelfs als ze op tijd zijn, maakt dat nog niets uit. De Amerikaanse militairen durven het platform niet aan te vallen, omdat ze bang zijn dat er aan boord onschuldige doden zullen vallen. Het aftellen kan niet meer worden gestopt. De lancering gaat door, meneer Pitt, en daardoor komt er een einde aan de bemoeizucht van u en uw landgenoten.'

'U zult dit nooit overleven.'

'U ook niet, helaas.'

Dirk en Dahlgren bleven zwijgen toen ze over het open dek liepen, en ze hadden een gevoel alsof ze naar de galg werden geleid. Ze kwamen bij de lanceertoren en iedereen keek vol ontzag omhoog naar de torenhoog glanzend witte raket. De gevangenen werden naar de onderkant van de raket geleid die boven hen met de lanceertoren was verbonden. Dirk en Dahlgren werden tegen een bint van de toren geduwd en moesten stil blijven staan, terwijl een bewaker met een gekarteld mes stukken touw van de rol afsneed.

Tongju keek toe en haalde nonchalant zijn Glock uit de holster. Hij richtte het wapen op Dirks keel, terwijl de bewaker polsen en ellebogen achter zijn rug vastbond aan de stalen bint. De bewaker bukte zich om Dirks enkels ook vast te binden en daarna deed hij hetzelfde bij Dahlgren.

'Genieten jullie maar van de lancering, heren,' siste Tongju, en liep weg.

'Dat doen we zeker, wetend dat een schoft als jij niet lang meer zal ademen,' verwenste Dirk hem.

Hij en Dahlgren keken zwijgend hoe Tongju en zijn mannen op een sukkeldraf over het dek naar de pijler vooraan gingen en langs de ladder naar beneden verdwenen. Even later zagen ze de sloep wegvaren naar de *Koguryo*, die nu op twee zeemijl afstand van de *Odyssey* lag. Vanaf hun geboeide positie konden ze de lanceerklok duidelijk zien, met 00:26:00 in digitale cijfers. Nog zesentwintig minuten. Dirk keek omhoog naar de enorme stuwraketten van de Zenit, enkele meters boven hun hoofd. Tijdens de eerste seconden van de lancering zou een vernietigende vuurstorm op hen gericht zijn, zodat ze ogenblikkelijk zouden verdampen. In elk geval was het een snelle dood, bedacht hij.

'Ik denk dat dit de laatste keer was dat je me hebt overgehaald toch naar een feestje mee te gaan,' zei Dahlgren om de spanning te breken.

'Sorry. Ik denk dat we niet netjes genoeg gekleed waren,' zei Dirk met een ernstig gezicht. Hij trok en rukte aan de touwen, zoekend naar een kans op ontsnapping, maar er was geen ruimte om zijn handen zelfs maar te bewegen.

'Zie jij kans los te komen?' vroeg Dirk hoopvol aan Dahlgren.

'Nee. Die kerel heeft zijn padvindersinsigne knopen leggen echt verdiend,' antwoordde Dahlgren, tevergeefs aan de touwen rukkend.

Een rinkelend geluid op het platform trok hun aandacht, en onder hun voeten zwol een laag brommend gezoem aan. Het suizen van stromende vloeistof klonk steeds luider, eerst achter hen en dan boven hun hoofden in de leidingen die door de lanceertoren liepen. De buizen kraakten en kreunden, protesterend tegen de diepgekoelde vloeibare zuurstof en kerosine die naar de Zenit werd gepompt.

'Ze vullen de raket met brandstof,' merkte Dirk op. 'Te gevaarlijk met mensen aan boord, dus doen ze het kort voor de lancering als iedereen al weg is.'

'Nou, dat is een geruststelling. Ik hoop dat de pompbediende niet zo slordig is dat hij morst.'

Ze keken allebei bezorgd omhoog, in het besef dat gemorste vloeibare zuurstof meteen door hun huid zou branden. De raket trilde en maakte een jankend geluid terwijl de tanks volstroomden met vloeibare brandstof, alsof hij tot leven kwam. Pompen en motoren zoemden boven hen toen een eerste hoeveelheid gemengde brandstof in de verbrandingskamer van de raketmotor werd gespoten. De twee mannen keken zwijgend naar de grote ronde straalopeningen boven hen, denkend aan de vuurstorm die boven hen zou losbarsten. Dirk dacht aan Sarah, met het pijnlijke besef dat hij haar nooit meer zou zien. En erger nog, hij wist dat ze in Los Angeles was: zij kon ook slachtoffer worden van de raketaanval, omdat hij er niet in geslaagd was de lancering te verhinderen. Hij dacht aan zijn vader en zus, en voelde spijt dat ze nooit zouden weten waarom hij spoorloos verdwenen was. Er zou niets van hem overblijven voor een begrafenis, bedacht hij morbide. Zijn aandacht werd getrokken door een sissend geluid, veroorzaakt door witte stoomwolkjes die uit de veiligheidsventielen in de romp van de Zenit ontsnapten. De gekoelde zuurstof werd warmer en zette daardoor uit, en de overdruk werd met sissende wolkjes boven hun hoofden geloosd. De dampwolken verduisterden wreed ironisch de hemel en schermden de zonnestralen af boven de twee gevangenen in de laatste minuten voor hun dood. Maar Dirks hart sloeg over toen hij opeens besefte dat de schaduw op het dek langzaam bewoog.

Zelfs vanuit de lucht gezien was het Sea Launch-platform met de Zenit-raket indrukwekkend. Maar de mannen in de *Icarus* vlogen hier niet om van het uitzicht te genieten. Deze keer vloog de zeppelin niet in wijde cirkels, maar ging meteen recht boven het platform hangen.

'Daar is de *Badger*, afgemeerd aan die kolom vooraan,' zei Giordino, wijzend naar de plek waar het rode onderwaterstoestel op het water deinde.

'Dus Dirk en Jack zijn erin geslaagd aan boord te komen,' begreep Pitt bezorgd.

Zodra ze via de marifoon van Summer, aan boord van de *Deep Endeavor*, hoorden dat de *Narwhal* was beschoten, veranderde Pitt meteen van koers en hij vloog op topsnelheid weer naar het zuiden. De twee Porsche-motoren die aan de gondel bevestigd waren jankten toen het toerental werd opgevoerd tot de maximale snelheid van vijftig knopen. Aan de horizon zagen Pitt en Giordino de zwarte rook boven de smeulende romp van de *Narwhal* als een baken oprijzen voordat het wrak in de golven verdween. Pitt joeg de plompe zeppelin zo snel mogelijk naar de plaats van de ramp, terwijl Giordino de televisiecamera scherp stelde op de vaartuigen daarachter. Toen ze dichterbij kwamen, zagen ze door de vergrotende lens dat de *Koguryo* wegvoer van het lanceerplatform, en ook dat er maar weinig wrakstukken van de gezonken *Narwhal* aan de oppervlakte dreven.

'Je kunt beter niet dicht bij dat bevoorradingsschip komen,' waarschuwde Giordino, toen ze enkele keren heen en weer hadden gevlogen boven de plek waar de *Narwhal* in de golven was verdwenen, zonder overlevenden te zien.

'Denk je dat er SAM-raketten aan boord zijn?' vroeg Pitt.

'Nou, de *Narwhal* is beschoten met een raket, dus de kans is groot.'

'Ik hou het lanceerplatform wel tussen ons. Dan zullen ze niet op ons schieten, en dan denk jij niet te veel aan de *Hindenburg*.'

Pitt liet het luchtschip dalen tot een hoogte van 170 meter en hij nam gas terug van de loeiende motoren toen ze het platform naderden. Giordino richtte de WESCOM-camera op de *Koguryo* in de verte en tuurde naar aanwijzingen dat er op de zeppelin geschoten ging worden. De snelle sloep van de *Koguryo* kwam opeens in beeld en voer langszij het grote schip. Pitt en Giordino zagen dat Tongju en zijn mannen aan boord klauterden. Pitt zag ook dat Jack en zijn zoon niet bij de groep waren.

'De laatste ratten verlaten het platform?' vroeg Giordino.

'Mogelijk. Zo te zien keert de sloep niet terug naar het platform. We zullen eens kijken of iemand daar op de winkel past.'

De zeppelin zweefde boven het achterdek en Pitt stuurde langs het dek aan bakboord in de richting van de boeg. Op het dek was geen mens te zien. Giordino wees op de aftellende klok boven de hangar en las de digitale cijfers: 00:27:00. Zevenentwintig minuten. Ze zweefden naar voren,en keerden boven de voorkant om. Pitt stuurde langs de brug van de *Odyssey* op het voordek en Giordino zwenkte de camera naar de ramen van het commandostation. Op de monitor zagen ze duidelijk het interieur van de brug. Nergens was een teken van leven aan boord.

'Het lijkt dat spookschip de *Mary Celeste* wel,' zei Giordino.

'Zeker weten. Ze maken alles klaar om die vuurpijl af te steken.'

Pitt liet de zeppelin nog verder dalen en vloog langzaam langs de stuurboordzijde van het grote platform, om dan in kleine cirkels rond de Zenit-raket te vliegen.

Witte damppluimpjes van de opwarmende brandstof ontsnapten uit de ventielen in de romp, en Giordino bewoog de camera zoekend heen en weer.

'Zo te zien is die raket volgetankt en klaar voor lancering.'

'Nog zesentwintig minuten, om precies te zijn,' zei Pitt, na een blik op de aftellende klok.

Giordino floot veelbetekenend toen hij ook naar de klok keek. Een beweging op de monitor trok even zijn aandacht en nieuwsgierig stelde hij scherp op de onderkant van de raket. Op de monitor verschenen opeens twee mannen onder de raketmotoren.

'Ik zie Dirk en Jack! Ze zijn vastgebonden aan de lanceertoren!'

Pitt keek even ingespannen naar het computerscherm en knikte toen hij de mannen herkende. Zonder een woord speurde hij naar een geschikte plek op het platform om de zeppelin te laten landen. Hoewel het achterdek van het platform groot en open was tussen de hangar en de lanceertoren, was er ook een grote hijskraan waarvan de giek boven het dek hing, en op die manier nogal een obstakel vormde. Als de zeppelin met het gevaarte in aanraking kwam, zou de huid onmiddellijk openscheuren.

'Aardig dat ze een blikopener voor ons hebben klaargezet,' zei Giordino, kijkend naar de imposante hijskraan.

'Geen probleem. We landen als een helikopter.'

Pitt scheerde over de hangar en daalde daarna scherp boven het ronde helikopterplatform dat schuin boven de brug lag. Met vaste hand liet Pitt de zeppelin zakken tot de gondel zachtjes het dek raakte.

'Beloof je dat je niet zonder mij wegvliegt?' vroeg Pitt terwijl hij snel uit zijn stoel overeind kwam.

'Erewoord.'

'Geef me tien minuten. Als ik dan nog niet terug ben, zorg je ervoor dat je vóór het vuurwerk begint weg bent.'

Pitt sprong uit de gondel en sprintte over het heliplatform. Toen hij via een ladder uit het zicht verdween, keek Giordino op zijn horloge en begon gespannen de seconden te tellen.

55

Tongju klom aan boord van de *Koguryo* en beende meteen naar de brug, waar kapitein Lee en Kim de *Odyssey* in de gaten hielden.

'U bent wel een beetje laat van boord gestapt, want ze zijn al begonnen met het voltanken van de raket,' zei Lee effen.

'Een kleine vertraging door een onverwachte onderbreking,' antwoordde Tongju. Hij keek naar de horizon en zag het luchtschip langzaam naar het platform zweven. 'Hebt u nog meer naderende schepen gezien?'

De kapitein schudde zijn hoofd. 'Nee, nog niet. Afgezien van die zeppelin alleen het researchschip dat die kustwachtboot volgde,' zei hij, wijzend op een radarstipje aan de andere kant van het lanceerplatform. 'Die boot ligt stil, twee mijl ten noordoosten van het platform.'

'En ze hebben daar ongetwijfeld via de radio om assistentie gevraagd. Die verdomde Oekraïners,' vloekte hij. 'Ze hebben ons veel te dicht bij de kust gebracht, en daardoor loopt de hele missie gevaar. Kapitein, we moeten direct na de lancering wegvaren. Zet een koers pal naar het zuiden uit, en vervolgens volle kracht richting Mexicaanse wateren voordat we naar ons rendez-vous punt gaan.'

'En wat doen we met die zeppelin?' vroeg Kim. 'Dat geval moet vernietigd worden, want ze kunnen onze koers volgen.'

Tongju keek naar de zilverkleurige zeppelin, zwevend boven het helikopterplatform van de *Odyssey*.

'We kunnen het niet beschieten als het nog dicht bij het platform is. Ze kunnen nu toch niets meer doen. Misschien zijn ze zo stom daar te blijven, dan verbranden ze tijdens de lancering. Kom, we gaan eerst genieten van het spektakel. Later rekenen we wel af met die ballon.’

Tongju verliet de brug, op de voet gevolgd door Kim, en liep naar het controlecentrum voor de lancering. De helder verlichte ruimte was drukbevolkt met ingenieurs in witte jassen, zittend achter computerschermen die in de vorm van een hoefijzer waren opgesteld. In het midden van de wand bevond zich een groot videoscherm waarop de Zenit naast de lanceertoren was te zien, terwijl er witte dampwolkjes uit de romp ontsnapten. Tongju zag Ling, gebogen over een monitor, en pratend met een technicus. Hij liep naar hen toe.

‘Ling, wat is de status van de lancering?’ vroeg Tongju.

De ingenieur met het ronde gezicht kneep zijn ogen samen achter zijn brillenglazen.

‘Over twee minuten zijn de brandstoftanks gevuld. Een van de reservecomputers voor de controle van de vlucht reageert niet, bij één leiding voor de koeling is de druk te laag en bij de tweede turbopomp lekt er kennelijk vloeistof.’

‘Wat heeft dat te betekenen voor de lancering?’ vroeg Tongju, en op zijn anders zo uitdrukkingsloze gezicht verscheen een frons.

‘Geen van die storingen is gezamenlijk of afzonderlijk kritiek voor de missie. Alle andere systemen werken normaal. De lancering zal volgens plan verlopen.’ Hij keek even naar de digitale klok onder het videoscherm. ‘Over precies drieëntwintig minuten en zevenenveertig seconden.’

Om drieëntwintig minuten en zesenveertig seconden keek Jack Dahlgren weg van de tikkende klok boven de hangar naar de *Icarus*, die stil boven het helikopterdek hing. Hij wist vrijwel zeker dat ze vanuit de hoog vliegende gondel niet gezien waren, maar hij vroeg zich af of Pitt en Giordino iets konden bedenken om de lancering te verhinderen. Hij draaide zich om naar Dirk, die naast hem stond, en verwachtte dat zijn vriend ook hoopvol naar het luchtschip tuurde. Maar Dirk had al zijn aandacht gericht op een poging om zich te bevrijden en hij keek niet naar de *Icarus*. Jack wilde iets bemoedigends zeggen, maar zijn lippen verstijfden toen hij beweging zag in de hangar. Hij knipperde met zijn ogen en probeerde meer te onderscheiden. En toen zag hij dat een man door de hangar in hun richting kwam rennen.

‘Dirk, iemand komt hierheen. Is dat echt wie ik meen te herkennen?’

Dirk keek naar de hangar, terwijl hij doorging met zijn pogingen om los te komen. Hij kneep zijn ogen tot spleetjes en tuurde ingespannen naar de eenzame gestalte die uit de hangar kwam rennen en iets in zijn hand hield wat op een lange stok leek. De gestalte was groot en slank, en hij had donker haar. Toen hij de naderbij komende man herkende, staakte Dirk zijn pogingen om los te komen.

'Ik kan me niet herinneren dat ik mijn vader ooit zó hard heb zien draven,' zei hij tegen Dahlgren, en een brede grijns verscheen op zijn gezicht.

Toen de directeur van NUMA dichterbij kwam, zagen ze dat hij een bijl met een lange steel in de hand hield. Sprintend naar de lanceertoren lachte Pitt van opluchting toen hij zag dat de twee vastgebonden mannen ongedeerd waren.

'Ik heb jullie toch verteld dat je nooit met vreemden mag meegaan?' hijgde Pitt, en klopte zijn zoon op de schouder, om meteen daarna de touwen te onderzoeken.

'Sorry pa, maar ze zeiden dat we naar de maan en de sterren zouden gaan,' grinnikte Dirk, en voegde er snel aan toe: 'Bedankt dat je ons komt halen.'

Pitt keek naar het midden van het vastgeknoopte touw en hakte het met een bijlslag door, zodat Dirks ellebogen vrijkwamen. Met een tweede slag hakte hij door het touw om Dirks polsen. Terwijl Dirk zelf zijn enkels van het touw bevrijdde, hakte Pitt de touwen van Dahlgren door. De twee mannen krabbelden overeind en Pitt smeet de bijl opzij.

'Pa, het personeel van Sea Launch is opgesloten in de hangar. We moeten ze bevrijden.'

Pitt knikte. 'Ik dacht al dat ik gebonk hoorde. Wijs me de weg.'

De drie mannen draafden zo snel ze konden over het open platform, wetend dat elke seconde telde. Onder het rennen keek Dirk naar de aftellende klok boven de hangar. Nog 21 minuten en 36 seconden voor er op het platform een helse vuurstorm zou losbarsten. Alsof dat nog niet voldoende aansporing was om zo snel mogelijk te rennen, klonk opeens een zoemend geluid in de hangar. Op een elektronisch commando vanaf het controlecentrum op de *Koguryo* begonnen de grote deuren van de hangar dicht te schuiven, als voorbereiding op de lancering.

'De deuren gaan dicht!' hijgde Dahlgren. 'We moeten opschieten.'

Als een drietal olympische sprinters op weg naar de finish stoven de mannen naar de kleiner wordende opening tussen de schuifdeuren. Pitt kon het tempo gemakkelijk volhouden, maar hij hield wat in zodat

Dirk en Dahlgren als eersten naar binnen sprongen. Meteen daarna bewoog hij zich zijdelings door de kier, nog net voordat de deuren helemaal dicht waren.

Halverwege de hangar hoorden ze gedempte stemmen en gebons op metaal, uit het magazijn waar de mannen probeerden uit te breken. Dirk, Dahlgren en Pitt draafden naar het magazijn en bekeken terwijl ze op adem kwamen de ketting en het hangslot.

'Die ketting is te stevig, maar misschien kunnen we de deur uit zijn hengsels lichten,' zei Dahlgren, speurend naar iets wat daarbij kon helpen.

Pitt keek naar de elektrisch aangedreven rolsteiger waarmee Jack door de hangar was gereden. Hij strekte zich uit en greep het bedieningspaneel dat aan de reling bungelde.

'Ik denk dat we een koevoet hebben,' zei hij, en liet het platform een eindje zakken. Daarna reed hij het gevaarte naar de deur van het magazijn. Terwijl Dirk en Dahlgren toekeken, greep Pitt het losse eind van de ketting met het hangslot en wikkelde het om de reling van de rolsteiger. Hij schreeuwde naar de opgesloten mannen: 'Blijf weg van de deur!'

Hij wachtte een seconde en drukte toen op de STIJGEN-knop. De steiger schaarde in en het platform steeg langzaam, zodat de ketting werd strakgetrokken. Het hefmechanisme kreunde en knarste en de wielen stuiterden even op de vloer. Toen werd de deur met luid gekraak uit het hengsel getrokken en sloeg tegen de steiger, om even later aan de ketting te bungelen.

Pitt reed de steiger meteen achteruit en de Sea Launch-bemanning vluchtte uit het benauwde magazijn naar buiten.

De mannen hadden sinds de *Odyssey* was overmeesterd nauwelijks iets gegeten en waren verzwakt door alle ontberingen en de beproeving van hun opsluiting. En toch waren de mannen ook kwaad, omdat ze als ervaren professionals gedwongen werden hun raket en platform uit handen te geven.

'Zijn de kapitein en de chef-lancering hier?' riep Pitt boven de kreten van dankbaarheid over de bevrijding uit.

Kapitein Christiano werkte zich naar voren, gevolgd door een magere man met een sikje.

'Ik ben Christiano, de gezagvoerder van de *Odyssey*. En dit is Larry Ohlrogge, verantwoordelijk voor het lanceerplatform.' Hij knikte naar de man naast hem.

'Is mijn platform weer bevrijd van dat gespuis?' vroeg hij vol verachting.

Pitt schudde zijn hoofd. 'Ze hebben voor de lancering van de raket iedereen geëvacueerd. We hebben niet veel tijd.'

Ohlrogge zag dat het onderstel van de raket weer teruggereden was in de hangar en dat de deuren al gesloten waren.

'Dan praten we over minuten,' begreep hij geschrokken.

'Ja, ongeveer achttien minuten. Kapitein, breng uw mensen meteen naar het helikopterplatform,' beval Pitt. 'Daar is een luchtschip, en als we snel zijn, kan iedereen worden geëvacueerd.' Hij wendde zich naar Ohlrogge. 'Hoe kunnen we de lancering verhinderen?'

'De hele procedure verloopt automatisch en wordt vanuit het commandoschip aangestuurd. Waarschijnlijk hebben die terroristen de controle in handen aan boord van hun schip.'

'We kunnen het tanken handmatig stoppen,' merkte Christiano op.

'Daarvoor is het te laat,' zei Ohlrogge hoofdschuddend. 'Er is alleen een noodstop op de brug, dat is onze enige kans in dit stadium,' zei hij ernstig.

'De lift achter in de hangar gaat naar het brugdek. En het heliplatform is daarboven,' zei Christiano.

'Laten we meteen gaan,' besloot Pitt.

Gehaast liepen ze naar de achterkant van de hangar en dromden om de liftcabine.

'Er is niet genoeg ruimte voor ons allemaal,' zei Christiano, zijn rol als gezagvoerder hervindend. 'We moeten in drie groepjes naar boven. Eerst deze acht man, dan die groep, en als laatste jullie daar,' zei hij, zijn bemanning in drie groepjes verdelend.

'Jack, jij gaat met de eerste groep mee en helpt ze aan boord van de *Icarus*. Zeg tegen Al dat er meer mensen komen,' zei Pitt. 'Dirk, jij gaat met de laatste groep naar boven en controleert of iedereen hier weg is. Kapitein, we moeten nu naar de brug,' zei hij, zich naar Christiano wendend.

Christiano, Ohlrogge, Dahlgren en Pitt stapten met acht anderen in de liftcabine, en ze wachtten ongeduldig tot ze op het niveau van de brug boven de hangar konden uitstappen. Dahlgren zag een trap naar het heliplatform en hij ging de anderen voor.

Zoals beloofd zweefde het luchtschip enkele meters boven het helikopterplatform, met Giordino, die een dikke sigaar rookte, achter de stuurhendels. Toen Jack naar hem toe rende, liet hij de gondel snel dalen.

'Hallo chauffeur. Kun je een paar lifters meenemen?' vroeg Dahlgren, zijn hoofd door de deuropening stekend.

'Tuurlijk,' antwoordde Girodano. 'Hoeveel man?'

'Een stuk of dertig,' antwoordde Dahlgren, bezorgd naar het passagierscompartiment kijkend.

'Laat ze maar instappen, desnoods persen we ze erin. Maar dan moeten we elk onnodig gewicht achterlaten, anders komen we niet meer omhoog. En doe het snel, want ik wil liever niet levend gegrild worden.'

'Ik ook niet,' antwoordde Dahlgren, en hielp de eerste bemanningsleden instappen.

Achter de tweepersoonscockpit was er in de gondel een gedeelte voor passagiers, met acht lederen vliegtuigstoelen. Dahlgren keek naar de indeling en trok een grimas bij de gedachte dat zoveel mensen in deze ruimte gepropt moesten worden, waardoor het luchtschip misschien niet meer kon opstijgen. Terwijl de eerste mannen aan boord stapten, keek hij naar de bevestiging van de stoelen en zag dat ze losgeklikt konden worden. Hij maakte snel vijf klemmen los, en geholpen door een Russische ingenieur gooide hij de zes stoelen uit de gondel.

'Iedereen doorlopen naar achteren,' beval hij. 'Er zijn alleen staanplaatsen.'

Toen de laatste van zijn groep in de gondel was gestapt, keerde Dahlgren zich om naar Al.

'Hoeveel tijd hebben we nog?'

'Vijftien minuten, schat ik.'

De volgende groep kwam de trap op en iedereen draafde over het heliplatform. Dahlgren slaakte een zucht. Er was nog tijd en genoeg plaats aan boord voor de lancering begon. Maar was er voldoende tijd om de lancering te verhinderen? vroeg hij zich af, kijkend naar de Zenit-raket die volgetankt gereedstond om op te stijgen.

56

Kapitein Christiano betrad de brug van de *Odyssey* en hij werd bleek. Hoofdschuddend keek hij naar de met kogels doorzeefde computers en beeldschermen en naar de glasscherven op de vloer. Hij liep naar de navigatiehoek en zag een computermuis aan een snoer hangen, maar het bijbehorende toetsenbord was nergens te zien. Ohlrogge zag dat de hoofdcomputer zelf onbeschadigd was.

'Ik heb beneden genoeg laptops, dus kunnen we die aansluiten op de controlesystemen,' bood hij aan.

'Die schurken hebben de geautomatiseerde besturing ongetwijfeld beveiligd,' zei Christiano vol afschuw, en hij wees met zijn duim over zijn schouder naar het raam. Pitt volgde het gebaar en zag de *Koguryo* in de verte stilliggen. Toen hij zijn blik weer naar de kapitein wendde, zag hij in de diepte de *Badger*, nog steeds afgemeerd bij een pijler aan stuurboord.

'We hebben geen tijd. Het kan uren duren om die computers werkend te krijgen,' zei Christiano, en hij liep met een moedeloze trek op zijn gezicht naar het midden van de brug.

'Maar je zei toch dat er ook een handschakelaar is om systemen uit te schakelen?' vroeg Pitt.

Christiano besefte al dat de bandieten te veel wisten. Ze wisten hoe het platform bestuurd en geballast moest worden, hoe de Zenit vol brandstof getankt werd en hoe ze de Zenit konden lanceren en controleren vanaf hun eigen schip. Deze terroristen hadden zoveel kennis dat ze de handschakelaar zeker gesaboteerd zouden hebben. Met een mistroostig voorgevoel keek hij naar de warboel van doorgesneden elektriciteitsdraden en afgebroken bedieningsknoppen, waardoor de laatste hoop op het verhinderen van de lancering vervloog.

'Hier heb je die noodschakelaar,' zei hij kwaad, en hij smeet een kluwen losgesneden elektronica door de ruimte. De drie mannen keken zwijgend naar de bos draden die tegen een wand vloog. Toen zwaaide de deur open en stak Dirk zijn hoofd naar binnen. Aan de gezichten van de anderen zag hij meteen dat hun poging om de lancering te verhinderen mislukt was.

'Iedereen is aan boord van het luchtschip. Ik stel voor dat wij het platform verlaten. Nu meteen.'

De laatste vier mannen aan boord van het lanceerplatform begonnen de trap naar het heliplatform te beklimmen naar het wachtende luchtschip, maar Pitt bleef staan en greep zijn zoon bij de schouder.

'Breng de kapitein aan boord van de zeppelin en zeg tegen Al dat hij zonder mij moet vertrekken. Denk erom dat hij een eind uit de buurt van het platform moet zijn als de raket opstijgt.'

'Maar ze zeiden toch dat het onmogelijk is die automatische lancering te omzeilen?' protesteerde Pitt junior.

'Al kan ik de lancering niet voorkomen, misschien kan ik de richting van de raket veranderen.'

'Pa, je kunt niet aan boord blijven, dat is te gevaarlijk.'

'Maak je geen zorgen, ik ben niet van plan hier te blijven,' antwoordde Pitt, en hij gaf zijn zoon een duwtje. 'En nu opschieten!'

Dirk keek zijn vader strak aan. Hij kende de talrijke verhalen over zijn vader, die de veiligheid van anderen boven zijn eigen veiligheid stelde, en nu maakte hij het zelf mee. Maar er was nog iets anders in zijn ogen. Een rustige blik van zelfverzekerdheid. Dirk deed een stap in de richting van de trap en keerde zich om om zijn vader succes te wensen, maar Pitt was al in de lift verdwenen.

Met twee treden tegelijk stormde Dirk de trap naar het helikopterdek op en keek verbaasd naar het wachtende luchtschip. De gondel leek wel een sardineblik, maar dan vol mensen. De gehele bemanning van de Sea Launch zat dicht opeengepakt in het passagierscompartiment – elke vierkante centimeter was bezet. De mannen die het meest verzwakt waren, mochten op de voorste passagiersstoelen zitten, die niet door Dahlgren verwijderd waren, en de andere mannen stonden schouder aan schouder in de resterende ruimte. Velen staken hun hoofden uit de geopende ramen en twee mannen moesten zelfs in de toiletruimte achterin staan. Het passagiersgedeelte was voller dan een metrotrein tijdens het spitsuur.

Dirk rende naar de *Icarus* en stapte in. Hij hoorde Dahlgren roepen dat de stoel van de copiloot nog vrij was, en dus werkte hij zich naar de cockpit om naast Giordino te gaan zitten, die doorgeschoven was naar de linkerstoel.

'Waar is je vader? We moeten nu weg van dit barbecuerooster. Pronto.'

'Hij blijft achter. Heeft zeker nog een truc achter de hand. Hij zei dat we een eind uit de buurt van het platform moeten zijn, en dat je na het vuurwerk een tequila met ijs met hem drinkt.'

'Ik hoop dat hij trakteert,' antwoordde Giordino, en hij draaide de propellers onder een hoek van 45 graden, om het luchtschip vrij te sturen van het platform voordat hij vol gas gaf. De gondel schoof naar voren en trok de met helium gevulde zeppelin mee. Maar in plaats van sierlijk op te stijgen, bleef de gondel over het helikopterdek schrapen.

'We zijn te zwaar,' zei Dirk.

'Omhoog, schat, ga omhoog!' spoorde Giordino het zware toestel aan.

De gondel bleef over het dek schrapen, naar de rand met daarachter de steile afgrond tot de golven, zeventig meter in de diepte. Toen het luchtschip vlak bij de rand was, verstelde Giordino de propellers nog meer en schoof de gashendels maximaal naar voren, maar toch schuurde de gondel nog steeds zwaar over het helikopterdek. Een akelige stilte viel in de cabine, omdat iedereen de adem inhield toen de gondel over de rand schoof.

Meteen viel de voorkant van de gondel naar beneden, en iedereen aan boord voelde zijn maag omhoogkomen, tot na een val van vijf meter de inzittenden ruw door elkaar werden geschud omdat de staart van het luchtschip van het heliplatform schoof en de neus nog steiler naar beneden wees. De *Icarus* stortte in de diepte, en Giordino moest in een fractie van een seconde een beslissing nemen.

Hij kon de propellers verticaal richten, in de hoop dat de motorkracht compensatie gaf voor het overgewicht en de zeppelin op hoogte bleef. Of hij kon het tegenovergestelde doen: door de propellers horizontaal te draaien, kon hij proberen meer snelheid naar voren te maken, zodat er bij voldoende snelheid meer draagvermogen kwam. Hij keek strak naar de dreigende oceaan voor hem en liet de beweging van het luchtschip beslissen: kalm duwde hij de stuurknuppel naar voren, zodat de *Icarus* steeds sneller daalde.

Achterin werd waarschuwend geschreeuwd, omdat het leek alsof Giordino met opzet in zee wilde neerstorten. Maar Giordino negeerde de kreten en keek naar Dirk naast hem op de plek van de copiloot.

'Boven jouw hoofd is een knop om waterballast te lozen. Als ik het zeg, druk je op die knop.'

Dirk zocht naar de juiste knop en Giordino keek strak naar de hoogtemeter. De wijzer liep van 200 voet snel terug en hun daalsnelheid werd steeds groter. Giordino wachtte tot de naald 60 voet aanwees en beval toen: 'Nu!'

Tegelijk trok Giordino de stuurknuppel met een ruk naar zich toe en Dirk drukte op de ballastknop, waardoor meteen 500 liter water werd geloosd uit een tank onder de gondel. Ondanks die handelingen reageerde het luchtschip niet meteen. Het te zwaar beladen gevaarte bleef onveranderlijk omlaaggaan, en even vreesde Giordino dat hij te laat gereageerd had. Maar terwijl de naderende oceaan recht voor hen was, begon de neus met een trage beweging een bocht omhoog te beschrijven. Giordino duwde de stuurknuppel iets van zich af, om het luchtschip horizontaal te krijgen, terwijl de gondel de golven bijna raakte. De neus kwam tergend langzaam omhoog. Met een klap sloeg de onderkant van de gondel tegen de golven, om meteen weer op te stuiteren. Iedereen aan boord hield de adem in en het luchtschip waggelde vooruit, om dan enkele decimeters boven het zeeoppervlak in de lucht te blijven. Seconden verstreken, en toen de zeppelin bleef zweven, werd het duidelijk dat het Giordino gelukt was. Hoewel hij het risico had genomen met een klap in zee te storten, was de versnelling en het op het laatste nippertje lozen van waterballast net genoeg om de zeppelin in de lucht te houden.

De opgeluchte mannen in het passagierscompartiment juichten toen Giordino het luchtschip behoedzaam naar een hoogte van dertig meter wist te manoeuvreren en het gevaarte onder zijn vaste hand langzaam stabiliseerde.

'Jij hebt ons wel laten zien dat je de baas bent over dit toestel,' prees Dirk.

'Ja, al was ik bijna onderzeebootcommandant,' antwoordde Giordino, terwijl hij de koers van het luchtschip naar het oosten verlegde, weg van het platform.

'Weg van de kust vliegen heeft niet bepaald mijn voorkeur, op deze hoogte,' zei Giordino, met een blik op de *Koguryo,* die achter een raampje aan bakboord te zien was. 'Ik heb via de marifoon de *Deep*

Endeavor gewaarschuwd dat ze uit de buurt van de baan van die raket moeten blijven, dus zullen ze wel in een wijde boog naar het noorden varen. We moeten ze wel in het oog houden, voor het geval we toch dalen.'

Dirk keek speurend naar de horizon en hield ook het platform vanuit zijn ooghoeken in de gaten. Ver weg in het zuidwesten zag hij San Nicolas Island. En naar het noordoosten turend ontdekte hij een kleine blauwe stip, waarvan hij wist dat het de *Deep Endeavor* moest zijn. En iets ten noorden van het NUMA-schip zag hij een bruinige schim oprijzen uit zee.

'Daar is land in zicht, en ik herinner me van de zeekaarten dat het een klein eiland is, Santa Barbara genaamd. Kunnen we niet beter daarheen vliegen? We kunnen de bemanning daar dan afzetten en ze laten oppikken door de *Deep Endeavor*, voordat we nog meer problemen krijgen.'

'En dan gaan wij terug om je vader te zoeken,' voegde Giordino eraan toe, de gedachten van Dirk radend. Dirk keek aarzelend naar het lanceerplatform.

'Er is weinig tijd,' mompelde hij.

'Zo'n tien minuten,' antwoordde Giordino, en hij vroeg zich evenals Dirk af wat Pitt in zó weinig tijd nog kon uitrichten.

57

Het was onmogelijk dat iemand aan boord van de *Odyssey* de lancering kon overleven. Als er een raket opsteeg, waren de gloeiend hete uitlaatgassen van de ontstoken raketmotoren op het platform gericht. De *Odyssey* was gebouwd als lanceerplatform dat steeds opnieuw gebruikt kon worden en had in feite al meer dan een tiental lanceringen doorstaan. Het dek, de hangar, de bemanningsverblijven en de brug waren alle gebouwd om de verzengende vuurstorm tijdens de lancering van een grote raket te doorstaan. Maar een mens zou de giftige uitlaatgassen waarin het platform werd gehuld niet overleven. Een reusachtige rookwolk van verbrande kerosine en vloeibare zuurstof verspreidde zich minutenlang over het platform en verdreef in de wijde omgeving de normale lucht.

Maar daar maakte Pitt zich weinig zorgen over toen hij uit de liftcabine sprong en door een achterdeur de hangar verliet. Hij wilde niet op het platform blijven als de motoren van de Zenit gestart werden. Hij wilde hoe dan ook in de felrode minionderzeeboot zijn, die hij zag dobberen op de golven. Als een hordeloper draafde en sprong Pitt verder, hij sprintte over het platform en daalde de treden af naar het water. In hun haast om het platform te evacueren, hadden Tongju en zijn mannen er niet aan gedacht het kleine NUMA-onderwatervaartuig los te gooien. Pitt was dankbaar dat het toestel nog onderaan de ladder lag afgemeerd toen hij daar hijgend arriveerde.

Hij maakte de landvast los, sprong aan boord en kroop door het bovenluik van de *Badger*, om het meteen achter zich te sluiten. Binnen enkele seconden had hij de elektrische systemen van de *Badger* ingeschakeld en opende hij de kleppen van de ballasttank om te duiken. Snel bediende hij de hendels en manoeuvreerde weg van de pijler voor de volgende taak. Pitt hield het toestel onder controle, en met nog enkele minuten respijt schakelde hij de grote grondboor aan de voorkant in, biddend dat zijn bizarre plan zou slagen.

Het Koreaanse lanceerteam aan boord van de *Koguryo* keek aandachtig naar het videoscherm toen de zilverkleurige zeppelin landde op het heliplatform van de *Odyssey* en de bemanning zich in de gondel verdrong. Kim trok een woedende grimas, maar hij zag dat Tongju kalm bleef.

'We hadden de bemanning moeten doden en die zeppelin vernietigen toen dat nog kon,' siste Kim, terwijl iedereen zag hoe de *Icarus* van het platform gleed. Een tweede camera was op de zeppelin gericht, zodat duidelijk te zien was hoe het luchtschip worstelde om hoogte te winnen en uiteindelijk wegvloog. Tongju knikte zelfverzekerd naar het videoscherm.

'Dat gevaarte is veel te zwaar geladen en kan geen snelheid maken. We kunnen het na de lancering gemakkelijk vernietigen,' zei hij kalm tegen Kim.

Zijn aandacht richtte zich weer op het aftellen voor de lancering en het drukke geroezemoes van de ingenieurs in het controlecentrum. Er heerste koortsachtige activiteit in de ruimte, nu de laatste minuten voor de start verstreken. Ling stond te kijken naar een uitdraai met computergegevens over de raket. Van spanning parelden er zweetdruppels op zijn voorhoofd, ondanks de koele temperatuur in de airconditioned ruimte.

Voor Ling was er alle reden om nerveus te zijn, want bij een raketlancering is de kans op mislukken altijd aanwezig. Hij wist maar al te goed dat één op de tien lanceringen mislukte, en dat kon door wel duizend-en-een oorzaken gebeuren. En als er niet iets misging bij de lancering van de raket, dan kon de nuttige lading van een satelliet verloren gaan doordat die in een verkeerde baan gebracht werd. Omdat de raket bij deze missie een korte baan moest volgen, was er minder kans op een mislukking, maar het risico van een catastrofale lancering was toch aanwezig.

Ling haalde opgelucht adem toen hij de laatste gegevens over de raket bekeken had. Alle kritieke systemen werkten normaal. Er was niets dat erop wees dat de betrouwbare Zenit-raket niet zou opstijgen zoals verwacht. Amper vijf minuten voor de start wendde Ling zich tot Tongju en er klonk iets van zelfverzekerdheid door in zijn stem.

'Er zijn geen problemen voor de lancering. Het aftellen kan ongehinderd doorgaan.'

Alle aandacht werd gericht op het beeld van de raket op het videoscherm, tijdens de laatste minuten voor het opstijgen. Alle ogen keken gespannen naar het scherm, maar niemand zag de beweging aan de rand van het beeld. Alleen de camera registreerde een donkerharige man die langs de rand van het platform draafde, snel de ladder langs de pijler afdaalde en uit het zicht verdween.

Pitt verspilde geen tijd en schakelde meteen de aandrijving van de *Badger* in. Hoewel hij besefte dat het de slechtst mogelijke plek was om te zijn, stuurde hij het toestel onder het grote platform naar de achterste kolom aan stuurboord. Recht boven hem waren de panelen om de hete stroom uitlaatgassen tijdens de start van de Zenit af te buigen naar zee.

Pitt keerde de neus van de *Badger* naar de kolom, voer een eindje naar achteren, zodat hij de schuine steunbalk kon passeren, en liet het toestel duiken tot een diepte van vijf meter. Met de bedieningshendels bracht hij de grote grondboor in positie, recht naar voren wijzend, als een middeleeuwse lans. Pitt zette zich schrap en mompelde: 'Oké, *Badger*, laat maar eens zien of je kunt steken,' en hij drukte de gashendels helemaal naar voren.

De glanzend rode *Badger* werkte zich door het water en maakte snelheid op het korte traject naar de pijler. Door de massa van het toestel en de snelheid ramde de grondboor met een klap de zware metalen kolom. Pitt hield zijn adem in toen hij naar voren schoot en contact maakte. Meteen nadat hij tot stilstand was gekomen, trok hij de gashendels naar de stand VOLLE KRACHT ACHTERUIT en tuurde door het bellengordijn. Door het troebele en woelige water zag hij dat de grondboor nog heel was, en hij haalde opgelucht adem. Het gewicht en de vaart van de *Badger* hadden de grondboor met zoveel kracht tegen de metalen kolom gedreven dat de scherpe punt van de grondboor een gat met een doorsnee van twintig centimeter in de kolom had geslagen.

Pitt voelde zich als Ezra Lee in de houten miniduikboot *Turtle*, tijdens de Onafhankelijkheidsoorlog. Deze vrijwilliger had getracht een gat in de romp van een Brits oorlogsschip te boren en een mijn te plaatsen. Hoewel die poging mislukte, leeft de *Turtle* voort in de herinnering als de eerste onderzeeboot die tijdens een oorlog gebruikt werd.

Pitt liet de *Badger* tot acht meter achteruitvaren en gaf weer volle kracht vooruit naar de pijler van het lanceerplatform. Weer dreunde de grondboor met een klap tegen het metaal en er verscheen een rond gat waar het zeewater door naar binnen stroomde.

De list van Pitt was bepaald niet subtiel, maar wel geniaal in zijn eenvoud. Hij besefte dat het onmogelijk was de lancering te verijdelen, maar dat het misschien wel mogelijk was de richting van de Zenit te veranderen. Door het platform uit balans te brengen, zou de raket afwijken van het berekende vluchtplan. En tijdens de korte vlucht van de Zenit was er te weinig tijd voor het geleidingssysteem om de afwijking te corrigeren, zodat het doel gemist werd. En Pitt begreep ook dat de achterste pijlers van het platform de achilleshiel van het gevaarte waren. Omdat de raket verticaal op het achterdek stond, moest de balans van de *Odyssey* nauwkeurig bewaard blijven. In de pijlers zaten actieve trimsystemen die met zes krachtige pompen de ballasttanks loosden of vulden, om zo de stabiliteit te bewaren. Door water in de achterste pijlers te laten stromen, was er een kans dat de hele *Odyssey* instabiel werd. Voor Pitt was het een wanhopige strijd tegen de ballastpompen om het evenwicht te verstoren.

Als in een op hol geslagen kermisattractie werd Pitt in de *Badger* heftig heen en weer gesmeten, telkens wanneer de grondboor met een harde klap een gat in de metalen pijler sloeg. Elektronische instrumenten in de cockpit raakten los en rolden naar zijn voeten. De neus van de *Badger* raakte gehavend door de harde klappen tegen de wand van de pijler en er drongen al dunne straaltjes zeewater de cabine binnen doordat er lasnaden beschadigd raakten. Maar dat kon Pitt niet schelen. Zijn eigen veiligheid was wel het laatste waar hij aan dacht nu de seconden voor de lancering wegtikten. Nog één keer liet hij de *Badger* met volle kracht tegen de pijler slaan, en als een woeste muskiet boorde hij weer een gat in het metaal, niet om bloed op te zuigen, maar om water naar binnen te laten dringen.

Nadat hij meer dan twaalf aanvallen op de kolom aan stuurboord had uitgevoerd, keerde Pitt de lekkende *Badger* om en raasde naar de achterste pijler aan bakboord. Hij keek snel op zijn Doxa-horloge en berekende dat de lancering binnen twee minuten zou beginnen. Met een enorme klap sloeg de grondboor in de steunkolom, en door het geweld raakte de neus van de *Badger* nog meer beschadigd. Nog meer water drong het toestel binnen, maar Pitt negeerde het. Het zoute water klotste om zijn voeten, maar hij schakelde kalm in z'n achteruit om een aanloop te nemen voor de volgende uithaal naar de kolom. Terwijl hij daarmee bezig was, vroeg hij zich onwillekeurig af of dit de zinloze aanvallen van een onderwater-Don Quichotte tegen onverzettelijke windmolens waren.

Pitt kon het niet weten, maar het eerste gat in de kolom aan stuurboord had een van de ballastpompen geactiveerd. Naarmate er meer gaten in de kolom verschenen, werden meer pompen ingeschakeld, tot ze alle zes op vol vermogen werkten. De pompen stonden onder in de pijlers, waarvan de bodem al ongeveer dertien meter onder water was. Hoewel het automatische trimsysteem de rijen kolommen links en rechts gemakkelijk in evenwicht kon houden, was het veel moeilijker de balans tussen de voorkant en achterkant van de *Odyssey* te bewaren. Nu het water in de achterste pijlers snel steeg via de gaten die Pitt onophoudelijk had geslagen, duurde het niet lang voordat de capaciteit van de pompen tekortschoot. De zinkende achterkant van het grote platform vormde een dilemma voor de software die het automatische trimsysteem bestuurde. Onder normale omstandigheden zou het trimsysteem de balans herstellen door de ballasttanks aan de voorkant te vullen, zodat het hele gevaarte dieper in het water kwam te liggen. Maar het platform was in lanceerpositie gebracht, en dus lag het al diep in zee. Het besturingssysteem hield rekening met de laaghangende afbuigplaten voor de straalstroom uit de raketmotoren, en als het platform nog meer zakte, konden die platen beschadigd raken. In enkele nanoseconden berekende het computersysteem wat nu prioriteit had, en de conclusie was duidelijk. Tijdens de lanceerprocedure moest het trimsysteem vooral de diepte van het platform bewaken, en daarom werd het waterniveau in de zinkende achterste kolommen genegeerd.

58

Aan boord van de *Koguryo* begon in de controlekamer een rood waarschuwingslampje te knipperen, minder dan twee minuten voor de lancering. Een ingenieur met een bril op zag het alarm over de stabiliteit van het lanceerplatform, krabbelde snel een notitie en liep meteen naar Ling.

'Meneer Ling, we hebben een alarm over de stabiliteit van het platform,' rapporteerde hij.

'Wat is de afwijking?' vroeg Ling gejaagd.

'Aan de achterkant drie graden.'

'Dat is onbelangrijk,' wuifde Ling de ingenieur weg. Hij wendde zich naar Tongju, die naast hem stond, en zei: 'Een helling van vijf graden of minder is geen reden voor bezorgdheid.'

Tongju was al overtuigd van een succesvolle lancering. Er was nu geen weg terug.

'Breek de lancering niet af, om geen enkele reden,' siste hij dreigend naar Ling. De chef-ingenieur klemde zijn kaken op elkaar en knikte, om dan weer gespannen naar het videoscherm met de wachtende raket te kijken.

Het interieur van de *Badger* was veranderd in een chaos van gereedschap, computeronderdelen en alles wat in het naar binnen dringende zeewater op de vloer was gevallen, heen en weer klotsend bij elke beweging van het toestel. Pitt bleef onverschillig voor de chaos en ramde voor de zoveelste keer met de grondboor tegen de kolom van het platform. Zeewater spoelde om zijn kuiten en hij zette zich schrap voor de volgende botsing, luisterend naar de metalen dreun als de boor het metaal raakte. Hij schoot bij elke klap ruw naar voren en rook de geur van smeulend isolatiemateriaal, omdat er ergens door het zeewater kortsluiting was ontstaan. Het telkens weer beuken had de *Badger* veranderd in een gebutst wrak: de voorkant, die ooit rond was geweest, was geplet en de rode verf was door het schampen afgeschraapt. De grondboor was verbogen en verwrongen en zat met twee steuntjes nog maar nauwelijks aan de *Badger* bevestigd. Binnen knipperden de lampen, het water steeg steeds meer en de motoren voor de voortstuwing begaven het de een na de ander. Terwijl hij naar het kreunen en gorgelen in het onderwatertoestel luisterde, voelde Pitt dat het leven eruit wegebde. Toen hij weer in z'n achteruit schakelde om zich van de pijler te verwijderen, hoorde hij een ander geluid. Het was een diep geruis, ergens boven zijn hoofd.

Voor een toevallige waarnemer is het eerste teken dat elk moment een raket gelanceerd kan worden vanaf het Sea Launch-platform het bulderende geluid van stromend water dat onder de raketmotoren wordt gepompt. Vijf seconden voor het ontsteken van de stuwraketten wordt in de goten onder de raket een ware watervloed geloosd. Het effect van deze massale hoeveelheid water is dat de gloeiende uitlaatgassen van de raketmotor het platform minder beschadigen, maar het dient vooral om mogelijke akoestische schade aan de nuttige lading in de neuskegel te voorkomen.

Drie seconden voor de start, zodra de inwendige apparatuur wordt geactiveerd, begint de Zenit-raket te kreunen en te trillen, zodat de reusachtige raket tot leven lijkt te komen. Achter de metalen huid begint een sterke turbinepomp het vluchtige en brandbare mengsel door injectors naar de vier verbrandingskamers van de raket te stuwen. In elke kamer bevindt zich een ontsteker, die ervoor zorgt dat het mengsel ontbrandt in een gecontroleerde explosie. De gassen van deze explosie zoeken een uitweg met de minste weerstand en blazen door een spruitstuk onderaan de raket. De straal gloeiend heet gas geeft de raket een opwaartse kracht die de zwaartekracht overtreft en de Zenit stijgt op boven het platform.

Maar de laatste drie seconden van het aftellen zijn cruciaal. In die paar tellen controleren de computersystemen razendsnel het opstarten van de raketmotor, de aanvoer van brandstof, de ontstekingstemperatuur en een groot aantal andere technische waarden die de werking van de motor bepalen. Als er een belangrijke afwijking wordt ontdekt in de gegevens over de raketmotor neemt een automatisch controlesysteem het over en schakelt het opstarten uit, zodat de lancering wordt afgebroken. Dan moet het hele lanceerproces vanaf het begin opnieuw afgewerkt worden, en het kan wel vijf dagen duren voordat een nieuwe lanceerpoging mogelijk is.

Ling negeerde het videoscherm met beelden van de Zenit naast de lanceertoren. Hij tuurde gespannen naar een computerscherm met de kritieke metingen tijdens de laatste seconden van het aftellen tot nul. Eén seconde voor de start gloeide een rij groene lampjes op en Ling zuchtte even opgelucht.

'We hebben stuwkracht!' riep hij zodra op de monitor te zien was dat de RD-171-raketmotor snel naar maximaal vermogen werd gebracht. Alle ogen in de controleruimte keken naar het videoscherm, waar duidelijk te zien was hoe de vurige uitlaatgassen uit de onderkant van de raket spoten. Eén lange seconde bleef de raket roerloos staan. Vlammen likten aan het water en meteen vormden zich enorme witte dampwolken boven het platform. En opeens verhief de Zenit zich statig boven het lanceerplatform. De klemmen van de lanceertoren raakten los en de witte raket, aangedreven door een motor met een stuwkracht van achthonderdduizend kilo steeg met donderend geraas en een verblindend felle vuurstraal langs de toren naar de hemel.

Een gejuich klonk in het controlecentrum toen de ingenieurs zagen dat de Zenit opsteeg boven het platform. Ling grijnsde breed naar Tongju, maar die knikte alleen voldaan.

Aan de andere kant van de ruimte bleef de ingenieur met de bril als gehypnotiseerd staren naar de videobeelden van de raket, afstekend tegen de azuurblauwe hemel. De ingenieur keek niet naar de monitor van zijn computer, waarop te lezen was dat de afwijkende schuine stand van de *Odyssey* in de laatste seconden voor de lancering was opgelopen tot meer dan vijftien graden.

Vijf meter onder water suisden Pitts oren van het donderende geraas. Wat begon als het rommelen van een goederentrein in de verte, was aangezwollen tot een oorverdovend bombardement als van duizend exploderende vulkanen toen de raketmotoren van de Zenit op volle kracht kwamen. Pitt wist dat het helse lawaai nog maar een voorbode was van wat zou komen. De toenemende kracht van de hete straalstroom onder de raketmotor werd afgebogen naar met water gevulde goten, waardoor de duizenden liters water tot stoom explodeerden. De razende straal wrong zich langs de afbuigende platen en beukte als een smidshamer op de zee.

De *Badger* was bijna recht onder het lanceerplatform en het toestel werd als speelgoed onder water gedreven in een wolk van damp en luchtbellen. Pitt had het gevoel dat hij in een wasmachine opgesloten zat, zo heftig werd hij heen en weer gesmeten. De naden van het toestel kraakten onder het geweld en de binnenverlichting knipperde onregelmatig door het schudden. Een losse batterij sloeg tegen Pitts hoofd, zodat hij een snijwond aan zijn slaap opliep toen de *Badger* om zijn as draaide. Hij herstelde zich van de klap en ontdekte een nieuwe bedreiging toen hij met een hand steun zocht tegen de wand. Tot zijn verbazing was de wand gloeiend heet. Snel trok hij zijn hand terug en schudde hem heftig om af te koelen. Een misselijkmakende gedachte kwam in hem op, terwijl zweetdruppels van zijn voorhoofd gleden, en hij voelde dat het water dat om zijn voeten klotste snel warmer werd. De raketmotor veroorzaakte een kokend hete storm om hem heen, en hij zou levend worden gepocheerd voordat de raket het platform verliet.

Een tweede, nog krachtiger schok trof de *Badger* toen de raketmotor op vol vermogen kwam. De sterke stroom duwde het toestel schuin en bijna op zijn zij met geweld door het water. Pitt klampte zich vast aan de bedieningshendels om zijn evenwicht niet te verliezen, zonder iets te kunnen zien in het kolkende water achter de voorruit. Als hij een idee had waar de *Badger* heen gesleurd werd, dan zou hij zich schrap zetten. Maar de klap kwam zonder waarschuwing.

Met een vaart als van een vlot stroomafwaarts op de Colorado River werd de *Badger* tegen de afgezonken bakboorddrijver van de *Odyssey* gesmeten. Een metalige dreun galmde door het water toen het toestel tegen de onverzettelijke drijver klapte. Pitt vloog in een regen van losgeraakte voorwerpen uit de bestuurdersstoel naar voren. De verlichting viel uit en overal klonken sissende geluiden. Een schrapend geknars vertelde Pitt dat de *Badger* langs de ponton schoof, tot er weer een luide klap volgde en het toestel even kantelde om plotseling tot stilstand te komen. Pitt probeerde zich te oriënteren en besefte dat het toestel door de sterke waterstroom tegen het platform werd gedrukt, of misschien beklemd was geraakt in een van de scheepsschroeven. De *Badger* lag op zijn kant tegen de enorme ponton, en hij kon onmogelijk het luik openen om te proberen tegen het naar binnen kolkende zeewater naar buiten te ontkomen. Met een wee gevoel werd duidelijk dat wanneer hij niet levend gekookt werd, hem een snelle verdrinkingsdood wachtte, gevangen in het lekkende onderwatertoestel.

59

Tongju keek gespannen naar de Zenit, die met donderend geraas langs de lanceertoren opsteeg. Het bulderende geluid drong zelfs door tot in de controlekamer aan boord van de *Koguryo*. De medewerkers van het lanceerteam juichten en applaudisseerden bij het opstijgen van de raket. Ling glimlachte breed toen hij op het computerscherm zag dat de raketmotor op vol vermogen werkte. Hij keek naar Tongju, die met strakke lippen goedkeurend knikte.

'De missie is nog niet voorbij,' zei Ling, duidelijk opgelucht dat de raket eindelijk op weg was. Maar het gevaarlijkste deel van deze operatie was goed verlopen. Als de raketmotor eenmaal ontstoken was, kon Ling weinig doen aan het verdere verloop van de vlucht. Toch niet helemaal gerust werd hij nu toeschouwer en keek of de raket in balans bleef.

Op tienduizend kilometer afstand glimlachte Kang zuinig, terwijl hij via een satellietverbinding de raket zag opstijgen boven het dek van de *Odyssey*.

'We hebben de geest uit de fles gehaald,' zei hij kalm tegen Kwan, die tegenover hem aan het bureau zat. 'Laten we hopen dat hij zijn meester gehoorzaamt.'

In de cockpit van de *Icarus* keken Al, Dirk en Jack vol afgrijzen toe hoe de raket met veel gebulder van het platform oprees. Kort daarvoor had Giordino het overladen luchtschip laten dalen op een open plek op Santa Barbara Island, en de bemanning van de Sea Launch was opgelucht zo snel mogelijk uit de gondel gesprongen. Kapitein Christiano verscheen in de deuropening naar de cockpit om de drie mannen voorin de hand te schudden.

'Bedankt voor het redden van mijn bemanning,' zei Christiano, met een grimmige trek op zijn gezicht omdat hij het gezag over de *Odyssey* kwijt was.

'Nu we weer normaal kunnen vliegen, zullen we ervoor zorgen dat die bandieten niet ongestraft wegkomen,' voegde Dirk er met ingehouden woede aan toe. Hij wees door het raam van de cockpit naar een naderende blauwe stip aan de horizon.

'De *Deep Endeavor* komt hierheen. Breng de mannen naar de kust, zodat ze klaar zijn om aan boord te gaan.'

Christiano knikte en stapte uit de gondel, die nu op Jack na leeg was.

'Iedereen is van boord,' riep hij naar de cockpit.

'Dan zullen we deze feestballon maar weer oplaten,' bromde Giordino, en hij verstelde de propellers terwijl hij gas gaf. Nu de zware lading passagiers uit de zeppelin was, steeg het toestel soepel op. Giordino stuurde de zeppelin weer terug naar de *Odyssey* en de drie mannen zagen de eerste rookwolken als teken dat de lancering begonnen was.

De hete gasstroom van brandende zuurstof en kerosine blies tegen het water onder de raket en vormde meteen een enorme witte dampwolk die het hele platform omhulde. De Zenit leek nog seconden lang roerloos op het platform te staan. Voor de mannen in de zeppelin was het een hoopvol moment, omdat het leek of de raket niet zou opstijgen. Maar toen begon de witte raket op te stijgen, aangedreven door een verblindend felle vuurstraal uit de onderkant. Zelfs op enkele kilometers afstand hoorden ze het dof knallende geluid als de hete brandende straal in contact kwam met de koele omgevingslucht. Het deed denken aan het geluid van een hakbijl die een boomstronk doorklieft.

Hoewel het een machtig en bijna fraai tafereel was, voelde Dirk een misselijkmakende knoop in zijn maag toen hij naar de opstijgende raket keek. De glanzend witte raket was op weg naar de meest genadeloze terroristische aanval ooit gepleegd, en miljoenen mensen zouden een vreselijke dood sterven. En hij had gefaald: hij had dit niet kunnen voorkomen. Alsof dat nog niet erg genoeg was, besefte hij dat Sarah zich ergens in het doelgebied bij Los Angeles bevond en dat ze een van de eerste slachtoffers kon worden. En hij dacht aan het lot van zijn vader. Hij keek moedeloos opzij naar Giordino en zag een gepijnigde uitdrukking op het gezicht van de Italiaan zoals hij nooit eerder had gezien. Het was geen woedende blik jegens de terroristen, maar eerder diepe bezorgdheid over het verlies van een levenslange vriend. Dirk wilde het niet onder ogen zien, maar hij wist dat zijn vader ergens op het platform was, te midden van giftige dampen vechtend voor zijn leven, of erger.

Aan boord van de *Deep Endeavor* voelde Summer dezelfde steken van bezorgdheid door haar hele lichaam. Dirk had via de marifoon gemeld dat het personeel van Sea Launch in veiligheid was, maar ook dat hun vader aan boord van het platform moest zijn. Toen Delgado als eerste opmerkte dat de raket gelanceerd werd, voelde ze haar knieën knikken.

Ze greep de stoel van de kapitein om steun te zoeken en staarde strak naar het platform, terwijl tranen in haar ogen opwelden. Iedereen op de brug zweeg, vol ongeloof kijkend naar de raket die boven het lanceerplatform opsteeg. Eensgezind dacht iedereen aan het lot van de leider van NUMA, ergens in de rookwolken onder de raket.

'Dit kan niet waar zijn,' mompelde Burch geschokt. 'Het kan gewoon niet waar zijn.'

60

In de *Badger* was de temperatuur ondraaglijk. De oververhitte metalen romp werkte met het stijgende water als een sauna. Pitt raakte bijna bewusteloos door de verstikkende hitte toen hij zich weer naar de bestuurdersstoel werkte. Enkele lampjes knipperden op het bedieningspaneel, dus de noodsystemen kregen nog stroom, maar de voortstuwing was allang uitgevallen. Hoewel zijn lichaam verdoofd werd door de hitte werkte zijn geest helder, en hij besefte dat hij een kans had los te komen van de ponton. Zweetdruppels prikten in zijn ogen en hij strekte zijn hand uit om een gehavende knop in te drukken met het opschrift BALLASTPOMP. Daarna greep hij de stuurknuppel en sprong achteruit in het stijgende water, om met zijn volle gewicht en nog resterende spierkracht het roer te bewegen in de sterke stroom. Eerst weigerde het roerblad, maar langzaam bewoog het omhoog, zich verzettend tegen Pitts inspanningen. Met verkrampende spieren en terwijl er vlekken voor zijn ogen verschenen, klemde Pitt zich vast aan de stuurhendel, vechtend om niet bewusteloos te raken. Seconden lang gebeurde er niets. Pitt hoorde alleen de kolkende waterstroom langs de *Badger*, terwijl de temperatuur in het toestel steeds meer steeg. Toen drong een schrapend geluid tot hem door, een geluid dat hij eerder had gehoord. Een vage glimlach verscheen om zijn lippen, terwijl hij vocht om bij kennis te blijven. Volhouden, hield hij zichzelf voor, de stuurknuppel nog steviger vastklemmend. Hou vol...

Een raketingenieur, die op een rotsige heuveltop van Santa Barbara Island te midden van zijn verbaasde Sea Launch-collega's stond, was de eerste die het zag. Een subtiel, bijna onwaarneembaar waggelen, onderaan de raket, die nu boven de lanceertoren was.

'Hij oscilleert!' zei de ingenieur luid.

De mannen rond hem, uitgeput en nog verbijsterd door wat hen overkomen was, negeerden zijn opmerking en keken kwaad en ongelovig toe hoe anderen hun raket van het platform lanceerden. Maar naarmate de raket steeds hoger en hoger door de lucht suisde, merkten de ervaren specialisten dat er iets mis was met de baan van de raket. Eerst klonk er alleen gemompel onder de toeschouwers, maar dan werden het kreten. Een man schreeuwde een verwensing dat de raket kon exploderen, en anderen volgden zijn voorbeeld. Het duurde niet lang of iedereen sprong op en neer, schreeuwend naar de verdwijnende raket, alsof ze met hun laatste dollars op een kansloos paard hadden gewed.

Aan boord van de *Koguryo* verdween de juichstemming over de lancering toen een vluchtleider zich naar Ling wendde en zei: 'Chef, de uitlaat van de eerste trap heeft meer cardanische beweging dan binnen de nominale vluchtparameters is toegestaan.'

De Zenit 3SL wordt net als de meeste moderne raketten tijdens de vlucht gestuurd door het verstellen van de straalstroom, waardoor de koers constant gehouden kan worden. Ling wist dat aan het begin van de lancering geen bijsturing nodig is, tot de raket stabiel stijgt, en daarna geeft het navigatiesysteem instructies voor kleine correcties, zodat de raket recht naar zijn doel vliegt. Alleen bij een onopgemerkte onbalans zou het systeem meteen na de lancering bijsturen en corrigeren.

Ling liep naar het bureau van de raketingenieur en keek naar de monitor. Zijn mond viel open toen hij zag dat de cardanische uitlaat van de raketmotor maximaal uitsloeg. Hij keek zwijgend hoe een seconde later de uitlaat naar de neutrale stand terugkeerde om dan maximaal naar de andere kant te draaien. En bijna meteen begon deze cyclus opnieuw. Ling vermoedde meteen wat de oorzaak was.

'Choi, wat was de horizontale afwijking van het lanceerplatform bij de start?' schreeuwde hij naar de platformingenieur.

De man keek hem schaapachtig aan en antwoordde, zo zacht dat het nauwelijks verstaanbaar was: 'Zestien graden.'

'Nee!' hijgde Ling schor en kneep vol ongeloof en in paniek zijn ogen dicht. Alle kleur verdween uit Lings gezicht en hij moest steun zoeken bij de computermonitor omdat zijn knieën opeens van rubber leken. Met een akelig voorgevoel opende hij langzaam zijn ogen en staarde naar het videoscherm met het beeld van de raket, wachtend op het onvermijdelijke.

Pitt kon niet weten wat het resultaat was van zijn verbeten en herhaaldelijk gaten slaan in de ponton van de *Odyssey*. Maar de tientallen openingen die in de zijkant van de pijlers waren geslagen, hadden een binnenstromende vloed aan zeewater veroorzaakt waartegen de ballastpompen al spoedig niet meer opgewassen waren. En omdat het automatische controlesysteem was ingesteld op het bewaren van de voorgeschreven lanceerdiepte, verzamelde het binnenstromende water zich aan de achterkant, waardoor het platform aan die kant dieper zonk. De Zenit stond al vijftien graden uit het lood toen de raket oprees boven het lanceerplatform, en meteen werd die afwijking van het vooraf bepaalde vluchtplan gecorrigeerd. Maar bij de lage aanvangssnelheid was het effect gering, zodat de uitlaat in de maximale zijdelingse stand werd gezet. Naarmate de raket meer snelheid kreeg, was de correctie spoedig te groot, en de besturingscomputers bewogen de uitlaat snel naar de andere kant om de beweging te compenseren. Onder normale omstandigheden zou de raket zichzelf met enkele kleine correcties weer gestabiliseerd hebben, maar voor deze vlucht waren de brandstoftanks maar half gevuld. De gedeeltelijk lege tanks maakten dat de brandstof heen en weer kon klotsen door de correcties, waardoor de balans nog extra werd verstoord. Het overbelaste stabilisatiesysteem probeerde tevergeefs de baan weer recht te krijgen, maar de onbalans werd steeds heftiger en de raket begon te wankelen.

Op videoschermen en via satellietbeelden, vanuit de cockpit van een zeppelin en vanaf een rotseiland in de oceaan, staarden wel duizend ogen naar de glanzende raket, die traag een slingerende beweging maakte in de lucht. Wat begon als een lichte onbalans bij de start werd een steeds heftiger wiebelen, tot de hele raket oncontroleerbaar heen en weer schudde, als een buikdanseres met anorexia. Als het team van Sea Launch deze vlucht had geleid, zou een automatisch veiligheidssysteem de raket hebben doen exploderen zodra de slingerbeweging te heftig werd. Maar die beveiliging was door de technici van Kang uitgeschakeld, zodat de Zenit zigzaggend omhoog bleef schieten, dansend met de dood.

Voor de ogen van de verbaasde toeschouwers zwaaide de grote raket wild heen en weer, om vervolgens letterlijk in twee stukken te breken. De onderste trap van de raket explodeerde onmiddellijk in een vuurbal, omdat alle brandstof in de tanks vlam vatte. Stukken en brokken van de raketsystemen die na de explosie niet meteen verbrandden, regenden neer op de verlaten zee, terwijl er zich tegen de blauwe hemel een paddenstoelwolk aftekende.

De neuskegel en het bovenste gedeelte van de Zenit ontsnapten aan de vuurzee en suisden als een afgeschoten geweerkogel nog omhoog. In een sierlijke boog begon de halve raket met de witte rooksliert terug te vallen, om even later met de neus naar beneden in de oceaan te storten, waarbij er een fontein van water en brokstukken oprees. Opeens werd het stil, en de verbaasde toeschouwers keken zwijgend naar de witte regenboog van rook die nog duidelijk liet zien welke route de raket had afgelegd.

61

Op een kiezelstrand van Santa Barbara Island ontwaakte een walrus uit zijn dutje en spitste zijn oren. Het onbekende geluid van gejuich klonk vanaf de heuvel, waar zo'n dertig mannen bij elkaar stonden op de top. De walrus keek verbaasd naar de slonzige groep, en rekte zich daarna uit om verder te slapen.

Voor het eerst in hun leven waren de ingenieurs en technici van het Sea Launch-platform blij dat ze een lancering zagen mislukken. Mannen juichten en floten, en er werden in een overwinningsroes vuisten in de lucht gestoken. Nadat de raket hoog boven hen explodeerde, grijnsde zelfs Christiano opgelucht toen chef-lancering Ohlrogge hem opgetogen op de schouder sloeg.

'Iemand daarboven was ons eindelijk eens goedgezind,' zei Ohlrogge.

'Goddank. Wát die schurken ook probeerden te lanceren, het kan nooit iets goeds zijn geweest.'

'Een van mijn vluchtspecialisten zag al meteen bij de start dat de raket oscilleerde. Een van de spruitstukken werkte kennelijk niet goed, of er was iets met de stabiliteit van het platform.'

Christiano dacht aan Pitt, en de opmerking die hij had gemaakt voordat ze van de *Odyssey* waren weggevlogen. 'Misschien kan die NUMA-man wel toveren.'

'Als dat zo is, dan zijn we hem veel dank verschuldigd.'

'Ja, en iemand anders is mij ook wat verschuldigd,' zei Christiano.

Ohlrogge keek de kapitein vragend aan.

'De Zenit-raket die zojuist in rook opging, kostte wel negentig miljoen dollar. Dat wordt nog wat, als we het schadeformulier indienen bij de verzekering,' zei Christiano, en barstte in lachen uit.

Kang kromp ineen toen hij de satellietbeelden zag van de Zenit die in stukken en brokken uiteenspatte. Toen de camera op de wrakstukken inzoomde, pakte hij zwijgend de afstandbediening en schakelde de monitor uit.

'Al is de aanval mislukt, het zal toch een flinke provocatie voor het Amerikaanse volk zijn,' probeerde Kwan zijn baas gerust te stellen. 'De woede zal groot zijn, en de gevolgen voor Japan zijn dat ook.'

'Ja, het gecontroleerd lekken via onze media zal daar zeker voor zorgen,' beaamde Kang, zijn woede over de mislukte lancering onderdrukkend. 'Maar eerst moet de *Koguryo* met het lanceerteam verdwijnen. Als die boot geënterd wordt en de bemanning gevangengenomen, dan wordt veel van onze inspanningen tenietgedaan.'

'Tongju zal zijn werk goed doen. Dat doet hij altijd,' zei Kwan.

Kang staarde even naar de uitgeschakelde monitor en knikte bedachtzaam.

De stemming in de controleruimte aan boord van de *Koguryo* veranderde snel van vreugde in schrik en dan in matte verslagenheid. Opeens was er geen taak meer voor de vluchtleiders, en de groep technici en ingenieurs zat zwijgend achter de computerschermen, waarop niet langer gegevens over de vlucht verschenen. Niemand leek te weten wat er nu moest gebeuren en er werd alleen zacht met elkaar gefluisterd.

Tongju keek indringend en kil naar Ling, om daarna zonder één woord uit de controleruimte te verdwijnen. Terwijl hij naar de brug liep, riep hij Kim op via zijn portofoon en hij sprak met gedempte stem enkele woorden. Op de brug trof hij kapitein Lee, die door het raam aan stuurboord naar de neervallende brokstukken van de raket en de witte condensstrepen aan de blauwe hemel staarde.

'Hij is ontploft,' zei Lee verbaasd, en keek toen naar de uitdrukkingsloze ogen van Tongju.

'Er was een probleem met het platform,' antwoordde Tongju. 'We moeten onmiddellijk uit dit gebied verdwijnen. Kunnen we nu meteen wegvaren?'

'We zijn klaar voor vertrek. De sloep moet alleen nog aan boord gehesen worden, daarna gaan we.'

'Daar is geen tijd voor,' siste Tongju snel. 'De Amerikaanse kustwacht en marine zijn al naar ons op zoek. Nu meteen volle kracht vooruit, dan zal ik persoonlijk de meerlijnen van de sloep lossnijden.'

Lee keek Tongju even onderzoekend aan en knikte toen.

'Zoals u wilt. De koers is al uitgezet. We koersen naar Mexicaanse wateren, en onder dekking van de duisternis varen we naar de rendezvouspositie.'

Tongju deed een stap naar de deur, maar bleef opeens staan. Hij keek door het raam naar het in rookwolken gehulde Sea Launch-platform, en zag vanuit het noordwesten op honderd meter hoogte de zilverkleurige zeppelin naar het platform vliegen.

'Alarmeer het team met de luchtdoelraketten. Die zeppelin moet onmiddellijk worden neergehaald,' beval Tongju, waarna hij door de deuropening verdween.

De twee vierbladige scheepsschroeven van de *Koguryo* begonnen onder de romp in het water te malen en Tongju liep snel naar de valreep die aan bakboord hing. Onderaan deinde de witte sloep, afgemeerd met een lijn. Tongju zag bellen en een wolk uitlaatgas bij de achterkant van de sloep, een teken dat de motor stationair draaide. Snel maakte hij het touw los, haalde het in en wachtte tot een volgende golf de sloep tegen de zijkant van het grote schip duwde. Hij stapte moeiteloos op de voorplecht van de sloep en schuifelde naar de stuurhut, nadat hij de opgerolde meerlijn in een emmer op het dek had gegooid. In de stuurhut trof hij Kim en twee van zijn commando's naast het stuurwiel.

'Alles aan boord?' vroeg Tongju.

Kim knikte. 'Tijdens de drukte bij de lancering hebben we onze wapens en proviand aan boord gebracht, en ook extra brandstof. Niemand heeft iets gemerkt.' Kim knikte naar de vier grote vaten met dieselolie die op het achterdek vastgebonden waren.

'We laten de sloep eerst drijven, en dan op volle kracht naar Ensenada. Wanneer exploderen de springladingen?'

Kim keek op zijn horloge. 'Over vijfentwintig minuten.'

'Dan hebben ze tijd genoeg om eerst dat luchtschip te vernietigen.'

De *Koguryo* voer snel weg van de sloep, die stationair draaiend op de zeedeining achterbleef. Toen het verbouwde kabelschip een paar honderd meter verder was, duwde Kim de gashendel naar LANGZAAM en de sloep koerste in zuidoostelijke richting. Nog even en het zou lijken of ze in een gewone sportvissersboot op weg naar de haven van San Diego waren.

Lang nadat de Zenit opgestegen was en vervolgens ontploft, bleef er nog een witte wolk als een mistbank om de *Odyssey* hangen. Langzaam vormde de lichte zeebries gaten in de wolk, zodat delen van het lanceerplatform weer zichtbaar werden.

'Het lijkt wel een kom mosselsoep,' zei Girodino toen hij de *Icarus* naar het platform liet zwenken. Terwijl Giordino en Dahlgren naar het gevaarte keken, speurend naar een teken van Pitt, schakelde Dirk het LASH-systeem in en richtte de camera om te zien of ergens een levend wezen te bekennen was.

'Ik weet het niet zeker, maar volgens mij is dat gevaarte aan het zinken,' zei Dahlgren toen ze over de achterkant van het platform zweefden en de pijlers boven het water konden zien. De mannen in de gondel zagen duidelijk dat de achterste kolommen korter leken dan die aan de voorkant.

'Inderdaad, er moet water in de achterkant stromen,' beaamde Dirk.

'Zou dat het werk van jouw papa zijn? Dan heeft hij wel iemand een nieuwe raket door de neus geboord,' zei Giordino.

'En een nieuw lanceerplatform,' voegde Dahlgren eraan toe.

'Maar waar is hij?' vroeg Dirk hardop. Ze konden alle drie zien dat er geen teken van leven aan dek was.

'De rook begint te verdwijnen. Als de lucht boven het heliplatform is opgeklaard, gaan we wat dichterbij kijken,' besloot Giordino.

Ze zweefden naar de boeg van het platform en Dahlgren trok een grimas toen hij naar beneden keek.

'Verdorie, de *Badger* is ook verdwenen. Zeker gezonken tijdens de lancering.'

De drie mannen vielen stil, in het besef dat het verlies van de *Badger* niet het belangrijkst was.

Vijf kilometer naar het zuiden was een lid van het raketteam op de *Koguryo* bezig de coördinaten van de zeppelin, verkregen met radarverkenning, in het geleidingssysteem van een Chinese CSA-4 te programmeren. De mannen van het raketteam konden zich geen gemakkelijker doelwit wensen dan het traag bewegende luchtschip. Op deze korte afstand een zo groot doel missen was bijna onmogelijk.

In een afgesloten ruimte naast de twee raketten stond een expert en hij voerde de gegevens door naar de raket. Een rij groene lampjes flitste aan toen het radarsysteem van de raket gekoppeld was aan het doelwit. De man pakte meteen een telefoon met directe verbinding naar de brug.

'Doel bepaald en raket gereed,' meldde hij kortaf aan kapitein Lee. 'Wacht op commando vuren.'

Lee keek uit een zijraam naar de zeppelin, die in de verte boven het platform zweefde. Als de raket in het luchtschip explodeerde, zou dat een spectaculair tafereel zijn, dacht hij kinderlijk. Misschien moesten ze het turquoise schip in de verte ook maar vernietigen, om daarna ongezien weg te varen. Maar goed, alles op z'n tijd. Hij bracht de hoorn naar zijn mond om een commando te geven, toen zijn lippen verstarden. Hij zag op het scherm een paar donkere stippen achter het luchtschip. Als verstard keek hij naar de stippen, die al snel de vorm aannamen van laagvliegende vliegtuigen.

De F-16D Fighting Falcon-straaljagers waren van een luchtmachtbasis bij Fresno opgestegen, enkele minuten nadat een NORAD-satelliet de lancering van de Zenit had geregistreerd. Vliegend naar de plek van de lancering werden de piloten naar de *Koguryo* gestuurd, geholpen door een noodoproep van de *Deep Endeavor*. De grijze straaljagers vlogen laag boven het water en raasden op enkele tientallen meters hoogte over de brug van de *Koguryo*. Het bulderen van de straalmotoren volgde een seconde nadat de slagschaduwen van de toestellen over het schip waren gevlogen. De ramen rammelden in de sponningen op de plaats waar Ling stond, en zijn gezicht werd lijkbleek.

'Ga liggen! Ga liggen en verberg de raket!' blafte hij in de hoorn. Terwijl de SAM werd weggehaald, keek Lee naar de twee straaljagers die weer hoogte wonnen en in cirkels rond het schip bleven vliegen.

'Jij daar!' commandeerde hij een matroos. 'Zoek Tongju en breng hem onmiddellijk naar de brug. Nu meteen!'

De mannen in de zeppelin straalden van opluchting toen ze de F-16's van de luchtmacht boven de *Koguryo* zagen cirkelen. Ze beseften niet hoe groot het gevaar was geweest dat ze door een SAM-raket vanaf het schip uit de hemel geknald zouden worden. Ze wisten ook dat er marineschepen onderweg waren en dat de kans klein was dat de *Koguryo* zou ontsnappen. Het drietal richtte de aandacht weer op het in rook gehulde platform onder hen.

'De nevel trekt weg boven het heliplatform,' merkte Giordino op. 'Ik zal daar landen, dan kunnen jullie uitstappen en een kijkje nemen.'

'Goed idee,' antwoordde Dirk. 'Jack, we beginnen bij de brug en dan gaan we naar de hangar, als we daar kunnen ademen.'

'Ik zou in de mess beginnen,' zei Giordino, in een poging de sombere stemming te verbeteren. 'Als Pitt ongedeerd is, dan wil ik wedden dat hij nu een martini inschenkt en pretzels knabbelt.'

Giordino stuurde de zeppelin naar het platform en bracht de neus van het toestel in de wind. Hij manoeuvreerde naar het midden van het dek en liet de zeppelin dalen. Op dat moment stak Dahlgren zijn hoofd weer door de deuropening van de cockpit en wees door het zijraam.

'Kijk daar eens,' zei hij.

Ongeveer honderd meter naast het platform borrelden luchtbellen naar de oppervlakte van de zee. En een paar tellen later verscheen een gehavend, grauw metalen voorwerp boven water.

'Wrakstukken van de raket?' vroeg Dahlgren.

'Nee, dat is de *Badger*!' riep Giordino.

Hij stuurde de zeppelin meteen naar het drijvende toestel en de drie mannen zagen dat het inderdaad de *Badger* was, bijna onder water dobberend op de golven. De helderrode verf was van de romp gekookt tijdens de raketlancering, zodat een vlekkerige romp met kaal metaal en grondverf te zien was. De voorkant was gedeukt en verbogen, alsof het toestel ergens frontaal tegenaan gebotst was. Dat het toestel nog kon drijven, was een raadsel, maar er was geen twijfel mogelijk dat dit het experimentele onderwatertoestel was waarmee Dirk en Dahlgren naar het platform waren gevaren.

Giordino stuurde de zeppelin nog dichterbij en de drie mannen zagen verbaasd dat het bovenluik van de *Badger* geopend werd. Een dampwolk steeg op boven de opening van het luik en tergend traag verstreken de seconden terwijl ze strak naar het toestel staarden, heen en weer geslingerd tussen hoop en vrees. Toen zagen ze de vreemde aanblik van een paar voeten met sokken in de opening, gevolgd door een pluk zwart haar. De mannen begrepen dat ze naar handen keken die in sokken waren gestoken, als bescherming tegen het hete metaal. Met een lenige beweging kwam een gestalte door de opening van de metalen oven naar buiten.

'Dat is pa! Hij leeft!' riep Dirk uit, stralend van opluchting.

Pitt klom op de bovenkant van de schommelende *Badger* en zoog zijn longen vol frisse zeelucht. Hij was bezweet en bebloed, zijn kleren kleefden aan zijn huid, maar zijn ogen glansden toen hij opkeek en naar de mannen in de gondel zwaaide.

'We gaan naar beneden,' kondigde Giordino aan, en hij liet de zeppelin dalen tot de gondel rakelings boven de golven scheerde. Met vaste hand manoeuvreerde Giordino de gondel tot vlak naast de *Badger*. Pitt bukte zich om het luik te sluiten en kwam daarna wankelend naar de geopende deur van de gondel, waar hij door Dirk en Dahlgren veilig aan boord werd getrokken.

Met schorre stem zei hij tegen Giordino: 'Zo, nu heb ik wel zin om iets te drinken.'

Pitt liet zich op de stoel van de copiloot zakken en hij dronk gulzig een fles water leeg, terwijl Al, Dirk en Jack vertelden hoe de Zenit-raket enkele minuten eerder in de lucht geëxplodeerd was. Terwijl hij naar de vervagende dampsporen aan de hemel keek, en naar de *Koguryo* in de verte, deed Pitt op zijn beurt verslag van zijn aanvallen met de grondboor op de pijlers van de *Odyssey* en de verzengende beproevingen tijdens de lancering.

'En ik had nog wel gewed dat je in de mess van de *Odyssey* een glas martini stond te mixen,' bromde Giordino.

'Ík was degene die gemixed werd,' lachte Pitt. 'En ik zou ook levend gekookt zijn toen de *Badger* klem raakte tegen de zijkant van de ponton, maar het lukte me toch het roer tegen de stroom te drukken zodat ik weer loskwam en naar koeler water spoelde. Zelfs met lege ballasttanks was het nog een klus om aan de oppervlakte te komen, want ik moest eerst de bilgepomp aan de praat krijgen. Er staat nog veel water in de *Badger*, maar hij blijft voorlopig wel drijven.'

'Ik zal via de marifoon vragen of de *Deep Endeavor* de *Badger* opvist zodra ze de Sea Launch-bemanning van Santa Barbara Island hebben opgepikt,' zei Giordino.

'Mijn zus wordt razend als je haar niet eerst vertelt dat onze papa veilig is,' waarschuwde Dirk.

Summer was dolblij toen ze de stem van haar vader door de marifoon van de *Deep Endeavor* hoorde kraken en hij voor de grap een biertje en een sandwich pindakaas bestelde.

'We vreesden het ergste,' bracht ze uit. 'Wat is er in hemelsnaam gebeurd?'

'Dat is een lang verhaal. Het belangrijkste is eigenlijk dat het Scripps Instituut niet tevreden zal zijn over mijn stuurmanskunsten met de *Badger*.' Op de brug van de *Deep Endeavor* begreep niemand wat hij daarmee bedoelde.

Giordino liet het luchtschip weer opstijgen boven het water en Pitt zag de F-16's boven de vluchtende *Koguryo* cirkelen.

'Is de cavalerie eindelijk gekomen?' vroeg hij.

'Ja, nog maar kortgeleden. De marine stuurt een hele armada hierheen, dus die boot kan niet ontkomen.'

'De sloep van die boot heeft anders veel haast,' zei Pitt, en hij knikte naar een witte stip in het zuiden.

Door alle consternatie was de sloep onopgemerkt weggevaren van het moederschip en de kleine boot voer op volle snelheid naar de zuidelijke horizon.

'Hoe weet jij dat het de sloep van die boot is?' vroeg Giordino, in de verte turend.

'Hierdoor,' zei Pitt, en hij tikte op de monitor van de WESCAM-camera. Terwijl de mannen praatten, had hij met de zoomlens gespeeld en toevallig de snelvarende sloep opgemerkt. Op het uitvergrote beeld was duidelijk te zien dat het witte bootje inderdaad bij de *Koguryo* hoorde.

'Die straaljagers gaan duidelijk niet achter die sloep aan,' merkte Dirk op, kijkend naar de F-16's die rond de naar het westen varende *Koguryo* bleven cirkelen.

'Dan zullen wij die sloep maar achtervolgen,' besloot Pitt.

'Ze hebben geen schijn van kans als wij een beetje doorfladderen,' zei Giordino, en hij duwde de gashendels naar voren, zodat de naald van de snelheidsmeter langzaam naar 50 knopen kroop.

62

'Waarom hebben ze niet op die straaljagers en dat vervloekte luchtschip geschoten?' schold Tongju, terwijl hij door een verrekijker naar de *Koguryo* tuurde. De sloep voer op volle snelheid over de golven en de heftige bewegingen van het scheepje maakten het onmogelijk om goed in de verte te kijken. Hij smeet de verrekijker met een woeste zwaai op het dashboard.

'Die F-16's hebben Lee bang gemaakt,' zei Kim over zijn schouder, terwijl hij het stuurwiel stevig vastgeklemd hield. 'Nog twee minuten, dan moet hij daarvoor boeten met zijn leven.'

De *Koguryo* werd kleiner aan de horizon, terwijl de sloep verder naar het zuiden voer. Maar toen de springladingen aan boord explodeerden, zagen de mannen in de sloep duidelijk de fonteinen van water langs de waterlijn van de romp.

Kapitein Lee stond op de brug en eerst meende hij dat zijn schip beschoten werd door de F-16's. Maar de gevechtsvliegtuigen draaiden nog steeds rondjes en er was geen aanwijzing dat er raketten afgevuurd waren. Toen de eerste meldingen van schade op verschillende plekken in de romp onder de waterlijn binnenkwamen, besefte Lee wat er aan de hand was. Een paar minuten eerder had een matroos gemeld dat Kim en Tongju aan boord van de sloep waren gestapt en dat ze met hoge snelheid wegvoeren. Met een misselijkmakend gevoel van verraad begreep Lee dat hij en zijn schip opgeofferd zouden worden.

Maar een misrekening zou hen redden. Kims demolitieteam had zoveel explosieven aangebracht dat een schip zo groot als de *Koguryo* aan flarden gescheurd kon worden, maar een belangrijk gegeven was vergeten: het kabelschip had een dubbele scheepsromp. De exploderende springladingen scheurden de binnenromp open, maar de staalplaten van de buitenromp werden alleen verbogen. Zeewater stroomde door de naden naar binnen, maar niet met zoveel kracht dat het varende schip snel zou zinken, zoals Tongju had verwacht. Lee liet het schip meteen stoppen en er werden pompen geplaatst bij de kieren in de romp. De getroffen compartimenten werden met waterdichte schotten afgesloten. Het schip zou scheef hangen en niet snel kunnen varen, maar het bleef wel drijven.

Zodra het lekken bestreden was, keek de kapitein door een verrekijker naar de verdwijnende sloep in de verte. Lee besefte dat hij niet veel goeds meer kon verwachten in dit leven. Als gezagvoerder van het schip dat een mislukte raketaanslag op de Verenigde Staten had gepleegd zou hij de eerste zondebok zijn wanneer hij gearresteerd werd. En als hij op de een of andere manier aan arrestatie kon ontkomen, dan zou de confrontatie met Kang zijn einde betekenen. Tevreden dat zijn schip weer gestabiliseerd was, excuseerde Lee zich op de brug en ging naar zijn hut. Hij haalde een Makarov 9mm-pistool uit een lade met gestreken overhemden en ging op zijn bed liggen. Lee drukte de loop van het pistool tegen zijn oor en haalde de trekker over.

Terwijl de mannen in de *Icarus* de snel vluchtende sloep achtervolgden, zagen ze een serie explosies bij de romp van de *Koguryo*.

'Proberen die idioten dat schip met iedereen aan boord naar de kelder te jagen?' vroeg Dahlgren zich af.

Minutenlang zagen ze hoe het grote schip vaart minderde maar niet verder zonk. Pitt merkte op dat de bemanning niet naar de reddingboten ging en zag enkele zeelieden kalm bij de reling kijken naar de rondcirkelende gevechtsvliegtuigen. Hij tuurde scherp naar de waterlijn, maar zag slechts een lichte helling van de romp.

'Die boot komt voorlopig niet ver,' zei Pitt. 'We gaan eerst die sloep achterna.'

Giordino keek naar de beelden van het LASH-systeem op de laptop en hij zag op dertig zeemijl afstand vanuit het zuidoosten enkele grijze stippen naderen.

'Onze kameraden van de marine zijn onderweg,' zei hij, tikkend op het scherm. 'Dat duurt niet lang meer.'

De *Icarus* kon twintig knopen sneller varen dan de sloep, en de afstand tot het vluchtende witte bootje werd steeds kleiner. De zeppelin vloog op honderdvijftig meter hoogte en Giordino verspilde geen motorvermogen door hoger te gaan. Sierlijk vloog het luchtschip naar het kielzog van de sloep, laag boven het water zwevend. Pitt richtte de verkenningscamera op het open achterdek en de cabine van de sloep. Onder de kap kon hij alleen vage gestalten onderscheiden bij het stuurwiel.

'Ik tel vier man aan dek,' zei hij.

'Kennelijk mocht alleen een select gezelschap van boord,' merkte Giordino schamper op.

Pitt speurde via de camera naar het dek en zag opgelucht dat er geen zware wapens waren. Hij zag wel de vaten met extra brandstof op het achterdek.

'Ze hebben genoeg benzine aan boord om naar Mexico te varen,' zei hij.

'Ik denk dat onze vrienden van de kustwacht in San Diego het daar niet mee eens zijn,' zei Giordino, en hij stuurde de *Icarus* recht naar de sloep.

Tongju en zijn mannen hadden al hun aandacht op de *Koguryo* gericht, maar opeens merkte een van de commando's de naderende zeppelin op. Kim bleef aan het roer staan en de drie anderen stapten naar het achterdek om het luchtschip beter te kunnen zien. Pitt richtte de zoomlens op de mannen, tot hij hun gezichten kon onderscheiden.

'Herkennen jullie een van die schurken?' vroeg Pitt aan Dirk en Dahlgren.

Pitt junior tuurde even naar het beeldscherm en knarsetandde. Maar zijn woede maakte snel plaats voor een grijns.

'Die Fu Manchu in het midden. Hij heet Tongju en is Kangs ceremoniemeester voor alle martelingen en moorden.'

'Jammer dat we de Mexicaanse vakantie van zo'n aardige kerel bederven,' zei Giordino, en liet de neus van de zeppelin langzaam naar de zee dalen. Juist voordat het leek of Giordino de zeppelin in de golven wilde laten duiken, trok hij de neus weer op, zodat de gondel op vijftien meter hoogte bleef. De *Icarus* had de achterstand tijdens de duik helemaal ingelopen en Giordino stuurde langs de bakboordzijde van de sloep tot de gondel recht naast het vaartuig vloog.

'Wil je soms overstappen en een biertje met die kerels drinken?' vroeg Pitt, kijkend naar de mannen aan boord van de sloep, op enkele meters afstand van hem vandaan.

'Nee, als ze maar begrijpen dat ze niet sneller zijn dan Mad Al met zijn Magische Gasballon,' grijnsde hij.

Giordino nam gas terug, zodat de zeppelin precies naast de heftig deinende sloep bleef en een grote schaduw over de kleine boot wierp. Boven het razen van de twee motoren van de sloep en dat van de propellers van het luchtschip uit hoorden de mannen in de *Icarus* een onwelkom staccato. Pitt zag dat Tongju en de twee commando's hun automatische wapens hadden gericht en vanaf het achterdek op de zeppelin vuurden.

'Ik zeg het niet graag, Al, maar die kerels schieten gaten in je ballon,' zei Pitt.

'Jaloerse stakkers,' antwoordde Giordino en hij gaf meteen vol gas.

Voordat ze van Oxnard opstegen, hadden de mecaniciens gezegd dat het luchtschip heel wat gaten en scheuren kon doorstaan voordat het zou neerstorten. Tongju en zijn maten moesten een kist vol munitie leegschieten om de luchtwaardigheid van het met helium gevulde luchtschip in gevaar te brengen. Maar de gondel was minder veilig. Na een korte pauze volgde er weer een salvo en de vloer van de cabine versplinterde, omdat de schutters hun wapens nu op de gondel richtten.

'Allemaal liggen!' brulde Pitt, toen een salvo het zijraam van de cockpit verbrijzelde en de kogels rakelings over zijn hoofd floten. Het geluid van brekend glas vulde de cabine en een regen kogels doorzeefde de gondel. Dirk en Dahlgren lagen plat op de bodem en zagen rijen kogelgaten vlak naast hen en in het plafond verschijnen. Giordino ramde de gashendels zo ver mogelijk naar voren, en gespannen wachtend tot de zeppelin meer vaart kreeg, trok hij de stuurknuppel naar rechts, om weg te zwenken van de sloep.

'Nee!' riep Pitt. 'Ga terug en vlieg over die boot!'

Giordino wist dat hij Pitt niet moest tegenspreken, en zonder aarzelen deed hij wat hem opgedragen was. Hij trok de stuurknuppel naar links en de *Icarus* draaide weer naar de sloep. Hij keek even naar Pitt, die met gefronste wenkbrauwen de sloep bestudeerde. Het schieten ging door en sloeg overal gaten in de gondel, maar opeens verstomde het vuren omdat Giordino de gondel recht voor de kap van de sloep manoeuvreerde, zodat de schutters gehinderd werden.

'Is iedereen oké?' vroeg Pitt.

'Ja, met ons wel, maar een van de motoren hapert,' antwoordde Dirk.

Toen het geweervuur ophield, konden de mannen horen dat de

stuurboordmotor onregelmatig sputterde. Giordino keek naar het instrumentenpaneel en schudde zijn hoofd.

'De benzinedruk valt weg en de temperatuur stijgt. Het wordt nog lastig om op één been weg te hinken van deze kerels.'

Pitt keek naar het dek van de sloep en hij zag dat Tongju en zijn twee schutters op de achterplecht hun wapens herlaadden.

'Al, blijf in deze positie en leen me even je sigaar,' zei hij.

'Het is anders wel een heel goeie, gekregen van Sandecker,' zei Giordino, en aarzelde even voor hij de van speeksel vochtige peuk aan Pitt gaf.

'Je krijgt een kist sigaren van mij. Hou het tien tellen vol, draai dan scherp naar bakboord, en daarna zo snel mogelijk wegwezen.'

'Jij gaat toch niet echt doen wat ik denk?' vroeg Giordino.

Pitt keek alleen sluw terug, tastte toen met één hand naar een treklijn en draaide de schakelaar met BALLASTBRANDSTOF om. Hij trok aan het koord en telde in stilte tot acht, om dan de treklijn weer los te laten en de schakelaar terug te zetten. Aan de achterkant van de gondel werd een noodafsluiter van de brandstoftank geopend en een vloedgolf benzine stroomde uit de tank.

Door Pitts snelle actie regende tweehonderd liter benzine op het achterdek van de sloep. Pitt keek naar beneden en zag de brandstof door de gangboorden stromen, terwijl de boot heftig door de golven kliefde. Tongju en de twee schutters bedekten hun gezichten en ze vluchtten naar de buiskap toen ze besproeid werden. Maar ze kwamen al snel weer tevoorschijn zodra het geen benzine meer regende, en ze richtten hun wapens weer op de zeppelin. Pitt keek nieuwsgierig hoe de golf benzine langs hun voeten spoelde, en van de dekstoelen en de vier brandstofvaten op het achterdek droop. Hij trok een paar keer stevig aan de sigaar, zodat de punt fel opgloeide en stak toen zijn hoofd uit het verbrijzelde zijraam. Pitt grijnsde naar Tongju toen die opkeek en zijn machinegeweer op hem richtte. Dirk voelde dat de zeppelin overhelde omdat Giordino de bocht inzette. Met een rustige beweging zoog Pitt nog één keer lang aan de sigaar en gooide de brandende peuk met een nonchalant gebaar naar het achterdek van de sloep.

Een golf schudde de sloep door elkaar en Tongju moest zich schrap zetten tegen de reling, terwijl hij zijn AK-74 weer schouderde. Hij merkte de kleine bruine peuk niet op die naar beneden dwarrelde en zijn vinger spande zich om de trekker, toen hij bij zijn voeten een luide plof hoorde.

De gloeiende punt van de sigaar deed de damp van benzine ontbranden nog voordat de peuk op het dek viel. De regen van benzine uit de tanks van het luchtschip was overal op de sloep neergedaald en in enkele seconden stond de hele achterkant van de sloep in brand. De commando naast Tongju was doorweekt met benzine en de vlammen schoten langs zijn benen omhoog naar zijn romp. De man raakte in paniek en liet zijn wapen vallen. Hij danste als een bezetene over het dek, tevergeefs met zijn armen slaand om de vlammen te doven. Krijsend van pijn rende hij naar de reling en sprong overboord. Het zeewater doofde de menselijke toorts en alleen een walmende rookwolk steeg op. Kim stond aan het roer en keek om naar de drenkeling, maar hij deed niets om de boot te keren en de verschroeide man te redden.

Tongju was ook even in vlammen gehuld en liet woedend en zonder een schot te lossen zijn wapen zakken. Hij sprong onder de kap en slaagde erin de vlammen om zijn broekspijpen en schoenen uit te trappen. Kim keek angstig eerst naar het brandende achterdek en dan naar Tongju.

'Doorgaan!' schreeuwde Tongju. 'Het vuur gaat vanzelf uit.'

De wind en het buiswater van de voortrazende sloep hadden de vlammen inderdaad grotendeels gedoofd, maar er waren nog brandende plassen benzine, heen en weer bewegend over het dek, en aan de zwarte rookwolken was te zien dat er meer brandde dan alleen de benzine.

'Maar die brandstofvaten!' schreeuwde Kim, toen hij zag dat de vlammen al rond de vier benzinedrums lekten.

Tongju was de volle vaten met reservebrandstof op het achterdek vergeten. Het vuur woedde eerst achter de vaten, maar door de heftige bewegingen van de sloep klotste de brandende vloeistof naar de onderkant van de vaten. Tongju zag een kleine brandblusser in een klem aan de wand. Met één sprong griste hij de brandblusser weg en terwijl hij naar het achterdek rende, trok hij de veiligheidspin los. Maar het was al te laat.

De vuldop van één vat was niet goed gesloten en daardoor ontsnapte damp. Het voortdurend klotsen op de schommelende boot had de druk nog vergroot en dat werd weer versterkt door de hitte van het vuur, tot de benzinedamp ontbrandde. De oliedrum explodeerde meteen. En de drie andere vaten ontploften met een verwoestend effect.

Terwijl de zeppelin wegdraaide van de sloep zagen Pitt en de anderen hoe het eerste vat vlak naast Tongju ontplofte. Een wegvliegend stuk metaal van de oliedrum raakte zijn lichaam en sloeg een gat zo groot als een softbal in zijn borst. Een verbaasde trek verscheen op het gezicht van de man en hij zakte op zijn knieën. In de laatste seconden van zijn leven keek hij met een verbeten trek naar de zeppelin op, om vervolgens in een inferno van vlammen te verdwijnen.

De volgende explosies veranderden de hele bovenkant van de sloep in een maalstroom van stukken en brokken. Een grote vuurbal rolde omhoog toen de achtersteven van de sloep zich nog even verhief en de nog steeds draaiende schroeven in de lucht klauwden. De ontploffing sloeg een gapend gat in de romp en het wrak van de sloep verdween met veel rook en borrelend schuim in de golven, de lichamen van Tongju, Kim en de derde commando met zich mee naar de zeebodem sleurend.

Giordino stuurde de *Icarus* scherp weg van de exploderende sloep, maar toch sloegen rondvliegende brokstukken tegen het luchtschip, waardoor het materiaal waarvan het was gemaakt op meerdere plaatsen openscheurde. Meer dan honderd kogelgaten en scheuren zaten er in het omhulsel, waardoor het helium gemakkelijk kon ontsnappen. Maar het gehavende luchtschip weigerde te dalen en bleef als een aangeschoten vogel toch in de lucht.

De mannen in de gondel keken naar het onwezenlijke tafereel om hen heen. Aan de hemel boven hen was nog steeds een witte rookpluim te zien, als markering waar de Zenit ontploft was. Op zee naderden een marinefregat en een mijnenveger de *Koguryo*, met daarboven de rondcirkelende gevechtsvliegtuigen. En onder hen dreven smeulende wrakstukken op het water, boven het graf van Tongju en de gezonken sloep.

'Ik geloof dat het jouw vriend wat te heet onder de voeten werd,' zei Giordino tegen Dirk, die zijn hoofd in de cockpit stak.

'Ja, en ik denk dat hij ook nog wel een tijdje in de hel zal branden.'

'Dan hebben we hem een mooi voorproefje gegeven,' vond Pitt. 'Met jullie alles in orde?'

'Alleen een paar schrammen. We dansten tussen de kogels door.'

'Kijk toch eens wat ze met mijn luchtschip gedaan hebben,' mopperde Giordino, met een theatraal handgebaar naar de gehavende gondel.

'In elk geval zijn er geen essentiële systemen beschadigd. Ondanks die kogelgaten blijft de heliumdruk redelijk goed, en we hebben nog 180 liter benzine om naar de kust te komen,' zei Pitt, kijkend naar het instrumentenpaneel voordat hij de haperende motor uitschakelde. 'Breng ons maar naar huis, Al.'

'Doe ik,' antwoordde Giordino, en draaide de neus van de *Icarus* naar het oosten. Terwijl hij het beschadigde luchtschip met één werkende motor naar de kust liet vliegen, keek hij naar Pitt en zei: 'Zeg, wat die kist sigaren betreft...'

63

De aanblik van het Amerikaanse marinefregat en de mijnenveger was voor de bemanning van de *Koguryo*, nu zonder hun kapitein, voldoende om de handdoek in de ring te werpen. Er verschenen ook steeds meer gevechtsvliegtuigen in de buurt en het was voor iedereen aan boord duidelijk dat elke poging om te ontvluchten tot vernietiging van het schip zou leiden. En met de beschadigde romp was het ook onmogelijk snel weg te varen. Terwijl de marineschepen naderden, meldde de eerste stuurman van de *Koguryo* met een marifoonbericht dat de bemanning zich overgaf. Al na enkele minuten enterde een groepje militairen van de mijnenveger *Benfold* het schip en nam het gezag over. Een reparatieteam kwam aan boord om te helpen bij het stabiliseren van de beschadigde romp, en daarna werd het onder Japanse vlag varende schip opgebracht naar de haven van San Diego.

Vroeg in de ochtend van de volgende dag werd de *Koguryo* afgemeerd in San Diego, en meteen barstte een mediaspektakel los. Zodra het nieuws bekend werd dat er een mislukte raketaanval op Los Angeles was uitgevoerd, voeren talloze kleine bootjes met verslaggevers en fotografen door de haven, en iedereen wilde het terroristenschip en zijn bemanning van dichtbij zien. Van hun kant keken de zeelieden en technici aan boord van de *Koguryo* enigszins verbaasd neer op de zwermende bootjes. Maar de ontvangst op de marinebasis van San Diego was minder gastvrij. De opvarenden werden door groepjes beveiligingsmedewerkers naar zwaar bewaakte bussen geleid, om daarna snel weggevoerd te worden naar een afgelegen kazerne voor uitvoerig verhoor.

In de haven doorzocht een team onderzoekers elke centimeter van het schip, de computerbestanden met gegevens over de lancering werden in beslag genomen en de luchtafweerraketten werden van boord gehaald. Specialisten van de marine onderzochten de schade aan de romp, om zekerheid te krijgen dat die door explosieven aan boord was veroorzaakt. Het zou dagen duren voordat de analisten ontdekten dat alle softwaregegevens over de vlucht van de raket en de nuttige lading systematisch vernietigd waren, voordat het schip werd opgebracht.

Het ondervragen van de bemanning bleek even frustrerend. De meerderheid van de zeelieden en het technisch personeel meende dat er werkelijk een commerciële satelliet werd gelanceerd, en ze wisten ook niet dat ze zo dicht bij de Amerikaanse kust waren. En de enkeling die het wel wist, weigerde iets te zeggen. De ondervragers begrepen al spoedig dat Ling en de twee Oekraïense ingenieurs sleutelfiguren in deze zaak waren, ondanks hun heftig ontkennen.

Bij het publiek veroorzaakte het nieuws over de lancering enorme ophef, en die werd nog groter toen uitlekte dat de raket een lading pokkenvirus aan boord had. Het Japanse Rode Leger zat achter deze aanslag, werd in kranten en televisieprogramma's verkondigd, en die overtuiging werd nog versterkt door de valse berichten die Kang liet uitlekken. De regering deed er het zwijgen toe en ontkende niet, zolang nog niet duidelijk was hoe de vork precies in de steel zat, waardoor de algemene verontwaardiging tegenover Japan nog heviger werd. De aanval, hoewel mislukt, scheen voor Kang toch het gewenste effect te hebben. De media stortten zich met al hun mankracht op het incident. Onophoudelijk werden er nieuwsberichten opgesteld en die waren allemaal gericht op de mogelijke vergeldingsmaatregelen die genomen moesten worden tegen de Japanse terroristische groepering. In de stroom berichten ging het nieuws verloren dat in het Zuid-Koreaanse parlement gestemd zou worden over een motie om de Amerikaanse troepen uit het land te laten vertrekken.

Toen de media geen nieuwe feiten konden melden over de mislukte raketlancering, werd de aandacht verplaatst naar de helden die de ramp hadden verijdeld. De bemanning van het Sea Launch-platform werd bijna onder de voet gelopen door de verslaggevers, toen ze in Long Beach van boord stapten van de *Deep Endeavor*. Veel vermoeide opvarenden konden maar enkele uren rusten voordat ze met een helikopter teruggebracht werden naar de *Odyssey* om de gaten te dichten die Pitt had geboord in de pontons en om het platform daarna naar de haven te loodsen. De mannen die aan wal mochten blijven, werden belaagd voor uitvoerige interviews over hun gevangenneming aan boord van het platform, en over hun redding door Pitt en Giordino met het luchtschip. De twee mannen van NUMA werden geroemd als helden en elke nieuwsjager probeerde hen te spreken. Maar ze waren nergens te vinden.

Nadat ze het met kogels doorzeefde luchtschip aan de grond hadden gezet op een ongebruikte landingsbaan van de luchthaven Los Angeles, reden de mannen snel naar Long Beach, waar de *Deep Endeavor* was afgemeerd. Ze glipten ongezien aan boord nadat de bemanning van de Sea Launch was vertrokken en werden hartelijk begroet door Summer en de andere opvarenden, die heel opgelucht waren. Dahlgren zag tevreden dat de gehavende *Badger* aan dek stond.

'Kermit, we moeten weer een zoektocht beginnen,' zei Pitt tegen kapitein Burch. 'Hoelang duurt het voor we kunnen vertrekken?'

'Zodra Dirk en Summer van boord zijn,' antwoordde Burch, en hij wendde zich tot Dirk. 'Het spijt me, vriend, maar Rudi heeft me gebeld. Hij probeert jullie al uren te vinden. Hij zei dat de legerleiding met jou en Summer wil praten. Ze willen meer informatie over die bandieten, en wel zo snel mogelijk.'

'Sommige lieden hebben ook altijd geluk,' zei Giordino, grijnzend naar Dirk.

'Kennelijk is wat meer tijd in jouw gezelschap ons weer niet gegund,' zei Summer tegen haar vader.

'De volgende duik doen we samen,' beloofde Pitt, en sloeg zijn arm om de schouders van zijn kinderen. 'Dat beloof ik je.'

'En daar hou ik je aan,' zei Summer, voor ze haar vader op de wang kuste.

'Ik ook,' voegde Dirk eraan toe. 'Al, nog bedankt voor de rondvlucht met die zeppelin. De volgende keer neem ik toch liever de bus.'

'Jij vindt een zeppelin zeker beneden je stand?' lachte Giordino hoofdschuddend.

Dirk en Summer namen afscheid van Dahlgren en de anderen op de brug en gingen daarna snel van boord. De *Deep Endeavor* voer even later weg van de kade. Dirk wist dat hij voldaan moest zijn, maar toch voelde hij nog steeds ingehouden woede. De aanval met het dodelijke virus was verhinderd, de *Koguryo* was opgebracht en Tongju was gedood. En meer in zijn eigen belang wist hij dat Sarah veilig was. Maar aan de andere kant van de wereld liep Kang nog altijd vrij rond. Terwijl ze op de kade liepen, merkte Dirk dat Summer naast hem inhield om te zwaaien. Hij bleef staan en wuifde ook naar het vertrekkende schip, maar met zijn gedachten was hij ergens anders. Ze keken samen hoe het turquoise NUMA-schip langzaam de haven uitvoer, in de richting van de westelijke horizon.

Lang voordat een onderzoeksteam van de binnenlandse veiligheidsdienst eraan dacht alle beschikbare vaartuigen voor opsporing en berging in te zetten om te zoeken naar de wrakstukken van de raket, was de *Deep Endeavor* al begonnen met de sonarapparatuur en speurde de zeebodem af naar de gevaarlijke lading van de ontplofte raket. Kapitein Burch had al verwacht dat ze deze bergingspoging zouden ondernemen en hij wist precies waar het zoeken moest beginnen. Toen hij op het dek van de *Deep Endeavor* getuige was van het uiteenvallen van de Zenit-raket had hij de val van de brokstukken nauwlettend gevolgd en op een zeekaart aangetekend waar de neuskegel vermoedelijk in zee was gevallen.

'Als de lading intact is, dan moet die ongeveer in dit vierkant liggen,' zei hij tegen Pitt, toen ze weer naar zee voeren. Hij wees op een gebied met een oppervlakte van negen vierkante zeemijl dat hij op de kaart had gemarkeerd. 'Maar de brokstukken zullen waarschijnlijk erg verspreid liggen.'

'Wat er over is, ligt nog maar een paar uur op de zeebodem, dus het materiaal is nog niet onder het zand verdwenen,' zei Pitt, aandachtig naar de zeekaart kijkend.

Burch stuurde de *Deep Endeavor* naar een hoek van het vierkant, en vanaf dat punt werd er heen en weer gevaren van noord naar zuid. Amper twee uur nadat de speurtocht was begonnen, herkende Pitt de eerste brokstukken op de glooiende zeebodem. Wijzend naar de sonarmonitor zag hij een aantal puntige objecten, op een rij naar het oosten.

'Daar ligt een rij objecten die door mensen zijn gemaakt,' zei hij.

'Of de lokale vuilnisboot is hier wat kwijtgeraakt, of we zien daar raketonderdelen die gaan roesten,' beaamde Giordino, toen hij het scherm had bestudeerd.

'Kermit, zullen we een eindje naar het oosten varen? We kunnen kijken of dat spoor ergens toe leidt.'

Burch gaf commando's aan de roerganger en ze volgden het spoor enige tijd. Eerst waren er meer wrakstukken op de monitor te zien, maar geleidelijk weer minder, tot het spoor doodliep. Geen van de objecten op de zeebodem leek groter dan enkele decimeters.

'Het wordt wel een heel lastige legpuzzel om weer compleet te krijgen,' zuchtte Burch toen ze over de laatste verspreide brokstukken waren gevaren. 'Zullen we ons normale patroon weer hervatten?' vroeg hij aan Pitt.

Pitt dacht een ogenblik na. 'Nee. Blijf op deze koers. Er moet nog meer te vinden zijn.'

Pitts jarenlange ervaring met verkenning onder water had zijn zintuigen gescherpt tot bijna paranormaal niveau. Als een onderzeese jachthond kon hij bijna ruiken waar iets te vinden was. Er moesten in deze richting veel meer brokstukken van de Zenit op de zeebodem liggen, dat voelde hij.

Op het sonarscherm was alleen de vlakke zeebodem te zien, en de mannen op de brug begonnen te twijfelen. Maar een halve kilometer verderop verscheen een aantal rafelige vlekken op het scherm. En opeens werd het scherm gevuld met het silhouet van een groot, rechthoekig object, te midden van andere voorwerpen. De rechthoek schoof van het scherm en een nieuw beeld doemde op: de rechthoek was de schaduw van een grote cilinder.

'Baas, ik geloof dat je die blikken koker gevonden hebt,' grinnikte Giordino.

Pitt keek aandachtig naar de monitor en knikte. 'Laten we maar eens wat dichterbij kijken.'

Even later fixeerde de *Deep Endeavor* haar positie met behulp van de straalbuizen en werd een klein, op afstand bedienbaar toestel in zee neergelaten. Een grote lier wikkelde de stroomdraden van de ROV af en het toestel daalde driehonderd meter naar de zeebodem. Pitt zat in een schemerige hoek van de brug en bestuurde het onbemande toestel met twee joysticks. Een rij videomonitors was opgehangen aan de wand voor hem en daar waren beelden van de zandige zeebodem te zien via de zes digitale camera's op de ROV.

Pitt manoeuvreerde met de voortstuwing, zodat de ROV een meter boven de zeebodem bleef zweven en langzaam naar twee donkere objecten bewoog. Uit het zand staken twee rafelige stukken metaal, duidelijk herkenbaar als huidplaten van de Zenit-raket. Pitt stuurde de ROV verder langs de wrakstukken, tot de camera's gericht waren op de grote objecten die eerder met de sonar waargenomen waren. Het waren onmiskenbaar grote delen van de raket. De ROV kwam dichterbij en Pitt en Giordino zagen dat het eerste deel bijna vijf meter lang was en aan één kant platgeslagen. Dit deel van de raket was horizontaal op het water terechtgekomen, waardoor het de vierkante vorm had gekregen die ze eerder al op het sonarscherm hadden gezien. De ROV zweefde door het water naar het uiteinde en de camera was gericht op een groot spruitstuk, te midden van de buizen en leidingen die samen een raketmotor vormen.

'Is dat een trap van de raket?' vroeg Giordino, naar het scherm kijkend.

'Waarschijnlijk de derde trap van de Zenit, dus het bovenste deel, met een motor waarmee de satelliet in zijn uiteindelijke baan wordt gebracht.'

Het deel leek door de explosie recht afgebroken van de tweede trap van de raket. Maar het gedeelte erboven, met de neuskegel, was ook losgeraakt en niet meer te zien. Een aantal meters verderop doemde voor de cameralens in het schemerige water een groot wit object op.

'Laten we maar eens bij die grote jongen gaan kijken,' zei Giordino, wijzend naar een andere monitor.

Pitt stuurde de ROV naar het object, dat al spoedig het hele scherm wit kleurde. Het was duidelijk een ander deel van de Zenit-raket, en nog beter intact dan de derde trap. Pitt schatte de lengte op ongeveer zeven meter en hij zag dat de doorsnee wat groter was. Het dichtstbijzijnde uiteinde was totaal verwrongen: verbogen en afgescheurde platen wit metaal, alsof er met een moker op was geslagen. Pitt manoeuvreerde de ROV naar de opening in het compartiment, maar afgezien van verwrongen metaal was er weinig te zien.

'Dit moet de trap met de nuttige lading zijn, en die is kennelijk recht in het water gevallen,' oordeelde Pitt.

'Misschien is er aan het andere uiteinde iets te zien?' opperde Giordino.

Pitt stuurde de ROV langs de raket tot hij bij het andere uiteinde van de cilinder kwam en liet het toestel daar met een wijde boog omkeren. De schijnwerpers van de ROV verlichtten nu het uiteinde, en Pitt en Giordino bogen zich naar de monitor om meer te kunnen onderscheiden. Het eerste wat Pitt zag, was een ring aan de binnenkant van de rakettrap. Het was duidelijk dat de derde trap met een kleinere diameter in dit gedeelte paste. De ROV kwam langzaam dichterbij en ze zagen dat een verticale plaat van het bovenste deel was afgescheurd. Pitt bracht de ROV wat hoger en hield de camera's op de opening gericht.

Ze zagen een warboel van buizen en draden, en Pitt liet de ROV stil hangen toen opeens een vlak paneel zichtbaar werd, glanzend in de felle lichten van het onderwatertoestel.

Een brede grijns verscheen op Pitts gezicht.

'Ik denk dat we daar een zonnepaneel zien,' zei hij.

'Mooi werk, dr. Von Braun,' antwoordde Giordino met een hoofdknik.

De ROV kroop naar voren en ze zagen duidelijk de opgevouwen zonnepanelen en de cilindervorm van de namaaksatelliet achter de scheur in de raket. De neuskegel was ernstig beschadigd door de klap op het water, maar de inhoud was nog intact, met het virus als dodelijke lading.

Pitt bekeek de situatie van de lading aandachtig via het videoscherm en daarna liet hij de ROV terugkeren naar de *Deep Endeavor*, zodat het onderwatertoestel aan boord gehesen kon worden. De *Deep Endeavor* was vooral ontworpen als researchschip, maar het kon dankzij de mini-onderzeeboten aan boord ook als bergingsvaartuig worden gebruikt. Omdat de *Badger* buiten bedrijf was, gebruikten Pitt en Giordino een reserve-onderwatertoestel om een kabel onder de neuskegel te brengen en dat deel van de raket voorzichtig naar boven te hijsen, geholpen door opblaasbare drijvers. In het donker, en buiten het zicht van nieuwsgierige blikken van journalisten op bootjes in de buurt, werd de lading uit het water gehesen en op het dek van de *Deep Endeavor* geplaatst. Pitt en Giordino zagen hoe het bovendeel van de raket werd gezekerd en met een stuk canvas werd bedekt.

'Daar zijn die jongens van de inlichtingendienst voorlopig zoet mee,' merkte Giordino op.

'In elk geval is duidelijk dat die aanslag niet gepleegd werd door een stelletje amateurterroristen. Als het dodelijke gevaar van die lading bekend wordt bij het grote publiek, dan wenst die morbide meneer Kang dat hij nooit geboren was.'

Giordino maakte een armgebaar naar de lichtende gloed aan de oostelijke horizon. 'Alles bij elkaar denk ik dat de inwoners van Los Angeles ons wel een biertje mogen aanbieden omdat we hun mooie stad gered hebben. En ze mogen ook wel de sleutels van Playboy Mansion aan mij geven.'

'Ze moeten Dirk en Summer bedanken.'

'Jammer dat ze niet met eigen ogen hebben kunnen zien hoe die lading werd opgevist.'

‘Sinds ze van boord zijn gestapt heb ik niets meer van ze gehoord.’

‘Waarschijnlijk doen ze wat hun vader ook zou doen,’ grijnsde Giordino. ‘Niet opdagen voor dat verhoor met de veiligheidsdienst, maar naar Manhattan Beach gaan om lekker te surfen.’

Pitt lachte even en keek peinzend weer naar de donkere zee. Nee, wist hij, daar was het nu geen tijd voor.

64

Op een hoogte van veertien kilometer boven de oceaan zat Dirk in de krappe stoel van een regeringsvliegtuig en probeerde wat te slapen. Maar de adrenaline golfde nog door zijn lichaam en hield hem wakker, terwijl het vliegtuig naar Zuid-Korea vloog. Enkele uren eerder waren hij en Summer opgehaald van de *Deep Endeavor* om informatie over hun ontmoeting met Kang en over diens versterkte residentie te verstrekken aan de FBI en de heren van de militaire inlichtingendienst.

Ze hadden gehoord dat Sandecker de president uiteindelijk kon overtuigen: het Witte Huis had opdracht gegeven Kang op te pakken. Dat moest snel en heimelijk gebeuren, zonder de Zuid-Koreaanse regering in te lichten. Er was een aanvalsplan opgesteld, en daarbij waren verschillende bedrijven van Kang het doelwit, ook de scheepswerf bij Inchon. De mysterieuze zakenman was al enkele dagen niet in het openbaar gezien en daarom was zijn privéresidentie bovenaan de lijst geplaatst. Omdat slechts zelden een westerling in die residentie werd uitgenodigd, was de informatie van Dirk en Summer van cruciaal belang.

'Wij willen heel graag een beschrijving van die villa geven. We kunnen vertellen waar er ingangen zijn, en we weten ook waar de wachtposten en beveiligingscamera's zijn,' bood Dirk meteen aan, 'maar ik wil er wel iets voor terug: een toegangskaartje voor jullie show.'

Dirk glimlachte stilletjes toen hij de heren van de inlichtingendienst zag verbleken. Na aanvankelijke protesten en enkele telefoontjes naar Washington kreeg hij toestemming om mee te gaan. Het was ook een voordeel als Dirk aanwezig was tijdens de aanval, beseften de heren. Maar Summer dacht dat haar broer krankzinnig was geworden.

'Wil jij werkelijk terug naar die folterkamer?' vroeg ze, toen de agenten van de veiligheidsdienst de kamer hadden verlaten.

'Reken maar,' antwoordde Dirk. 'Ik wil op de voorste rij zitten als ze het touw om Kangs nek knopen.'

'Eén keer was meer dan genoeg voor mij. Wees alsjeblieft voorzichtig, Dirk. Laat het vuile werk over aan de mariniers. Ik was jou en pa al bijna kwijt,' zei ze met zusterlijke bezorgdheid.

'Maak je geen zorgen. Ik blijf op de achtergrond en hou me koest,' beloofde hij.

Twee uur van koortsachtig overleg later werd Dirk naar de luchthaven van Los Angeles gebracht en stapte hij aan boord voor de lange vlucht naar Korea. Kort nadat de wielen van het vliegtuig de landingsbaan van de marinebasis Osan raakten, moest Dirk weer informatie geven, deze keer aan mariniers van de Special Operations Forces, die de aanval zouden uitvoeren. Dirk leverde alle details die hij zich kon herinneren over de ligging en indeling van Kangs residentie. Daarna leunde hij achterover en luisterde aandachtig naar de tactische plannen, die heel gedetailleerd werden opgesteld. Twee teams van Special Ops kregen opdracht het dok van Kang en het nabijgelegen telecommunicatiecentrum in Inchon binnen te dringen, terwijl een groepje commando's van de marine de residentie zou aanvallen. Beide operaties moesten tegelijkertijd uitgevoerd worden, en reserveteams zouden gereedstaan om andere bedrijven van Kang te doorzoeken als de raadselachtige zakenman niet op de eerste locaties gevonden werd.

Na de briefing kwam een nuchtere marinekapitein die verantwoordelijk was voor de coördinatie van de groep mariniers naar Dirk.

'Je hebt vijf uur rust voordat we verzamelen. Je gaat mee met het team van commandant Gutierrez. Ik zal ervoor zorgen dat Paul op tijd alle spullen voor je heeft. Helaas krijg je geen vuurwapen. Opdracht van hogerhand.'

'Dat begrijp ik. Maar ik ben al blij dat ik mee mag.'

Dirk ging snel wat eten en even slapen in de tijdelijke officiersverblijven. Daarna voegde hij zich bij de mariniers en kreeg camouflagekleding, een kogelwerend vest en een nachtkijker. Na de laatste instructies klommen de mannen in gesloten vrachtwagens en werden naar een kade ten zuiden van Inchon gereden. Onder dekking van de duisternis stapten de vierentwintig mariniers aan boord van een onopvallende kleine boot en ze voeren snel weg, in de richting van de Gele Zee, naar het eiland Kyodongdo. Het team grondig getrainde mannen controleerde de vuurwapens nauwkeurig in de schaars verlichte kajuit, terwijl de boot snel over open zee stoof. Commandant Paul Gutierrez, een gedrongen en gespierde kerel met een smal snorretje, kwam naar Dirk toe toen ze de monding van de Han naderden.

'Jij gaat met mijn groep in de tweede boot,' zei hij. 'Blijf zodra we op de oever zijn dicht bij mij in de buurt. Met een beetje geluk zijn we daar weer weg zonder een schot te lossen. Maar voor alle zekerheid....' Hij zweeg en gaf Dirk een klein tasje.

Dirk trok de rits open en haalde een automatisch SIG Sauer P226 9mm-pistool tevoorschijn, plus een extra magazijn patronen.

'Dank je zeer,' zei Dirk. 'Ik was al bang dat ik misschien ongewapend in een vuurgevecht zou belanden.'

'Dat kevlarvest is een goede bescherming, maar dit geeft nog wat meer zekerheid. Maar niemand zeggen waar je dit wapen gevonden hebt,' voegde hij er met een knipoog aan toe. Gutierrez verdween naar de stuurhut om te kijken hoelang de tocht nog duurde.

Een halfuur later stoof de boot langs de ingang naar de baai waar Kangs residentie zich bevond en bleef nog twee mijl stroomopwaarts varen, tot de motoren abrupt uitgeschakeld werden. De boot kwam langzaam tot stilstand en begon met de stroom mee te drijven. Drie Zodiac rubberboten werden snel te water gelaten. Zonder geluid en behendig klommen acht mariniers in elke boot en peddelden weg. Dirk zat in de tweede boot. Bijna onzichtbaar in de donkere nacht voeren de drie rubberboten met de stroom mee en gleden het kanaal in dat naar de baai bij Kangs huis liep.

Toen de drie boten de laatste bocht in het toegangskanaal achter zich lieten, weerkaatste een bewolkte hemel de lichten op het terrein van Kang. Dirk greep een peddel en roeide mee met de zwaarbewapende mariniers naast hem in de boot. Zijn vermoeidheid en de jetlag verdwenen snel toen hij het versterkte fort van Kang voor zich zag oprijzen.

Halverwege de baai voeren twee rubberboten naar links, om te landen op het zandstrand bij de steiger, en de derde boot ging naar rechts. De mannen in de derde boot waren gekleed in duikerpakken en zij zouden als eersten naar de kant zwemmen, om via de rotsige oever het terrein te naderen. Dirk roeide in een van de boten die naar het strand voeren en vroeg zich af of het team in de voorste boot wel alle bewakingscamera's bij de toegang naar de baai onklaar had gemaakt.

Zodra ze dichter bij de oever kwamen, zag Dirk dezelfde boten afgemeerd aan de steiger als toen hij en Summer waren ontsnapt. Het grote Benetti-jacht van Kang en de snelle blauwe catamaran waren achter elkaar afgemeerd, en daartussen lag de kleine speedboot. Het jacht en de catamaran kregen alle aandacht van de mariniers in Dirks boot. Hun missie was deze boten onder controle te krijgen, terwijl de andere mariniers het terrein bestormden. Dirk keek naar de steiger en omgeving en hij glimlachte toen hij aan de verdwenen roeiboot dacht.

De twee rubberboten bleven enkele minuten wachten, terwijl de duikende mariniers aan wal kropen. Dirk zag bij de rotsige oever enkele donkere schimmen geluidloos uit het water komen. Twee schimmen bewogen snel naar de wachtpost en overmeesterden de enige bewaker, die in zijn krant verdiept was.

Bij de boeg van Dirks boot stak commandant Paul Gutierrez zwijgend zijn hand op en het team stak de peddels weer in het water. Met enkele krachtige slagen werd de boot naar de oever geroeid. De bodem van de boot schuurde over het zand en de mannen sprongen meteen op de oever. Overal op het terrein bleef het stil toen het team uit de volgende boot naar de ingang van de lift rende, gedekt door de eerste groep.

Dirk volgde zijn team van acht mariniers, en de groep splitste zich in tweeën. Vier mannen sprongen aan boord van de catamaran, terwijl commandant Gutierrez en drie anderen doorliepen naar het grote Benetti-jacht. Dirk draafde langs de catamaran, want hij wilde bij de mannen blijven die naar het grote jacht renden. Maar hij bleef met een ruk staan toen opeens een gele lichtbundel op het achterdek aanflitste. Het ratelen van een AK-74 verscheurde de nachtelijke stilte, gevolgd door de akelige doffe plofgeluiden van kogels die de twee mannen voor hem raakten. Dirk dook weg achter een vat en trok razendsnel zijn SIG Sauer 9mm-pistool om een salvo te lossen in de richting van het geweervuur. Een paar meter voor hem had Gutierrez ook teruggeschoten, richtend op het achterdek met een kogelregen uit zijn Heckler & Koch MP5K-machinepistool. De schoten schakelden de schutter op de boot uit, in een regen van glasscherven en splinters.

De plotselinge schotenwisseling leek het hele eiland te wekken, want overal op het terrein klonken nu knallen. Een paar kerels kwamen zwaaiend met pistolen door een deur van de catamaran, maar ze werden snel neergemaaid door de mariniers die al aan boord waren geklauterd. Een bewaker bij de centrale wachtpost zag via een videocamera de vermoorde beveiligingsman op het strand en sloeg meteen alarm. De naderende mariniers werden opgewacht door een zestal in het wilde weg schietende bewakers.

Dirk boog zich over de twee mariniers die languit voor hem op de grond lagen. Geschrokken zag hij dat de eerste man dood was, met een rij kogelgaten langs zijn nek en sleutelbeen. De tweede man leefde nog, kronkelend en kreunend van de pijn. Hij was beschermd door zijn kogelwerend vest, dat de meeste patronen had opgevangen, maar hij was wel gewond geraakt aan zijn heup.

'Ik red me wel,' bromde de stoere marinier, toen Dirk probeerde te kijken hoe ernstig de schotwonden waren. 'Ga maar door met de missie.'

Op dat moment kwamen de krachtige motoren van het Benetti-jacht gorgelend tot leven. Dirk keek op en zag dat er aan dek geschoten werd: een man sneed de meerlijnen door en een andere man vuurde onophoudelijk om hem te dekken.

'We krijgen ze wel,' zei Dirk tegen de gewonde marinier en klopte op zijn schouder. Met tegenzin, omdat hij de gewonde niet alleen wilde laten, kwam hij weer overeind en rende naar het jacht. De motoren begonnen te brullen zodra de gashendels naar voren werden geduwd. Schuimend kolkte het water weg achter de malende scheepsschroeven.

Een paar meter voor Dirk loste Gutierrez een salvo op het jacht en brulde: 'Kom, we gaan aan boord!'

Dirk stormde langs Gutierrez en de andere mariniers, die ook overeind kwamen om naar het jacht te rennen. Het knetteren van een automatisch wapen klonk ergens en Dirk hoorde de kogels rakelings over zijn hoofd gonzen. Een doffe klap resoneerde achter hem op de steiger en een stem schreeuwde: 'Ik ben geraakt!' Op dat moment sprong Dirk van de steiger.

Het vluchtende jacht was nog maar een halve meter van de steiger verwijderd, toen Dirk aan boord sprong en zich vastgreep aan de reling, om zich met een vloeiende beweging aan boord te hijsen. Hij bleef doodstil op het donkere achterdek liggen. Een seconde later hoorde hij een dreun en nog iemand klauterde aan boord. Dirk zag het silhouet van een gecamoufleerde marinier snel over de reling klimmen, een meter achter hem.

'Ik ben het, Pitt,' fluisterde Dirk naar de schim, omdat hij niet per vergissing neergeschoten wilde worden. 'Wie daar?'

'Gutierrez,' klonk de zware stem van de commandant zacht. 'We moeten naar de stuurhut en deze boot stoppen.'

Gutierrez kwam half overeind en wilde naar voren kruipen, maar Dirk hield hem met een handgebaar tegen. Beide mannen verstarden en Dirk richtte zijn ogen en oren op de bakboordzijde van het jacht. In de verte zag hij een trap, die naar het open observatiedek boven hun hoofden leidde. Het jacht voer de baai in en de lichten van de steiger straalden over het achterdek. Dirk zag iets bewegen in de schaduwen bij de trap. Langzaam haalde hij zijn 9mm-pistool uit de holster, richtte nauwkeurig en wachtte af. Toen de schim opeens de trap af kwam, haalde Dirk twee keer de trekker van zijn SIG Sauer over.

Een metalig geluid klonk over het dek toen er een vuurwapen viel en de lange schim van de trap gleed. Het volgende moment was er een man in een zwarte overall herkenbaar.

'Goed geschoten,' bromde Gutierrez. 'Kom mee.'

De commandant sloop naar voren, en Dirk volgde hem op korte afstand. Even gleed hij bijna uit omdat het dek glad was. Hij keek naar beneden en zag dat er bloed op het dek lag van de man die Gutierrez vanaf de steiger had neergeschoten. Het lijk van de man lag met het gezicht naar beneden, met een geknakte sigaret nog tussen zijn lippen geklemd.

Het jacht voer met brullende motoren weg van de verlichte steiger en raasde op topsnelheid over het water van de donkere baai. Bijna alle lichten aan boord waren gedoofd, afgezien van enkele kleine lampjes in het interieur. De twee mannen zochten op de tast de weg naar het achteronder, waar de eetsalon zich bevond, en liepen toen naar het gangboord aan stuurboord. Gutierrez stak opeens zijn hand op en bleef staan, om dan een stap naar de salon te zetten.

'Er is hier nauwelijks dekking, dus is het beter als we splitsen. Neem jij de bakboordgang en probeer naar voren te komen. Ik ga via stuurboord naar voren,' zei Gutierrez, die al vermoedde dat er een schutter om de hoek zou wachten. 'En we moeten opschieten, want anders zijn we al aan de verkeerde kant van de gedemilitariseerde zone.'

Dirk knikte. 'Ik zie je op de brug,' fluisterde hij, en bewoog snel naar de andere kant van het achterdek. Met zijn zintuigen tot het uiterste gespannen waagde hij zich voorzichtig naar de hoek aan bakboord en stapte op het teakhouten gangpad dat naar voren leidde. Op de oever ratelde geweervuur boven het ronken van de motoren uit, maar Dirk had alleen aandacht voor de geluiden aan boord. Hij sloop verder, tot de gang eindigde bij een trap. De brug van het jacht was nu bijna binnen bereik, nog tien meter en een verdieping hoger. Dirk keek omhoog en opeens ratelde automatisch geweervuur door de lucht. Zijn hart sloeg over, maar toen besefte hij dat het aan de andere kant van het jacht was.

Gutierrez was voorbereid op het salvo. Hij sloop gebukt langs de stuurboordkant en verwachtte elk moment een onzichtbare schutter. Zodra hij bij de trap kwam, klom hij als een kat omhoog, alert op een plotseling salvo. Amper had hij een voet op de tree gezet of geweervuur sproeide boven zijn hoofd. Verscholen in de schaduw van de zijkant van de brug opende een in het zwart geklede kerel met zijn AK-74 het vuur.

Gutierrez ontsnapte nauwelijks aan een fusillade. Het salvo van de schutter was te hoog gericht omdat op dat moment het jacht vaart minderde en wegdraaide naar de smalle ingang van het kanaal dat de baai met de rivier verbond. Terugduikend naar de trap liet Gutierrez zich enkele treden zakken voordat hij zich omdraaide en zijn MP5K richtte. De SEAL wachtte kalm tot de schutter opnieuw een salvo afvuurde. Het geweervuur sloeg vlak naast hem in het teakdek in en de splinters vlogen in zijn gezicht. Gutierrez richtte opnieuw en loste in het duister een salvo uit zijn Heckler & Koch. Een korte gesmoorde kreet klonk en weer sproeiden kogels uit het geweer van de onzichtbare schutter. Maar deze keer verdwenen de kogels met gele lichtsporen naar de hemel, om even later te verstommen toen de dodelijk gewonde schutter op het dek viel.

Aan de andere kant van het jacht hoorde Dirk dat het geweervuur ophield, en hij vroeg zich af of Gutierrez de schotenwisseling had overleefd. Omhoogbewegend langs de trap bleef hij na twee treden stilstaan en verstarde toen hij een droge klik achter zich hoorde. Hij hield zijn hoofd schuin en bespeurde dat het geluid afkomstig was van een hutdeur onderaan naast de trap. Stilletjes daalde hij de trap weer af en sloop tot vlak voor de deur. Dirk klemde zijn SIG Sauer stevig in zijn rechterhand en tastte met zijn linkerhand naar de koperen deurgreep. Hij draaide de kruk en haalde diep adem. Met een snelle beweging duwde hij de deur open en stormde naar binnen.

Hij had verwacht dat de deur helemaal open zou zwaaien, maar de deur werd geblokkeerd door een gestalte. Even uit zijn evenwicht gebracht, zag Dirk dat hij tegenover een gespierde bewaker stond. De man keek hem verbaasd aan. Dirk zag dat de man een diep litteken in zijn kin had, en een scheve neus die ooit gebroken was. De man hield een AK-74 in zijn handen en hij probeerde het wapen te herladen. De loop van het geweer was naar de vloer gericht en hij morrelde met het magazijn, maar hij draaide het wapen meteen om en haalde met de kolf uit naar Dirk. Dirk wilde een stap achteruit doen om zijn SIG Sauer te richten, maar werd nog voor hij kon schieten door de kolf geraakt, en de kogel verdween in de wand, zonder zijn tegenstander te raken. Maar Dirk incasseerde de klap niet rigide, hij draaide naar rechts en zwaaide tegelijk met zijn linkerarm. Met een snelle beweging balde hij zijn linkervuist en knalde een hoekstoot op de kaak van de man. Zijn tegenstander wankelde achteruit, struikelend over een mand met wasgoed.

Nu pas zag Dirk dat deze hut een kleine wasserij was. Tegen de achterwand stonden een wasmachine en een droger, terwijl er in het midden een strijkplank stond. Dirk hervond zijn evenwicht, hij richtte zijn SIG Sauer op de man en haalde de trekker over.

Er volgde geen luide knal en ook geen terugslag – alleen een droge klik, ten teken dat er zich geen patroon in de kamer bevond. Dirk trok een grimas toen hij besefte dat hij de dertien patronen in het magazijn al verschoten had. Grijnzend naar het ongeladen handwapen liet de bewaker van Kang zich op zijn knieën zakken. In zijn rechterhand hield hij een volle patroonhouder, die hij behendig in zijn machinepistool klikte. Dirk besefte dat hij de SIG Sauer nooit op tijd kon herladen, maar zijn lichaam reageerde al voor een ander plan. Vanuit zijn ooghoek zag hij het glanzende voorwerp waar zijn hand zich al naar uitstrekte, in een laatste poging zich te verdedigen.

Het verchroomde strijkijzer op de strijkplank was niet heet, en het snoer was niet aangesloten. Maar het was wel een zwaar en puntig voorwerp. Met een snelle beweging greep Dirk het strijkijzer en smeet het met al zijn kracht naar de man tegenover hem. De schutter, bezig zijn wapen op Dirk te richten, dook niet eens weg. De platte kant van het strijkijzer raakte de man als een smidshamer en zijn schedel kraakte hoorbaar. Het machinepistool viel op de vloer, gevolgd door de bewusteloze schutter, die met vreemd weggedraaide ogen in elkaar zakte.

Onder zijn voeten voelde Dirk dat de motoren opeens meer toeren maakten. Het jacht was door het kanaal gevaren en accelereerde nu op de brede rivier. Het jacht zou zeker veel sneller kunnen varen dan de boot van de mariniers die op de rivier wachtte. Dirk en Gutierrez moesten snel in actie komen om het jacht tot stoppen te dwingen. Maar hoeveel gewapende kerels waren er aan boord? En, belangrijker nog, waar was Gutierrez?

65

Gutierrez knielde bovenaan de trap aan stuurboord, turend naar eventuele bewegende schaduwen onder hem in de gang. Het zwarte silhouet van de schutter die hij uitgeschakeld had lag roerloos op het dek naast de brug. Hij zag nergens beweging en er werd op dat moment ook niet op hem geschoten. Hij wilde niet wachten tot er versterkingen kwamen en sprong weg van de trap, om meteen door de open deur naar de brug te stormen.

Hij verwachtte half en half dat een groep gewapende bewakers hem daar zou opwachten met geweerlopen strak op hem gericht, maar dat bleek niet het geval. Er waren drie mannen in het stuurhuis, en die keken hem schamper aan. Een gezette man met een verweerd gezicht, kennelijk de kapitein, stond aan het roer en stuurde het jacht naar het midden van de rivier. Bij de deur aan bakboordzijde stond een man met een geweer in zijn handen en hij keek de marinier wat verbaasd aan. En achter in de ruimte, zittend in de hoge lederen kapiteinsstoel, met een misprijzende uitdrukking op zijn gezicht, zat niemand anders dan Kang zelf. De zakenman, die Gutierrez herkende van een foto die tijdens de briefing was getoond, was gekleed in een bordeauxrode zijden kimono, omdat hij aan boord van zijn jacht had geslapen om elk moment te kunnen vluchten.

De vier mannen keken elkaar aan, en de reflexen van Gutierrez kwamen al in actie. De getrainde marinier richtte zijn wapen snel op de bewaker en haalde de trekker over, een seconde voordat de man reageerde. Kort na elkaar vuurde hij drie kogels af, en de bewaker werd in zijn borst geraakt. Een verbaasde trek verscheen op het gezicht van de man die door de inslag van de kogels naar achteren tegen de wand tuimelde en tegelijk instinctief begon te vuren. Een salvo kogels knalde uit zijn geweer en sloeg gaten in het dek in de richting van Gutierrez. De marinier stond machteloos tegenover de naderende kogelregen, tot de schietende bewaker dood in elkaar zakte.

Het duurde een fractie van een seconde voordat Gutierrez reageerde. Hij was door een kogel in zijn dijbeen geraakt, en hij voelde een warm straaltje bloed langs zijn been tot in zijn laars lopen. Een volgende kogel trof hem bijna in zijn buikstreek, maar werd afgeketst door zijn eigen machinepistool. De kogel raakte de MP5K, en Gutierrez besefte dat het vuurwapen nu defect was.

De andere mannen op de brug begrepen dat ook. De gezette kapitein stond dicht bij Gutierrez, liet het stuurwiel los en stortte zich op de gewonde marinier. Onvast door de wond aan zijn linkerbeen, bleef hij staan toen de kapitein op hem af stormde en hem met zijn volle gewicht vastgreep en tegen het stuurwiel duwde. Gutierrez voelde dat de lucht uit zijn longen werd gedreven en het was alsof zijn ribben zouden breken toen de gespierde kapitein hem leek te willen fijnknijpen. Maar Gutierrez hield zijn MP5-machinepistool nog steeds in zijn rechterhand en hij sloeg het wapen met al zijn kracht van achteren tegen de schedel van de kapitein. Tot zijn verbazing gebeurde er niets. De kapitein leek hem nog steviger in zijn greep te nemen, en Gutierrez zag sterretjes in alle kleuren voor zijn ogen toen de zuurstof uit zijn bloed verdween. Scherpe pijnscheuten trokken door zijn gewonde been en de pijn bonkte in zijn slapen. Weer knalde hij de kolf van zijn wapen tegen het hoofd van de kapitein en weer leek diens greep alleen maar steviger te worden. Gutierrez werd wanhopig en raakte bijna buiten bewustzijn terwijl hij telkens weer met de kolf op het hoofd van de kapitein beukte. Gutierrez voelde dat zijn krachten het begaven en hij verwachtte elk moment bewusteloos te raken. Maar opeens werd hij weer helemaal helder.

De herhaalde harde slagen waren uiteindelijk te veel voor de koppige kapitein, en beide mannen vielen, nog steeds omstrengeld, met een klap op het dek. De marinier hapte naar adem en voelde dat de ijzeren greep verslapte. Eindelijk kon hij weer diep ademhalen en hij werkte zich op zijn knieën.

'Dat was een indrukwekkende vertoning, maar helaas wel uw laatste,' klonk de stem van Kang vol venijn. Terwijl Gutierrez met de kapitein worstelde, was Kang naderbij gekomen en hij richtte nu zijn

Glock-pistool op het hoofd van de marinier. Gutierrez zocht naar iets om zich te verdedigen, maar dat was er niet. De gedode bewaker klemde zijn AK-74 nog in zijn handen en Gutierrez hield zijn eigen nutteloze wapen in zijn rechterhand. Op zijn knieën, verzwakt door zijn verwonding en de worsteling met de kapitein, kon hij niets meer doen. Met een vastberaden blik keek hij naar Kang en de loop van het Glockpistool die op zijn gezicht werd gericht.

Een enkel schot knalde als een onverwachte donderslag door de brug. Gutierrez voelde niets en was verbaasd toen hij de onthutste blik in Kangs ogen zag. Toen pas zag hij dat de hand van de Koreaan, waarmee die zijn wapen vasthield, verdwenen was in een fontein van donker bloed. Nog twee schoten knalden en bloed spoot uit de linkerknie en rechterdij van Kang. Met een gesmoorde kreet van pijn viel Kang op de vloer, grijpend naar de gewonde pols.

In de deuropening stond Dirk, met een AK-74 op ooghoogte, de rokende loop nog op Kang gericht. Een opgeluchte grijns gleed over zijn gezicht toen hij met Gutierrez oogcontact maakte en zag dat de marinier nog leefde.

Dirk kwam dichterbij en besefte dat het stuurloze jacht nog met een vaart van bijna 40 knopen over de rivier raasde. Aan stuurboord voer de boot van de mariniers, maar die kon deze snelheid niet bijhouden. Bij de andere oever van de rivier, en nu recht voor het motorjacht, was de felverlichte baggermolen traag bezig de vaargeul uit te diepen. Dirk keek even naar de baggermolen en dacht aan de gedode marinier op de steiger en aan de mannen van de kustwacht die in Alaska omgekomen waren. Toen richtte hij zich weer op de kronkelende Kang en liep naar de hevig bloedende zakenman toe, die nog steeds op de vloer lag.

'Het is afgelopen, Kang. Geniet maar van je verblijf in de hel.'

Kang keek woedend op naar Dirk en hij uitte een verwensing, maar Dirk draaide zich om en liep weg. Hij liep naar het stuurwiel en trok Gutierrez overeind.

'Goed werk, maat, maar waarom duurde het zo lang?' vroeg Gutierrez schor.

'Ik moest eerst nog wat gladstrijken,' antwoordde Dirk, en trok de marinier naar de reling.

'We kunnen dit cruiseschip beter stoppen,' gromde Gutierrez. 'Ik had niet verwacht dat de grote baas aan boord was. De inlichtingendienst zal hem graag onder een paar felle lampen zetten.'

'Ik vrees dat Kang al een afspraak met magere Hein heeft,' antwoordde Dirk en hij pakte een reddingboei die hij over Gutierrez' hoofd en schouders schoof.

'Ik heb opdracht hem levend in te rekenen,' protesteerde Gutierrez, maar voordat hij nog iets kon zeggen, greep Dirk hem bij zijn revers vast en rolden ze samen over de reling het water onder hen in. Dirk zorgde ervoor dat hij zich onder Gutierrez bevond, zodat hij de klap grotendeels opving toen ze het water raakten en door de snelheid nog een paar keer opstuiterden. Nadat ze even onder water verdwenen, kwamen ze weer boven terwijl het jacht langs hen heen raasde. Dirk hield Gutierrez met moeite boven water. De bemanning van de mariniersboot zag het tweetal over de reling vallen en kwam meteen in actie om de drenkelingen aan boord te halen. Maar Dirk en Gutierrez hadden alleen oog voor het jacht van Kang, dat met hoge snelheid over de rivier stoof. De Benetti bleef kaarsrecht dwars over het water varen, recht op de baggermolen bij de andere oever af. De man in het stuurhuis van de baggermolen zag het jacht snel dichterbij komen en gaf een lange stoot op de scheepshoorn, maar de Benetti bleef onveranderd op koers.

Met een donderende klap boorde het glanzende witte jacht zich als een aanvallende stier in de baggermolen, en de scherpe boeg raakte de roestige schuit midscheeps. Omdat het jacht op topsnelheid voer, leek het wel te exploderen in een witte wolk van rook. De volle tanks scheurden open en de brandstof vatte vlam, zodat er een vuurbal oprees boven de uiteenspattende stukken van de versplinterende romp. Op de baggermolen en de rivier regende het brokstukken, en de verbrijzelde boot zonk naast het roestige gevaarte naar de bodem. Toen de rook en de vlammen waren verdwenen, was amper te zien dat hier enkele seconden eerder een bijna zestig meter lang jacht had gevaren.

Dirk en Gutierrez dreven in het water en keken grimmig en gefascineerd naar het helse tafereel, terwijl een reddingboot van het mariniersvaartuig hen naderde.

'De chefs zullen razend zijn dat we hem niet levend hebben afgeleverd,' zei Guttierez somber.

Dirk schudde bitter zijn hoofd. 'Om hem dan de rest van zijn leven gerieflijk in een cel te laten doorbrengen. Niks daarvan.'

'Ik denk er ook zo over, en ik denk dat we de mensheid een grote dienst hebben bewezen. Maar Kangs dood zal wel gevolgen hebben. Mijn superieuren zullen niet blij zijn als we hierdoor een conflict met Korea hebben veroorzaakt.'

'Als alle feiten duidelijk worden, zullen er echt geen tranen vloeien om Kang en zijn moordlustige onderneming. En trouwens, hij leefde nog toen wij van boord stapten. Het lijkt me eerder een ernstige aanvaring.'

Gutierrez dacht even na. 'Een aanvaring,' herhaalde hij, in een poging zichzelf te overtuigen. 'Ja, daar lijkt het inderdaad op.'

Dirk keek naar de laatste rookflarden die langzaam oplosten boven de rivier, en hij grijnsde vermoeid naar Gutierrez terwijl de reddingboot langszij kwam en hen uit het water viste.

EPILOOG

66

1 juli 2007

Met de vernietiging van Kang kwam er ook een einde aan zijn imperium. De mariniers die Kangs residentie doorzochten, slaagden erin zijn assistent Kwan levend aan te houden, terwijl die juist bezig was een stapel belastende documenten te vernietigen. De paperassen werden in beslag genomen. Bij Inchon overviel het andere team mariniers de scheepswerf van Kang en het aangrenzende telecombedrijf. Het hevige verzet van de bewakingsdienst wekte meer argwaan, en een groot team van specialisten drong snel door in het gebouw. De geheime biologische laboratoria in de kelderverdieping werden spoedig ontdekt en ook werd duidelijk welke banden Kang en zijn staf met Noord-Korea hadden. Toen hij geconfronteerd werd met alle bewijzen en te horen kreeg dat zijn baas gedood was, sloeg Kwan al spoedig door tijdens de ondervraging en hij bekende, in een poging zijn eigen hachje te redden, wat Kang allemaal in zijn schild voerde.

In de Verenigde Staten had het nieuws over 'de fatale aanvaring toen Kang vluchtte voor de autoriteiten' een vergelijkbare reactie bij Ling en zijn topingenieurs tot gevolg. De heren werd voorgehouden dat ze vervolgd zouden worden wegens een poging tot massamoord, en ze kozen ervoor mee te werken aan het onderzoek, ondanks hun zwakke excuus dat ze slechts opdrachten hadden uitgevoerd. Alleen de Oekraiense ingenieurs weigerden mee te werken, en het gevolg was dat ze uiteindelijk langdurige gevangenisstraffen kregen opgelegd.

De autoriteiten hielden intussen hun troefkaarten verborgen voor het grote publiek, tot de bewijzen van het moorddadige aanvalsplan geborgen waren. De restanten van de neuskegel met de gevaarlijke lading die door Pitt en Giordino waren opgevist, werden in het diepste geheim overgebracht naar luchtmachtbasis Vandenberg bij Los Angeles. In een zwaarbewaakte hangar demonteerde een team ruimtevaartspecialisten de neuskegel en ontdekten de namaaksatelliet waarin de voorraad virus en het sproeisysteem waren verborgen. Biologen van het leger demonteerden de hulzen met gevriesdroogd virus en al spoedig ontdekten ze dat de inhoud bestond uit een dodelijk mengsel van het pokkenvirus en hiv-verwekkers. Monsters die genomen waren in het laboratorium bij Inchon werden vergeleken met de vondst, en geschokt stelde men vast dat dit hetzelfde dodelijke mengsel was. Hoewel het leger enkele monsters wilde bewaren, werd al het gevonden materiaal op last van de president vernietigd. De vrees bestond dat er nog ergens gevaarlijke monsters rondzwierven, maar de chimera die door de wetenschappers van Kang was samengesteld werd in feite totaal vernietigd.

De *Koguryo* en haar bemanning werd in verband gebracht met Kang Enterprises, en toen vaststond dat Kang en Noord-Korea nauwe betrekkingen onderhielden, kwam het ministerie van Binnenlandse Zaken eindelijk met een verklaring. Een storm van verontwaardiging stak wereldwijd op in de media toen de details van de mislukte terroristische aanslag op het grondgebied van de Verenigde Staten bekend werden. De wereldpers verlegde, toen duidelijk werd dat de moordaanslagen op de diplomaten ook verband hielden met Kang, de aandacht van Japan naar Noord-Korea. De mislukte aanslag met de Zenitraket veroorzaakte wereldwijde woede op het totalitaire regime van Noord-Korea, ondanks de hardnekkige ontkenning van de Koreaanse Arbeiderspartij dat die daarbij betrokken was. De weinige handelspartners die vóór het incident zaken deden met Noord-Korea namen maatregelen door nog meer beperkingen op import en export. Zelfs China voegde zich bij de sancties door de handel met het regime op te schorten. Weer begon de uitgehongerde plattelandsbevolking van Noord-Korea in stilte vragen te stellen bij de dictatoriale heerschappij en het nepotisme van haar leider.

In Zuid-Korea sloeg het overweldigende bewijs tegen Kang en de misdaden van zijn handlangers in Seoel in als een bom. Elk bezwaar tegen de Amerikaanse militaire aanwezigheid werd snel opzijgeschoven door de storm in de media. Eerst was er ongeloof en schrik, maar de stemming sloeg al snel om in woede en hevige verontwaardiging over het verraad van Kang en zijn inzet voor Noord-Korea. De gevolgen lieten niet lang op zich wachten. Politieke kopstukken en lobbyisten die Kang gesteund hadden, vielen meteen in ongenade. Een golf van aftredende parlementariërs volgde, en het schandaal had zelfs gevolgen voor de regering. Onthullingen over nauwe contacten met Kang dwongen de Zuid-Koreaanse regeringsleider zijn ontslag aan te bieden.

De nationale verontwaardiging en woede hadden als gevolg dat de bezittingen van Kang Enterprises snel genationaliseerd werden. De jachten en helikopters werden verkocht en de versterkte residentie van Kang veranderde in een instituut dat gewijd werd aan het bestuderen van de Zuid-Koreaanse soevereiniteit. De naam Kang werd verwijderd van al zijn vroegere bezittingen, die later verkocht werden aan concurrerende bedrijven. Al spoedig herinnerde niets meer aan het bestaan van Kang. En alsof er in stilte een decreet was uitgevaardigd, werd de naam Kang ook geschrapt uit de archieven.

De ontdekking dat Kang nauwe banden had met het noorden kreeg op elk maatschappelijk niveau gevolgen. Demonstraties van jongeren voor de hereniging van beide Korea's werden niet meer gehouden en de afkeer van Noord-Korea groeide weer in het nationale bewustzijn. De massale aanwezigheid van militairen bij de grens werd niet langer genegeerd. Hereniging bleef een ideaal, maar dat zou dan wel gebeuren op de voorwaarden die Zuid-Korea stelde. Toen de hereniging van het gehele Koreaanse schiereiland achttien jaar later eindelijk een feit werd, was dat een gevolg van het verlangen bij de Koreaanse Arbeiderspartij naar meer liberalisering. En door de grotere persoonlijke vrijheid die daarmee gepaard gaat, kon de partij zich eindelijk losmaken van de dictatoriale heersersfamilie en werd het grootste deel van de strijdmacht omgevormd tot een burgerlijk leger van economische werkers.

Maar voor dat alles kon gebeuren moest nu in het parlement eerst gestemd worden over Motie 188256, het voornemen om een eind te maken aan de Amerikaanse militaire aanwezigheid op Zuid-Koreaans grondgebied. Het was een zeldzaam blijk van eensgezindheid toen de vertegenwoordigers van de regeringspartij en de oppositie unaniem tegen de motie stemden.

In de Zuid-Koreaanse stad Kunsan verliet luchtmachtsergeant Keith Catana kort voor de dageraad zijn kleine cel in de stadsgevangenis en werd hij overgedragen aan een kolonel van de luchtmacht die werkzaam was bij de Amerikaanse ambassade. Catana wist niet wat er allemaal gebeurd was en hij kreeg evenmin te horen wat de reden van zijn vrijlating was. Catana zou nooit weten dat hij in de val was gelokt, en verondersteld werd een minderjarige prostituee te hebben vermoord, als onderdeel van een sluw plan om de publieke opinie over de Amerikaanse militaire aanwezigheid in Korea te beïnvloeden. En hij zou ook nooit weten dat Kwan, de persoonlijke assistent van Kang, de details van die in scène gezette moord had opgebiecht. Kwan legde de schuld helemaal bij de dode Tongju, evenals de politieke moordaanslagen in Japan. Maar dat kon de verbaasde sergeant Catana niet schelen toen hij snel aan boord werd gebracht van een militair vliegtuig dat naar de Verenigde Staten vertrok. Hij wist maar één ding: hij gaf maar al te graag gehoor aan het verbod van de luchtmachtkolonel om nog ooit in zijn leven een voet op Koreaanse bodem te zetten.

In Washington kreeg NUMA heel even alle lof toegezwaaid voor de inzet bij het saboteren van de raketlancering en het verhinderen van de verspreiding van het dodelijke virus boven Los Angeles. Maar door de dood van Kang en het publiekelijk bekend worden dat de zakenman verantwoordelijk was voor de mislukte aanslag waren de heldendaden van Pitt en Giordino al spoedig oud nieuws. Hoorzittingen in het Congres en onderzoek naar de achtergronden van de mislukte aanslag kregen alle aandacht, evenals de oproepen om Noord-Korea de oorlog te verklaren. Na verloop van tijd verslapten de emoties weer en verschoof de aandacht steeds meer naar de binnenlandse veiligheid en de grensbewaking van de Verenigde Staten, en naar maatregelen om te voorkomen dat een dergelijke aanslag nog ooit herhaald kon worden.

De nieuwe directeur van NUMA maakte handig gebruik van de situatie en vroeg om extra geld voor het instituut, om de verloren helikopter, het gezonken researchschip en de twee beschadigde mini-onderzeeboten te vervangen, met het argument dat alle schade veroorzaakt was door de handlangers van Kang. In een sfeer van vaderlandslievende dankbaarheid reageerde het Congres ruimhartig op het verzoek, en in enkele dagen werd formeel het besluit genomen het geld beschikbaar te stellen.

En tot verbazing van Giordino was Pitt erin geslaagd extra geld los te krijgen voor een 'mobiel atmosferisch surveillanceplatform' dat door NUMA gebruikt zou worden voor kustonderzoek. Dat toestel had hij ook 'luchtschip' kunnen noemen.

67

Het was een heldere frisse middag in Seattle, en de dalende zon wierp lange schaduwen achter de naaldbomen van Fircrest Campus toen Sarah, steunend op twee aluminiumkrukken, uit het laboratorium van de gezondheidsdienst stapte. Ze had een dik gipsverband om haar rechterbeen, maar ze wist dat het gips over enkele dagen eindelijk verwijderd zou worden, en dat was een bemoedigend vooruitzicht.

Ze trok even een gekweld gezicht, want haar polsen en onderarmen deden pijn nu ze al wekenlang haar gebroken been niet kon belasten. Ze hinkte een paar stappen verder naar buiten en keek toen naar beneden om de paar treden naar het trottoir af te dalen. Voorzichtig plaatste ze telkens de krukken op de volgende treden en zag niet dat er een auto fout geparkeerd stond op het trottoir, zodat ze daar bijna tegenaan liep. Opkijkend, viel haar mond open van verbazing.

Recht voor haar stond Dirks Chrysler 300-D cabriolet, bouwjaar 1958. De auto leek halverwege een grondige restauratie. De gehavende leren bekleding was tijdelijk met tape hersteld en de kogelgaten in de carrosserie waren dichtgeplamuurd. De grijze plekken grondverf op de turquoise lak deden de auto lijken op een grote gecamoufleerde mantarog.

'Pas op dat je je andere been niet breekt.'

Sarah draaide zich om toen ze de zware stem achter zich hoorde en ze zag Dirk staan met een boeket witte lelies in zijn handen en een jongensachtige grijns op zijn gezicht. Sarah liet de krukken meteen vallen en sloeg haar armen om hem heen in een warme omhelzing.

'Ik maakte me al zorgen. Ik had niets meer van je gehoord sinds die raketaanval.'

'Ik was op zakenreis naar Korea, voor een laatste tochtje met het jacht van Dae-jong Kang.'

'Dat virusmengsel... Het is gewoon krankzinnig,' zei Sarah hoofdschuddend.

'Daar hoef je niet langer bang voor te zijn. Het is wel zeker dat alles verzameld en vernietigd is. Hopelijk zien we dat gevaarlijke spul nooit meer op deze aarde.'

'Er is altijd wel een gek bezig met een nieuwe biologische doos van Pandora.'

'Over gek gesproken: hoe is het met Irv?'

Sarah lachte om de opmerking. 'Hij wordt de enige overlevende van een pokkenbesmetting in onze tijd. Hij is al een eind op weg naar volledig herstel.'

'Fijn om dat te horen. Hij is een prima kerel.'

'Zo te zien wordt aan het herstel van jouw auto ook gewerkt,' zei ze, met een hoofdknik naar de Chrysler.

'Dat is een ouwe taaie. Ik heb de technische ravage al laten repareren toen ik weg was, maar de carrosserie en het interieur moeten nog gebeuren.'

Dirk keek Sarah teder aan. 'Ik ben je nog altijd een diner met krab schuldig.'

Sarah keek diep in Dirks groene ogen en knikte. Met een snelle beweging tilde Dirk haar op en zette haar voorzichtig voor in de cabriolet, samen met het boeket lelies. Daarna kuste hij haar vluchtig op haar wang. Hij gooide de krukken op de achterbank, sprong achter het stuur en startte de motor. De gereviseerde motor sloeg meteen aan en zoemde zacht.

'Geen veerboot?' vroeg Sarah, en ze nestelde zich tegen Dirk aan.

'Nee, geen veerboot,' lachte Dirk, en hij sloeg zijn arm om Sarah heen. Hij drukte het gaspedaal wat in, de motor ronkte en de cabriolet reed over het groene voorterrein de roze avondschemering tegemoet.